2024年版

ひとりで学べる

診療報酬請求事務能力認定試験 テキスト&問題集

医療事務

青山美智子＋
藤田勝弘 著

ナツメ社

別冊① Contents

オールカラー
レセプト主要点数早見表

⑪初診料　(A000)

※紹介状のない患者の初診料、医薬品の特定妥結率初診料は214点（詳細はP.3 ～ 4参照）、紹介状がない初診で、情報通信機器を用いた場合は186点（テキストP.85参照）

(診療所・病院)

区分 ＼ 年齢	時間内	時間外（夜間）	休日（日曜・祝日・12/29 ～ 1/3）	深夜（22:00 ～ 6:00）	時間外特例（夜間の緊急医療体制確保の医療機関）	同日に他科で初診を行った場合 複初（2科目のみ）
6歳以上（一　般）	291	376	541	771	521	146
6歳未満（乳幼児）	366	491	656	986	636	146

加算　診療所のみ加算（届）　　夜間・早朝等加算※1　　夜早　＋50点
診療所又は許可病床数200床未満の病院（届）機能強化加算　＋80
外来感染対策向上加算（診療所のみ）（届）初感 ＋6、発熱患者対応加算（届）初熱対 、連携強化加算 初連 ＋3、サーベイランス強化加算（届）初サ ＋1、抗菌薬適正使用加算（届）初抗菌適 ＋5、医療情報取得加算（届）1・2 医情1 ＋3・医情2 ＋1、医療DX推進体制整備加算（届）医DX ＋8

★加算（一般／乳幼児）…時間内（—／75点）、時間外（85点／200点）、休日（250点／365点）、深夜（480点／695点）、時間外特例（230点／345点）

★情報通信機器を用いた初診の場合は253点〔複初（2科目のみ）127点〕

※1　夜間・早朝等加算（診療所のみ）の時間帯

平　日……夜間（18：00～22：00）、早朝（6：00～8：00）
土曜日……夜間（12：00～22：00）、早朝（6：00～8：00）
日・祝……6：00～22：00　　深夜……22:00～6:00

⑪初診料のレセプトの書き方

●上記の時間帯は初・再診料に加算
●夜間・早朝等加算を算定した場合は、夜早 と略語を記入
●同日第2科目を算定した場合は、複初 と略語を記入し、当該診療科名及び点数を記入

レセプト

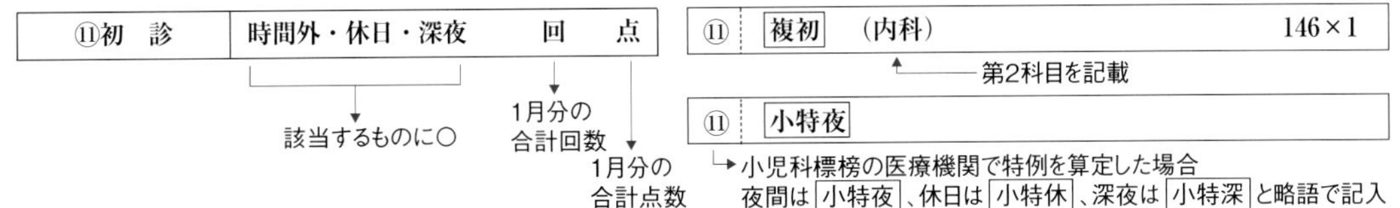

⑫再診料（診療所、一般病床200床未満の病院）(A001)

(一般病床0 ～ 199床) ※1　届出医療機関において情報通信機器を用いて再診を行った場合も含む

区分 ＼ 年齢	時間内	時間外（夜間）	休日（日曜・祝日・12/29 ～ 1/3）	深夜（PM10:00 ～ AM6:00）	時間外特例（夜間の緊急医療体制確保の医療機関）	同日に他科で再診を行った場合 複再（2科目のみ）
6歳以上（一　般）	75※1	75＋65	75＋190	75＋420	75＋180	38
6歳未満（乳幼児）	75＋38	75＋135	75＋260	75＋590	75＋250	38

加算				
加算	外来管理加算　＋52※2、薬剤適正使用連携加算 薬適連 ＋30、連携強化加算（要届出）再連 ＋3、サーベイランス強化加算（届）再サ ＋1、医療情報取得加算3・4（届）医情3 ＋2、医情4 ＋1、看護師等遠隔診療補助加算（届）看師補 ＋50			
	診療所のみ加算		夜間・早朝等加算	夜早 ＋50点
		要届出	時間外対応加算	「1」… 時外1 5点　「2」… 時外2 ＋4点 「3」… 時外3 ＋3点　「4」… 時外4 ＋1
		要届出	明細書発行体制等加算	明 ＋1点
		要届出	地域包括診療加算	再包1 ＋28点　再包2 ＋21点
		要届出	外来感染対策向上加算	再感 ＋6
		要届出	発熱患者等対応加算	再熱対 ＋20
			認知症地域包括診療加算	再認包1 ＋38点　再認包2 ＋31点

㊟ 特定妥結率再診料（妥結率が50％以下）の場合再診料は55点で算定、同日他科再診料は28点で算定。
※2　外来管理加算　52点　外来管理加算は再診のつど算定できるが、次の診療行為を行った場合は算定できない。

注8【外来管理加算の算定できない診療項目】

⑫	A001	電話再診
⑬	B001「17」	慢性疼痛疾患管理※1
⑬	B001-3	生活習慣病管理料（Ⅰ）※2
㊵	J000 ～ J129-4	処置
㊿	K000 ～ K939-9	手術
	L000 ～ L105	麻酔
⑳	H000 ～ H008	リハビリテーション
	I000 ～ I016	精神科専門療法
	M000 ～ M005	放射線治療

⑳		【生体検査のうち】
	D215 ～ D217	超音波検査等
	D235 ～ D238	脳波検査等
	D239 ～ D242	神経・筋検査
	D244 ～ D254	耳鼻咽喉科学的検査
	D255 ～ D282-3	眼科学的検査
	D286 ～ D291-3	負荷試験等
	D292 ～ D294	ラジオアイソトープを用いた諸検査
	D295 ～ D325	内視鏡検査

※1　「疼痛」を算定した月は外来管理加算は算定できないが、「疼痛」を算定する前に算定した外来管理加算は、「疼痛」算定初月に限り算定可。
※2　外来管理加算は生活習慣病管理料（Ⅰ）に含まれているため算定不可。

⑫再診料のレセプトの書き方

レセプト

●同日に2回以上再診があった場合または電話による再診（電話再診）が行われた場合には摘要欄に記入する

⑫再	再　　診	75 ×	3回	225	⑫	同日電話再診（1回）
	外来管理加算	52 ×	2回	104		

200床以上の医療機関では再診が外来診療料になる

その他、夜間・早朝等加算を算定した場合は 夜早 、時間外対応加算を算定した場合は 時外1 時外2 時外3 時外4 、明細書発行体制等加算を算定した場合は 明 、地域包括診療加算を算定した場合は 再包1 再包2 、認知症地域包括診療加算を算定した場合は 再認包1 再認包2 と記入する

薬剤適正使用連携加算を算定した場合は 薬適連 、外来感染対策向上加算を算定した場合は 再感 （発熱患者等対応加算を算定した場合は 再熱対 ）連携強化加算を算定した場合は 再連 、サーベイランス強化加算を算定した場合は 再サ 、抗菌薬適正使用加算を算定した場合は 再抗菌適 、医薬情報取得加算の3または4を算定した場合は 医情3 医情4 、看護師等遠隔診療補助加算を算定した場合は 看師補 と摘要欄に記入する。

⑫外来診療料（＝一般病床200床以上の病院の再診料）（A002）

（一般病床200床以上）

区分 ＼ 年齢	時間内	時間外（夜間）	休日（日曜・祝日・12/29～1/3）	深夜（22:00～6:00）	時間外特例（夜間の緊急医療体制確保の医療機関）	同日に他科で診療を行った場合（2科目のみ）複外診
6歳以上（一　般）	76	76＋65	76＋190	76＋420	76＋180	38
6歳未満（乳幼児）	76＋38	76＋135	76＋260	76＋590	76＋250	38

※情報通信機器を用いた外来診療料は75点で算定する
※特定機能病院・地域医療支援病院・認可病床400床以上病院（紹介割合50%未満・逆紹介割合30%未満、医薬品の妥結率50%以下等）の場合はP.3参照、他院（一般病床数200床未満の病院・診療所）を紹介したにもかかわらず当院を受診した場合はP.4参照

【外来診療料に包括される処置・検査の項目】

㊵処置	J000	創傷処置1.2	J053	皮膚科軟膏処置1	J060	膀胱洗浄
	J072	膣洗浄	J086	眼処置	J089	睫毛抜去
	J095	耳処置	J096	耳管処置	J097	鼻処置
	J098	口腔、咽頭処置	J099	間接喉頭鏡下喉頭処置	J114	ネブライザ
	J115	超音波ネブライザ	J118	介達牽引	J119	消炎鎮痛等処置

⑥⓪検査	D000 ～ D002-2	尿検査　すべて
	D003	糞便検査(カルプロテクチン(糞便を除く))
	D005	【血液形態・機能検査】 赤血球沈降速度測定（ESR)、網赤血球数（レチクロ)、血液浸透圧、好酸球（鼻汁・喀痰)、末梢血液像(自動機械法)、好酸球数、末梢血液一般検査、末梢血液像(鏡検法)、血中微生物検査、DNA含有赤血球計数検査、赤血球抵抗試験、自己溶血試験、血液粘稠度、ヘモグロビンF(HbF)
外来診療料には「電話による診察料は算定できません」		
外来診療料には「外来管理加算は算定できません」		

★包括される検査に係る判断料（判尿・判血）・採血料は別途算定できる（D400は外来のみ）。
★包括される検査を診療時間以外に行った場合、外来迅速検体検査加算 外迅検 が算定できる（時間外緊急院内検査加算 緊検 は算定不可）。

小児科を標榜している医療機関（小児科特例）の診察料

6歳未満の乳幼児が、次の時間帯に受診した場合、標榜する時間にかかわらず、診療時間内であっても、下記の区分の点数で算定します。

区分	受診の時間帯	小児科特例での略称	初診料	再診料・外来診療料
夜間	6:00 ～ 8:00、18:00（土曜日は正午）～ 22:00	小特夜	+200	+135
休日	6:00 ～ 22:00	小特休	+365	+260
深夜	22:00 ～ 6:00	小特深	+695	+590

〈例〉時間外等加算の小児科特例（診療時間8：00 ～ 19：00の場合）

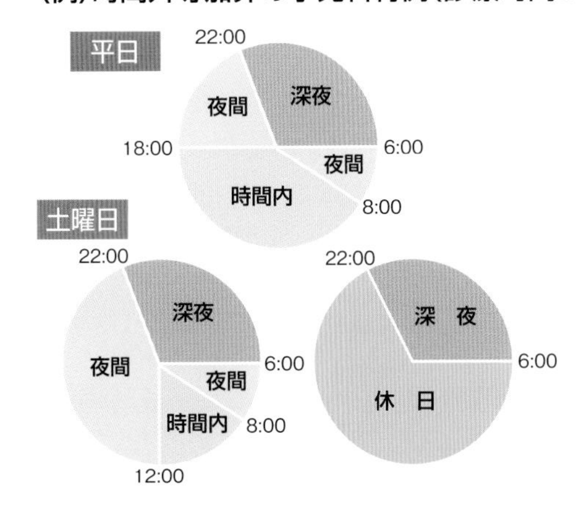

※19時まで診察時間内の医療機関や日曜日を診療としている場合などでも加算できる。

18:00 ～ 22:00 は　夜間 小特夜 で算定
土曜日は12：00 ～ 22：00

22:00 ～ 6:00 は　深夜 小特深 で算定

6:00 ～ 8:00 は　夜間 小特夜 で算定

日曜日が診療日であっても休日加算を算定します。

22:00 ～ 6:00 は、深夜 小特深 で算定

6:00 ～ 22:00は、休日 小特休 で算定

紹介状のない患者の初診料(※1) 医薬品の特定妥結率の医療機関の初診料(※2)

区分 / 年齢	時間内	時間外（夜間）	休日（日曜・祝日・12/29 ～ 1/3）	深夜（PM10:00 ～ AM6:00）	時間外特例（夜間の緊急医療体制確保の医療機関）	同日に他科で診療を行った場合（2科目のみ）
初診料						
6歳以上（一　般）	216	301	466	696	446	108
6歳未満（乳幼児）	291	416	581	911	561	108

紹介状を持参して来ない患者（他の保険医療機関からの文書による紹介状がなく初診を受けた患者）※1や、特定妥結率初診料（保険医療機関と、医療用医薬品の卸売販売業者との間での取引価格の薬価総額の割合が50%以下）※2の医療機関の初診料は216点で算定する。

【※1】
①特定機能病院、一般病床200床以上の地域医療支援病院及び一般病床200床以上の紹介受診重点医療機関であっ

て、初診患者の占める割合が他医療機関からの紹介状(文書)があるものの割合等が低いもの。

②許可病床数400床以上の病院（特定機能病院、地域医療支援病院、紹介受診重点医療機関及び一般病床200床未満の病院を除く）において初診患者の占める割合が他医療機関からの紹介状（文書）があるものの割合等が低いもの。

【※2】

医薬品の特定妥結率の病院とは、認可病床数200床以上の病院で医療用医薬品の取引価格の妥結率が、当年4月から9月末までにおいて50%以下の低い状況または妥結率医療品の取引価格の改善に関する報告がされていない病院。

他院(一般病床数200床未満の病院・診療所)を紹介したにもかかわらず当院受診の患者の外来診療料

区分 / 年齢	時間内	時間外(夜間)	休日(日曜・祝日・12/29～1/3)	深夜(22:00～6:00)	時間外特例(夜間の緊急医療体制確保の医療機関)	同日に他科で診療を行った場合(2科目のみ)
外来診療料						
6歳以上(一　般)	56	56+65	56+190	56+420	56+180	28
6歳未満(乳幼児)	56+38	56+135	56+260	56+590	56+250	28
妥結率50%以下の場合	56					28

入院料の算定【1日当たり】

入院料 ＝ ①入院基本料 ＋ ②入院基本料加算

⑨⑩一般病棟入院基本料（1日につき）（A100）

	平均在院日数	看護配置	看護師比率	基本点数	算定点数(基本点数+初期加算) 14日以内	15～30日以内	30日超	外泊1日につき	レセ
1　急性期一般入院基本料				初期加算	+450	+192	−	基本点数×15%	
急性期一般入院料1	16日以内	7:1以上	70%以上	1688	2138	1880	1688	253	急一般1
急性期一般入院料2	21日以内	10:1以上		1644	2094	1836	1644	247	急一般2
急性期一般入院料3				1569	2019	1761	1569	235	急一般3
急性期一般入院料4				1462	1912	1654	1462	219	急一般4
急性期一般入院料5				1451	1901	1643	1451	218	急一般5
急性期一般入院料6				1404	1854	1596	1404	211	急一般6
2　急性期一般入院基本料				初期加算	+450	+192	−		
地域一般入院料1	24日以内	13:1以上	70%以上	1176	1626	1368	1176	176	地一般1
地域一般入院料2				1170	1620	1362	1170	176	地一般2
地域一般入院料3	60日以内	15:1以上	40%以上	1003	1453	1195	1003	150	地一般3
特別入院基本料				初期加算	+300	+155	−		
特別入院基本料	上記以外	15：1未満	40%未満	612	912	767	612	92	一般特別

注加算・減算		レセ
月平均夜勤時間超過減算（基準不適合）	−15/100	夜減
夜勤時間特別入院基本料（基準不適合）	70/100	＊1
夜間看護体制特定日減算	−5/100	＊2
重症児（者）受入れ連携加算	+2000	重受連

注加算・減算		レセ
救急・在宅等支援病床初期加算	+150	病初
特定時間帯集中の退院日の入院基本料	92/100	午前減
特定日集中の入院日・退院日の入院基本料	92/100	土日減

＊1：一般夜特　＊2：一般夜看特定減

・午前中退院の割合が、退院全体の90%以上の医療機関に30日を超えて入院している患者について、退院日に手術と1000点以上の処置を伴わない場合は、退院日の入院基本料を100分の92で算定する。また、入院全体に占める金曜日入院・月曜日退院の割合の合計が40%以上の医療機関では、手術と1000点以上の処置を伴わない土曜、日曜(金曜日に入院した場合はその直後の土・日、月曜日に退院した場合はその直前の土・日に限る)の入院基本料は100分の92で算定する。

⑩一般病棟入院基本料等加算（A200～）

	加算項目	点数	略称	備考
【入院初日のみ加算】				
A204	地域医療支援病院入院診療加算	1000	地入診	届出不要、地域医療支援病院で算定する。A204-3紹介受診重点医療機関入院診療加算と併算定不可
A204-2	臨床研修病院入院診療加算			研修医が実際に臨床研修を行っている場合に算定 ・指導医の臨床経験7年以上 ・研修医2.5人に指導医1人以上など
	1. 基幹型	40	臨修	
	2. 協力型	20		
A204-3	紹介受診重点医療機関入院診療加算	800	紹入診	紹介受診重点医療機関における入院の前後の外来や医療機器・設備等、医療資源の活用が大きく、紹介患者への外来を基本とする外来を担う機能等を評価するもので、入院初日に算定する。A204地域医療支援病院入院診療加算と併算定不可
A205-2	**超急性期脳卒中加算** ㊌	10800	超急	脳梗塞と診断された患者に対し、発症後4.5時間以内に組織プラスミノーゲン活性化因子を投与した場合に入院初日に限り加算する
A205-3	**妊産婦緊急搬送入院加算**	7000	妊搬	
A206	**在宅患者緊急入院診療加算**			届出不要、特別入院基本料等でも算定可
	1. 在宅療養支援医療機関の場合	2500	在緊	
	2. 連携医療機関である場合（1を除く）	2000		
	3. 1・2以外の場合	1000		
A207	**診療録管理体制加算** ㊌			特別入院基本料等でも算定可
	1. 診療録管理体制加算1	140	録管1	
	2. 診療録管理体制加算2	100	録管2	
	3. 診療録管理体制加算3	30	録管3	
A207-2	**医師事務作業補助体制加算** ㊌			「1」を算定する場合：医師事務作業補助者の業務を行う時間について、80％以上を病棟または外来とする
	1. 医師事務作業補助体制加算1			
	イ. 15対1補助体制加算	1070	医1の15	
	ロ. 20対1補助体制加算	855	医1の20	
	ハ. 25対1補助体制加算	725	医1の25	
	ニ. 30対1補助体制加算	630	医1の30	
	ホ. 40対1補助体制加算	530	医1の40	
	ヘ. 50対1補助体制加算	450	医1の50	
	ト. 75対1補助体制加算	370	医1の75	
	チ. 100対1補助体制加算	320	医1の100	
	2. 医師事務作業補助体制加算2			
	イ. 15対1補助体制加算	995	医2の15	
	ロ. 20対1補助体制加算	790	医2の20	
	ハ. 25対1補助体制加算	665	医2の25	
	ニ. 30対1補助体制加算	580	医2の30	
	ホ. 40対1補助体制加算	495	医2の40	
	ヘ. 50対1補助体制加算	415	医2の50	
	ト. 75対1補助体制加算	335	医2の75	
	チ. 100対1補助体制加算	280	医2の100	

	加算項目	点数	略称	備考
A232	がん拠点病院加算			・B005-6-3 がん治療連携管理料との併算定不可 ・がんゲノム拠点病院加算 +250
	1. がん診療連携拠点病院加算		がん診	
	イ. がん診療連携拠点病院	500		
	ロ. 地域がん診療病院	300		
	2. 小児がん拠点病院加算	750	小児がん	
A234	医療安全対策加算 (届)			・人員配置要件で「1」は専従(兼任不可)、「2」は専任(兼任可) ・安全1 には医療安全対策地域連携加算1として 安全地連1 +50、安全2 には医療安全対策地域連携加算2として 安全地連2 +20を算定する
	1. 医療安全対策加算1	85	安全1	
	2. 医療安全対策加算2	30	安全2	
A234-2	感染対策向上加算 (届)			〈注加算〉(届) 「1」は、指導強化加算として、30点をさらに所定点数に加算する。「2」または「3」は、連携強化加算として、30点をさらに所定点数に加算する。また、「2」または「3」は、サーベイランス強化加算としてさらに3点、抗菌薬適正使用体制加算はさらに5点を所定点数に加算する
	1. 感染対策向上加算1	710	感向1	
	2. 感染対策向上加算2	175	感向2	
	3. 感染対策向上加算3	75	感向3	
A234-3	患者サポート体制充実加算 (届)	70	患サポ	A232がん診療連携拠点病院加算を算定している場合は算定不可
A243	後発医薬品使用体制加算 (届)			・DPC対象病棟入院患者は算定不可 ・「後発医薬品の規格単位数量」÷「後発医薬品のある先発医薬品と後発医療品を合算した規格単位数量」=Ⓐ Ⓐが90%以上「1」、85%以上「2」、75%以上「3」
	1. 後発医薬品使用体制加算1	87	後使1	
	2. 後発医薬品使用体制加算2	82	後使2	
	3. 後発医薬品使用体制加算3	77	後使3	
A234-2	バイオ後続品使用体制加算 (届)	100	バイオ体制	バイオ後続品のある先発バイオ医薬品（バイオ後続品の適応のない患者に使用する先発バイオ医薬品を除く）および、バイオ後続品を使用している入院患者について、入院初日に算定可
A245	データ提出加算 (届)			・A207診療録管理体制加算を算定する医療機関で算定 ・「1」は入院患者に係るデータを提出した場合に算定 ・「2」はさらに外来患者に係るデータも加えて提出した場合に算定 ・施設基準を満たす医療機関の入院患者には、提出データ評価加算 デ評 として退院時において20点をさらに加算する ・入院期間90日超ごとに1回所定点数に加算する
	1. データ提出加算1		デ提1	
	イ. 許可病床数200床以上の病院	145		
	ロ. 許可病床数200床未満の病院	215		
	2. データ提出加算2		デ提2	
	イ. 許可病床数200床以上の病院	155		
	ロ. 許可病床数200床未満の病院	225		
	3. データ提出加算3		デ提3	
	イ. 許可病床数200床以上の病院	145		
	ロ. 許可病床数200床未満の病院	215		
	4. データ提出加算4		デ提4	
	イ. 許可病床数200床以上の病院	155		
	ロ. 許可病床数200床未満の病院	225		

	加　算　項　目	点数	略称	備　　考
A246-3	医療的ケア児(者)入院前支援加算 (届)	1000	医ケア支	・情報通信機器を用いて行った場合は、1000点に代えて500点を加点する。 ・A246の注7「入院時支援加算」は算定できない。
	情報通信機器を用いて行った場合 (届)	500	情医ケア支	
A248	精神疾患診療体制加算			・「2」は入院初日から3日以内に1回算定する ・「2」を算定した場合はA300救命救急入院料、注2の加算、I011入院精神療法は算定できない
	1. 精神疾患診療体制加算1(入院初日)	1000	精疾診1	
	2. 精神疾患診療体制加算2	330	精疾診2	
A252	地域医療体制確保加算 (届)	620	地医体	地域の救急医療体制、周産期医療体制または小児救急医療体制において重要な機能を担うとともに、病院勤務医の負担の軽減及び処遇の改善に資する取り組みを実施する体制を評価するもの
A253	協力体制施設入所者入院加算 (届)			・入院初日に限り所定点数に加算する ・「1」は本院を協力医療機関としている介護保健施設等の者を入院させた場合
	1. 往診が行われた場合	600	協施1	
	2. 1以外の場合	200	協施2	
【入院中1回のみ加算】				
A236	**褥瘡ハイリスク患者ケア加算** (届)	500	褥ハイ	褥瘡ハイリスク患者ケア加算(特定地域) (届) 褥ハ地域 +250
A-247-2	**せん妄ハイリスク患者ケア加算** (届)	100	せハイ	せん妄のリスクを確認し、その結果にもとづいて、せん妄対策の必要性を認め、対策を行った場合に所定点数に加算する
【毎日加算(1日につき)】				
A200	**総合入院体制加算** (届)			・入院日から14日を限度に算定 ・A200-2 急充 は別に算定できない
	総合入院体制加算1	260	総入体1	
	総合入院体制加算2	200	総入体2	
	総合入院体制加算3	120	総入体3	
A200-2	**急性期充実体制加算** (届)			地域において急性期・高度急性期医療を集中的・効率的に提供する体制を確保する観点から、手術等の高度かつ専門的な医療に係る実績及び高度急性期医療を実施する体制を評価したもので、入院した日から起算して14日を限度として、当該患者の入院期間に応じて所定点数を算定する 〈注加算〉 小児・周産期・精神疾患の患者の受け入れに係る充実した体制評価に対する加算
	1. 急性期充実体制加算1		急充1	
	イ. 7日以内の期間	440		
	ロ. 8日以上11日以内の期間	200		
	ハ. 12日以上14日以内の期間	120		
	2.急性期充実体制加算2		急充2	
	イ. 7日以内の期間	360		
	ロ. 8日以上11日以内の期間	150		
	ハ. 12日以上14日以内の期間	90		
	〈注加算〉 小児・周産期精神科充実体制加算 (届) イ. 急性期充実体制加算1 ロ. 急性期充実体制加算2 精神科充実体制加算 (届)	 +90 +60 +30	 急充1 急充2 精充	
A205	**救急医療管理加算** (届)			6歳未満 乳救医 +400 6歳以上15歳未満 小救医 +200 入院から7日限度
	1. 救急医療管理加算1	1050	救医1	
	2. 救急医療管理加算2	420	救医2	

	加算項目	点数	略称	備考
A207-3	**急性期看護補助体制加算** ㊞届			夜間看護業務の補助体制の届出病棟の入院患者に対して、1日につきさらに下記を加算する。 〈注加算〉㊞届 夜間30対1急性期看護補助体制加算㊞届 夜30 ＋125 夜間50対1急性期看護補助体制加算㊞届 夜50 ＋120 夜間100対1急性期看護補助体制加算㊞届 夜100 ＋105 夜間看護体制加算㊞届 急夜看 ＋71 イ．看護補助体制充実加算㊞届 急看充1 ＋20 ロ．看護補助体制充実加算㊞届 急看充2 ＋5
	25対1急性期看護補助体制加算（看護補助者5割以上）	240	急25上	
	25対1急性期看護補助体制加算（看護補助者5割未満）	220	急25	
	50対1急性期看護補助体制加算	200	急50	
	75対1急性期看護補助体制加算	160	急75	
A207-4	**看護職員夜間配置加算** ㊞届			施設基準適合の届出医療機関の入院患者について入院日から14日を限度として加算する
	1．看護職員夜間12対1配置加算			
	イ．看護職員夜間12対1配置加算1	110	看職12夜1	
	ロ．看護職員夜間12対1配置加算2	90	看職12夜2	
	2．看護職員夜間16対1配置加算			
	イ．看護職員夜間16対1配置加算1	70	看職16夜1	
	ロ．看護職員夜間16対1配置加算2	45	看職16夜2	
A208	**乳幼児加算・幼児加算**			・届出不要 ・3歳未満に加算する ・産婦または生母の入院に伴って健康な乳幼児を在院させた場合は算定できない
	1．乳幼児加算		乳	
	イ．病院	333		
	ロ．特別入院基本料等算定病院	289		
	ハ．診療所	289		
	2．幼児加算		幼	・3歳以上6歳未満に加算する ・産婦または生母の入院に伴って健康な幼児を在院させた場合は算定できない
	イ．病院	283		
	ロ．特別入院基本料等算定病院	239		
	ハ．診療所	239		
A209	特定感染症入院医療管理加算			感染症法に規定する三類、四類、五類感染症の患者および指定感染症の患者、並びにこれらの疑似症患者のうち、感染対策が特に必要な者に適切な感染防止対策を実施した場合、1入院に限り7日を限度として算定する。ただし、疑似症患者については、初日に限り所定点数に加算する。
	1．治療室の場合	200	特感管	
	2．それ以外の場合	100		
A210	**難病等特別入院診療加算**			・届出不要 ・A211特殊疾患入院施設管理加算との併算定不可
	1．難病患者等入院診療加算	250	難入	
	2．二類感染症患者入院診療加算	250	二感人	第二種感染症指定医療機関における二類感染症、新型インフルエンザ等感染症の患者及びその疑似患者に算定する
A212	**超重症児（者）入院診療加算・準超重症児（者）入院診療加算**			・届出不要 ・救急・在宅重症児（者）の受入加算 救在重受 ＋200
	1．超重症児（者）入院診療加算		超重症	

	加算項目	点数	略称	備考
	イ．6歳未満	800		
	ロ．6歳以上	400		
	2．準超重症児（者）入院診療加算		準超重症	
	イ．6歳未満	200		
	ロ．6歳以上	100		
A213	**看護配置加算** (届)	25	看配	看護師比率40%以上の病棟で70%以上の場合に加算
A214	**看護補助加算** (届)			・地域一般入院料13対1、15対1、18対1、20対1入院基本料で加算 ・当該病棟の入院患者数に対する看護補助者の数（常時）が「１」は30対１、「２」は50対１、「３」は75対１であること
	1．看護補助加算1	141	補1	
	2．看護補助加算2	116	補2	
	3．看護補助加算3	88	補3	
	〈注加算〉 夜間75対1看護補助加算 (届) 夜間看護体制加算 (届) 看護補助体制充実加算 (届) イ.看護補助体制加算1 ロ.看護補助充実加算2	 ＋55 ＋176 ＋20 ＋5	 夜75補 夜看補 補看充1 補看充2	→入院から20日限度 →入院初日のみ →１日につきさらに加算 ・身体的拘束をした日は 補看充2 で算定する
A218	**地域加算**			・届出不要 ・A218とA218-2は (90) レセプトの種別欄には記載しない （摘要欄にのみ記入する）
	1級地	18		
	2級地	15		
	3級地	14		
	4級地	11		
	5級地	9		
	6級地	5		
	7級地	3		
A218-2	**離島加算**	18		
A219	**療養環境加算** (届)	25	環境	１床当たり8㎡以上の病室（差額ベッドは除く）の患者に加算する
A220	**HIV感染者療養環境特別加算**			・届出不要 ・A221-2小児療養環境特別加算、A224無菌治療室管理加算との併算定はできない
	1．個室	350	感染特	
	2．2人部屋	150		
A220-2	**特定感染症患者療養環境特別加算**			届出不要
	1．個室	300	個室	
	2．陰圧室	200	陰圧	
A221	**重症者等療養環境特別加算** (届)			A221-2小児療養環境特別加算、A224無菌治療室管理加算との併算定はできない
	1．個室	300	重境	
	2．2人部屋	150		
A221-2	**小児療養環境特別加算**	300	小環特	・届出不要 ・A220 HIV感染者療養環境特別加算、A221重症者等療養環境特別加算、A224無菌治療室管理加算との併算定はできない
A224	**無菌治療室管理加算（90日限度）** (届)			A220 HIV感染者療養環境特別加算、A221重症者等療養環境特別加算、A221-2小児療養環境特別加算との併算定はできない
	1．無菌治療室管理加算1	3000	無菌1	
	2．無菌治療室管理加算2	2000	無菌2	

	加算項目	点数	略称	備考
A225	放射線治療病室管理加算 ㊞届			・「1」は、治療上必要な放射線治療病室管理が行われた入院患者〔入院基本料(特別入院基本料を含む)または特定入院料のうち、放射線治療病室管理加算を算定できるものを現に算定している患者で、治療用放射性同位元素による治療が行われたものに限る〕について、所定点数に加算する ・「2」は、治療上必要な放射線治療病室管理が行われた入院患者〔入院基本料(特別入院基本料等を含む)または特定入院料のうち、放射線治療病室管理加算を算定できるものを現に算定している患者で、密封小線源による治療が行われたものに限る〕について、所定点数に加算する
	1. 治療用放射性同位元素による治療の場合	6370	放室1	
	2. 密封小線源による治療の場合	2200	放室2	
A226-2	緩和ケア診療加算 届	390	緩和	・緩和ケア診療加算(特定地域) 届 緩和地域 +200 ・15歳未満 小緩和 +100 所定点数にさらに加算 ・個別栄養食事管理加算 栄養緩和 +70 所定点数にさらに加算
A226-4	小児緩和ケア診療加算 届	700	小児緩和	・緩和ケアに係る必要な栄養食事管理を行った場合には、小児個別栄養食事管理加算として70点をさらに所定点数に加算する。
	小児個別栄養食事管理加算	+70	小栄管	
A231-2	強度行動障害入院医療管理加算	300	強行	・強度行動障害スコア10点以上かつ医療度スコア24点以上の患者が算定対象
A231-3	依存症入院医療管理加算(60日限度) 届			入院治療を要するアルコール依存症患者または薬物依存症患者に対して、治療プログラムを用いた依存症治療を行った場合に算定する。合併症の治療のみを目的として入院した場合は算定できない
	1. 30日以内	200	依存	
	2. 31日以上60日以内	100		
A231-4	摂食障害入院医療管理加算(60日限度) 届			対象患者は、摂食障害における著しい体重減少が認められる者であって、BMIが15未満であるもの
	1. 30日以内	200	摂障	
	2. 31日以上60日以内	100		
A233	リハビリテーション・栄養・口腔連携体制加算 届	120	リ栄口	A233-2栄養サポートチーム加算は算定できない
A236-2	ハイリスク妊娠管理加算 届	1200	ハイ妊娠	1入院に限り20日を限度として加算する
A237	ハイリスク分娩等管理加算(8日限度) 届			・「1」は、分娩を伴う入院中にハイリスク分娩管理を行った場合に、1入院に限り8日を限度として所定点数に加算する ・「2」は、分娩を伴う入院中に地域連携分娩管理を行った場合に、1入院に限り8日を限度として所定点数に加算する ・ハイリスク分娩管理または地域連携分娩管理と同一日に行うハイリスク妊娠管理に係る費用は、1または2に含まれる
	1. ハイリスク分娩管理加算	3200	ハイ分娩	
	2. 地域連携分娩管理加算	3200	地分娩	

	加算項目	点数	略称	備考
A242-2	術後疼痛管理チーム加算 (届)	100	術疼管	L008マスクまたは気管内挿管による閉鎖循環式全身麻酔をともなう手術を行った患者で、継続して手術後の疼痛管理を要する者に対して、当院の麻酔に従事する医師、看護師、薬剤師等が共同して疼痛管理を行った場合に、当該患者〔入院基本料（特別入院基本料等を除く）または特定入院料のうち、術後疼痛管理チーム加算を算定できるものを現に算定している患者に限る〕について、手術日の翌日から起算して3日を限度として所定点数に加算する
A247	認知症ケア加算 (届)			・「1」は①専任の常勤医師、②専任の常勤看護師（適切な研修終了者）、③専任の常勤社会福祉士又は常勤の精神保健福祉士による認知症ケアチームの設置が要件 ・「2」は研修を受けた複数の看護師の病棟配置が要件 ・身体的拘束を行った日は、所定点数の40％で算定する 認ケア1減 認ケア2減 認ケア3減
	1. 認知症ケア加算1		認ケア1	
	イ. 14日以内の期間	180		
	ロ. 15日以上の期間	34		
	2. 認知症ケア加算2		認ケア2	
	イ. 14日以内の期間	112		
	ロ. 15日以上の期間	28		
	3. 認知症ケア加算3		認ケア3	
	イ. 14日以内の期間	44		
	ロ. 15日以上の期間	10		
【週1回】				
A230-4	精神科リエゾンチーム加算 (届)	300	精リエ	A247認知症ケア加算1との併算定不可
A233-2	栄養サポートチーム加算 (届)	200	栄サ	・歯科医師が共同して診療を行った場合はさらに50点を加算する ・栄養サポートチーム加算（特定地域） 栄サ地域 +100 ・歯科医師連携加算 (届) 歯連 +50
A242	呼吸ケアチーム加算 (届)	150	呼ケア	B011-4 医療機器安全管理料1は算定できない
A244	病棟薬剤業務実施加算 (届)			「1」はA100～A105またはA307の入院基本料算定の患者、「2」はA300、A301、A301-2、A301-3、A301-4、A302、A303の特定入院料の算定患者が対象
	1. 病棟薬剤業務実施加算1（週1回）	120	病薬実1	
	2. 病棟薬剤業務実施加算2（1日につき）	100	病薬実2	
A251	排尿自立支援加算 (届)	200	排自	厚生労働大臣が定める患者に対し、包括的な排尿ケアを行った場合に、患者1人につき週1回に限り、12週を限度として所定点数に加算する
【退院時1回】				
A-234-5	報告書管理体制加算 (届)	7	報管	施設適合の届出医療機関の入院患者で、入院中に画像診断、または病理診断の診療料を算定したものについて退院時1回に限り所定点数に加算する

	加算項目	点数	略称	備考
A246	入退院支援加算 ㊞届			・「1」のイ、「2」のイ、3に限る ・「1」「2」は悪性腫瘍・認知症・急性呼吸器感染症・緊急入院・要介護認定未申請など通院困難な者の通院支援を行った場合に算定する ・「3」はA302新生児特定集中治療室管理料・A303-2新生児治療回復室入院医療管理料を算定した通院困難な患者に算定する 〈注加算〉 ・地域連携診療計画加算(退院時1回) ㊞届 地連診計 +300 ・入退院支援加算「2」の場合 ㊞届 (特定地域) 入退支地域 一般病棟入院基本料等 +95 療養病棟入院基本料等 +318 ・小児加算 入退支小 +200 ・入院時支援加算1 ㊞届 入退入1 +240 入院時支援加算2 ㊞届 入退入2 +200 ・総合機能評価加算 ㊞届 +50 ・入院事前調整加算 入前 +200
	1. 入退院支援加算1		入退支1	
	イ. 一般病棟入院基本料等	700		
	ロ. 療養病棟入院基本料等	1300		
	2. 入退院支援加算2		入退支2	
	イ. 一般病棟入院基本料等	190		
	ロ. 療養病棟入院基本料等	635		
	3. 入退院支援加算3	1200	入退支3	
A250	薬剤総合評価調整加算	100	薬総評価	・下記①②の薬剤が2種類以上減少した場合に算定する ①入院前に6種類以上の内服薬を処方されていた患者 ②入院直前から退院1年前のいずれか遅い時点で、抗精神病薬を4種類以上内服していた精神病棟の患者 ・薬剤調整加算 +150 下記①②の場合、所定点数に加算する ①退院時に処方する内服薬が2種類以上に減少した場合 ②退院日までの間に抗精神薬の種類数が2種類以上減少した場合、その他これに準ずる場合

⑰入院時食事療養費

項目			金額	備考	レセプト
入院時食事療養(Ⅰ) 1食につき				1日3食まで	Ⅰ
(Ⅰ)の加算	1	2以外	670円	「2」は食事療法として流動食(市販されているものに限る)のみを、経管栄養法により提供したときに、1日に3食を限度として算定する。その他は「1」で算定する	
	2	流動食のみを提供する場合(市販されているものに限る)	605円		
	●食堂加算 1日につき		+50円	・個人が食堂を使用するか否かにかかわらず、基準を満たした食堂設置のある病棟・診療所単位で算定する(ただし療養病棟を除く) ・治療上の禁食の場合で、1日3食の食事の提供がなかった場合は算定できない	

	項目	点数	備考	略称
	●特別食加算　1食につき ㊟単なる軟食、流動食、または人工栄養のための調乳、離乳食、幼児食、高血圧症に対する減塩食療法などは対象でない。	+76円	・治療上、医師の発行する食事箋に基づき特別食が提供された場合に算定する。 ・1日3食を限度とする。 ※特別食…腎臓食〔心臓疾患・妊婦高血圧症症候群の減塩食（1日6g未満）を含む〕、肝臓食〈胆石症・胆嚢炎による閉鎖性黄疸を含む〉、糖尿食、胃潰瘍食〈十二指腸潰瘍を含む。単なる流動食は除く〉、術後食、貧血食、膵臓食、脂質異常症食、痛風食、てんかん食、先天性代謝異常食〈フェニールケトン尿症・楓糖尿症・ホモシスチン尿症・ガラクトース血症の提供食〉、治療乳、低残渣食、高度肥満症食、特別な場合の検査食〈潜血食〉、無菌食、経管栄養食	
入院時食事療養（Ⅱ）　1食につき			1日3食まで　（加算はなし）	Ⅱ
	1　2以外	536円	入院時食事療養（Ⅰ）を算定する医療機関以外で、食事療養として流動食のみを経管栄養法により提供したときに1日3食を限度として「2」で算定する	
	2　流動食のみを提供する場合（市販されているものに限る）	490円		

入院時食事療養費の標準負担額（患者負担）1食につき

A	一般（下記のB・C・Dのいずれにも該当しない患者）		490円
B	C・Dのいずれにも該当しない指定難病患者または小児慢性特定疾病児童等 2015年4月1日以前から2016年4月1日まで継続して精神病床に入院していた一般所得区分の患者〔要件有り〕		280円
C	低所得者（70歳未満） 低所得者Ⅱ（70歳以上）	過去1年間の入院期間が90日以内	230円
		過去1年間の入院期間が90日超	180円
D	低所得者Ⅰ（70歳以上）		110円

⑰食事料のレセプトの書き方

〔入院時食事療養Ⅰ、食堂あり、食事（特別食）6食、自己負担（一般）、2日間の記載例〕

レセプト

※高額療養費		円	※公費負担点数　点	
⑨⓪食事・生活	基準Ⅰ	670円×6回	※公費負担点数　点	
	特別	76円×6回	基準（生）　円×　回	
	食堂	50円×2日	特別（生）　円×　回	
	環境	円×　日	減・免・猶・Ⅰ・Ⅱ・3月超	
食事・生活療養　保険	6回	請求　円 4576	※決定　円	（標準負担額）　円 2,940
公費①	回	円	※　円	円
公費②	回	円	※　円	円

ⅠまたはⅡを記入

1月に提供した食数

特別食加算を算定の際は、1食当たりの所定金額及び回数を記載〔記載例：1日3食、2日分、特別食あり、食堂設置とした場合〕

食堂加算を算定の際は、1日当たりの所定金額及び日数を記載

一般の自己負担額は1食460円
490円×6食＝2940円

670円×6食＋76円×6食＋50円×2日＝4576円

⑨⓪有床診療所入院基本料（1日につき）（A108）

入院基本料	看護職員	基本点数 14日以内	14日以内 外泊時	15～30日以内	15～30日以内 外泊時	31日超	31日超 外泊時	レセプトの種別欄の略称
初期加算								
有床診療所入院基本料1	7人以上	932	140	724	109	615	92	診1
有床診療所入院基本料2	4人以上7人未満	835	125	627	94	566	85	診2
有床診療所入院基本料3	1人以上4人未満	616	92	578	87	544	82	診3
有床診療所入院基本料4	7人以上	838	126	652	98	552	83	診4
有床診療所入院基本料5	4人以上7人未満	750	113	564	85	509	76	診5
有床診療所入院基本料6	1人以上4人未満	553	83	519	78	490	74	診6

留意する加算	算　定　要　件	加算点数	レセプトの略称
注4夜間緊急体制確保加算	入院患者の病状急変に備えた緊急体制確保	＋15	有緊
注5医師配置加算1	医師が2名以上、在宅療養支援診療所、急性期医療	＋120	有医1
注5医師配置加算2	医師が2名以上	＋90	有医2
注6看護配置加算1	看護師3名を含む10名以上の看護職員	＋60	有看1
注6看護配置加算2	看護職員が10名以上	＋35	有看2
注6夜間看護配置加算1	看護職員1名を含む2名以上の夜間の看護職員と補助者	＋105	有夜看1
注6夜間看護配置加算2	夜間の看護職員が1名以上	＋55	有夜看2
注6看護補助配置加算1	看護補助者が2名以上	＋25	有補1
注6看護補助配置加算2	看護補助者が1名以上	＋15	有補2
注10栄養管理実施加算	常勤の管理栄養士が1名以上	＋12	

・外泊とは完全外泊（1日24時間病院外の日）のことをいい、外泊の入院基本料は 入院基本料×0.15 の点数で算定する（端数は四捨五入）。
・注2：他院から転院してきた患者について、他院で「A246入退院支援加算3」を算定している場合は、重症児（者）受入連携加算として、入院初日に限り 重受連 ＋2000点を所定点数に加算する。
・注3：転院して来た日から21日を限度に、有床診療所急性期患者支援病床初期加算として1日につき 有急支 ＋150点が加算できる。
・注3：治療方針等の意志決定に対する支援を行った場合、入院した日から21日限度に、有床診療所在宅患者支援病床初期加算として、1日につき 有在支 ＋300点が加算できる。
・注7：施設基準適合届出の診療所において、入院日から30日以内に看取った場合は、看取り加算として 看取 ＋1000点（「B004退院時共同指導料1」で規定する在宅療養支援診療所では 看取在支 ＋2000点）を、所定点数に加算する。
・注11：有床診療所在宅復帰機能加算（入院から15日以降であること）として、1日につき＋20点加算。
※有床診療所入院基本料「1」「2」「3」の届出医療機関が対象
・注12：介護保険法に規定する疾病を有する40歳以上65歳未満の者、または65歳以上の者の受け入れについて、十分な体制を有している有床診療所（入院基本料1～3のみ）では、入院日から起算して15日以降30日までの期間に限り、1日につき所定点数に加算する。
介護連携加算1 介連1 +192
介護連携加算2 介連2 +38

⑳有床診療所入院基本料加算（抜粋）（A200～）

	加　算　項　目	点数	略称	備　　考
【入院初日のみ加算】				
A205-2	超急性期脳卒中加算 ㊞届	10800	超急	
A205-3	妊産婦緊急搬送入院加算	7000	妊搬	届出不要
A206	在宅患者緊急入院診療加算			届出不要、特別入院基本料等でも算定可
	1. 在宅療養支援医療機関の場合	2500	在緊	
	2. 連携医療機関である場合(1を除く)	2000		
	3. 1・2以外の場合	1000		
A207	診療録管理体制加算 ㊞届			・特別入院基本料等でも算定可 ・算定した日が入院年月日と異なる場合は、算定した入院年月日を「摘要欄」に記載する
	1. 診療録管理体制加算1	140	録管1	
	2. 診療録管理体制加算2	100	録管2	
	3. 診療録管理体制加算3	30	録管3	

	加算項目	点数	略称	備考
A207-2	医療事務作業補助体制加算 届			医1の15 ～ 医2の100 ・医師事務作業補助者の業務は、医師（歯科医師を含む）の指示の下、診断書等の文書作成補助、診療記録への代行入力、医療の質の向上に資する事務（診療に関するデータ整理、院内がん登録等の統計・調査、教育や研修・カンファレンスのための準備作業等）、入院時の案内等の病棟での患者対応業務及び行政上の業務（救急医療情報システムへの入力、感染症サーベイランス事業に係る入力等）への対応に限定するものである ・医師以外の職種の指示の下に行う業務、診療報酬の請求事務（DPCのコーディングに係る業務を含む）、窓口・受付業務、医療機関の経営、運営のためのデータ収集業務、看護業務の補助及び物品運搬業務等については医師事務作業補助者の業務としないこと ・院内の医師の業務状況等を勘案し配置され、病棟での業務以外にも、外来での業務や、医師の指示の下であれば、例えば文書作成業務専門の部屋等における業務も行うことができる
	1. 医師事務作業補助体制加算１			
	イ．15対１補助体制加算	1070	医1の15	
	ロ．20対１補助体制加算	855	医1の20	
	ハ．25対１補助体制加算	725	医1の25	
	ニ．30対１補助体制加算	630	医1の30	
	ホ．40対１補助体制加算	530	医1の40	
	ヘ．50対１補助体制加算	450	医1の50	
	ト．75対１補助体制加算	370	医1の75	
	チ．100対１補助体制加算	320	医1の100	
	2. 医師事務作業補助体制加算２			
	イ．15対１補助体制加算	995	医2の15	
	ロ．20対１補助体制加算	790	医2の20	
	ハ．25対１補助体制加算	665	医2の25	
	ニ．30対１補助体制加算	580	医2の30	
	ホ．40対１補助体制加算	495	医2の40	
	ヘ．50対１補助体制加算	415	医2の50	
	ト．75対１補助体制加算	335	医2の75	
	チ．100対１補助体制加算	280	医2の100	
A234	医療安全対策加算 届			・人員配置要件で「１」は専従（兼任不可）、「２」は専任（兼任可） ・算定した日が入院年月日と異なる場合は、算定した入院年月日を「摘要欄」に記載する
	1. 医療安全対策加算1	85	安全1	
	イ．医療安全対策地域連携加算１	＋50	安全地連1	
	2. 医療安全対策加算2	30	安全2	
	ロ．医療安全対策地域連携加算２	＋20	安全地連2	
A234-2	**感染対策向上加算** 届			〈注加算〉届 ・「１」を算定する場合は指導強化加算として 感指 +30をさらに所定点数に加算する ・「2」「3」を算定する場合は連携強化加算として、感連 +30をさらに所定点数に加算する。また、サーベイランス強化加算として 感サ +3、抗菌薬適正使用体制加算として 抗菌適 +5をさらに所定点数に加算する
	1. 感染対策向上加算1	710	感向1	
	2. 感染対策向上加算2	175	感向2	
	3. 感染対策向上加算3	75	感向3	
A234-3	患者サポート体制充実加算 届	70	患サポ	A232がん診療連携拠点病院加算を算定している場合は算定不可
A243	後発医薬品使用体制加算 届			DPC対象病棟入院患者は算定不可
	1. 後発医薬品使用体制加算1	87	後使1	「後発医薬品の規格単位数量」÷「後発医薬品のある先発医薬品と後発医療品を合算した規格単位数量」＝Ⓐ Ⓐが「1」90％以上、「2」85％以上90％未満、「3」75％以上85％未満
	2. 後発医薬品使用体制加算2	82	後使2	
	3. 後発医薬品使用体制加算3	77	後使3	
A243-2	**バイオ後続品使用体制加算** 届	100	バイオ体制	バイオ後続品の使用促進体制が整備されている届出医療機関でバイオ後続品のある先発バイオ医薬品（バイオ医薬品の適応のない患者に使用する先発バイオ医薬品は除く）およびバイオ後続品を使用している入院患者について、入院初日に算定可

	加算項目	点数	略称	備考
A246-3	医療的ケア児(者)入院前支援加算 (届)	1000	医ケア支	情報通信機器を用いて行った場合は、当該加算の点数1000点に代えて500点を所定点数に加算する
	情報通信機器を用いた入院前支援の場合 (届)	500	情医ケア支	
A253	協力対象施設入所者入院加算 (届)			介護老人保険施設、介護医療院、特別養護老人ホームの入所者を症状急変等に伴い、当該施設等の協力医療機関として、当院に入院させた場合に、入院初日に算定する
	1. 往診が行われた場合	600	協施	
	2. 1以外の場合	200		
【毎日加算(1日につき)】				
A205	救急医療管理加算 (届)			1日につき(入院日から7日を限度) 6歳未満 乳救医 ＋400 6歳以上15歳未満 小救医 ＋200
	1. 救急医療管理加算1	1050	救医1	
	2. 救急医療管理加算2	420	救医2	
A208	乳幼児加算・幼児加算			・届出不要
	1. 乳幼児加算		乳	・3歳未満に加算する ・産婦または生母の入院に伴って健康な乳幼児を在院させた場合は算定できない
	イ. 病院	333		
	ロ. 特別入院基本料等算定病院	289		
	ハ. 診療所	289		
	2. 幼児加算		幼	・3～6歳未満に加算する ・産婦または生母の入院に伴って健康な幼児を在院させた場合は算定できない
	イ. 病院	283		
	ロ. 特別入院基本料等算定病院	239		
	ハ. 診療所	239		
A209	特定感染症入院医療管理加算			・届出不要 ・感染法に規定する三類、四類、五類感染症の患者、指定感染症の患者、これらの疑似患者に適切な感染防止対策を行った場合に算定する
	1. 治療室の場合	200	特感管	
	2. 1以外の場合	100		
A210	難病等特別入院診療加算1			・届出不要 ・A211特殊疾患入院施設管理加算との併算定不可
	1. 難病患者等入院診療加算	250	難入	
	2. 二類感染症患者入院診療加算	250	二感入	第二種感染症指定医療機関における二類感染症新型インフルエンザ等感染症の患者及びその疑似患者に算定する
A211	特殊疾患入院施設管理加算 (届)	350	特疾	A210難病等特別診療加算との併算定は不可
A212	超重症児(者)入院診療加算・準超重症児(者)入院診療加算			・届出不要 ・一般病棟に入院している患者(A106障害者施設等入院基本料、A306特殊疾患入院医療管理料、A309特殊疾患病棟入院料の算定患者は除く)について、入院日から起算して、90日を限度として所定点数に加算する。 ・救急・在宅重症児(者)の受入加算 救在重受 ＋200
	1. 超重症児(者)入院診療加算		超重症	
	イ. 6歳未満	800		
	ロ. 6歳以上	400		
	2. 準超重症児(者)入院診療加算		準超重症	
	イ. 6歳未満	200		
	ロ. 6歳以上	100		
A218	地域加算			・届出不要 ・⑨⓪レセプトの種別欄には記載しない
	1級地	18		
	2級地	15		
	3級地	14		
	4級地	11		
	5級地	9		
	6級地	5		
	7級地	3		

	加 算 項 目	点数	略称	備　考
A218-2	離島加算	18		届出不要
A220	HIV感染者療養環境特別加算			届出不要 〈併算定不可〉 A221-2小児療養環境特別加算、A224無菌治療室管理加算
	1. 個室	350	感染特	
	2. 2人部屋	150		
A220-2	特定感染症患者療養環境特別加算			届出不要
	1. 個室	300	個室	
	2. 陰圧室	200	陰圧	
A221-2	小児療養環境特別加算	300	小環特	届出不要 〈併算定不可〉 A220 HIV感染者療養環境特別加算、A221重症者等療養環境特別加算、A224無菌治療室管理加算
A224	無菌治療室管理加算(90日限度) (届)			〈併算定不可〉 A220 HIV感染者療養環境特別加算、A221重症者等療養環境特別加算、A221-2小児療養環境特別加算
	1. 無菌治療室管理加算1	3000	無菌1	
	2. 無菌治療室管理加算2	2000	無菌2	
A225	放射線治療病室管理加算 (届)			
	1．治療用放射性同位元素による治療の場合	6370	放室1	
	2．密封小線源による治療の場合	2200	放室2	
A226	重症皮膚潰瘍管理加算	18	重皮潰	届出不要
A226-3	有床診療所緩和ケア診療加算 (届)	250	診緩和	届出診療所で、緩和ケアを要する患者に対し、必要な診療を行ったときに加算する
A236-2	ハイリスク妊娠管理加算（1入院に限り20日限度） (届)	1200	ハイ妊娠	1入院中A237ハイリスク分娩管理加算と組み合わせて通算28日まで算定可能
A237	ハイリスク分娩等管理加算(8日限度) (届)			・「1」は、分娩を伴う入院中にハイリスク分娩管理を行った場合に、1入院に限り8日を限度として所定点数に加算する ・「2」は、分娩を伴う入院中に地域連携分娩管理を行った場合に、1入院に限り8日を限度として所定点数に加算する ・ハイリスク分娩管理または地域連携分娩管理と同一日に行うハイリスク妊娠管理に係る費用は、1または2に含まれる
	1. ハイリスク分娩管理加算	3200	ハイ分娩	
	2. 地域連携分娩管理加算	3200	地分娩	
【週1回】				
A251	排尿自立支援加算（週1回12週限度） (届)	200	排自	次のいずれかに該当する者について算定できる ア　尿道カテーテル抜去後に、尿失禁、尿閉等の下部尿路機能障害の症状を有するもの イ　尿道カテーテル留置中の患者であって、尿道カテーテル抜去後に下部尿路機能障害を生ずると見込まれるもの
【退院時1回】				
A234-5	報告書管理体制加算 (届)	7	報管	・画像診断または病理診断の診療料を算定するものについて、退院時1回に限り算定する

	加算項目	点数	略称	備考
A246	入退院支援加算 ㊞届			
	1. 入退院支援加算1		入退支1	・「1」「2」は悪性腫瘍・認知症・急性呼吸器感染症・緊急入院・要介護認定未申請など通院困難な者の通院支援を行った場合に算定する ・「3」はA302新生児特定集中治療室管理料・A303-2新生児治療回復室入院医療管理料を算定した通院困難な患者に算定する 〈注加算〉 ・地域連携診療計画加算(退院時1回) 届 地連診計 +300 ・入退院支援加算「2」の場合 届 (特定地域) 入退支地域「2」の場合 一般病棟入院基本料等 +95 療養病棟入院基本料等 +318 ・小児加算 入退支小 +200 ・入院時支援加算1 届 入退入1 +240 ・入院時支援加算2 届 入退入2 +200 ・総合機能評価加算 届 +50 ・入院事前調整加算 入前 +200
	イ. 一般病棟入院基本料等	700		
	ロ. 療養病棟入院基本料等	1300		
	2. 入退院支援加算2		入退支2	
	イ. 一般病棟入院基本料等	190		
	ロ. 療養病棟入院基本料等	635		
	3. 入退院支援加算3	1200	入退支3	
A250	薬剤総合評価調整加算 〈注加算〉 薬剤調整加算	100 +150	薬総評加	・入院前に6種類以上(精神病棟入院患者は抗精神薬4種類以上)の内服薬の処方内容を総合的に評価し内容を変更、かつ療養上の必要な指導を行った場合に加算する ・薬剤調整加算 +150 下記「イ」「ロ」の場合、所定点数に加算する 「イ」退院時に処方する内服薬が2種類以上に減少した場合 「ロ」退院日までの間に抗精神薬の種類数が2種類以上減少した場合、その他これに準ずる場合

⑬医学管理等一覧表(抜粋)

1. 医学管理等の留意点は次のとおりです。

項目		点数	略称	算定要件
通則1	第1節の各所定点数により算定する			
通則2	医学管理等に当って第3節の特定保険医療材料を使用した場合は、これらを合算した点数で算定する			
通則3	・外来感染対策向上加算 届 (月1回) ・発熱患者等対応加算 届 (月1回)	+6 +20	医感 医熱対	ただし、発熱、その他感染症を疑わせるような症状の患者に対して、適切な感染防止対策を講じた上で、第1節の各区分に掲げる医学管理等のうち、次に掲げるものを算定した場合については発熱患者等対応加算として、月1回に限り20点をさらに所定点数に加算する イ. 小児科外来診療料、ロ. 外来リハビリテーション診療料、ハ. 外来放射線照射診療料、ニ. 地域包括診療料、ホ. 認知症地域包括診療料、ヘ. 小児かかりつけ診療料、ト. 外来腫瘍化学療法診療料、チ. 救急救命管理料、リ. 退院後訪問指導料 この場合、A000初診料「注11」、A001再診療「注15」、I012精神科訪問看護指導料に「注13」の外来感染症対策向上加算を算定した月は算定できない
通則4	・連携強化加算 届 (月1回)	+3	医連	A000初診料、A001再診料の連携強化加算。外来感染対策向上加算を算定した場合は、連携強化加算として、月1回に限り、さらに3点を所定点数に加算する

項目		点数	略称	算定要件
通則5	・サーベイランス強化加算 （届） （月1回）	＋1	医サ	A000初診料、A001再診料のサーベイランス強化加算。外来感染対策向上加算を算定した場合は、サーベイランス強化加算として、月1回に限り、さらに1点を所定点数に加算する
通則6	・抗菌薬適正使用体制加算 （届） （月1回）	＋5	医抗菌適	A000初診料「注14」、A001再診料「注18」の抗菌薬適正使用体制加算として、月１回に限り、さらに5点を所定点数に加算する

項目		点数	略称	算定の可否		算定要件
				外来	入院	
B000 特定疾患療養管理料（月2回）						
1	診療所	225 （196）	特	○	×	・初診または退院の日から1月以内は算定不可。 例）喘息の初診3/10の場合→ 特 の初回算定可能日は4/10（ただし4/10が休日の場合は4/9） レセプト「摘要欄」 ⑬ 特 点数×回数
2	許可病床数100床未満の病院	147 （128）				
3	許可病床数100床以上200床未満の病院	87 （76）				・許可病床数200床以上の病院では算定できない ・電話再診は算定できない
	情報通信機器使用の場合 （届）		情特			・届出医療機関で 特 を算定すべき医学管理を情報通信機器を用いて行った場合は（　）の点数で算出する
B001 特定疾患治療管理料						
1	ウイルス疾患指導料			○	○	・「イ」：肝炎ウイルス疾患、成人T細胞白血病に罹患している患者が対象 ・「ロ」：HIV感染患者が対象 ＊同一患者に同月内にイ・ロ双方の指導を行った場合はロのみ算定 レセプト「摘要欄」 ⑬ ウ1または ウ2 点数×回数
	イ．ウイルス疾患指導料1（1患者1回のみ）	240	ウ1			
	ロ．ウイルス疾患指導料2（1患者月1回のみ）	330	ウ2			
	情報通信機器使用の場合 （届） イの場合 ロの場合	 209 287	 情ウ1 情ウ2			〔併せて算定できないもの〕 B000 特、B001「4」小児特定、「5」小児療養、「6」てんかん、「7」難病、「8」皮膚、「17」疼痛、「18」小児悪腫、「21」耳鼻、C100～119在宅療養指導管理料、I004 心身医学療法
	〈注加算〉 ロの届出加算（HIV療養指導加算） （届）	＋220				→施設基準適合の届出の医療機関で「ロ」を行った場合は、所定点数に220点加算する。 ①HIV感染者の診療に5年以上従事した専任医師1名以上 ②HIV感染者の看護に2年以上従事した専従看護師1名以上 ③HIV感染者の服薬指導を行う専任薬剤師1名以上 ④社会福祉士または精神保健福祉士１名以上 ⑤プライバシーの保護に配慮した診察室及び相談室が備えられている
2	特定薬剤治療管理料（月1回）			○	○	・下表の薬剤の「薬物血中濃度」を測定し、治療計画に基づき療養上必要な管理を行った場合に月1回に限り算定する ・薬物血中濃度測定のための採血料は算定できない（別に定めるものもある）
	イ．特定薬剤治療管理料1	470	薬1			
	ロ．特定薬剤治療管理料2	100	薬2			
	〈注加算〉 免疫抑制剤加算 バイコマイシン投与管理加算 初回算定加算	 ＋2740 ＋530 ＋280				レセプト「摘要欄」 ⑬ 薬1 血中濃度測定薬剤名（初回算定年月）点数×回数
	複数免疫抑制剤の投与管理加算 エベロリムス投与管理加算	＋250 ＋250				・ 薬1 の対象患者として、治療抵抗性統合失調症治療薬を投与している患者も対象となった（2022年）

【特定薬剤治療管理料の一覧表】＊ (薬) の算定日はB-Vは算定できない

対象薬剤		対象疾患	外来・入院		
			算定初月	2～3ヵ月	注1 4ヵ月目以降
①ジギタリス製剤	※算定初月（所定点数470＋初月加算280）	心疾患患者	750	470	235
②抗てんかん剤		てんかん	750	470	470
③免疫抑制剤（シクロスポリン、タクロリムス水和物、エベロリムス、ミコフェノール酸モフィチル）		臓器移植後の免疫抑制 レセプト「摘要欄」に(薬)「臓器移植月日」記載	470	470	470
			臓器移植手術を行った月を含め、3月間は2740点加算		
・エコフェノール酸モフェチルを含む複数の免疫抑制剤の測定、精密管理			6月に1回250点を所定点数に加算する（初月加算と併算定不可）		
・エベロリムスを含む複数の免疫抑制剤の測定、精密管理			初回月を含め3月は月1回、その後は4月に1回250点を所定点数に加算する（初月加算と併算定不可）		
④テオフィリン製剤	※算定初月（所定点数470＋初月加算280）	気管支喘息、喘息性（様）気管支炎、慢性気管支炎、肺気腫、未熟児無呼吸発作の患者	750	470	235
⑤不整脈用剤（プロカインアミド、N-アセチルプロカインアミド、ジソピラミド、キニジン、アプリンジン、リドカイン、ピルジカイニド塩酸塩、プロパフェノン、メキシレチン、フレカイニド、シベンゾリンコハク酸塩、ピルメノール、アミオダロン、ソタロール塩酸塩、ベプリジル塩酸塩）		不整脈の患者	750	470	235
⑥ハロペリドール製剤、ブロムペリドール製剤		統合失調症の患者	750	470	235
⑦リチウム製剤		躁うつ病患者	750	470	235
⑧バルプロ酸ナトリウム、カルバマゼピン		躁うつ病患者、躁病患者	750	470	470
⑨シクロスポリン		ベーチェット病で活動性・難治性眼症状を有するものまたはその他の非感染性ぶどう膜炎（既存治療で効果不十分で、視力低下のおそれのある活動性の中間部または後部の非感染性ぶどう膜炎に限る）、重度の再生不良性貧血、赤芽球癆、尋常性乾癬、膿疱性乾癬、乾癬性紅皮症、関節症性乾癬、全身型重症筋無力症、アトピー性皮膚炎（既存治療で十分な効果が得られない患者）、ネフローゼ症候群の患者もしくは川崎病の急性期の患者	750	470	470
⑩タクロリムス水和物		全身型重症筋無力症、関節リウマチ、ループス腎炎、潰瘍性大腸炎、間質性肺炎（多発性筋炎または皮膚筋炎に合併するもの）の患者	750	470	470
⑪サリチル酸系製剤（アスピリン他）		若年性関節リウマチ、リウマチ熱、慢性関節リウマチの患者	750	470	235
⑫メトトレキサート		悪性腫瘍の患者	750	470	235
⑬エベロリムス		結節性硬化症の患者	750	470	235
⑭アミノ配糖体抗生物質、グリコペプチド系抗生物質（バンコマイシン、テイコプラニン）、トリアゾール系抗真菌剤（ポリコナゾール）		入院中の患者のみ対象	750	470	235
			バンコマイシンの複数回測定・精密管理　530		
⑮トリアゾール系抗真菌剤（ボリコナゾール）		重症または難治性真菌感染症、造血幹細胞移植（深在性真菌症予防目的）	750	470	235

対象薬剤	対象疾患	外来・入院		
		算定初月	2～3ヵ月	注1 4ヵ月目以降
⑯イマチニブ	当該薬剤の適応疾患（慢性骨髄性白血病など）の患者	750	470	235
⑰シロリムス製剤	リンパ脈管筋腫瘍	750	470	235
⑱スニチニブ（抗悪性腫瘍剤として投与）	腎細胞がん	750	470	235
⑲バルプロ酸ナトリウム	片頭痛	750	470	235
⑳治療抵抗性統合失調症治療薬（クロザピン）	統合失調症患者	750	470	235
㉑ブルスファン		750	470	235
㉒ジギタリス製剤の急速飽和	重症うっ血性心不全	740		
㉓てんかん重積状態の患者に対し抗てんかん剤の注射などを行った場合	全身性けいれん発作重積状態	740		

注1：「4月目以降」とは、初回の算定から暦月で数えて4ヵ月目以降のこと。3月が初回算定月の場合は6月から4ヵ月目以降となる。
注2：対象薬剤群（表中の①～⑳）が異なる場合は、別々に所定点数を月1回算定できる（①～⑳の区分ごとに算定可）。
ただし、㉑㉒の740点を算定した月は、各①ジギタリス製剤または②抗てんかん剤に係る所定点数は別に算定できない。
注3：②抗てんかん剤を同一月に2種以上投与し、それぞれについて個々に測定・管理を行った場合は、当該月においては、2回に限り所定点数を算定できる。

【特定薬剤治療管理料2の一覧表】

サリドマイド製剤及びその誘導体（サリドマイド、レナリドミド、ポマリドミド）	当該薬剤の適応疾患	100

※胎児曝露を未然に防止する安全手順を遵守して投与した場合に、月１回算定する。

	項目	点数	略称	算定の可否 外来	算定の可否 入院	算定要件
3	**悪性腫瘍特異物質治療管理料（月1回）**		悪	○	○	・悪性腫瘍と確定している患者に腫瘍マーカー検査を行い、その結果に基づいて計画的な治療管理を行った場合に算定する（「悪性腫瘍の疑い」の患者には算定できない） ・悪 の所定点数には、腫瘍マーカー検査、当該検査に係る採血料及びその検査結果に基づく治療管理に係る費用が含まれるため「採血料・判 生Ⅱ」は別に算定できない。ただし同月に 悪 以外の検査を行った場合は、別に 判 生Ⅱ は算定できる ・「イ」はD009の「１」の検査（尿中BTAに係るもの）、「ロ」はD009の「２」～「30」の検査（その他のもの）が対象 ・同一患者にイ・ロの双方を行った場合はロのみ算定 レセプト「摘要欄」 ⑬ 悪（行った腫瘍マーカー検査名記載）点数×回数
	イ．尿中BTAに係るもの	220				
	ロ．その他のもの					
	(1) 1項目	360				
	(2) 2項目以上	400				
	〈注加算〉 ロの初回算定加算	＋150				→１回目の検査を「ロ」で算定する場合は、その月に限り初回加算＋150する。ただし、当該月の前月にD009腫瘍マーカーを算定した場合は、加算できない

項　目	点数	略称	算定の可否 外来	算定の可否 入院	算　定　要　件

【悪性腫瘍特異物質治療管理料算定表(腫瘍マーカー検査)】＊ 悪 が算定日は「判 生II」「B-V」は算定できない

イ　尿中BTAに係るもの
D 009　1　尿中BTA　220点

ロ　その他のもの
D 009
2　α-フェトプロテイン(AFP)
3　癌胎児性抗原(CEA)
4　扁平上皮癌関連抗原
5　組織ポリペプタイド抗原(TPA)、(SCC抗原)
6　NCC-ST-439、CA15-3
7　DUPAN-2
8　エラスターゼ1
9　前立腺特異抗原(PSA)、CA19-9
10　PIVKA-Ⅱ半定量、PIVKA-Ⅱ定量
11　CA125
12　核マトリックスプロテイン22(NMP 22)定量(尿)、核マトリックスプロテイン22(NMP 22)定性(尿)
13　シアリルLe^x-i抗原(SLX)
14　神経特異エノラーゼ(NSE)
15　SPan-1
16　CA72-4、シアリルTn抗原(STN)
17　塩基性フェトプロテイン(BFP)、遊離型PSA比(PSA F/T比)
18　サイトケラチン、19フラグメント(シラフ)
19　シアリルLe^{x}抗原(CSLEX)
20　BCA225
21　サイトケラチン8・18(尿)
22　抗p53抗体
23　Ⅰ型コラーゲン-C-テロペプチドロ(ICTP)
24　ガストリン放出ペプチド前駆体(ProGRP)
25　CA54/61
26　α-フェトプロテインレクチン分画(AFP-L3%)
27　CA602、組織因子経路インヒビター2(TFP12)
28　γ-セミノプロテイン(γ-Sm)
29　ヒト精巣上体蛋白4(HE4)
30　可溶性メンテリン関連ペプチド
31　S2,3PSA%
32　プロステートヘルスインデックス(phi)
33　癌胎児性抗原(CEA)定性(乳頭分泌液)、癌胎児性抗原(CEA)半定量(乳頭分泌液)
34　HER2蛋白
35　アポリポ蛋白A2(APDA2)アイソフォーム
36　可溶性インターロイキン-2レセプター(sIL-2R)

1項目実施 360点
2項目以上実施 400点
＊初回月加算 ＋150点

項　目	点数	略称	外来	入院	算　定　要　件
4　小児特定疾患カウンセリング料(月2回・2年限度)		小児特定	○	×	・小児科標榜で小児科医が、厚生労働大臣が定める18歳未満の外来患者に必要なカウンセリングを同月内に1回以上行った場合に、初回のカウンセリングを行った日から2年以内の場合は月2回に限り、2年を超える期間は4年を限度として月1回に限り算定する(電話再診は算定不可) ・イ(1)初回とは、同一患者に対して、初めてカウンセリングを行った場合に限り算定できる レセプト「摘要欄」⑬ 小児特定(第1回目のカウンセリング年月日)点数×回数
イ. 医師による場合					
(1)初回	800				
(2)初回のカウンセリングを行った日から1年以内の期間に行った場合					
①月の1回目	600				
②月の2回目	500				

項目	点数	略称	算定の可否 外来	算定の可否 入院	算定要件
(3) 初回のカウンセリングを行った日から2年以内の期間に行った場合［(2)を除く］					・届出医療機関で小児特定疾患カウンセリングのイ(1)、(2)①②、(3)①②、(4)を情報通信機器を用いて行った場合は所定点数に代えて、以下の点数で算定する イ (1) 696点 (2) ①522点　②435点 (3) ①435点　②348点 (4) 348点
①月の1回目	500				
②月の2回目	400				
(4) 初回のカウンセリングを行った日から4年以内の期間に行った場合［(2)(3)を除く］	400				
ロ. 公認心理師による場合	200				
情報通信機器使用の場合 ㊡					
イ. 医師による場合					
(1) 初回	696				
(2) 1年以内					
①月の1回目	522				
②月の2回目	435				
(3) 2年以内					
①月の1回目	435				
②月の2回目	348				
(4) 4年以内	348				

【対象患者】(18歳未満)
ア　18歳未満の気分障害の患者
イ　神経症性障害の患者
ウ　ストレス関連障害の患者
エ　身体表現性障害(小児心身症を含む。また喘息や周期性嘔吐症等の状態が心身症と判断される場合は対象)の患者
オ　生理的障害及び身体的要因に関連した行動症候群(摂食障害を含む)の患者
カ　心理的発達の障害(自閉症を含む)の患者
キ　小児期または青年期に通常発症する行動及び情緒の障害(多動性障害を含む)の患者
*登校拒否の者及び家族または同居者から虐待を受けている、またはその疑いがある者を含む

	項目	点数	略称	外来	入院	算定要件
5	**小児科療養指導料(月1回)**	270	小児療養	○	×	・小児科(小児外科を含む)標榜で小児科医が、15歳未満の慢性疾患の外来患者に生活指導を継続して行った場合に算定(電話再診は算定不可)。出生時の体重が1500g未満であった6歳未満の外来患者も対象 ・初診日と同月内または退院の日から1月以内は算定不可 レセプト「摘要欄」⑬ 小児療養　点数×回数
	情報通信機器を用いた場合(月1回) ㊡	235	情小児療			
	人工呼吸器導入時相談支援加算(1回に限り)	+500	人呼支援			

【対象疾患】
脳性麻痺、先天性心疾患、ネフローゼ症候群、ダウン症等の染色体異常、川崎病で冠動脈瘤のあるもの、脂質代謝障害、腎炎、溶血性貧血、再生不良性貧血、血友病、血小板減少性紫斑病、先天性股関節脱臼、内反足、二分脊椎、骨系統疾患、先天性四肢欠損、分娩麻痺、先天性多発関節拘縮症、及び小児慢性特定疾患医療支援の対象に相当する状態のもの並びに限定の障害児に該当する状態のもの、15歳未満の外来患者(出生時体重1500g未満であった6歳未満の者についても対象)

	項　目	点数	略称	算定の可否 外来	算定の可否 入院	算　定　要　件
6	てんかん指導料 (月1回) 情報通信機器を用いた場合(月1回) ㊢	250 218	てんかん 情てんかん	○	×	・小児科(小児外科を含む)、神経科、神経内科、精神科、脳神経外科、心療内科標榜でその担当医師(常勤、非常勤問わず)が必要な指導を行った場合に算定する ・初診または退院の日から1月以内は算定不可 ・電話再診は算定不可 レセプト 「摘要欄」 ⑬ てんかん 点数×回数
7	難病外来指導管理料 (月1回) 情報通信機器を用いた場合(月1回) ㊢ 人工呼吸器導入時相談支援加算(1回に限り)	270 235 +500	難病 情難病 人呼支援	○	×	・厚生労働大臣が定めた疾患を主病とする患者に、計画的な医学治療計画に基づき療養上必要な指導を行った場合に算定する ・初診または退院の日から1月以内は算定不可 ・電話再診は算定不可 レセプト 「摘要欄」 ⑬ 難病 点数 × 回数
8	皮膚科特定疾患指導管理料 (月1回) イ. 皮膚科特定疾患指導管理料(Ⅰ) ロ. 皮膚科特定疾患指導管理料(Ⅱ) 情報通信機器を用いた場合(月１回) ㊢ イ. の場合 ロ. の場合	 250 100 218 87	 皮膚(Ⅰ) 皮膚(Ⅱ) 情皮膚(Ⅰ) 情皮膚(Ⅱ)	○	×	・皮膚科、皮膚泌尿器科(泌尿器科)、形成外科、アレルギー科を標榜するものをいう ・療養上必要な指導を行った場合に算定 ・初診または退院の日から1月以内は算定不可 ・皮膚(Ⅰ) 及び 皮膚(Ⅱ) は同一月には併せて算定できない ・電話再診は算定不可 レセプト 「摘要欄」 ⑬ 皮膚(Ⅰ) または 皮膚(Ⅱ) 点数×回数
9	外来栄養食事指導料 イ. 外来栄養食事指導料１ (１)初回 ①対面で行った場合 ②情報通信機器等を用いた場合 (２)２回目以降 ①対面で行った場合 ②情報通信機器等を用いた場合	 260 235 200 180	 外栄初対1 外栄初情1 外栄2対1 外栄2情1	○ ○	× ×	・「イ」の（１）の①及び（２）の①には、外来患者に対し、医師の指示の下、管理栄養士が具体的な献立等によって指導を行った場合に、初回の指導月は月２回に限り、その他の月は月１回に限り算定する。また､「イ」の（１）の②及び（２）の②は、同様に管理栄養士が電話または情報通信機器で必要な指導を行った場合に、初回の指導月は月２回に限り、その他の月は月１回に限り算定する ・「ロ」の（１）の①及び（２）の①については、外政患者に対し、診療所の医師の指示の下、当院以外の管理栄養士が具体的な献立等によって指導を行った場合に、初回の指導月は月２回に限り、その他の月は月１回に限り算定する。また、「ロ」の（１）の②及び（２）の②は、同様に当院以外の管理栄養士が電話または情報通信機器で必要な指導を行った場合に、初回の指導月は月２回に限り、その他の月は月１回に限り算定する ・ 外栄 は概ね30分以上、２回目以降は概ね20分以上の指導時間
	ロ. 外来栄養食事指導料２ (１)初回 ①対面で行った場合 ②情報通信機器等を用いた場合	 250 225	 外栄初対2 外栄初情2			

	項目	点数	略称	算定の可否 外来	算定の可否 入院	算定要件
	（2）2回目以降 ①対面で行った場合 ②情報通信機器等を用いた場合	 190 170	 外栄2対2 外栄2情2			
	<注加算> **専門管理栄養士指導加算** ㊎（月1回）	+260	外栄専			→施設基準適合の届出医療機関で、外来化学療法を実施している悪性腫瘍の患者に対して、医師の指示に基づき専門知識を有する当院の管理栄養士が具体的な献立により指導を行った場合、月1回に限り算定する
10	**入院栄養食事指導料（週1回）**			×	○	・入栄1 については、医療機関の入院患者で、特別食を必要とする患者に対し、医師の指示下で当院の管理栄養士が具体的な献立により、必要な栄養指導を行った場合、入院中2回に限り算定できる（「初回」概ね30分以上、「２回目」概ね20分以上） ・入栄2 については、診療所の入院患者に対し、当院の医師の指示に基づき、当院以外の管理栄養士が具体的な献立を示し、同様の栄養指導を行った場合、入院中2回を限度として算定できる ・栄養情報提供加算+50点を算定した場合、B005退院時共同指導料２は別に算定できない ・集栄 は複数患者（15人以下）に対し、1回の指導時間は40分超の指導時間 集栄 は、外来・入院患者を混在して指導してもよい 外栄、入栄１または 入栄2 と 集栄 を同一日に行った場合、どちらも算定できる
	イ．入院栄養食事指導料1		入栄1			
	⑴初回	260				
	⑵2回目	200				
	ロ．入院栄養食事指導料2		入栄2			
	⑴初回	250				
	⑵2回目	190				
11	**集団栄養食事指導料（月1回）（入院患者は入院中2回限度）**	80	集栄	○	○	

レセプト「摘要欄」	⑬	
レセプト「摘要欄」	⑬	外栄　点数×回数
レセプト「摘要欄」	⑬	集栄 （算定日）　点数×回数
レセプト「摘要欄」	⑬	入栄1 または 入栄2 （算定日）点数×回数

【厚生労働大臣の定めた特別食】
腎臓食・肝臓食・糖尿食・胃潰瘍食・貧血食・膵臓食・脂質異常症食・痛風食・てんかん食・フェニールケトン尿症食・楓糖尿症食・ホモシスチン尿症食・ガラクトース血症食・治療乳・無菌食・小児食物アレルギー食（外栄 入栄 に限る）・特別な場合の検査食（単なる流動食及び軟食を除く）
※ 外栄 入栄１ 入栄２ の場合は、がん患者、摂食機能もしくは嚥下機能が低下した患者、低栄養状態にある患者も対象となる

	項目	点数	略称	外来	入院	算定要件
12	**心臓ペースメーカー指導管理料**		ペ			・「ロ」着用型自動除細動器による場合（1月に1回）は360点 ・「イ」または「ロ」以外の場合（1月に1回）は360点 レセプト「摘要欄」 ⑬ ペ 導入期（ペースメーカ移植術月日） 点数×回数
	イ．着用型自動除細動器による場合（月1回）	360		○	○	
	ロ．ペースメーカーの場合（月1回）㊎	300		○	×	
	ハ．植込型除細動器又は両室ページング機能付き植込型除細動器の場合 ㊎	520				
	<注加算> **導入期加算**	+140	導入期			→導入期加算はK597、K598、K599、K599-3の移植術から3ヵ月以内に行った場合 →植込型除細動器移行期加算は初回月から3ヵ月まで月1回 →遠隔モニタリング加算は「ロ」又は「ハ」を算定する患者に実施 レセプト「摘要欄」 ⑬ ペ（直近の算定年月日） 点数×回数
	植込型除細動器移行期加算	+31510				
	遠隔モニタリング加算 ㊎ 「ロ」の患者の場合 「ハ」の患者の場合	 +260 +480				

<table>
<tr><th rowspan="2"></th><th rowspan="2">項　目</th><th rowspan="2">点数</th><th rowspan="2">略称</th><th colspan="2">算定の可否</th><th rowspan="2">算　定　要　件</th></tr>
<tr><th>外来</th><th>入院</th></tr>
<tr><td>13</td><td>在宅療養指導料　(初回月2回・その他月1回)</td><td>170</td><td>在宅指導</td><td>○</td><td>○</td><td>・対象患者は、在宅療養指導管理料を算定している患者または入院中の患者以外の患者で、器具(人工肛門、人工膀胱、気管カニューレ、留置カテーテル、ドレーン等)を装着している患者、退院後1ヵ月以内の慢性心不全の患者
・保健師、助産師又は看護師が30分以上の個別指導した場合に算定する。ただし、患者が来院して受診した際に算定でき、患者の家で行った場合は算定不可
レセプト「摘要欄」 ⑬ 在宅指導　点数×回数</td></tr>
<tr><td>14</td><td>高度難聴指導管理料 ㊨
イ. 人工内耳植込術3月以内(月1回)
ロ. イ以外(1回限り)
人工内耳機器調整加算
6歳未満(3月に1回)
6歳以上(6月に1回)</td><td>
500
420
+800</td><td>高度難聴(外来)
高難(入院)</td><td>○</td><td>○</td><td>・K328人工内耳植込術を行った患者に月1回算定する
・その他の患者(伝音性難聴で両耳の聴力レベルが60dB以上の場合、混合性難聴または感音性難聴の患者)に年1回に限り算定する
・人工内耳植込術の施設基準を満たし、耳鼻咽喉科に5年以上の診療経験を持つ常勤医師が院内配置されていること</td></tr>
<tr><td>15</td><td>慢性維持透析患者外来医学管理料　(月1回)
腎代替療法実績加算 ㊨</td><td>2211
+100</td><td>慢透
腎代替</td><td>○</td><td>×</td><td>・透析導入後3ヵ月以上経過、外来の慢性維持透析患者に計画的な治療管理を行った場合に算定する
・C102-2在宅血液透析指導管理料も算定できる
・同一医療機関内で同一月内に入院、外来が混在した場合は 慢透 は算定できない
レセプト　「摘要綱」 ⑬ 慢透　点数×回数</td></tr>
<tr><td colspan="7">【包括される検査・画像診断】
・尿一般、尿沈渣(鏡検法)、糞便中ヘモグロビン定性
・B-ESR、網赤血球数、末梢血液一般、末梢血液像(自動機械法)、末梢血液像(鏡検法)、ヘモグロビンA1c(HbA1c)
・出血時間
・T- BIL、TP、Alb (BCP改良法・BCG法)、BUN、クレアチニン、UA、グルコース、LD、ALP、ChE、Amy、γ-GT、LAP、CK、TG、ナトリウム及びクロール、カリウム、カルシウム、鉄、マグネシウム、無機リン酸及びリン酸、T-cho、AST、ALT、グリコアルブミン、1,5AG、1.25-ジヒドロキシビタミンD_3、HDL-cho、LDL- cho、UIBC (比色法)、TIBC (比色法)、蛋白分画、血液ガス分析、アルミニウム、フェリチン半定量、フェリチン定量、シスタチンC、ペントシジン
・T_3、T_4、TSH、PTH、FT_3、CPR、FT_4、カルシトニン、ANP、BNP
・梅毒血清反応(STS)定性、梅毒血清反応(STS)半定量、梅毒血清反応(STS)定量
・HBs抗原、HBs抗体、HCV抗体定性・定量
・CRP、CH_{50}、免疫グロブリン、C_3、C_4、Tf、β_2-マイクログロブリン
・これらに関わる 判 尿、血、生Ⅰ、生Ⅱ、免
・心電図検査
・胸部単純X-Pの写真診断と撮影料(フィルム代は算定できる)</td></tr>
<tr><td>16</td><td>喘息治療管理料
イ. 喘息治療管理料1 ㊨ (月1回)
(1) 1月目
(2) 2月目以降
ロ. 喘息治療管理料2 (初回のみ)
〈注加算〉
重度喘息患者治療管理加算(特定地域) ㊨
イ. 1月目
ロ. 2～6月目まで</td><td>

75
25
280

+2525
+1975</td><td>喘息1
喘息2</td><td>○</td><td>×</td><td>・「イ」は、外来の喘息患者に対して、ピークフローメーターを用いて計画的な治療管理を行った場合に、月1回に限り算定する
・「ロ」は、6歳未満または65歳以上の外来患者に吸入ステロイド薬を服用する際に、吸入補助器具を必要とする者に対して服薬指導等を行った場合に、初回に限り算定する
・「イ. 1月目」とは初回の治療管理を行った月のことで初診月とは限らない
レセプト「摘要欄」 ⑬ 喘息1 (第1回目の治療管理を行った月日)　点数×回数</td></tr>
</table>

	項目	点数	略称	算定の可否 外来	 入院	算定要件
17	慢性疼痛疾患管理料 (月1回)	130	疼痛	○	×	診療所の外来で変形性膝関節症、筋筋膜性腰痛症等の慢性疼痛を主病とする患者にマッサージまたは器具等による療法を行った場合に算定する 〔包括されているもの〕 「外来管理加算、J118介達牽引、J118-2矯正固定、J118-3変形機械矯正術、J119消炎鎮痛等処置、J119-2腰部または胸部固定帯固定、J119-3低出力レーザー照射及びJ119-4肛門処置」の費用は所定点数に含まれ別に算定できない。その際用いた薬剤については算定できる レセプト「摘要欄」 ⑬ 疼痛 (算定日) 点数×回数 例)月途中に疼痛を算定した場合 6/1 6/2 6/5 6/16 6/19 初診 再診 再診・疼痛 再診 再診 レセプト ⑪ 初 診 1回 288点 ⑫ 再 診 73×4回 292点 外来管理加算 52×1回 52点 ⑬ 指 導 1回 130点 ⑬ 疼痛 (5日) 130×1
18	小児悪性腫瘍患者指導管理料(月1回)	550	小児悪腫	○	×	・小児科(小児外科含む)標榜で悪性腫瘍(小児悪性腫瘍、白血病、悪性リンパ腫)の15歳未満の外来患者に、計画的治療管理を行った場合に算定する ・電話再診では算定できない ・初診と同月内または退院の日から1月以内は算定不可 レセプト「摘要欄」 ⑬ 小児悪腫 点数×回数
	情報通信機器を用いた場合 届	479	情小児悪腫			
20	糖尿病合併症管理料 届 (月1回)	170	糖	○	×	・施設基準適合の届出医療機関で算定する ・外来のみ算定(在宅での療養を行う患者を除く) ・糖尿病足病変に関する指導の必要性があると医師が認めた場合、1回30分以上の指導で月1回算定する レセプト「摘要欄」 ⑬ 糖 点数×回数
21	耳鼻咽喉科特定疾患指導管理料 (月1回)	150	耳鼻	○	×	・耳鼻咽喉科を標榜する医療機関のみ算定する ・初診または退院の日から、1ヵ月以内は算定不可 ・電話等による場合は算定できない レセプト「摘要欄」 ⑬ 耳鼻 点数×回数
24	外来緩和ケア管理料 届 (月1回)	290	外緩	○	×	外来の緩和ケアを要する患者(がん性疼痛の症状緩和を目的とした麻薬投与患者に限る)に、医師・看護師・薬剤師が共同して療養上必要な指導を行った場合に算定する ・15歳未満の場合 小児 +150 〔併せて算定できないもの〕 B001「22」がん性疼痛緩和指導管理料
	情報通信機器を用いた場合 届	252	情外緩			
	外来緩和ケア管理料 (特定地域) 届	150	緩ケ地域			
	情報通信機器を用いた場合(特定地域) 届	131	情外緩			
	<注加算> 小児加算(15歳未満)	150	小児			・15歳未満の小児の場合は所定点数に150点加算する

<table>
<tr><th rowspan="2" colspan="2">項　目</th><th rowspan="2">点数</th><th rowspan="2">略称</th><th colspan="2">算定の可否</th><th rowspan="2">算　定　要　件</th></tr>
<tr><th>外来</th><th>入院</th></tr>
<tr><td colspan="7">B001-2　小児科外来診療料　(1日につき)</td></tr>
<tr><td>1</td><td>院外処方の場合</td><td></td><td></td><td rowspan="7">○</td><td rowspan="7">×</td><td rowspan="7">〈通則3 ～ 6の対象〉P.18参照
・小児科、小児科標榜で6歳未満の外来患者が対象
・電話再診では算定不可
次に掲げるもののみ算定できる
①初・再診料または外来診療料の時間外加算、休日加算、深夜加算（小児科特例の場合を含む）、及び、医療情報取得加算「1」～「4」
②A000初診料の機能強化加算、医療DX推進体制整備加算
③B001-2-2地域連携小児夜間・休日診療料
④B001-2-5院内トリアージ実施料
⑤B001-2-6夜間休日救急搬送医学管理料
⑥B010診療情報提供料（Ⅱ）
⑦B011連携強化診療情報提供料
⑧C000往診料（加算を含む）
⑨第14部その他
⑩B001-2小児科外来診療料の「注加算」、小児抗菌薬適正使用支援加算 小抗菌　+80
上記①～⑩以外はすべて所定点数に含まれ加算できない

レセプト「摘要欄」⑬ 児外初（再）または 児内初（再）　点数×回数</td></tr>
<tr><td></td><td>イ. 初診時</td><td>604</td><td>児外初</td></tr>
<tr><td></td><td>ロ. 再診時</td><td>410</td><td>児外再</td></tr>
<tr><td>2</td><td>院内処方の場合</td><td></td><td></td></tr>
<tr><td></td><td>イ. 初診時</td><td>721</td><td>児内初</td></tr>
<tr><td></td><td>ロ. 再診時</td><td>528</td><td>児内再</td></tr>
<tr><td></td><td><注加算>
小児抗菌薬適正使用支援加算（月1回）</td><td>+80</td><td>小抗菌</td></tr>
</table>

〔小児科外来診療料一覧表〕

		基本点数	時間外 イ 85 ロ 65	休日 イ 250 ロ 190	深夜 イ 580 ロ 520	時間外特例 イ 230 ロ 180
1 院外処方	イ 初診時	604	689	854	1184	834
	ロ 再診時	410	475	600	930	590
2 院内処方	イ 初診料	721	806	971	1301	951
	ロ 再診時	528	593	718	1048	708

<table>
<tr><td colspan="7">B001-2-2　地域連携小児夜間・休日診療料 届</td></tr>
<tr><td>1</td><td>地域連携小児夜間・休日診療料1</td><td>450</td><td rowspan="2">地域小児</td><td rowspan="2">○</td><td rowspan="2">×</td><td rowspan="2">・小児科標榜の6歳未満の患者を「夜間・休日・深夜」に診察した場合に算定する
・電話等による診察の場合は算定できない

レセプト「摘要欄」⑬ 地域小児　点数×回数</td></tr>
<tr><td>2</td><td>地域連携小児夜間・休日診療料2</td><td>600</td></tr>
<tr><td colspan="2">B001-2-3　乳幼児育児栄養指導料（初診時）

情報通信機器を用いた場合 届</td><td>130

113</td><td>乳栄

情乳栄</td><td>○</td><td>×</td><td>・小児科標榜で、小児科担当医師が、3歳未満の乳幼児に初診時に育児、栄養その他療養上必要な指導を行った場合に算定する

レセプト「摘要欄」⑬ 乳栄　点数×回数</td></tr>
</table>

項目		点数	略称	算定の可否		算定要件
				外来	入院	
B001-2-4 地域連携夜間・休日診療料 (届)		200	地域夜休	○	×	他院の医師と当院の医師により、夜間・休日・深夜(あらかじめ地域に周知した時間)に、B001-2-2の患者以外の患者に対して外来診療を行った場合に算定する
B001-2-5 院内トリアージ実施料 (初診時) (届)		300	トリ	○	×	・施設基準適合の届出医療機関で算定 ・夜間・休日・深夜に来院(救急車の搬送患者を除く)の外来患者に、来院後速やかに院内トリアージを行った場合に算定 ・院内トリアージを行う際には、患者またはその家族等に対し充分その趣旨を説明する ・初診料算定日に限り算定 ・B001-2-6夜間休日救急搬送医学管理料との併算定はできない

【院内トリアージ加算の施設基準】
1．トリアージ目標開始時間及び再評価時間、トリアージ分類、トリアージの流れ等の項目を含む院内トリアージの実施基準を定め、定期的に見直しを行っている
2．患者に対して、院内トリアージの実施について説明を行い、院内の見やすい場所への掲示等により周知を行っている
3．専任の医師または救急医療に関する3年以上の経験を有する専任の看護士が配置されている

項目		点数	略称	外来	入院	算定要件
B001-2-6 夜間休日救急搬送医学管理料 (初診時)		600	救搬	○	×	・施設基準適合の医療機関で算定する ・時間外〔土曜日以外の日(休日を除く)にあっては夜間に限る〕・休日・深夜に救急車で搬送された患者に対して、必要な医学管理を行った場合に算定 ・初診料算定日に限って算定 ・精神科疾患患者等受入加算＋400 ・救急搬送看護体制加算は、施設適合基準の届出医療機関で算定できる
<注加算> 精神科疾患患者等受入加算		＋400	精受			
救急搬送看護体制加算 (届)						
イ. 救急搬送看護体制加算1		＋400	救搬看1			
ロ. 救急搬送看護体制加算2		＋200	救搬看2			
B001-2-7 外来リハビリテーション診療料						
1	外来リハビリテーション診療料1 (7日間に1回限り)	73	外リ1	○	×	〈通則3～6の対象〉P.18参照 ・施設基準を満たす医療機関で算定 ・H000心大血管疾患リハビリテーション料、H001脳血管疾患等リハビリテーション料、H001-2廃用症候群リハビリテーション料、H002運動器リハビリテーション料、H003呼吸器リハビリテーション料を算定する外来患者に必要な診療を行った場合に算定 ・「1」は、7日間に1回に限り算定する。「1」の算定日から7日以内の期間は、A000初診料(「注15」医療情報取得加算、「注16」医療DX推進体制整備加算を除く)、A001再診料(「注19」医療情報取得加算3・4を除く)、A002外来診療料(「注10」医療情報取得加算3・4を除く)、B001-2-7外来リハビリテーション診療料2は算定せずに疾患別リハビリテーションの費用を算定できるものとする ・「2」は、14日間に1回に限り、算定する。「2」の算定日から14日以内の期間は、A000初診料(「注15」「注16」を除く)、A001再診料(「注19」3・4を除く)、A002外来診療料(「注10」3・4を除く)、B001-2-7外来リハビリテーション診療料1は算定せずに疾患別リハビリテーションの費用を算定できるものとする 【外来リハビリテーション診療料の施設基準】 1．理学療法士、作業療法士等が適切に配置されていること 2．リハビリテーションを適切に実施するための十分な体制が確保されていること
2	外来リハビリテーション診療料2 (14日間に1回限り)	110	外リ2			

項目	点数	略称	算定の可否 外来	算定の可否 入院	算定要件
B001-2-8 外来放射線照射診療料 届 (7日間に1回)	297	外放	○	×	〈通則3 ～ 6の対象〉P.18参照 ・施設基準適合の届出医療機関で算定する ・放射線治療を要する外来患者に放射線治療を実施するに関して、必要な診療を行った場合に算定する ・算定日から起算して、7日間以内の期間に4日以上の放射線治療の予定がない場合は、所定点の50%で算定する(297×50%＝149点) ・算定日を含め、3日間以内で放射線照射が終了する場合は所定点の50%に相当する点数を算定する ・算定日から起算して7日以内の期間は、A000初診料(注15、注16を除く)、A001再診料(注19 3・4を除く)、A002外来診療料(注10 3・4を除く)は算定しない

【外来放射線照射診療料の施設基準】
1．実施時において、院内に放射線治療医(放射線治療の経験5年以上有するものに限る)が配置されていること
2．専従の看護師及び専従の診療放射線技師がそれぞれ1名以上勤務していること
3．放射線治療に係る医療機器の安全管理、保守点検及び安全使用のための精度管理を専ら担当する技術者(放射線治療の経験5年以上有する者に限る)が1名以上勤務していること
4．合併症の発生により、すみやかに対応が必要である場合など、緊急時に放射線治療医が対応できる連絡体制をとること

項目	点数	略称	外来	入院	算定要件
B001-2-10 認知症地域包括診療料 (月1回)					
1 認知症地域包括診療料1	1681	認知包1	○	×	〈通則3 ～ 6の対象〉P.18参照 ・認知症以外に、1以上の疾患(脂質異状症、高血圧症、糖尿病とは限らない)を有する患者が対象となる ・許可病床数200床未満の医療機関に限る
2 認知症地域包括診療料2	1613	認知包2			
＜注加算＞ 薬剤適正使用連携加算	＋30	薬適連			
B001-2-11 小児かかりつけ診療料 届 (1日につき)					
1 小児かかりつけ診療料1			○	×	〈通則3 ～ 6の対象〉P.18参照 ・届出医療機関で、未就学(6歳以上の患者にあっては、6歳未満から小児かかりつけ診療料を算定しているものに限る)の外来患者に対して、診療を行った場合に算定する ・電話再診は算定不可 ・小児科または小児科外科を専任する常勤医師がいること ・次に掲げるもののみ算定できる 〔算定できる点数〕 ①A000初・A001再診料またはA002外来診療料の時間外加算、休日加算、深夜加算(小児特例の場合を含む) ②B001-2-2地域連携小児夜間・休日診療料 ③B001-2-5院内トリアージ実施料 ④B001-2-6夜間休日救急搬送医学管理料 ⑤B009診療情報提供料(Ⅰ) ⑥B009-2電子的診療情報評価料 ⑦B010診療情報提供料(Ⅱ) ⑧B011連携強化診療情報提供料 ⑨C000往診料(加算を含む) ⑩第14部その他 上記①～⑩以外はすべて所定点数に含まれ加算できない ・抗菌薬の投与の必要性が認められず使用しないものに対して、療養上必要な指導及び検査結果を説明し文書を提供した場合(初診時に限る)は、小児抗菌薬適正使用支援加算として、月1回に限り80点を所定点数に加算する
イ．処方箋を交付する場合 (1)初診時 (2)再診時	 652 458	 児か外初1 児か外再1			
ロ．処方箋を交付しない場合 (1)初診時 (2)再診時	 769 576	 児か内初1 児か内再1			
2 小児かかりつけ診療料2					
イ．処方箋を交付する場合 (1)初診時 (2)再診時	 641 447	 児か外初2 児か外再2			
ロ．処方箋を交付しない場合 (1)初診時 (2)再診時	 758 565	 児か内初2 児か内再2			
＜注加算＞ 小児抗菌薬適正使用支援加算(月1回)	＋80	小抗菌			

	項目	点数	略称	算定の可否 外来	算定の可否 入院	算定要件
B001-3 生活習慣病管理料(月1回)						
1	脂質異常症を主病	610	生1脂	○	×	・厚生労働大臣が定める基準を満たす医療機関で算定する ・許可病床数が200床以上の病院では算定できない ・患者の同意を得て、治療計画を策定し、それに基づき服薬、運動、休養、栄養、喫煙、家庭での体重や血圧の計測、飲酒及びその他療養を行うに当たっての問題等の生活習慣に関する総合的な治療管理を行った場合に算定する ・当該治療計画に基づく総合的な治療管理は歯科医師・薬剤師、看護師、薬剤師、管理栄養士等の多職種と連携して実施しても差し支えない ・算定は「脂質異常症、高血圧症、糖尿病」を主病とした外来患者 ・「3」の場合については、C101在宅自己注射指導管理料を算定している患者には算定できない ・初診日の属する月は算定不可
2	高血圧症を主病	660	生1高			
3	糖尿病を主病	760	生1糖	○	×	・服薬、運動、休養、栄養、喫煙、飲酒等の生活習慣に関する総合的な治療管理の療養計画書を交付すること(内容に変更がないときは4月に1回以上は交付すること) 〔併せて算定できないもの〕 A001「注8」外来管理加算、医学管理等(B001の20糖尿病合併症管理料、22がん性疼痛緩和指導管理料、24外来緩和ケア管理料、27糖尿病透析予防指導管理料を除く)、検査、注射、病理診断、在宅自己注射指導管理料(糖尿病のみ) レセプト 「摘要欄」 ⑬ 生外(内) 点数×回数
	〈注加算〉 血糖自己測定値指導加算(年1回)	+500				・糖尿病を主病とする患者に対して、血糖自己測定値に基づく指導を行った場合に加算する(2型糖尿病の患者でインスリン製剤を使用していないものに限る)
	外来データ提出加算 ㊢	+50	外デ			・施設適合の届出医療機関で診療報酬の請求状況、生活習慣病の治療管理の状況等の診療内容に関するデータを継続して厚労省に提出している場合は、外デとして50点を加算する
B001-3-2 ニコチン依存症管理料 ㊢						
1	ニコチン依存症管理料1		ニコ1	○	×	・初回の当該管理料算定日から12週間にわたり5回に限って算定。D200スパイログラフィー等検査「4」呼気ガス分析の費用は所定点数に包括 ・「1」の場合は5回に限り、「2」の場合は初回時に1回に限り算定する ・「1」のロ(2)を算定する場合は、A001再診料、A002外来診療料、C000往診料、C001在宅患者訪問診療料(Ⅰ)、C001-2在宅患者訪問診療料(Ⅱ)は別に算定できない レセプト 「摘要欄」 ⑬ ニコ1(初回算定月日) 点数×回数
	イ. 初回	230				
	ロ. 2～4回目まで (1)対面で行った場合 (2)情報通信機器を用いた場合	 184 155				
	ハ. 5回目	180				
2	ニコチン依存症管理料2(一連につき)	800	ニコ2			・別に厚生労働大臣が定める基準を満たしていない場合には、それぞれの所定点数の70%で算定する

項目	点数	略称	算定の可否 外来	算定の可否 入院	算定要件
B001-4 手術前医学管理料（手術料算定日１回のみ）	1192	手前	○	○	・疾病名を問わず麻酔「硬膜外麻酔・脊椎麻酔・全身麻酔」によって手術を行った患者の手術前検査に対する包括点数(手術前日を起算日とし1週間前からの実施に限る) ・下記の包括される検査・画像診断の項目のうち、同一の検査または画像診断を2回以上行った場合、2回目以降のものは別に算定できる(注5) ・画像診断のフィルム料は包括されていないため、別に算定する ・算定月の心電図検査は「所定点数×90%」で算定する レセプト「摘要欄」⑬ 手前 点数×回数 【包括される検査・画像診断】 ・尿一般 ・末梢血液像(自動機械法)、末梢血液像(鏡検法)、末梢血液一般、出血時間、PT・APTT ・生（Ⅰ）の包括検査項目（蛋白分画、銅、リパーゼ、マンガン除く） ・STS定性、ASO定性、ASO半定量、ASO定量、ASK定性、ASK半定量、梅毒トレポネーマ抗体定性、HIV-1抗体、肺炎球菌抗原定性(尿・髄液)、ヘモフィルス・インフルエンザb型(Hib)抗原定性(尿・髄液)、単純ヘルペスウイルス抗原定性、RSウイルス抗原定性、淋菌抗原定性 ・HBs抗原定性・半定量、HCV抗体定性・定量、CRP定性、CRP ・ECG12 ・単純X-Pシャッター1回目の写真診断料（頭部、胸部、腹部、脊椎）と撮影料 ※算定月に「判血・判生Ⅰ・判免」を算定してる患者は算定しない
B001-5 手術後医学管理料（1日につき）(3日を限度)					
1 病院の場合	1188	手後	×	○	・入院日から10日以内に「閉鎖循環式全身麻酔」で行った手術の患者に対し、手術の翌日から起算し3日間に限り算定する ・同一の手術について、同一月に「手前」を算定した場合は、算定する3日間の「手後」の点数は「所定点数×95%」で算定する レセプト「摘要欄」⑬ 手後 点数×回数
2 診療所の場合	1056				
B001-6 肺血栓塞栓症予防管理料（入院中1回）	305	肺予	×	○	肺血栓塞栓症を発症する危険性の高い入院患者に対して、予防を目的として弾性ストッキングまたは間歇的空気圧迫装置を用いて計画的な医学管理を行った場合に、入院中1回に限り算定する レセプト「摘要欄」⑬ 肺予 点数×回数

【包括される検査】（B001-5）
・尿一般、尿蛋白、尿グルコース
・B-ESR、末梢血液像(自動機械法)、末梢血液像(鏡検法)、末梢血液一般
・生(Ⅰ)の包括検査項目〔蛋白分画、銅、リパーゼ、マンガン除く〕
・B-血液ガス分析
・心電図検査
・呼吸心拍監視
・経皮的動脈血酸素飽和度測定
・終末呼気炭酸ガス濃度測定
・中心静脈圧測定
・動脈血採取(B-A)
※算定月に「判尿・判血・判生Ⅰ」を算定している患者には算定しない

項目	点数	略称	算定の可否 外来	算定の可否 入院	算定要件
B001-7 リンパ浮腫指導管理料(入院中1回)	100	リ	×	○	レセプト 「摘要欄」 ⑬ リ (手術日)点数×回数 退院後に再度算定した場合 レセプト 「摘要欄」 ⑬ リ (退院日及び手術名) 点数×回数
B002 開放型病院共同指導料(Ⅰ)(1日につき)	350	開Ⅰ	○	×	〔併せて算定できないもの〕 A000初診料、A001再診料、A002外来診療料、C000往診料、C001在宅患者訪問診療料(Ⅰ)、C001-2在宅患者訪問診療料(Ⅱ) レセプト「摘要欄」 ⑬ 開Ⅰ (共同指導実施日) 点数×回数
B003 開放型病院共同指導料(Ⅱ)(1日につき)	220	開Ⅱ	×	○	紹介元の保険医がB002開放型病院共同指導料(Ⅰ)を算定した場合に、開放型病院にて算定する レセプト 「摘要欄」 ⑬ 開Ⅱ (共同指導実施日) 点数×回数
B004 退院時共同指導料1 (入院中1回、場合により2回)					
1 在宅療養支援診療所の場合 ㊞届	1500	退共1	×	○	特別管理指導加算 特管 +200 〔併せて算定できないもの〕 A000初診料、A001再診料、A002外来診療料、B002 開Ⅰ、C000往診料、C001在宅患者訪問診療料(Ⅰ)、C001-2在宅患者訪問診療料(Ⅱ)
2 1以外の場合	900				
〈注加算〉 特別管理指導加算	+200	特管			
B005 退院時共同指導料2(入院中1回、場合により2回)	400	退共2	×	○	・A246退院支援加算の算定患者については、疾患名・当院の退院基準・退院後の療養上必要な事項を記載した退院支援計画を策定し、患者に説明と文書を提供し、退院後に担当する他院とこれを共有した場合に限り算定 ・医師共同指導加算は、入院医療機関側の医師と、退院後の在宅医療機関の医師が、共同して指導を行った場合に算定(多職種共同指導加算を算定する場合は算定不可) ・多職種共同指導加算は、入院医療機関側の医師が、退院後の在宅療養担当医療機関の医師や看護師、歯科医師、歯科衛生士、薬剤師、訪問看護ステーションの看護師等(准看護師を除く)、または居宅看護支援事業者の介護支援専門員のうち、いずれか3者以上と共同して指導を行った場合に算定 〔併せて算定できないもの〕 B003 開放型病院共同指導料(Ⅱ)
〈注加算〉 医師共同指導加算	+300	2者共			
多機関共同指導加算	+2000	多共			
B005-1-2 介護支援連携指導料(入院中2回限り)	400	介連	×	○	・入院患者の退院後の介護サービスまたは障害者福祉サービス等について、医師・看護師・社会福祉士等が介護支援専門員(ケアマネジャー)と共同して指導した場合に、入院中2回算定する ・B005の多職種共同指導加算との併算定不可(介護支援専門員が含まれる場合)

項目	点数	略称	算定の可否 外来	算定の可否 入院	算定要件
B005-4 ハイリスク妊産婦共同管理料（Ⅰ）㊞（入院中1患者につき1回）	800	ハイ Ⅰ	×	○	・産科または産婦人科を標榜する医療機関のみ算定可（Ⅰ・Ⅱ共通） ・診療に基づいて患者を紹介した医師（紹介元医師）が紹介先の病院に赴き、照会先の病院の医師と共同で、ハイリスク妊婦またはハイリスク分娩に関する医学管理を行った場合、入院（分娩を伴うもの）中、1回に限り算定する ・算定は紹介元医師が属する医療機関において行う ・「Ⅰ」はC004救急搬送診療料と併せて算定できる 〔併せて算定できないもの〕 A001再診料、A002外来診療料、C000往診料、C001在宅患者訪問診療料（Ⅰ）の「1」

〔対象患者（Ⅰ）〕
・妊婦：①妊娠22週～32週未満の早産、②妊娠高血圧症候群重症、③前置胎盤（妊娠28週以降で出血症状がある）、④多胎妊娠、⑤子宮内胎児発育遅延、⑥心疾患、⑦糖尿病、⑧白血病、⑨血友病、⑩出血傾向のある状態、⑪特発性血小板減少性紫斑病（⑥～⑪は治療中のものに限る）、⑫HIV陽性、⑬当該妊娠中に帝王切開術以外の開腹手術を行った患者または行う予定のある患者、⑭精神疾患（精神療法が実施されているもの）、⑮妊娠30週未満の切迫早産（子宮収縮、子宮出血、頸管の開大、短縮または軟化のいずれかの兆候を示すもの等に限る）、⑯甲状腺疾患、⑰腎疾患、⑱膠原病（⑯～⑱は治療中のものに限る）、⑲Rh不適合
・妊産婦：①上記「①～⑭」のもの、②40歳以上の初産婦、③分娩前のBMIが35以上の初産婦、④常位胎盤早期剥離のもの、⑤双胎間輸血症候群のもの

項目	点数	略称	外来	入院	算定要件
B005-5 ハイリスク妊産婦共同管理料（Ⅱ）㊞（入院中1患者につき1回）	500	ハイ Ⅱ	×	○	・施設基準適合の届出医療機関で算定する ・標榜及び対象患者はB005-4 ハイⅠ に同じ ・B005-4ハイリスク妊産婦共同管理料（Ⅰ） ハイⅠ を紹介元の医師の属する医療機関で算定した場合、紹介元の医療機関はB005-5 ハイⅡ を算定する 〔併せて算定できないもの〕 A001再診料、A002外来診療料、C000往診料、C001在宅患者訪問診療料（Ⅰ）の「1」
B005-6 がん治療連携計画策定料 ㊞					
1 がん治療連携計画策定料1（退院日から30日以内1回）	750	がん策1	○	○	・「1」は、退院日から30日以内に実施した場合に算定 ・「2」は、「1」の算定患者にB005-6-2がん治療連携指導料を算定し、病状の変化等に伴う当該他の保険医療機関からの紹介で、その患者を診療し、治療計画を変更した場合に患者1人につき1回に限り算定 ・A246入退院支援加算の注4、B009診療情報提供料（Ⅰ）の注16に規定する地域連携診療計画加算は算定できない ・B009診療情報提供料（Ⅰ）、B011連携強化診療情報提供料の費用は所定点数に含まれる
2 がん治療連携計画策定料2（1患者月1回）	300	がん策2	○	×	
情報通信機器を用いた場合 ㊞	261	情がん策2			
B005-6-2 がん治療連携指導料 ㊞（月1回）	300	がん指	○	×	・B005-6を算定した患者に地域連携診療計画に基づく治療を行い、計画策定病院に文書により情報提供を行った場合に算定 ・A246入退院支援加算の注4、B009診療情報提供料（Ⅰ）の注16に規定する地域連携診療計画加算は算定できない ・B009診療情報提供料（Ⅰ）及びB011連携強化診療情報提供料の費用は所定点数に含まれる

項目		点数	略称	算定の可否 外来	算定の可否 入院	算定要件
B005-6-3　がん治療連携管理料（1患者1回）						
1	がん診療連携拠点病院の場合	500	がん管1	○	×	・他院から紹介された患者で、がんと診断された外来患者に対して、化学療法または放射線治療を行った場合に算定する ・患者1人につき1回限り算定する ・A232がん診療連携拠点病院加算は算定できない
2	地域がん診療病院の場合	300	がん管2			
3	小児がん拠点病院の場合	750	がん管3			
B005-7　認知症専門診断管理料						
1	認知症専門診断管理料1（1患者1回）		認管1	○	×	・「1」は、基幹型、地域型または診療所型認知症疾患医療センターが他の医療機関から紹介された患者に対し、患者またはその家族の同意を得て、認知症の鑑別診断を行った上で、療養方針を決定（認知症と判断された患者には認知症療養計画を作成）し、これを患者またはその家族に説明し、文書を提供するとともに、紹介元の医療機関に文書で報告した場合に、1人につき1回に限り、算定する ・「2」は、基幹型、地域型、または連携認知症疾患医療センターが認知症の症状が増悪した患者に対し、患者または家族等の同意を得た上で、今後の療養計画等を説明し、それを文書で患者または家族等に提供した場合、紹介を受けた他の医療機関に対し、文書で報告した場合に、患者1人につき3月に1回算定する ・B000特定疾患療養管理料は別に算定不可 ・B009診療情報提供料（Ⅰ）、B011連携強化診療情報提供料の費用は所定点数に含まれる 〔認知症専門診断管理料の施設基準〕 1．認知症に関する専門の保険医療機関であること 2．院内に認知症に係る診療を行うにつき、十分な経験を有する医師が配置されていること
	イ．基幹型または地域型の場合	700				
	ロ．連携型の場合	500				
2	認知症専門診断管理料2（3月に1回）		認管2			
	イ．基幹型または地域型の場合	300				
	ロ．連携型の場合	280				
B005-7-2　認知症療養指導料（月1回）						
1	認知症療養指導料1	350	認指1	○	○	・「1」は、本院の紹介によって、他院にて認知症の鑑別診断を受け、B005-7認知症専門診断管理料1を算定した外来患者または療養病棟入院患者に対して、本院が認知症療養計画に基づいた治療を行うとともに患者の同意を得て、他院の文章によって診療情報を提供した場合に算定 ・治療開始月から6月に限り、月1回算定 ・「2」は、本院の紹介により他院でB005-7-3認知症サポート指導料を算定した患者に対して認知の治療を行い、他院に診療情報提供を行った場合に、治療月を含めて6ヵ月に限り1回算定する
2	認知症療養指導料2	300	認指2			
3	認知症療養指導料3	300	認指3			・「3」は、新たに認知症を診断または認知症の症状が悪化した外来患者に対して、認知症療養計画を作成した上で、患者・家族等に説明し、治療を行った場合に、治療月を含めて6ヵ月に限り1回算定する ・「1」～「3」は同時に算定できず、B000特定疾患療養管理料、Ⅰ002通院在宅精神療法は別に算定できない ・B009診療情報提供料（Ⅰ）、B011連携強化診療情報提供料の費用は所定点数に含まれる

項　目	点数	略称	算定の可否 外来	算定の可否 入院	算　定　要　件
B005-8　肝炎インターフェロン治療計画料 届（1患者1回） 情報通信機器を用いた場合 届	700 609	肝計 情肝計	○	○	・長期継続的なインターフェロン治療が必要な肝炎患者に対し、治療計画を作成して、地域で連携して治療を行う医療機関に、文書で情報提供を行った場合に算定する ・入院中の患者に対しては退院時に算定する
B005-9　外来排尿自立指導料 届（週1回に限り、1患者6回限度）	200	外排自	○	×	・別に厚生労働大臣が定めるものに対し、包括的な排尿ケアを行った場合に、患者1人につき週1回に限り、A251排尿自立支援加算を算定した期間と通算して12週を限度として算定する ・C106在宅自己導尿指導管理料を算定する場合は算定できない 〔排尿自立指導料の対象患者〕 ①尿道カテーテル抜去後に、下部尿路機能障害の症状を有するもの ②尿道カテーテル留置中の患者であって、尿道カテーテル抜去後に①を生ずると見込まれるもの
B006　救急救命管理料（1回につき）	500	救	○	○	〈通則3～6の対象〉P.18参照 患者発生現場に救急救命士が赴いて、処置を行う際、医師が必要な指示を行った場合に医師の所属する医療機関において算定する レセプト「摘要欄」 ⑬ 救 500×1
B006-3　退院時リハビリテーション指導料（退院日1回のみ）	300	退リハ	×	○	・退院時に、退院後の在宅での基本的動作能力、応用的動作能力または社会的適応能力の回復のため、必要なリハビリ訓練等の指導を行った場合に算定する ・B005退院時共同指導料２は別に算定できない レセプト「摘要欄」 ⑬ 退リハ 300×1
B007　退院前訪問指導料（入院中1回のみ）	580	退前	×	○	入院期間が1月超が見込まれる患者の円滑な退院のため、入院中（外泊時を含む）または退院日に患家を訪問し退院後の在宅での療養上の指導を行った場合に算定する（交通費は患家持ち） 例）指導の実施日にかかわらず退院日に算定するが、2回算定の場合はレセプトに下記のように記載する レセプト「摘要欄」 ⑬ 退前 1回目 12月1日訪問 580×2 2回目 12月28日訪問 〔併せて算定できないもの〕 I011-2　精神科退院前訪問指導料
B007-2　退院後訪問指導料（退院した日から起算して1ヵ月以内の期間で5回限度） ＜注加算＞ 訪問看護同行加算	580 +20	退後 退訪同	○	×	〈通則3～6の対象〉P.18参照 ・別に厚生労働大臣が定める状態の患者の地域における円滑な在宅療養への移行及び在宅療養の継続のため患家を訪問し、患者またはその家族等に対して、在宅での療養上の指導を行った場合に、患者が退院した日から起算して1ヵ月以内の期間（退院日を除く）に限り、5回を限度として算定する ・在宅療養を担う訪問看護ステーションまたは他院の保健師、助産師、看護師または准看護師と同行し、必要な指導を行った場合には、訪問看護同行加算として、退院後1回に限り20点を加算する

項目	点数	略称	算定の可否 外来	算定の可否 入院	算定要件
B008 薬剤管理指導料 ㊞届（週1回・月4回限度）					
1 特に安全管理が必要な医薬品が投薬または注射されている患者	380	薬管1	×	○	・「投薬・注射・薬学的管理指導」を行った場合に算定する ・「1」については、厚生労働大臣が定める患者に対して算定する。「2」はそれ以外の患者に対して算定する ・算定回数は1患者週1回かつ月4回に限り算定する。指導間隔は6日以上とする レセプト「摘要欄」 ⑬ 薬管1（指導日、算定日）点数×回数 ⑬ 薬管2（指導日、算定日、薬剤名）点数×回数
2 1以外の患者	325	薬管2			
〈注加算〉 麻薬管理指導加算（1回につき）	+50	麻加			・麻薬の投薬または注射が行われている患者に、麻薬の使用に関して必要な薬学的管理指導を行った場合に加算する レセプト「摘要欄」 ⑬ 薬管1 麻加（指導日）430×回数 〔併せて算定できないもの〕 F500調剤技術基本料（ただし、施設基準を満しているがB008の算定要件を満していない場合はF500 調基42点により算定する）
B008-2 薬剤総合評価調整管理料	250	薬総評管	○	×	・外来患者で6種類以上の内服薬（特に規定するものを除く）が処方されたものについて、処方内容を総合的に評価及び調整し、患者に処方する内服薬が2種類以上減少した場合に、月1回に限り算定する ・処方の内容の調整に当たって、別の医療機関や薬局に対して、照会または情報提供を行った場合に、50点加算する ・連携管理加算を算定した場合、B009診療情報提供料（Ⅰ）は同一日には算定できない
情報通信機器を用いた場合 ㊞届	218	情薬総評管			
〈注加算〉 連携管理加算	+50				
B009 診療情報提供料（Ⅰ）	250	情Ⅰ	○	○	患者の同意を得て、情報提供先に対して、診療状況を示す文書を添えて患者の紹介を行った場合に、患者1人につき月1回に限り算定する レセプト 「摘要欄」 ⑬ 情Ⅰ（算定日）（加算略称）点数×1 情Ⅰ退 は退院の日の属する月またはその翌月に、①別の医療機関、②精神障害者施設、③介護老人保健施設に対して、退院時情報としてB情報を添付して紹介した場合に加算する B情報：退院後の治療計画、検査結果、画像診断の情報、その他必要な情報 情Ⅰ妊 はB005-4ハイリスク妊産婦共同管理料（Ⅰ）の届出医療機関が、C情報を添付し、別のハイリスク妊産婦共同管理料（Ⅰ）の届出医療機関に紹介した場合に、患者の妊娠中1回に限り算定する C情報：検査結果、画像診断の情報、その他必要な情報 情Ⅰ認紹 は認知症の疑いのある患者の鑑別診断等のために、専門医療機関に文書を添えて紹介した場合に算定する 情Ⅰ認連 は認知症の専門医療機関で認知症と診断された
〈注加算〉 退院患者紹介加算	+200	情Ⅰ退	×	○	
ハイリスク妊産婦紹介加算	+200	情Ⅰ妊	○	○	
認知症鑑別診断等紹介加算	+100	情Ⅰ認紹	○	○	
認知症専門医療機関連携加算	+50	情Ⅰ認連	○	×	
精神科医連携加算	+200	情Ⅰ精	○	×	
肝炎インターフェロン治療連携加算	+50	情Ⅰ肝	○	×	
歯科医療機関連携加算1	+100	情Ⅰ歯1	○	○	
歯科医療機関連携加算2	+100	情Ⅱ歯2	○	○	
地域連携診療計画加算 ㊞届	+50	情地連診	○	×	
療養情報提供加算	+50	情療養	○	×	

項目	点数	略称	算定の可否 外来	算定の可否 入院	算定要件
検査・画像情報提供加算 ㊞届 イ．退院する患者について ロ．外来患者について	 +200 +30	情検画	 × ○	 ○ ×	患者について、症状が増悪したために、患者または家族の同意を得て、当該専門医療機関に対して診療状況を示す文書を添えて、その患者の紹介を行った場合に算定する 情I精 は精神科以外を標榜する医療機関が外来患者について、うつ病等の精神障害の疑いにより、その診断治療等の必要性を認め、精神科標榜医療機関に受診予約を行い、紹介した場合に算定する 情I肝 は治療計画に基づいて長期継続的にインターフェロン治療が必要な肝炎の外来患者について、連携して治療を行う肝疾患の専門医療機関に対して、保険医療機関が患者の同意を得て、診療状況を示す文書を添えて患者を紹介した場合に算定する 情I歯 は保険医療機関が、患者の口腔機能の管理の必要を認め、歯科診療を行う他の保険医療機関に対して、患者またはその家族の同意を得て、診療情報を示す文書を添えて、患者の紹介を行った場合に加算する 情療養 は在宅療養担当医療機関が、患者が入院・入所する医療機関・介護老人保健施設・介護医療院に対して、訪問看護ステーションから得た療養に係る情報を添付して、紹介を行った場合に算定する
【情Ⅰ 250点が算定できる提供先】					※紹介先・情報提供先を特定せず文書のみを受付しただけの場合、紹介先・情報提供先が特別の関係等にある場合は算定できない

提供先	目的
①他の医療機関	医療機関間の有機的連携の強化
②市町村（患者居住地）③保健所④精神保健福祉センター⑤指定居宅介護支援事業者⑥指定介護予防支援事業者⑦地域包括支援センター⑧指定相談支援事業者⑨指定障害児相談支援事業者	保険福祉サービスのため〔入院患者については退院日から2週間以内に紹介（家庭に復帰する場合に限る）〕
⑩保険薬局	在宅患者訪問薬剤管理指導のため
⑪精神障害者施設⑫介護老人保健施設（併設除く）	「入所している患者」の医療機関での診療に基づく情報の提供
⑬介護医療院⑭介護老人保健施設（併設除く）	入所等のため
⑮認知症に関する専門の医療機関等（知事指定医療機関等）	認知症の鑑別診断、治療方針の選定等のため
⑯学校医等（大学を除く）（保育所・幼稚園、小・中学校、高等学校、他）	小・中学校などの学校医等に情報提供

項目	点数	略称	外来	入院	算定要件
B009-2 電子的診療情報評価料 ㊞届	30	電診情評	○	○	別の医療機関からの紹介患者に係る検査結果、画像情報、画像診断の所見、投薬、注射の内容、退院時要約など、主な診療記録を電子的方法で閲覧または受診し、診療に活用した場合に算定する
B010 診療情報提供料（Ⅱ）（1患者につき月1回）	500	情 Ⅱ	○	○	他の医療機関の医師の意見（セカンドオピニオン）を求める患者・家族の要望を受けて、他の医療機関に情報を添付し、患者又は家族の要望の支援を行った場合に1患者月に1回に限り算定する レセプト「摘要欄」 ⑬ 情 Ⅱ （算定日） 点数×1
B010-2 診療情報連携共有料（1患者につき3月に1回）	120	情共	○	○	・慢性疾患を有する患者について、歯科医療機関の求めに応じて検査結果や投薬内容等の情報提供を行った場合、3月に1回に限り算定する ・B009診療情報提供料を算定した同一月には算定できない

項　目	点数	略称	算定の可否 外来	算定の可否 入院	算　定　要　件
B011-3　薬剤情報提供料（原則月1回）（※処方内容変更のつど算定可）	4	薬情	○	×	・外来患者に処方したすべての薬剤について、主な情報を文書で提供した場合に算定する ・算定回数は月1回。ただし処方内容の変更の場合はそのつど算定できる ・院外処方の場合は算定できない レセプト「摘要欄」⑬ 薬情　10×回数 ・手帳 は患者の求めに応じ、手帳に記載した場合に加算する。 レセプト「摘要欄」⑬ 薬情 手帳　13×回数
〈注加算〉手帳記載加算（月1回）	+3	手帳			
B011-4　医療機器安全管理料 ㊛届					
1　臨床工学士配置／生命維持管理装置治療（1月につき）	100	医機安	○	○	・「1」は、臨床工学技士（常勤1名以上）が配置された医療機関で、生命維持管理装置を用いて治療を行った場合に算定する ・「2」は、放射線治療機器の管理体制整備／放射線治療計画策定（一連につき）は、放射線治療が必要な患者に対して、放射線治療計画に基づいて治療を行った場合に算定する（1100点） レセプト「摘要欄」⑬ 医機安　点数×回数
2　放射線治療機器の保守管理等の体制が整えられている医療機関／放射線治療計画を策定（一連につき）	1100				
B012　傷病手当金意見書交付料（交付のつど）	100	傷	○	○	意見書1枚につき100点算定できる 当該申請のための診断書を記載した場合はさらに100点を算定する 例）同一月に2枚の交付を求められた場合　100点×2枚 上記の申請手続きに協力し代行した場合はさらに100点を算定する レセプト「摘要欄」⑬ 傷（交付年月日）100×2
感染症法公費負担申請の診断書交付	+100				
感染症法公費負担申請の手続	+100				
B013　療養費同意書交付料（交付のつど）	100	療	○	○	医師が「あん摩・マッサージ・指圧・はり、きゅうの施術に係る同意書または診断書」を交付した場合に算定する レセプト「摘要欄」⑬ 療（交付年月日）点数×回数
B014　退院時薬剤情報管理指導料（退院日1回限り）	90	退薬	×	○	入院中に使用した主な薬剤の名称等、B011-3の手帳に記載した上で、患者の退院に際して患者または家族等に対して、退院後の薬剤の服用等に関する必要な指導を行った場合に、退院日に算定する レセプト「摘要欄」⑬ 退薬（退院日）点数×回数
<注加算>退院時薬剤情報連携加算	+60	退薬	×	○	

⑭主な在宅患者診療・指導料一覧

「在宅患者診療・指導料」の留意点は下記のとおりです。

①患家に訪問した際の交通費(実費)は患家の負担とする(自転車、スクーターは負担の対象にならない)。

②同時に算定できないもの〔往診料、訪問診療(Ⅰ)(Ⅱ)、訪問看護、訪問リハ、訪問薬剤、訪問栄養、精神科訪問看護、同一建物居住者訪問看護のいずれか〕に注意し、このうち1つ算定した日は、他のものは算定できない。

項　目	点数	略称	算　定　要　件
通則５			
●外来感染対策向上加算（診療所のみ）（月１回） ●発熱患者等対応加算	６点 20点	在感 在熱対	・届出診療所で「イ」～「リ」を算定した場合は、外来感染対策向上加算として、月１回に限り６点を所定点数に加算する。ただし、発熱その他感染症を疑わせるような症状を呈する患者に対して適切な感染防止対策を講じた上で、第1節の各区分に掲げる在宅患者診療・指導料のうち次に掲げるものを算定した場合は、発熱患者等対応加算として月1回に限り20点をさらに所定点数に加算する。 イ C001　在宅患者訪問診療料（Ⅰ） ロ C001-2　在宅患者訪問診療料（Ⅱ） ハ C005　在宅患者訪問看護・指導料 ニ C005-1-2　同一建物居住者訪問看護・指導料 ホ C005-2　在宅患者訪問点滴注射管理指導料 ヘ C006　在宅患者訪問リハビリテーション指導管理料 ト C008　在宅患者訪問薬剤管理指導料 チ C009　在宅患者訪問栄養食事指導料 リ C011　在宅患者緊急時等カンファレンス料 ・この場合、A000初診料の注11、A001再診料の注15、第１部の通則第３号またはＩ012精神科訪問看護・指導料の注13に規定する外来感染対策向上加算を算定した月は、別に算定できない
通則６			
●連携強化加算（月１回）	３点	在連	・前号に規定する外来 感染対策向上加算を算定した場合は、連携強化加算として、月１回に限り３点を更に所定点数に加算する
通則７			
●サーベイランス強化加算（月１回）	１点	在サ	・通則５に規定する外来感染対策向上加算を算定した場合は、サーベイランス強化加算として、月１回に限り１点をさらに所定点数に加算する
通則8			
●抗菌薬適正使用体制加算（月1回）	5点	在抗菌適	・抗菌薬の使用状況について、届出医療機関で外来感染対策向上加算を算定した場合は、抗菌薬適正使用体制加算として月1回に限り5点をさらに所定点数に加算する。

項　目	点数	略称
C000　往診料		在支援 在支病 支援
[昼間往診]（1時間以内）	720	
〈加算〉 注1 [緊急・夜間・休日・深夜の場合] イの医療機関		
(1) 有床の場合		
①緊急に行う往診	＋850	
②夜間（深夜を除く）または休日の往診	＋1700	
③深夜の往診	＋2700	
(2) 無床の場合		
①緊急に行う往診	＋750	
②夜間（深夜を除く）または休日の往診	＋1500	
③深夜の往診	＋2500	
ロの医療機関		
①緊急に行う往診	＋650	
②夜間（深夜を除く）または休日の往診	＋1300	
③深夜の往診	＋2300	
ハの医療機関		
①緊急に行う往診	＋325	
②夜間（深夜を除く）または休日の往診	＋650	
③深夜の往診	＋1300	
ニの医療機関		
①緊急に行う往診	＋325	
②夜間（深夜を除く）または休日の往診	＋405	
③深夜の往診	＋485	
＜注加算＞		
注2診療時間加算（1時間超）	＋100	
注3在宅ターミナルケア加算		
イ．有料老人ホーム等に入居する患者以外の患者		
(1) の医療機関		
①有床の場合	＋6500	
②無床の場合	＋5500	
(2) の医療機関	＋4500	
(3) の医療機関	＋3500	
ロ．有料老人ホーム等に入居する患者		
(1) の医療機関		
①有床の場合	＋6500	
②無床の場合	＋5500	
(2) の医療機関	＋4500	
(3) の医療機関	＋3500	

算　定　要　件

・医師が患者の求めに応じて患家等に赴き診療を行った場合に算定（1日2回以上算定可）
・休日加算や年齢加算はない
・往診患者の場合でも再診料の「外来管理加算」は算定できる
・「イ」は、在宅療養支援診療所（在支診）・在宅療養支援病院（在支病）の場合（厚生労働大臣の定めた保険医実施）
・「ロ」は、「イ」以外の在宅療養支援診療所・在宅療養支援病院の場合。「ロ」は在宅療養実績加算として75点をさらに所定点数に加算する
・「ハ」は、「イ」「ロ」以外の保険医療機関の保険医が行う場合
・「ニ」は、厚生労働大臣が定める患者以外の患者に対して行う場合

厚生労働大臣が定める患者
①往診を行う医療機関で過去60日以内にC001在宅患者訪問診療料等を算定している患者
②往診を行う医療機関と連携体制のある医療機関で過去60日以内にC001等を算定している患者
③往診を行う医療機関の外来で継続的に診療を受けている患者
④往診を行う医療機関と平時から連携体制のある介護保険施設（有料老人ホーム）等に入所する患者

〔往診料〕

C000 往診料 1時間	イ　診療従事の時間帯で往診を行う在支診・在支病		ロ　イ以外の在支診・在支病の往診料	ハ　イ・ロ以外の医療機関の往診料	ニ　その他
	有床	無床			
昼間	720	720	720	720	720
緊急	1570（720＋850）	1470（720＋750）	1370（720＋650）	1045（720＋325）	1045（720＋325）
夜間休日	2420（720＋1700）	2220（720＋1500）	2020（720＋1300）	1370（720＋650）	1125（720＋405）
深夜	3420（720＋2700）	3220（720＋2500）	3020（720＋2300）	2020（720＋1300）	1205（720＋485）
診療時間加算	1時間を超えた場合は、30分区切りに＋100加算する				
死亡診断加算	＋200				

・緊急とは概ね8：00～23：00の診療従事中、夜間休日とは深夜を除く18：00～8：00、深夜とは22：00～6：00を指す。
・診療時間が1時間を超えた場合は、30分区切で延長加算する＋100
・死亡日に往診し、患家において死亡診断を行った場合に死亡診断加算として＋200

1時間	30分	30分	30分	……
720点	100点	100点	100点	……

例）同日往診の場合（ハの医療機関の場合）
レセプト　　　　　　　　　往診日

⑭	往診　1回　720 夜間　1回　1370	⑭	往診　10日（日中1回・夜間1回）

・機能強化型の在支診・在支病で、緊急往診が年15件以上かつ看取りが年20件以上の届出医療機関の保険医が行った場合は、さらに在宅緩和ケア充実診療所・病院加算（100点）をする
・機能強化型でない在支診・在支病で、緊急往診が年10件かつ看取りが年4件以上の実績がある場合は在宅療養実績加算1（75点）、緊急往診が年4件かつ看取りが年2件以上の実績がある場合は在宅療養実績加算2（50点）を、それぞれさらに所定点数に加算する

項目	点数	略称	算定要件
在宅緩和ケア充実診療所・病院加算 (届)	+1000		
在宅診療実績加算1 (届)	+750		
在宅療養実績加算2 (届)	+500		
注4看取り加算	+3000		
注5死亡診断加算	+200		
＜さらに加算＞			
注8在宅緩和ケア充実診療所・病院加算 (届)	+100		
在宅療養実績加算1 (届)	+75		
在宅療養実績加算2 (届)	+50		
注9往診時医療情報連携加算	+200		
注10介護保険施設等連携往診加算	+200		
C001　在宅患者訪問診療料（Ⅰ）（1日につき）			
1　在宅患者訪問診療料1			〈通則５～８の対象〉P.40参照 ・在宅患者訪問診療料（Ⅰ）は、在宅での療養を行っている患者であって、疾病、傷病のために通院が困難な患者に対して、患者の入居する有料老人ホーム等に併設されている医療機関以外の医療機関の**医師**が定期的・計画的に訪問して診療を行った場合に週3回を限度（末期悪性腫瘍や難病等の患者は制限なし）に1日につき算定 ・A000初診料、A001再診料、C000往診料との併算定はできない
イ　同一建物居住者以外の場合	888	(Ⅰ)1在宅	
ロ　同一建物居住者	213	(Ⅰ)1同一	
2　在宅患者訪問診療料2			
イ　同一建物居住者以外の場合	884	(Ⅰ)2在宅	例）6日間の在宅患者訪問診療「1」の場合 レセプト「摘要欄」それぞれの名称、回数及び総点数 ⑭ 在宅患者訪問診療料 6回　4998 ｜ ⑭ (Ⅰ)1在宅 1.6.11.15.21.26日（6日間）833×6
ロ　同一建物居住者	187	(Ⅰ)2同一	
＜注加算＞			
注4乳幼児加算	+400	乳	→6歳未満
注5診療時間加算	+100		→診療時間1時間を超えた場合は30分ごとに＋100
注6在宅ターミナルケア加算 イ　有料老人ホーム等に入居する患者以外の患者		(Ⅰ)タ在	・在宅緩和ケア充実診療所・病院加算 (届) ＋1000 ・在宅療養実績加算1 (届) ＋750 ・在宅療養実績加算2 (届) ＋500 ・酸素療法加算 タ酸 ＋2000 ・注7看取り加算（1を算定する場合に限る） 看取 ＋3000 ・注8死亡診断加算（1を算定する場合に限る） ＋200 ・注9 16km超・海路による訪問診療（別に厚生労働大臣が定めるところにより算定する） ・交通費は患家の負担とする
（1）在支診・在支病（機能強化型）			
①有床の場合	+6500		
②無床の場合	+5500		
（2）在支診・在支病〔上記（1）を除く〕	+4500		
（3）在支診・在支病以外	+3500		
ロ　有料老人ホーム等に入居する患者		(Ⅰ)タ施	・「1」について在宅療養支援診療所（病院）であって基準適合でなくなった場合は、適合しなくなった後、直近1ヵ月に限り同一患者につき同一月に訪問診療を5回以上実施した場合、5回目以降の訪問診療について所定点数の50／100で算定する。 ・施設基準適合届出医療機関において、電子資格確認等により得られる情報を踏まえ、計画的な医学管理の下に訪問診療を行った場合、在宅医療DX情報活用加算として月1回に限り10点を所定点数に加算する。
（1）の医療機関			
①有床の場合	+6500		
②無床の場合	+5500		
（2）の医療機関	+4500		
（3）の医療機関	+3500		
注12 5回目以降（同一患者同一月）	50/100		
注13在宅医療DX情報活用加算（月1回）	+10		

項　目	点数	略称	算　定　要　件
C001-2　在宅患者訪問診療料(Ⅱ)(1日につき)			〈通則5～8の対象〉P.40参照 ・在宅患者訪問診療料（Ⅱ）は患者の入居する有料老人ホーム等に併設される医療機関の**医師**が、定期的に訪問して診療を行った場合に算定する
イ　C002、C002-2、C003の算定要件を満たす医療機関で行った場合	150	(Ⅱ)	
ロ　C002、C002-2、C003の算定要件を満たす医療機関から紹介された患者に行った場合	150		
<注加算>			
乳幼児加算	+400	乳	→6歳未満
診療時間加算	+100		→診療時間1時間を超えた場合は30分ごとに+100
注5在宅ターミナルケア加算		(Ⅱ)タ	・注5在宅緩和ケア充実診療所・病院加算　届　+1000 ・注5在宅療養実績加算1　届　+750 ・注5在宅療養実績加算2　届　+500 ・酸素療養加算　夕酸　+2000 ・看取り加算(1を算定する場合に限る)　看取　+3000 ・死亡診断加算(1を算定する場合に限る)　+200
イ　在支診・在支病(機能強化型)			
(1)有床の場合	+6200		
(2)無床の場合	+5200		
ロ　在支診・在支病〔上記(イ)を除く〕	+4200		
ハ　在支診・在支病以外	+3200		
C002　在宅時医学総合管理料(月1回) 届		在医総管外 在医総管内	院外処方：在医総管外 院内処方：在医総管内

C002在宅時医学総合管理料(月1回)	1. 在宅療養支援診療所または在宅療養支援病院									
	イ. 病床あり					ロ. 病床なし				
	① 1人	② 2～9人	③ 10～19人	④ 20～49人	⑤ 50人以上	① 1人	② 2～9人	③ 10～19人	④ 20～49人	⑤ 50人以上
(1)月2回以上訪問 末期の悪性腫瘍他(別表8の2)	5385	4485	2865	2400	2110	4985	4125	2625	2205	1935
(2) 月2回以上訪問 [(1)を除く]	4485	2385	1185	1065	905	4085	2185	1085	970	825
(3) 月2回以上訪問のうち、1回以上情報通信機器を使用して診療	3014	1670	865	780	660	2774	1550	805	720	611
(4)月1回訪問	2745	1486	765	670	575	2505	1365	705	615	525
(5) 月1回訪問診療し、2月目は1回に限り情報通信機器を使用して診療	1500	828	425	373	317	1380	768	395	344	292

C002在宅時医学総合管理料(月1回)	2.「1」以外の在宅療養支援診療所・在宅療養支援病院					3.「1」及び「2」以外の場合				
	① 1人	② 2～9人	③ 10～19人	④ 20～49人	⑤ 50人以上	① 1人	② 2～9人	③ 10～19人	④ 20～49人	⑤ 50人以上
(1)月2回以上訪問 末期の悪性腫瘍他(別表8の2)	4585	3765	2385	2010	1765	3435	2820	1785	1500	1315
(2) 月2回以上訪問 [(1)を除く]	3685	1985	985	875	745	2735	1460	735	655	555
(3) 月2回以上訪問のうち、1回以上情報通信機器を使用して診療	2554	1450	765	679	578	2014	1165	645	573	487
(4)月1回訪問	2285	1265	665	570	490	1745	980	545	455	395
(5) 月1回訪問診療し、2月目は1回に限り情報通信機器を使用して診療	1270	718	375	321	275	1000	575	315	264	225

項目	点数	略称	算定要件

［注加算］
注2処方箋を交付しない場合　＋300
注4在宅移行早期加算　＋100(算定月から3月以内で月1回のみ)
注5頻回訪問加算　イ．初回の場合　＋800　ロ．2回目以降の場合＋300
注7

	(1)1人	(2)2～9人	(3)10～19人	(4)20～49人	(5)50人以上
イ．在宅緩和ケア充実診療所・病院加算	+400	+200	+100	+85	+75
ロ．在宅療養実績加算1	+300	+150	+75	+63	+56
ハ．在宅療養実績加算2	+200	+100	+50	+43	+38

注8施設要件を満たさない場合、所定点数の80／100で算定
注9在宅療養移行加算1～4　「1」+316、「2」+216、「3」+216、「4」+116
注10包括的支援加算　+150
注13在宅データ提出加算　+50
注14基準を満たさない場合60／100で算定
注15在宅医療情報連携加算　+100(月1回)

〔C002、C002-2共通〕
算定した場合は、レセプト「その他」の項に名称を記載し、加算を算定した場合は「その他」の項に名称及び点数を記載する

C002-2　施設入居時等医学総合管理料（月1回）届（同一以外）

施医総管外　施医総管内

院外処方：施医総管外
院内処方：施医総管内

C002-2施設入居時等医学総合管理料（月1回）	1．在宅療養支援診療所または在宅療養支援病院									
	イ．病床あり					ロ．病床なし				
	①1人	②2～9人	③10～19人	④20～49人	⑤50人以上	①1人	②2～9人	③10～19人	④20～49人	⑤50人以上
(1)月2回以上訪問末期の悪性腫瘍他(別表8の2)	3885	3225	2865	2400	2110	3585	2955	2625	2205	1935
(2)月2回以上訪問[(1)を除く]	3185	1685	1185	1065	905	2885	1535	1085	970	825
(3)月2回以上訪問のうち、1回以上情報通信機器を使用して診療	2234	1250	865	780	660	2054	1160	805	720	611
(4)月1回訪問	1965	1065	765	670	575	1785	975	705	615	525
(5)月1回訪問診療し、2月目は1回に限り情報通信機器を使用して診療	1110	618	425	373	317	1020	573	395	344	292

C002-2施設入居時等医学総合管理料（月1回）	2．「1」以外の在宅療養支援診療所・在宅療養支援病院					3．「1」及び「2」以外の場合				
	①1人	②2～9人	③10～19人	④20～49人	⑤50人以上	①1人	②2～9人	③10～19人	④20～49人	⑤50人以上
(1)月2回以上訪問末期の悪性腫瘍他(別表8の2)	3285	2685	2385	2010	1765	2435	2010	1785	1500	1315
(2)月2回以上訪問[(1)を除く]	2585	1385	985	875	745	1935	1010	735	655	555
(3)月2回以上訪問のうち、1回以上情報通信機器を使用して診療	1894	1090	765	679	578	1534	895	645	573	487
(4)月1回訪問	1625	905	665	570	490	1265	710	545	455	395
(5)月1回訪問診療し、2月目は1回に限り情報通信機器を使用して診療	940	538	375	321	275	760	440	315	264	225

注2処方箋を交付しない場合　＋300
注3

	(1)1人	(2)2～9人	(3)10～19人	(4)20～49人	(5)50人以上
イ．在宅緩和ケア充実診療所・病院加算	+300	+150	+75	+63	+56
ロ．在宅療養実績加算1	+225	+110	+56	+47	+42
ハ．在宅療養実績加算2	+150	+75	+40	+33	+30

注4在宅移行早期加算　＋100(算定月から3月以内で月1回のみ)
注5頻回訪問加算　イ．初回の場合　＋800　ロ．2回目以降の場合＋300
注7在宅データ提出加算　+50
注8施設要件を満たさない場合、所定点数の80／100で算定
注9在宅療養移行加算1～4　「1」+316、「2」+216、「3」+216、「4」+116
注10包括的支援加算　+150
注14基準を満たさない場合60／100で算定
注15在宅医療情報連携加算　+100(月1回)

項目	点数	略称	算定要件
C003　在宅がん医療総合診療料　（週単位・1日につき）㊋			
1　（厚生労働大臣の定めに該当） 在宅療養支援診療所・在宅療養支援病院の場合		在医総	・在宅療養支援診療所・在宅療養支援病院(届)のみ算定可で、**医師**が在宅がん医療を提供するにつき、必要な体制が整備され、緊急時の入院体制が整備されている医療機関であること ・1週間のうち「(1) 処方箋交付の場合」と「(2) 処方箋交付しない場合」が混在したときは、当該1週間分は「(1)」で算定する レセプト：名称、日数、加算名称及び点数を記載する ⑭ その他　総点数｜⑭ 在医総(訪問診療日・訪問看護日)点数×回数 死亡診断加算　　200×1 〈注加算〉 注2死亡診断加算は＋200 注6小児加算(15歳未満) 在総小 ＋1000(週1回) 注7在宅データ提出加算 ㊋ 在デ ＋50(月１回) 注8在宅医療DX情報活用加算 ㊋ ＋10(月1回) 注9在宅医療情報連携加算 ㊋ ＋100(月1回) 届出医療機関が行った場合は、さらに次の点数を所定点数に加算する 注5在宅緩和ケア充実診療所・病院加算 ㊋ ……＋150点 注5在宅療養実績加算1 ㊋ ……＋110点 注5在宅療養実績加算2 ㊋ ……＋75点
イ．有床の場合 (1)院外処方 (2)院内処方	 1798 2000		
ロ．無床の場合 (1)院外処方 (2)院内処方	 1648 1850		
2　「1」以外の在宅療養支援診療所・在宅療養支援病院の場合			
イ．院外処方 ロ．院内処方	1493 1685		
C004　救急搬送診療料	1300	搬送診療	患者を医療機関に搬送する際、その医療機関の救急自動車・ドクターヘリに診療の必要上、本院の**医師**が同乗し、診療を行った場合に算定する(初・再診料、往診料も併せて算定できる場合がある) レセプト：名称、回数(単位数)及び総点数を記載する ⑭ その他 搬送診療 (診療に要した時間)点数　回数　総点数
〈注加算〉 乳幼児加算(6歳未満) 新生児加算(生後28日未満) 長時間加算(30分以上) 重症患者搬送加算	 ＋700 ＋1500 ＋700 ＋1800	 搬送診療長 搬送重	
C005　在宅患者訪問看護・指導料　（1日につき）			
1　保健師・助産師・看護師（「3」の場合を除く） イ．週3日目まで ロ．週4日目以降	 580 680	訪問看護	〈通則５～８の対象〉P.40参照 ・在宅患者訪問看護・指導を実施する医療機関で、医師による診療のあった日から1月以内に行われた場合に算定する ・「1」「2」は、居宅療養の患者で通院が困難な者に対し**保健師・助産師・看護師・准看護師**が訪問し、訪問看護計画のものでC005-1-2同一建物居住者訪問看護・指導料(「3」を除く)またはI012精神科訪問看護・指導料と併せて週3日を限度。〔診療に基づき患者の急性憎悪などにより頻回の訪問看護が必要と認めた場合は、月1回（厚生労働大臣）が定めた者については月2回〕に限り、診療の日から14日以内は週7日を限度→ 訪問看護難病 訪問看護急性 として算定する ・加算はすべてC005の「1」「2」に対して行う ・再診料は別に算定できない 緊急訪問看護加算(1日につきいずれかを所定点数に加算する) イ．月14回まで　265点 ロ．月15回目以降　200点 レセプト「点数欄」 ⑭ その他 訪問看護難病 回数　総点数 ⑭ その他 訪問看護 1690｜⑭ 訪問看護イ (看護師)580×2 7/4・6(2日間) 訪問看護イ (准看護師)530×1 7/8(1日間) レセプト「点数欄」 ⑭ その他 訪問看護急性 回数　総点数
2　准看護師 イ．週3日目まで ロ．週4日目以降	 530 630	訪問看護専門	
3　研修修了の看護師 ㊋（悪性腫瘍の患者に対する緩和ケア、褥創ケアまたは人工肛門ケア及び人工膀胱ケアの専門研修）（月1回）	1285		

項目	点数	略称	算定要件
「1」「2」のみ加算 〈注加算〉 注3難病等複数回訪問加算		複	例）急性増悪等により頻回な訪問看護を要する患者に対して1日2回以上訪問看護を行った場合 レセプト「摘要欄」 ⑭ その他 訪問看護急性 回数 総点数 ／ ⑭ 必要を認めた診療日等 訪問看護日･指導実施日 必要であることの理由
(1) 1日2回の訪問看護・指導	＋450		
(2) 1日3回以上の訪問看護・指導	＋800		
注4緊急訪問看護加算(1日につき)		訪問看護緊急	
イ．月14回まで	＋265		
ロ．月15日以降	＋200		
注5長時間訪問看護・指導加算(週1回)	＋520	訪問看護長時	
注6乳幼児加算・幼児加算	＋130	訪問看護乳	→6歳未満の乳幼児に対して、医療機関の看護師等が訪問看護の指導を行った場合に加算する
超重症児・準超重症児等	＋180		
注7複数名訪問看護加算			
イ．他の保健師・助産師・看護師と同時に訪問	＋450	複訪看護	→「１」及び「２」について、同時に複数の看護師等または看護補助者による訪問看護･指導が必要な患者に対し、当院の看護師等が、他院の看護師等または看護補助者（とその他職員）と同時に訪問看護・指導することを患者またはその家族等の同意を得て行った場合、複数名訪問看護･指導加算として１日につき算定できる。ただし、イ、ロの場合は週１日、ハの場合は週３日を限度とする
ロ．准看護師と同時に訪問	＋380	訪問看准	
ハ．看護補助者と同時に訪問	＋300	訪問看補ハ	
ニ．看護補助と訪問（末期悪性腫瘍等の患者の場合）		訪問看補ニ	→（１）1日に1回　＋300 （２）1日に2回　＋600 （３）1日に3回以上　＋1000
注8在宅患者連携指導加算（同一建物居住者を除く）(月１回)	＋300	訪問看護連携	
注9在宅患者緊急時等カンファレンス加算（同一建物居住者を除く）(月2回)	＋200	訪問看護カン	
注10在宅ターミナルケア加算			
イ．在宅での死亡患者、特別養護老人ホーム等での死亡患者	＋2500	タ在	→看取り介護加算等をしていない
ロ．特別養護老人ホーム等での死亡患者	＋1000	タ施	→看取り介護加算等を算定
注11在宅移行管理加算(1回限)	＋250	移	・重症度の高い患者の場合　＋500
在宅移行管理加算(重症)	＋500	移重症	
注12夜間・早朝訪問看護加算	＋210	夜早	
注12深夜訪問看護加算	＋420	深	・特別地域訪問看護加算　100分の50加算
注13看護・介護職員連携強化加算(月1回)	＋250	訪問看護看介	
注14特別地域訪問看護加算	＋50/100	訪問看護特地	
注15訪問看護・指導体制充実加算	＋150		
注16専門管理加算イ	＋250	訪問特研イ	→緩和ケア、褥瘡ケアまたは人工肛門ケア及び人工膀胱ケアに係る専門の研修を受けた看護師の計画的な管理を行った場合
注16専門管理加算ロ	＋250	訪問特研ロ	→特定行為研修を修了した看護師が計画的な管理を行った場合
注17訪問介護医療DX情報活用加算(月1回)	＋5	在訪DX	→電子資格確認等により利用者の診療情報を取得した上で、訪問看護・指導の実施に関する計画的な管理を行った場合、訪問看護医療DX情報活用加算として月1回に限り5点を所定点数に加算する
注18遠隔死亡診断補助加算	＋150	遠診	→施設基準適合届出医療機関で、C001注8、C001-2注6の死亡診断加算、C005-1-2注6の在宅ターミナルケア加算を算定する患者に対し、医師の指示下で情報通信機器を用いて医師の死亡診断の補助を行った場合は、遠隔死亡診断加算として150点を所定点数に加算する

項　目	点数	略称	算　定　要　件
C005-1-2　同一建物居住者訪問看護・指導料　(1日につき)			
1　保健師、助産師、看護師の場合（「3」の場合を除く） イ. 同一日に2人 (1) 週3日目まで (2) 週4日目以降 ロ. 同一日に3人以上 (1) 週3日目まで (2) 週4日目以降	 580 680 293 343	訪問看護(同一)	〈通則５～８の対象〉P.40参照 ・「1」「2」は、**保健師、助産師、看護師、准看護師**が訪問して、マンション等の同一建物に居住する患者に看護または療養指導を行った場合、週3日（C005在宅患者訪問看護・指導料（「3」を除く）とI012精神科訪問看護・指導料併せて）を限度に1日につき算定〔「厚生労働大臣の定める疾病」の患者は制限なし〕 ・加算はすべてC005-1-2の「1」「2」に対してのみ行う
2　准看護師の場合 イ. 同一日に2人 (1) 週3日目まで (2) 週4日目以降 ロ. 同一日に3人以上 (1) 週3日目まで (2) 週4日目以降	 530 630 268 318		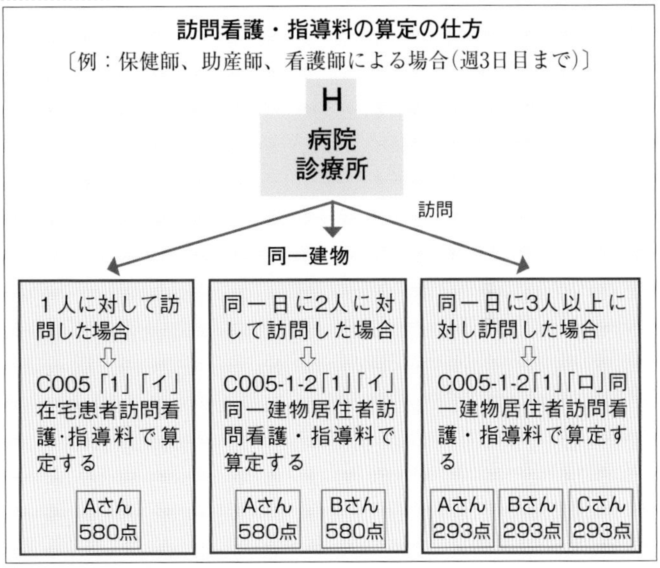 **訪問看護・指導料の算定の仕方** 〔例：保健師、助産師、看護師による場合（週3日目まで）〕 H 病院 診療所 → 訪問 → 同一建物 ・1人に対して訪問した場合 ⇩ C005「1」「イ」在宅患者訪問看護・指導料で算定する　Aさん 580点 ・同一日に2人に対して訪問した場合 ⇩ C005-1-2「1」「イ」同一建物居住者訪問看護・指導料で算定する　Aさん 580点　Bさん 580点 ・同一日に3人以上に対し訪問した場合 ⇩ C005-1-2「1」「ロ」同一建物居住者訪問看護・指導料で算定する　Aさん 293点　Bさん 293点　Cさん 293点
3　悪性腫瘍の患者に対する緩和ケア、褥瘡ケアまたは人工肛門ケア及び人工膀胱ケアに係る研修修了の看護師 ㊢届	1285	訪問看護専門(同一)	〔同日算定できないもの〕 C000往診料、C001訪問診療、C005在宅患者訪問看護・指導料、C006訪問リハ、C008訪問薬剤、C009訪問栄養、I012精神科訪問看護・指導料
<注加算> 注3難病等複数回訪問加算(1日につき)			・「１」及び「２」は、注１ただし書に規定する別に厚生労働大臣が定める疾病等の患者又は同注ただし書の規定に基づき週７日を限度として所定点数を算定する患者に対して、当該患者に対する診療を担う保険医療機関の保険医が必要と認めて、１日に２回又は３回以上訪問看護・指導を実施した場合は、難病等複数回訪問加算として、次に掲げる区分に従い、１日につき、いずれかを所定点数に加算する ・「１」及び「２」については、同時に複数の看護師等または看護補助者による訪問看護・指導が必要な者として別に厚生労働大臣が定める者に対して、保険医療機関の複数の看護師等が本院のその他職員と同時に訪問看護・指導を行うことについて当該患者又はその家族等の同意を得て、訪問看護・指導を実施した場合には、複数名訪問看護・指導加算として、次に掲げる区分に従い、１日につき、いずれかを所定点数に加算する。ただし、イ又はロの場合にあっては週１日を、ハの場合にあっては週３日を限度として算定する ・Ｃ005の注4から注6まで、注8から注15まで及び注17の規定は、同一建物居住者訪問看護・指導料について準用する。この場合において、同注8中「在宅で療養を行っている患者」は「在宅で療養を行っている（同一建物居住者に限る）」と、「在宅患者連携指導加算」は「同一建物居住者連携指導加算」と、同注9中「在宅で療養を行っている患者」は「在宅で療養を行っている（同一建物居住者に限る）」と、「在宅患者緊急時等カンファレンス加算」は「同一
3　イ. １日に２回の場合 (1)同一建物内１人または２人 (2)同一建物内３人以上	 ＋450 ＋400		
ロ. １日に３回以上の場合 (1)同一建物内１人または２人 (2)同一建物内３人以上	 ＋800 ＋720		
注4複数名訪問看護・指導加算(1日につき)			
4　イ. 所定点数を算定する訪問看護・指導を行う看護師等が他の保健師、助産師又は看護師と同時に訪問看護・指導を行う場合 (1)同一建物内１人または２人 (2)同一建物内３人以上	 ＋450 ＋400	複訪看看	

項目	点数	略称	算定要件
ロ．所定点数を算定する訪問看護・指導を行う看護師等が他の准看護師と同時に訪問看護・指導を行う場合 ⑴同一建物内1人または2人 ⑵同一建物内3人以上	 +380 +340	複訪看准	建物居住者緊急時等カンファレンス加算」と、同注10中「在宅ターミナルケア加算」は「同一建物居住者ターミナルケア加算」と読み替えるものとする 訪問看護緊急(同一) 訪問看護長時(同一) 訪問看護別定長時(同一) 訪問看護乳(同一) 訪問看護連携(同一) 訪問看護カン(同一) 同夕在 同夕施 移 移重症 夜早 深 訪問看護看介(同一) 訪問看護特地(同一)
ハ．所定点数を算定する訪問看護・指導を行う看護師等が看護補助者と同時に訪問看護・指導を行う場合(別に厚生労働大臣が定める場合を除く) ⑴同一建物内1人または2人 ⑵同一建物内3人以上	 +300 +270		
ニ．所定点数を算定する訪問看護・指導を行う看護師等がその他職員と同時に訪問看護・指導を行う場合(別に厚生労働大臣が定める場合に限る) ⑴1日に1回の場合 ①同一建物内1人または2人 ②同一建物内3人以上 ⑵1日に2回の場合 ①同一建物内1人または2人 ②同一建物内3人以上 ⑶1日に3回以上の場合 ①同一建物内1人または2人 ②同一建物内3人以上	 +300 +270 +600 +540 +1000 +900		
C005-2 在宅患者訪問点滴注射管理指導料 (週1回)	100	訪問点滴	〈通則5～8の対象〉P.40参照 ・在宅療養の患者で訪問看護を受けている者に対し、主治医の診療に基づき週3回以上の点滴の必要がある場合に算定する ・1週につき、**看護師または准看護師**が患家を訪問して、週3日以上点滴注射を実施した場合に3日目に算定する ・点滴注射手技料は所定点数に含まれ別に算定できないが、使用した薬剤は別に算定できる レセプト：名称、回数(単位数)及び総点数を記載する ⑭ その他 訪問点滴 回数 総点数 ｜ ⑭ 訪問点滴を行った日 (このとき使用した点滴注射の薬剤は、「㉚注射の㉝その他」の項に記載し、訪点 と表示する)
C006 在宅患者訪問リハビリテーション指導管理料 (週6単位) (3月以内は週12単位)			
1 同一建物居住者以外の場合	300	訪問リ在宅	〈通則5～8の対象〉P.40参照 ・**理学療法士、作業療法士、言語聴覚士**が20分以上指導した場合を1単位とし、週6単位を限度とする(末期悪性腫瘍患者は除く)。同一患者で「1」と「2」を併せて算定する場合も同じ ・注1退院日から3月以内の患者の場合は週12単位まで算定できる ・注2患者の急性増悪等により「1」と「2」を合せて6月に1回に限り、当該診療の日から14日以内に行った訪問リハビリテーション指導管理については、14日を限度として1日4単位に限り算定する 急性 レセプト「点数欄」 ⑭ その他 訪問リ在宅 回数 総点数
2 同一建物居住者の場合	255	訪問リ同一	

項　目	点数	略称	算　定　要　件
C007　訪問看護指示料 （月1回）	300	訪問指示	・主治医が指定訪問看護の必要を認め、患者の同意で患者の選定する訪問看護ステーションに対して、**医師または、研修修了の看護師（訪問看護ステーション等）**が、訪問看護指示書を交付した場合に算定する ・C007訪問看護指示書を算定した場合はＩ012-2精神科訪問看護指示料は算定しない レセプト「点数欄」 ⑭ その他 訪問指示 回数　総点数
〈注加算〉 注2特別訪問看護指示加算 （月1回限度）	＋100	特別指示	
注3手順書加算 （6月に1回）	＋150	訪看手	
注4衛生材料等提供加算 （月1回限度）	＋80	衛材提供	・主治医は在宅療養に必要な衛生材料及び保健医療材料の量の把握に努め、十分な量の衛生材料等を患者に支給する。患者１人につき、月1回80点を加算する
C007-2　介護職員等喀痰吸引等指示料	240	喀痰指示	患者の喀痰吸引の必要性を認め、**医師**が患者が選定した事業者に対して、介護職員等喀痰吸引等指示書を交付した場合に、患者1人につき3月に1回に限り算定する
C008　在宅患者訪問薬剤管理指導料　（月2回）			
1　単一建物診療患者が1人の場合	650	訪問薬剤	〈通則５～８の対象〉P.40参照 ・通院が困難な者またはその家族に対し、その保健医療機関の**薬剤師**が、医師・患者の同意の下、患家を訪問して服薬指導した場合に算定する（月4回限度）。末期の悪性腫瘍の患者及び中心静脈栄養法の対象患者は、週2回かつ月8回に限り算定する。この場合において、「1」～「3」を合わせて薬剤師1人週40回に限り、算定できる ・指導の間隔は6日以上とする。同一患者で「1」～「3」を合わせて薬剤師1人につき週40回に限り算定できる ・F500調基の併算定はできない　・6歳未満　＋100 例）月に2回算定する場合（麻薬管理指導含む） レセプト：名称、回数(単位数)及び総点数を記載する ⑭ その他 訪問薬剤 麻加　回数　総点数 ⑭ （それぞれの訪問指導日を記入）
2　単一建物診療患者が2人以上9人以下の場合	320		
3　1及び2以外の場合	290		
〈注加算〉 注2麻薬管理指導加算 (1回につき)	＋100	麻加	
注4乳幼児加算	＋100	乳幼	
C009　在宅患者訪問栄養食事指導料　（月2回）			
1 在宅患者訪問栄養食事指導料１		訪問栄管1	〈通則５～８の対象〉P.40参照 ・別に厚生労働大臣が定める特別食を要する通院が困難な者またはその家族に対し、その保険医療機関の**管理栄養士**が、医師の指示に基づき患家を訪問して具体的な献立等を交付し、調理実技を伴う栄養管理に係る指導を行った場合に算定する（月2回限り） ・指導は30分以上 ・上記以外はB001「9」 外栄 の算定要件と同じ レセプト「点数欄」 ⑭ その他 訪問栄養　回数　総点数
イ．単一建物診療患者が1人の場合	530		
ロ．単一建物診療患者が2人以上9人以下の場合	480		
ハ．イ及びロ以外の場合	440		
2 在宅患者訪問栄養食事指導料2		訪問栄管2	・「1」は、在宅で療養を行っており通院が困難な患者であって、別に厚生労働大臣が定めるものに対して、診療に基づき計画的な医学管理を継続して行い、かつ、管理栄養士が訪問して具体的な献立等によって栄養管理に係る指導を行った場合に、単一建物診療患者（当該患者が居住する建物に居住する者のうち、当該保険医療機関の管理栄養士が訪問し栄養食事指導を行っているものをいう。注2において同じ）の人数に従い、患者１人につき月２回に限り所定点数を算定する ・「2」は、在宅で療養を行っており通院が困難な患者であって、別に厚生労働大臣が定めるものに対して、診療に基づき計画的な医学管理を継続して行い、かつ、当該保険医療機関の医師の指示に基づき当該保険医療機関の管理栄養士以外の管理栄養士が訪問して具体的な献立等によって栄養管理に係る指導を行った場合に、単一建物診療患者の人数に従い、患者１人につき月２回に限り所定点数を算定する
イ．単一建物診療患者が1人の場合	510		
ロ．単一建物診療患者が2人以上9人以下の場合	460		
ハ．イ及びロ以外の場合	420		

項　目		点数	略称	算　定　要　件
C010 在宅患者連携指導料(月1回)		900	在宅連携	初診算定日、退院から1ヵ月以内は算定できない(実施者：**医師**)
C011 在宅患者緊急時等カンファレンス料(月2回)		200	在宅緊急	〈通則5～8の対象〉P.40参照 訪問診療を行う医療機関の保険医が在宅患者の状態の急変等に伴い、共同で患家に赴き、カンファレンスを実施あるいは参加し、①歯科訪問診療を行う歯科医師、②訪問薬剤管理指導を行う薬局の薬剤師、③訪問看護ステーションの看護師等、④居宅介護支援事業者の介護支援専門員と、共同で療養指導を行った場合に、月2回に限り算定する(実施者：**医師、薬剤師、看護師、介護支援専門員、保健師、助産師、PT、OT**) ※当該カンファレンスは、1者以上が患家に赴きカンファレンスを行う場合には、その他の関係者は、ビデオ通話が可能な機器を用いて参加することができる
C012 在宅患者共同診療料				
1	往診の場合	1500	在共	・在宅医療を担う他の保健医療機関からの求めに応じて計画的な医学管理の下に**医師**が定期的に訪問して共同で診療を行った場合に、「1」から「3」までのいずれかを最初に算定した日から起算して1年以内に、患者1人につき「1」から「3」までを併せて2回に限り算定する ・上記の規定にかかわらず、在宅療養後方支援病院が、別に厚生労働大臣が定める疾病等を有する患者に対して行った場合については、「1」から「3」までのいずれかを最初に算定した日から起算して1年以内に、患者1人につき「1」から「3」までを併せて12回に限り算定する
2	訪問診療の場合(同一建物居住者以外)	1000		
3	訪問診療の場合(同一建物居住者)	240		
C013 在宅患者訪問褥瘡管理指導料 ㊞届		750	在褥	・重点的な褥瘡管理を行う必要が認められる在宅療養患者に対して、患者の同意を得て、共同して、褥瘡管理に関する指導管理を行った場合には、初回のカンファレンスから起算して6月以内に限り、当該患者1人につき3回に限り所定点数を算定する(実施者：**医師、看護師等、管理栄養士**)
C014 外来在宅共同指導料				
1	外来在宅共同指導料1	400	外在共1	[実施者：医師(**外来担当医、在宅担当医**)] 「1」は、保険医療機関の外来において継続的に診療を受けている患者について、当該患者の在宅療養を担う保険医療機関の保険医が、当該患者の同意を得て、患家等を訪問して、在宅での療養上必要な説明および指導を、外来において当該患者に対して継続的に診療を行っている保険医療機関の保険医と共同して行った上で、文書により情報提供した場合に、患者1人につき1回に限り、当該患者の在宅療養を担う保険医療機関において算定する 「2」は、「1」に規定する場合において、外来において当該患者に対して継続的に診療を行っている保険医療機関において、患者1人につき1回に限り算定する。この場合において、A000初診料、A001再診料、A002外来診療料、C000往診料、C001在宅患者訪問診療料(Ⅰ)またはC001-2在宅患者訪問診療料(Ⅱ)は別に算定できない
2	外来在宅共同指導料2	600	外在共2	
C015 在宅がん患者緊急時医療情報連携指導料		200	在緊連	[実施者：**医師(在宅担当医)**] ・他院の関係職種がICTを用いて記録した患者に人生最終段階の医療・ケアの情報取得した上で指導を行った場合に算定できる。

⑭主な在宅療養指導管理料一覧表

「在宅療養指導管理料」の留意点は下記のとおりです。

1．同一の保険医療機関において、2つ以上の在宅指導管理を行っている場合は、主たる指導管理のみを月1回を限度として算定する。ただし、指導管理を算定できない場合であっても、材料の加算のみは算定できる。

2．在宅療養指導管理料（C100 ～ C121）と下記のものは同一月には算定できない。

B000［特］、B001「1」［ウ］、B001「4」［小児特定］、B001「5」［小児療養］、B001「6」［てんかん］、B001「7」［難病］、B001「8」［皮膚（Ⅰ）］・［皮膚（Ⅱ）］、B001「17」［疼痛］、B001「18」［小児悪腫］、B001「21」［耳鼻］、I004心身医学療法

項目	点数	略称	算定要件
C100 退院前在宅療養指導管理料	120	前	・入院患者が退院後の在宅療養に備えて一時的に外泊する場合にその在宅療養に関する指導管理を行った場合に算定する ・退院前の外泊初日1回限りの算定（入院患者のみ）
〈注加算〉 注2乳幼児加算（6歳未満）	＋200	乳幼	レセプト ⑭ その他 ［前］ 総点数 ⑭ 薬剤名、総単位数 ○単位○日分 ］点数×回数 特定保険医療材料名、数量 ］点数×回数
C101 在宅自己注射指導管理料			
1 複雑なもの	1230	注	自己注射を1日1回以上行っている外来患者に対し、自己注射に関する指導管理を行った場合に1月の注射回数に応じて算定する。同一月にB001-2-12外来腫瘍化学療法診療料または注射の部に規定する外来化学療法加算を算定している患者には算定できない
注5情報通信機器等を用いた場合 ㊞届	1070	情注	
2 1以外のもの イ．月27回以下の場合	650		㊟を算定している患者については、外来受診時には、自己注射の薬剤にかかわる皮内、皮下及び筋肉内注射、静注は算定できない（往診時は可）
注5情報通信機器を用いた場合 届	566	情注	
ロ．月28回以上の場合	750		
注5情報通信機器を用いた場合 届	653	情注	
〈注加算〉 注2導入初期加算	＋580		
注4バイオ後続品導入初期加算	＋150		→バイオ後発品の初回の処方日の月から3月を限度として150点を所定点数に加算する
〈材料加算〉 C150 血糖自己測定器加算 1 月20回以上測定 2 月30回以上測定 3 月40回以上測定 4 月60回以上測定 5 月90回以上測定 6 月120回以上測定 7 間歇スキャン式特定血糖測定器による場合	 ＋350 ＋465 ＋580 ＋830 ＋1170 ＋1490 ＋1250	注糖	→1～4までについては下記のイ・ロ・ハ・ニ、5～6については下記のロ・ハ・ニの外来患者に対して、血糖自己測定値に基づく指導を行うため、血糖自己測定器を使用した場合に、3月に3回に限り、所定点数に加算する イ．インスリン製剤またはヒトリマトメジンC製剤の自己注射を1日に1回以上行っている患者（Ⅰ型糖尿病の患者を除く） ロ．インスリン製剤の自己注射を、1日に1回以上行っている患者（Ⅰ型糖尿病の患者に限る） ハ．12歳未満の小児低血糖症の患者 ニ．妊娠中の糖尿病患者または妊娠糖尿病の患者（別に厚生労働大臣が定める者）
〈材料加算〉 （月1回） C151 注入器加算	＋300	入	
C152 間歇注入シリンジポンプ加算		間	→C152：1. プログラム付きシリンジポンプは＋2500、2. 1以外のシリンジポンプは＋1500
C152-2 持続血糖測定器加算		持血	→C152-2：2個以下は＋1320、4個以下は＋2640、5個以下は＋3300
C153 注入器用注射針加算		針	→C153：1. 1型糖尿病・血友病等は＋200、1以外の患者は＋130
C161 注入ポンプ加算	＋1250	注ポ	

⑳主な投薬料一覧表（院内処方）

医療機関内で患者が薬を受け取れる場合の投薬料の算定早見表です。

項目		点数 外来		点数 入院	備考
F000 調剤料	外来（1処方につき） 入院（1日につき）	内服・屯服 11	外用 8	7	入院は外泊期間と入院日実数を超えた部分は算定不可
F100 処方料（1処方につき）㉕	1. 3種類以上の抗不安薬等がある ↑ ㊟	3歳以上 18	3歳未満 21		・3歳未満は＋3点 ㊟3種類以上の抗不安薬・睡眠薬、4種類以上の抗うつ薬、抗精神病薬（臨時を除く）が対象
	2. 内服薬が7種類以上ある（「1」以外）	29	32		
	3. その他「1」「2」以外の場合	42	45		
	特定疾患処方管理加算 特処 月1回	＋56			・診療所・200床未満の病院で算定 ・初診時から算定可 ・特処 は特定疾患に対する薬剤を1回に28日以上処方していた場合に算定する
	向精神薬調整連携加算（1処方につき）（月1回）向調連	＋12			「1」の向精神薬多剤投与、「2」の向精神薬長期処方の該当患者について、抗不安薬等の種類数または1日当たり用量減少（定期処方から臨時処方に変更した場合も含む）させた上で、薬剤師または看護職員に症状の変化等の確認を指示した場合、月1回に限り1処方につき12点加算する
	抗悪性腫瘍剤処方管理加算㊎ 抗悪 月1回	＋70			・治療開始に当たり、投薬の必要性・危険性等を文書で説明の上処方した場合 ・許可病床数200床以上のみ㊎
麻毒加算㉖（F000 調剤料）（F100 処方料）	麻薬・向精神薬・覚せい剤原料・毒薬を投与した場合に算定する 外来（1処方につき） 入院（1日につき）	＋2		＋1	・外来2点（調剤に対する1、処方に対する1） ・入院1点（調剤に対する1）
	<注加算> 外来後発医薬品使用体制加算1 ㊎ 外後使1 外来後発医薬品使用体制加算2 ㊎ 外後使2 外来後発医薬品使用体制加算3 ㊎ 外後使3	＋8 ＋7 ＋5			院内処方の診療所で、施設基準に適合㊎の医療機関で投薬を行った場合は、外来後発医薬品使用体制加算が1処方につき算定できる
F500 調剤技術基本料㉗	月1回	14		42	・薬剤師常勤 ・薬剤師の管理の下に、調剤が行われた場合に算定できる
〈注加算〉院内製剤加算	院	——		＋10	・調剤を院内製剤の上、行った場合に加算する ・入院は院内製剤時 〔併せて算定できないもの〕 B008 薬管1 薬管2 、 C008 訪問薬剤
F200 薬剤料	内服薬・屯服薬・外用薬の算定の仕方（テキストP.131 ～ 135参照）				薬剤計算は五捨五超入 金額÷10＝点数（小数点以下は五捨五超入）

⑳主な投薬料一覧表（院外処方）

医療機関外の調剤薬局で患者が薬を受け取れる場合の投薬料の算定早見表です。

	項目		点数		備考
			3歳以上	3歳未満	
F400 処方箋料	1	3種類以上の抗不安薬等がある場合 ㊟	20	23	・医療機関では薬を渡さず「処方箋」を交付するもの ・3歳未満の処方箋料は＋3点 ・院内では、薬の調合等もしないため、算定できるのは「処方箋料」と「特処」のみ ・治療目的ではなく、うがい薬のみ処方した場合は算定できない ・㊟3種類以上の抗不安薬・睡眠薬、抗うつ薬・抗精神病薬（臨時を除く）が対象 ・診療所・200床未満の病院 ・初診時から算定可 ・特処 は特定疾患に対する薬剤を1回に28日以上 ・「1」の向精神薬多剤投与、「2」の向精神薬長期処方の該当患者について、抗不安薬等の種類数または1日当たり用量減少（定期処方から臨時処方に変更した場合も含む）させた上で、薬剤師または看護職員に症状の変化等の確認を指示した場合、月1回に限り1処方につき12点加算する ・抗悪 は ㊡ 治療開始に当たり、投薬の必要性・危険性等を文書で説明の上処方した場合 ・許可病床数200床以上のみ
	2	内服薬が7種類以上ある	32	35	
	3	その他（「1」「2」以外の場合）	60	63	
	特定疾患処方管理加算				
		月1回 特処	＋56		
	向精神薬調整連携加算(月1回) 向調連		＋12		
	抗悪性腫瘍剤処方管理加算 抗悪 月1回		＋70		
	〈注加算〉 一般名処方加算1 一般1 一般名処方加算2 一般2		＋10 ＋8		・一般名称を記載した処方箋を交付した場合に算定する ・「1」は交付した処方箋に含まれる医薬品のうち、後発医薬品が存在する**すべての医薬品**が一般名処方されている場合に算定できる ・「2」は1処方に一般名処方薬が**1品でも入っていれば**算定できる ・処方箋交付1回につき加算する
	向精神薬調整連携加算（1処方につき）(月1回) 向調連		＋12		・「1」の向精神薬多剤投与、「2」の向精神薬長期処方の該当患者について、抗不安薬等の種類数または1日当たり用量減少(定期処方から臨時処方に変更した場合も含む)させた上で、薬剤師または看護職員に症状の変化等の確認を指示した場合、月1回に限り1処方につき12点加算する

※処方薬の使用期間は交付の日を含めて原則4日以内

㉚主な注射の通則

項目		点数	略称	算定要件
通則3	生物学的製剤注射加算	＋15		算定対象の注射薬は、トキソイド、ワクチン及び抗毒素であり、注射の方法にかかわらず、次に掲げる薬剤を注射した場合に算定できる

ア 局 乾燥組織培養不活化狂犬病ワクチン　イ 組換え沈降B型肝炎ワクチン（酵母由来）
ウ 組換え沈降B型肝炎ワクチン（チャイニーズ・ハムスター卵巣細胞由来）　エ 肺炎球菌ワクチン
オ 髄膜炎菌ワクチン　カ 乾燥ヘモフィルスb型ワクチン　キ 沈降破傷風トキソイド
ク 局 ガスえそウマ抗毒素　ケ 乾燥ガスえそウマ抗毒素　コ 局 乾燥ジフテリアウマ抗毒素
サ 局 乾燥破傷風ウマ抗毒素　シ 局 乾燥はぶウマ抗毒素　ス 局 乾燥ボツリヌスウマ抗毒素
セ 局 乾燥まむしウマ抗毒素

項目			点数	略称	算定要件
通則4	**精密持続点滴注射加算** （1日につき）		＋80		・自動輸液ポンプを用いて1時間に30mL以下の速度で体内（皮下を含む）または注射回路に薬剤を注入することをいう ・緩徐に注入する必要があるカテコールアミン、βブロッカー等の薬剤を医学的必要性があって注入した場合に限り算定する ・1歳未満の乳児に対しては、注入する薬剤の種類にかかわらず算定できる
通則5	**麻薬注射加算**		＋5		
通則6	**イ. 外来化学療法加算1** （1日につき） ㊞届		抗悪性腫瘍剤の薬剤を除く ・化学療法経験５年以上の常勤医師、専任の看護師、専任の常勤薬剤師を配置 ・院内委員会（年１回以上開催）で承認、登録済の治療内容を用いて行うことなどが化1の要件		・下記について、関節リウマチ等の外来患者に、治療の開始に当たり注射の必要性、危険性等について文書により説明を行った上で化学療法を行った場合に算定する ・同一月にC101在宅自己注射指導管理料は算定できない 【「通則6」加算を算定できる項目】 G001 静脈内注射 G002 動脈注射 G004 点滴注射 G005 中心静脈注射 G006 植込型カテーテルによる中心静脈注射
		①15歳未満	＋670	化1	
		②15歳以上	＋450		
	ロ. 外来化学療法加算2 （1日につき） 届		抗悪性腫瘍剤の薬剤を除く ・化学療法の経験を有する看護師、専任の常勤薬剤師が化2の要件		
		①15歳未満	＋640		
		②15歳以上	＋370	化2	
通則7	バイオ後続品導入初期加算（初回使用月から３月限度月１回）		＋150	バイオ	化１ 化２ の算定患者に対し、バイオ後続品に係る説明を行い、バイオ後続品を使用した場合に算定する

㉚主な注射料一覧表

項目				外来	入院	備考
㉛	G000 **皮内、皮下及び筋肉内注射：IM** （1 回につき）			25	／	入院は１日に実施したすべてのIMの注射薬剤を合計。薬剤料のみ算定する
㉜	G001 **静脈内注射：IV** （1 回につき）		6 歳以上	37	／	入院は上記同様IVの薬剤料のみ算定する。6歳未満の場合は年齢加算＋52点
			6 歳未満	89（37 ＋ 52）		
㉝	G004 **点滴注射** **DIV** （1 日につき）	6 歳以上	500mL 以上	102	102	入院は上記同様、１日に実施したすべての点滴の薬剤量を合計。合計量によって点数を判断する。6歳未満の場合は年齢加算＋46点
			500mL 未満	53	／	
		6 歳未満	100mL 以上	153（105 ＋ 48）	153	
			100mL 未満	101（53 ＋ 48）	／	

項目	点数	算定要件
G005 **中心静脈注射**（1日につき）：IVH	140	・同一日にG001静脈内注射・G004点滴注射を併せて行った場合は主たるものの所定点数のみ算定する
〈通則加算〉		
生物学的製剤注射加算	＋15	
精密持続点滴注射加算	＋80	
外来化学療法加算1・2	上記通則6参照	
〈注加算〉		
乳幼児加算	＋50	・6歳未満
血漿成分製剤加算 血漿 （第1回目の注射日のみに限り）	＋50	
〈その他加算〉		
無菌製剤処理2 菌	＋40	・G020「2」無菌製剤処理2を行った場合は 菌 ＋40

項　　目	点　数	算　定　要　件
G005-2 **中心静脈注射用カテーテル挿入** (1回につき)	1400	・カテーテルを交換する場合は、カテーテルの材料料及び手技料と挿入時の薬剤は、そのつど算定できる ・抜去の費用は所定点数に含まれ算定できない
〈注加算〉 乳幼児加算 静脈切開法加算	 +500 +2000	 ・6歳未満
G006 **植込型カテーテルによる中心静脈注射** (1日につき)	125	・植込型カテーテルによる中心静脈注射により高カロリー輸液を行っている場合であっても、必要に応じ、食事療養または生活療養を行った場合は、入院時食事療養(Ⅰ)もしくは入院時食事療養(Ⅱ)または入院時生活療養(Ⅰ)の食事の提供たる療養に係る費用もしくは入院時生活療養(Ⅱ)の食事の提供たる療養に係る費用を別に算定できる
〈通則加算〉 生物学的製剤注射加算 精密持続点滴注射加算 外来化学療法加算 〈注加算〉 乳幼児加算 〈その他加算〉 G020「2」無菌製剤処理料2	 +15 +80 通則6参照 +50 +40	 ・6歳未満
G007 **腱鞘内注射**(1回につき)	42	
G008 **骨髄内注射**(1回につき)		
1　胸骨	80	
2　その他	90	
G009 **脳脊髄腔注射**(1回につき)		・検査・処置を目的とする穿刺と同時に行った場合は、検査・処置または脳脊髄腔注射のいずれかにより算定する ・6歳未満の乳幼児には60点を加算する
1　脳室	300	
2　後頭下	220	
3　腰椎	160	
〈注加算〉乳幼児加算(6歳未満)	+60	
G010 **関節腔内注射**(1回につき)	80	検査·処置を目的とする穿刺と同時に行った場合は、検査·処置または関節腔内注射のいずれかにより算定する
G010-2 **滑液嚢穿刺後の注入**(1回につき)	100	
G011 **気管内注入**(1回につき)	100	
G012 **結膜下注射**(片眼ごとに)	42	結膜下注射または眼球注射を実施した場合、麻薬の加算は算定できない
G013 **角膜内注射**(1回につき)	35	
G014 **球後注射**(1回につき)	80	網膜結膜、視神経疾患に対し、主として消炎・血管拡張の目的で行う。わん曲した球後注射針を、球結膜から筋肉内部に刺入する
G015 **テノン氏嚢内注射**(1日につき)	80	
G016 **硝子体内注射**(片眼ごとに)	600	両眼に行った場合は、それぞれに片眼ごとの所定点数を算定する
G020 **無菌製剤処理料**(1回につき) ㊋		・届出医療機関にて厚生労働大臣が定めた患者に対して注射を行う際、必要があって無菌製剤処理を行った場合に1日につき所定点数を算定する ・「1」と「2」それぞれに対象患者と対象する注射が定められている
1　無菌製剤処理料1 (悪性腫瘍に対して用いる薬剤が注射される一部の患者) 　イ　閉鎖式接続器具を使用した場合 　ロ　イ以外の場合 2　無菌製剤処理料2(1以外のもの)	 菌 1器具　180 菌 1　45 菌 2　40	

㊵主な処置料一覧表

処置料の算定の仕方

手順① 点数一覧表から処置料を探す(A)。
手順② 〈注〉の加算があれば加算する(B)。
手順③ A+Bが150点以上のときのみ時間外等加算を算定する(C)。
〔(C)を算定する場合、施設基準を満たして届出を行っている医療機関は「イ」で算定する〕

A+Bが1000点以上の場合 届	
イ	時間外の場合 ⇒(A+B)×0.8
	休日・深夜の場合⇒(A+B)×1.6

(外は外来患者・引き続き入院患者のみ)

または

A+Bが150点以上の場合(イに該当する場合を除く)	
ロ	時間外の場合 ⇒(A+B)×0.4
	休日・深夜の場合⇒(A+B)×0.8

(端数は四捨五入)

処置料=A+B+C

項目		点数	算定要件
一般処置			
J000 創傷処置			・「1」は、①外来患者、②入院中の手術後(手術日から14日以内入院患者に限る)の患者に限り算定 ・手術後の患者には回数にかかわらず「1日につき」で算定する ・同一部位に対して、創傷処置、J053皮膚科軟膏処置、K057-2面皰圧出法、J119「3」湿布処置が行われる場合は、いずれか1つのみにより算定する ・軟膏の塗布または湿布の貼付のみの処置では算定できない ・同一疾病による場合は複数部位の処置面積を合算して、合計の広さでもって算定する
1	100cm²未満	52	
2	100cm²以上500cm²未満	60	
3	500cm²以上3000cm²未満	90	
4	3000cm²以上6000cm²未満	160	
5	6000cm²以上	275	
〈注加算〉 注5「5」のみ乳幼児加算(6歳未満)		+55	
J000-2 下肢創傷処置			・J000創傷処置、J001-7爪甲除去(麻酔を要しないもの)及びJ001-8穿刺排膿後薬液注入とは併算定できない ・複数の下肢創傷がある場合は、主たるもののみ算定する(2022年4月施行)
1	足部(踵を除く)の浅い潰瘍	135	
2	足趾の深い潰瘍または趾の浅い潰瘍	147	
3	足部(踵を除く)の深い潰瘍または踵の深い潰瘍	270	
J001 熱傷処置			・初回の処置日から2ヵ月まで算定できる(以降はJ000で算定) ・「1」は、①外来患者、②入院中の手術後(手術日から14日以内入院患者に限る)の患者に限り算定 レセプト「摘要欄」 ⑭ 熱傷処置3(600cm²右下腿部) 外 315×1 (初回○月○日) ・J001熱傷処置を算定する場合は、J000創傷処置、J001-7爪甲除去(麻酔を要しないもの)及びJ001-8穿刺排膿後薬液注入は併せて算定できない
1	100cm²未満	135	
2	100cm²以上500cm²未満	147	
3	500cm²以上3000cm²未満	337	
4	3000cm²以上6000cm²未満	630	
5	6000cm²以上	1875	
〈注加算〉 注4「4」及び「5」において6歳未満の場合乳幼児加算		+55	

項目	点数	算定要件
J001-2 絆創膏固定術	500	足関節捻挫または膝関節靭帯損傷に行った場合に算定（交換は週1回）
J001-3 鎖骨または肋骨骨折固定術	500	
J001-7 **爪甲除去**（麻酔を要しないもの）	70	・外来のみ算定する ・J001熱傷処置またはJ001-4重度褥瘡処置を算定する場合は、併せて算定できない
J001-8 穿刺排膿後薬液注入	45	
J002 ドレーン法（ドレナージ）（1日につき）		・「1」と「2」は同一日に併せて算定できない ・部位数、交換の有無にかかわらず、1日につき所定点数のみにより算定する
1 **持続的吸引を行うもの**	50	
2 **その他のもの**	25	
〈注加算〉注3乳幼児加算（3歳未満）	＋110	
J018 喀痰吸引（1日につき）	48	喀痰の凝塊または肺切除後喀痰が気道に停滞し、喀出困難な患者に対して、ネラトンカテーテル及び吸入器を使用して喀痰吸引を行った場合に算定する
〈注加算〉注2乳幼児加算（6歳未満）	＋83	
J018-3 干渉低周波去痰器による喀痰排出（1日につき）	48	J018喀痰吸引を同一日に行った場合は、どちらか一方のみを算定する
〈注加算〉注2乳幼児加算（6歳未満）	＋83	
J019 持続的胸腔ドレナージ（開始日）（1日1回）	825	・2日目以降はJ002ドレーン法（ドレナージ）で算定する ・手術に伴い、手術日に行ったJ019は別に算定できない
〈注加算〉注2乳幼児加算（3歳未満）	＋110	
J020 胃持続ドレナージ（開始日）	50	2日目以降はJ002ドレーン法（ドレナージ）で算定する
〈注加算〉乳幼児加算（3歳未満）	＋110	
J021 持続的腹腔ドレナージ（開始日）（1日1回）	550	・2日目以降はJ002ドレーン法（ドレナージ）で算定する ・手術に伴い、手術日に行ったJ021は別に算定できない
〈注加算〉乳幼児加算（3歳未満）	＋110	
J022 高位浣腸、高圧浣腸、洗腸	65	高位浣腸、高圧浣腸、洗腸、摘便、腰椎麻酔下直腸内異物除去または腸内ガス排気処置（開腹手術後）を同一日に行った場合は、主たる所定点数のみで算定する
〈注加算〉乳幼児加算（3歳未満）	＋55	
J022-2 摘便	100	
J024 酸素吸入（1日につき）	65	J024～J028及びJ045の処置を行う際、酸素を使用した場合は、別に酸素加算が算定できる（酸素と併せて窒素を使用した場合はそれぞれの価格を10で除して得た点数を合算した点数） ※酸素の計算の仕方はP.63酸素の計算手順を参照のこと レセプト「摘要欄」 ㊵ 酸素吸入 65×1 酸素（○○ボンベ） （購入価格×使用量×1.3）÷10 ○×1
〈医療機器等加算〉J201 酸素加算		
J025 酸素テント（1日につき）	65	間歇的陽圧吸入法と同時に行った酸素テントの費用は算定できない
〈医療機器等加算〉J201 酸素加算		
J026 間歇的陽圧吸入法（1日につき）	160	
〈医療機器等加算〉J201 酸素加算		

項目			点数	算定要件
J038	人工腎臓(1日につき)(上限月14回まで)			・「1」「2」「3」のイ・ロ・ハは、別に厚生労働大臣が定める患者に限る ・「1」の場合で、人工腎臓開始を夜間に開始し、午後0時以降に終了した場合でも、1日として算定する。「3」の場合は夜間に開始し、12時間以上継続して行った場合は、2日として算定する ・人工腎臓の休日加算(380点)を算定した場合は、再診料の休日加算はできない。なお、人工腎臓においては年末年始の期間に含まれる日曜日は休日加算ができる ・外来患者に対し、17:00以降に開始した場合、21:00以降に終了した場合、または休日に行った場合は、所定点数に380点を加算できるが、初再診料の夜間・早朝等加算との併算定はできない
1	慢性維持透析を行った場合1 (届)			
	イ	4時間未満の場合	1876	
	ロ	4時間以上5時間未満の場合	2036	
	ハ	5時間以上の場合	2171	
2	慢性維持透析を行った場合2 (届)			
	イ	4時間未満の場合	1836	
	ロ	4時間以上5時間未満の場合	1996	
	ハ	5時間以上の場合	2126	
3	慢性維持透析を行った場合3 (届)			
	イ	4時間未満の場合	1796	
	ロ	4時間以上5時間未満の場合	1951	
	ハ	5時間以上の場合	2081	
4	その他の場合		1580	
〈注加算〉				
注1時間外・休日加算(外来のみ)			+380	→①休日実施　+380 ②17：00以降の開始、または21：00以降の終了の場合　+380
注2導入期加算(開始日より1ヵ月間に限り1日につき)				
イ　導入期加算1			+200	
ロ　導入期加算2			+410	
ハ．導入期加算3			+810	
注3人工腎臓困難な障害者等に対する加算 障			+140	
注9透析液水質確保加算 (届)			+10	
注10下肢末梢動脈疾患指導管理加算 (届)			+100	→月1回に限り算定する
注11長時間加算(1回につき)			+150	→6時間以上の人工腎臓を行った場合、1回につき150点
注13慢性維持透析濾過加算 (届)			+50	→「1」～「3」について複雑なものの場合、所定点数に50点を加算する
注14透析時運動指導等加算			+75	→医師、看護師、理学療法士または作業療法士が指導を行った場合、当該指導を開始した日から起算して90日限度で加算できる

例)人工腎臓を開始して4時間未満の透析を実施した場合のレセプト

㊵	2回　2141 薬剤　327	㊵	人工腎臓(4時間未満)(○月○日) 使用薬剤名 ダイアライザー(Ib型)膜面積1.5㎡未満￥1610	1980×1 327×1 161×1

項目		点数	算定要件
J042	腹膜灌流(1日につき)		・「1」は「C102在宅自己腹膜灌流指導管理料」を算定している患者に対して行った場合、J038人工腎臓の実施回数と併せて週1回を限度として算定する。それを超えた回数を実施した場合は、薬剤料・特定保険医療材料料に限り算定できる ・6歳未満は上記にかかわらず、当該期間に限り、それぞれ1回につき加算する
1	連続携行式腹膜灌流	330	
	〈注加算〉 注1導入期加算(導入期14日の間に限り1日につき)6歳未満(1日につき)	+500	
	・注2導入期14日の間	+1100	
	・注2 15日目～30日目の間	+550	
2	その他の腹膜灌流	1100	

項目	点数	算定要件
救急処置		
J044 救命のための気管内挿管	500	救命のための気管内挿管に併せて人工呼吸を行った場合は、J045人工呼吸も併せて算定できる
〈注加算〉乳幼児加算（6歳未満）	+55	
J045 人工呼吸		酸素を使用した場合は、J201酸素加算が別に算定できる
1　30分までの場合	302	
2　30分を超えて5時間までの場合 30分又はその端数を増すごとに50点を加算して得た点数	302 +50	
3　5時間を超えた場合（1日につき）　イ　14日目まで	950	
3　5時間を超えた場合（1日につき）　ロ　15日目以降	815	
＜注加算＞ 注3覚醒試験加算（1日につき） 注4離脱試験加算（1日につき） 注5腹臥位療法加算 ＜医療機器等加算＞ J201　酸素加算	 +100 +60 +900	

【酸素の単価表】（1L当たりの金額）

		離島等以外の地域の医療機関の場合	離島等にある医療機関の場合
液体酸素	定置式液化酸素貯槽（CE）	0.19円／L	0.29円／L
	可搬式液化酸素容器（LGC）	0.32円／L	0.47円／L
酸素ボンベ	大型ボンベ	0.42円／L	0.63円／L
	小型ボンベ	2.36円／L	3.15円／L

※計算の仕方はP.63を参照

項目	点数	算定要件
J046 非開胸的心マッサージ		人工呼吸を併せて行った場合は、J045人工呼吸を加算する
1　30分までの場合	250	
2　30分を超えた場合（30分ごと）	+40	
J050 気管内洗浄（1日につき）	425	気管内洗浄（気管支ファイバースコピーを使用した場合を含む）と同時に行う喀痰吸引、干渉低周波去痰器による喀痰排出または酸素吸入は算定できない
〈注加算〉乳幼児加算（6歳未満）	+110	
J051 胃洗浄	375	
〈注加算〉乳幼児加算（3歳未満）	+110	
皮膚科処置		
J053 皮膚科軟膏処置		・100㎠未満の場合は、基本診療料に含まれ算定できない ・同一部位に対して、J000創傷処置、J053皮膚科軟膏処置、J057-2面皰圧出法、J119「3」湿布処置が行われる場合は、いずれか1つのみにより算定する
1　100㎠以上500㎠未満	55	
2　500㎠以上3000㎠未満	85	
3　3000㎠以上6000㎠未満	155	
4　6000㎠以上	270	
J055-2 イオントフォレーゼ	220	尋常性白斑に対するイオントフォレーゼ療法は露出部におけるもので、他の療法が無効な場合に限る。点数は4cm×4cmごとに算定する
J057-2 面皰圧出法	49	同一部位に対してJ000創傷処置、J053皮膚科軟膏処置、J057-2面皰圧出法、またはJ119「3」湿布処置が行われた場合は、いずれか1つのみで算定する
J057-3 鶏眼・胼胝処置（月2回限度）	170	同一部位について、その範囲にかかわらず月1回を限度として算定する

項目	点数	算定要件
泌尿器科処置		
J060 **膀胱洗浄**(1日につき)	60	J060膀胱洗浄、J063留置カテーテル設置、J064導尿(尿道拡張を要するもの)、またはJ060-2後部尿道洗浄(ウルツマン)を同一日に行った場合には主たるもののみ算定する
J063 **留置カテーテル設置**	40	
J064 **導尿**(尿道拡張を要するもの)	40	
産婦人科処置		
J072 **膣洗浄**(熱性洗浄を含む)(外来のみ)	56	膣炎、頸管カタル、性器出血等の治療として洗浄を必要とする疾患のみ
J073 **子宮腔洗浄**(薬液注入を含む)	56	
眼科処置		
J086 **眼処置**(外来のみ)	25	・点眼または洗顔は、基本診療料に含まれ別に算定できない ・片眼帯、巻軸帯を必要とする処置、蒸気罨法、熱気罨法、イオントフォレーゼ及び麻薬加算が所定点数に含まれている
J088 **霰粒腫の穿刺**	45	
J089 **睫毛抜去**(1日1回限度)		・上眼瞼と下目瞼それぞれ行っても1回とする ・1日に1回に限り算定する ・5～6本の睫毛抜去は「1」で算定する
1 少数の場合(外来のみ)	25	
2 多数の場合	45	
J090 **結膜異物除去**(1眼瞼ごと)	100	
耳鼻咽喉科処置		
J095 **耳処置**◆ (耳浴及び耳洗浄を含む)(外来のみ)	27	・これらを包括して一側、両側の区別なく1回につき算定する ・点耳、簡単な耳垢栓除去については、基本診療料に含まれ別に算定できない
J095-2 **鼓室処置**(片側)◆	62	・鼓室洗浄及び鼓室内薬液注入の費用は所定点数に含まれる ・鼓室処置は、急性または慢性の鼓膜穿孔耳に対して、鼓室病変の沈静・制御を目的として、鼓室腔内の分泌物・膿汁等の吸引及び鼓室粘膜処置等を行った場合に算定する
J096 **耳管処置**◆ (耳管通気法、鼓膜マッサージ及び鼻内処置を含む)(外来のみ)		・包括して、1回につき片側ごとに算定する ・耳管開放症に対する処置は「1」で算定する ・「1」については、表面麻酔薬または血管収縮薬等の塗布、噴霧等を含む
1 カテーテルによる耳管通気法(片側)	36	
2 ポリッツェル球による耳管通気法	24	
J097 **鼻処置**◆ (鼻吸引、単純鼻出血及び鼻前庭の処置を含む)(外来のみ)	16	・鼻洗浄については、基本診療料に含まれ、別に算定できない ・J098口腔、咽頭処置と併せて行った場合でも14点とする
J098 **口腔、咽頭処置**(外来のみ)◆	16	・J097鼻処置と併せて行った場合でも16点で算定する ・ルゴール等の噴霧吸入は、J098に準じて算定する
J098-2 **扁桃処置**◆	40	・慢性扁桃炎の急性増悪、急性腺窩(陰窩)性扁桃炎、扁桃周囲炎または扁桃周囲膿瘍等に対し、膿栓吸引、洗浄等を行った場合に算定する ・扁桃処置の所定点数には咽頭処置が含まれ、別途算定できない

◆耳鼻咽喉科乳幼児処置加算(1日につき60点)通則7、耳鼻咽喉科小児抗菌薬適正使用支援加算(月1回80点)通則8の対象(耳鼻咽喉科標榜)

項目		点数	算定要件
J099 **間接喉頭鏡下喉頭処置**◆（喉頭注入を含む）（外来のみ）		32	喉頭注入が含まれ、喉頭蓋、仮声帯、披裂部、声帯等の病変に対して処置を行った場合に算定する
J100 **副鼻腔手術後の処置**（片側）◆		45	同一日に行われたJ097-2副鼻腔自然口開大処置は算定できない
J101 **鼓室穿刺**（片側）◆		50	
J103 **扁桃周囲膿瘍穿刺**◆（扁桃周囲炎を含む）		180	D406-2扁桃周囲炎または扁桃周囲膿瘍における試験穿刺と同一日に算定することはできない
J105 **副鼻腔洗浄または吸引**（注入を含む）（片側）◆			副鼻腔炎洗浄または吸引の「1」に用いた副鼻腔炎治療用カテーテルは、特定保険医療材料として別に算定できる。「055」副鼻腔炎治療用カテーテル（3160円）
1	副鼻腔炎治療用カテーテルによる場合	55	
2	1以外の場合	25	
J113 **耳垢栓塞除去**（複雑なもの）◆			・耳垢水等を用いなければ除去できない耳垢栓塞を完全に除去した場合に算定する ・簡単な耳垢栓除去は基本診療料に含まれ、算定できない
1	**片側**	90	
2	**両側**	160	
〈注加算〉乳幼児加算（6歳未満）		＋55	
J114 **ネブライザー**（外来のみ）◆		12	同一日にJ114とJ115を行った場合は、J115のみで算定する
J115 **超音波ネブライザー**（1日につき）◆		24	酸素療法を併せて行った場合は、J024酸素吸入の点数も併せて算定できる
整形外科的処置			
J116 **関節穿刺**（片側）		120	D405関節穿刺、G010関節腔内注射を同一側の関節に対して同一日に行った場合は主たるもののみ算定する
〈注加算〉乳幼児加算（3歳未満）		＋110	
J116-3 **ガングリオン穿刺術**		80	
J116-4 **ガングリオン圧砕法**		80	
J117 **鋼線等による直達牽引**（1局所を1日につき）		62	・J119消炎鎮痛等処置、J119-2腰部または胸部固定帯固定、J119-3低出力レーザー照射、J119-4肛門処置を併せて行った場合は、鋼線等による直達牽引のみで算定する ・「1局所」とは、全身を5局所（上肢の左･右、下肢の左･右、頭より尾頭まで）に分けたうちの1つ
〈注加算〉乳幼児加算（3歳未満）		＋55	
J118 **介達牽引**（1日につき）		35	・介達牽引は、絆創膏牽引法、斜面牽引法、スピードトラック牽引、腰椎バンド及びグリソン係蹄によるモーターを使用した断続牽引並びにベーラー法を含むものであり、部位数にかかわらず、所定点数を算定する ・J118介達牽引、J118-2矯正固定またはJ118-3変形機械矯正術にJ119消炎鎮痛等処置、J119-2腰部または胸部固定帯固定、J119-3低出力レーザー照射またはJ119-4肛門処置を併せて行った場合は、主たるものいずれかの所定点数のみ算定する
J118-2 **矯正固定**（1日につき）		35	J119-消炎鎮痛等処置を併せて行った場合は、主たるもののいずれかのみで算定する
J118-3 **変形機械矯正術**（1日につき）		35	J119消炎鎮痛等処置を併せて行った場合は、主たるもののいずれかのみで算定する

項目		点数	算定要件
J119 消炎鎮痛等処置(1日につき)			・疾病・回数・部位数にかかわらず所定点数のみで算定 ・「1」のマッサージ等の手技による療法とは、あんま、マッサージ及び指圧のこと ・「2」の器具等による療法とは、電気療法、赤外線治療、熱気浴、ホットパック、超音波療法、マイクロレーダー等による療法のこと ・「3」の湿布処置は、診療所の外来のみの患者に対し、半肢の大部または頭部、頸部及び顔面の大部以上にわたる範囲の湿布処置が行われた場合に算定できる
1	マッサージ等の手技による療法	35	
2	器具等による療法	35	
3	湿布処置(診療所・外来のみ)	35	
J119-2 腰部または胸部固定帯固定 (1日につき) (医療機器等加算) J200腰部、胸部または頸部固定帯加算		35 +170	・腰痛症の患者に対して腰部固定帯で腰部を固定した場合、または骨折非観血的整復術等の手術を必要としない肋骨骨折等の患者に対して、胸部固定帯で胸部を固定した場合に算定する ・腰部または胸部固定帯の費用は、J200腰部、胸部または頸部固定帯加算の両方の算定による
J119-4 肛門処置 (1日につき)(診療所・外来のみ)		24	・診療所の外来患者のみ算定する ・単に坐薬等を挿入した場合は算定できない
栄養処置			
J120 鼻腔栄養(1日につき)		60	・注入回数にかかわらず、1日1回のみ算定 ・間歇的経管栄養法加算(1日につき)+60
J121 滋養浣腸		45	
ギプス(手術当日でも算定できる)			
J122 四肢ギプス包帯			・J122四肢ギプス包帯の所定点数には、プラスチックギプスに係る費用が含まれ、別に算定できない ・上肢……上腕～前腕または手部 下肢……大腿～足部 半肢……前腕～手部 ・J122 ～ J129-4を6歳未満の乳幼児に行った場合は、乳幼児各所定点数の100分の55に相当する点数を所定点数に加算する→「所定点数×0.55」
1	鼻ギプス	310	
2	手指及び手、足(片側)	490	
3	半肢(片側)	780	
4	内反足矯正ギプス包帯(片側)	1140	
5	上肢、下肢(片側)	1200	
6	体幹から四肢にわたるギプス包帯(片側)	1840	

項目		点数		算定要件
		所定点数	プラスチックギプス	
J123 体幹ギプス包帯		1500	1800	プラスチックギプスの加算は「所定点数×0.2」 ・J122 ～ J129-4を6歳未満の乳幼児に行った場合は、乳幼児各所定点数の100分の55に相当する点数を所定点数に加算する→「所定点数×0.55」 〔次の場合の計算の仕方〕 ・ギプスシャーレ(切割料) 所定点数×0.2 ・ギプス除去料(※1) 所定点数×0.1 ・ギプス包帯、ギプスベッドの修理料 所定点数×0.1
J124 鎖骨ギプス包帯(片側)		1250	1500	
J125 ギプスベッド		1400	1680	
J126 斜頸矯正ギプス包帯		1670	2004	
J127 先天性股関節脱臼ギプス包帯		2400	2880	
J128 脊椎側弯矯正ギプス包帯		3440	4128	
J129 義肢採型法				
1	四肢切断の場合(1肢につき)		700	
2	股関節、肩関節離断の場合(1肢につき)		1050	

項目		点数		算定要件
		所定点数	プラスチックギプス	
				(※1) ギプス除去料は他院で装着したギプスを除去する場合のみ算定する
J129-3	治療用装具採寸法(1肢につき)	200		・J122 ～ J129-4を6歳未満の乳幼児に行った場合は、乳幼児加算として各所定点数の100分の55に相当する点数を所定点数に加算する→「所定点数×0.55」
J129-4	治療装具採型法			
1	体幹装具	700		
2	四肢装具(1肢につき)	700		
3	その他(1肢につき)	200		

【ギプス料の計算の仕方】

四肢ギプス包帯(右下腿部)の切割料は何点か？　780×0.2＝156点

四肢ギプス包帯(右下腿部)の除去料(他院装着)は何点か？　780×0.1＝78点

四肢ギプス包帯(右下腿部)の修理料は何点か？　780×0.1＝78点

㊟なお、ギプス装着医療機関では除去料は算定できない。他の医療機関で装着したギプスを除去する場合にのみ算定する。

【酸素の単価表】(1L当たりの金額)

		離島等以外の地域の医療機関の場合	離島等にある医療機関の場合
液体酸素	定置式液化酸素貯槽(CE)	0.19円／L	0.29円／L
	可搬式液化酸素容器(LGC)	0.32円／L	0.47円／L
酸素ボンベ	大型ボンベ	0.42円／L	0.63円／L
	小型ボンベ	2.36円／L	3.15円／L

＊この価格を上限として、購入価格がこれを下回る場合は、購入価格により算定する。

＊ただし、離島等における特別な事情の場合であって、購入単価が上記単価を上回る場合は、購入価格により算定する。

●酸素の計算手順

手順①　価格×使用量(リットル)×1.3(補正率)＝ [A] 円(←小数点以下は四捨五入)

手順②　[A] ÷10＝ [酸素　点] (←端数は四捨五入)

●酸素の計算例

＊酸素吸入を行う(J024)

酸素315L(大型ボンベ)使用の場合の酸素点数は、何点になるか。

手順①　0.42円×315L×1.3＝171.9　⇒ [172] 円

手順②　172円÷10＝17.2　⇒ [17] 点

酸素点数は17点で請求します。

〔レセプトには「(価格×使用量×1.3)÷10」と記載する〕

レセプト　「摘要欄」

㊵	酸素吸入	65×1
	酸素(大型ボンベ)	17×1
	〔(0.42円×315L×1.3)÷10〕	

㊿主な手術料一覧表

手術当日に算定できない項目

・手術当日に手術に関連して行う処置(ギプスは除く)及び注射の手技料は算定できない。
・手術に使用された外皮用殺菌剤(イソジン液等)の費用は算定できない。
・内視鏡を用いた手術時の内視鏡検査の費用は算定できない。
・通常使用されるチューブ、縫合糸、衛生材料(包帯、ガーゼ、絆創膏等)の費用は算定できない。
・患者の手術時の衣類の費用は算定できない。
・手術に要した薬剤の合計金額が15円以下の場合の薬剤料は算定できない(薬剤は２点以上から算定可)。

〔年齢加算〕

低体重児➡手術時体重1500g未満の場合に加算
新生児➡生後28日未満の場合に加算
乳幼児➡生後28日目から3歳未満の場合に加算
幼児➡満3歳から6歳未満の場合に加算

＜時間外等加算＞

時間外➡外来のみ算定可(引き続き入院も算定可)
休日・深夜➡外来・入院とも算定可

同一手術野、同一病巣に２つ以上の手術を行った場合の算定の仕方

1．基本的には見比べて、所定点の高い方の手術料のみで算定する
⇒手順①へ
2．厚生労働大臣の定めた(主・従)の関係に当たる複数手術の場合

主たる手術の所定点+(従たる手術の所定点)×0.5

で算定する。　※従たる手術は１つのみ

(例)A術 16500点㊟、B術 8500点(従)、C術 4000点×

算定方法：16500+(8500)×0.5=20750点　⇒手順①へ

手術料の算定の仕方

手順①　点数一覧表から手術の点数を探す(A)。
手順②　点数一覧表の注の加算があるか確認する(B)。
手順③　年齢加算があるか確認する。⇒

場合	略称	計算
低体重児の場合	未満	……(A+B)×4
新生児の場合	新	……(A+B)×3
３歳未満の場合	乳幼	……(A+B)×1
６歳未満の場合	幼	……(A+B)×0.5

(C)

(端数は四捨五入)

手順④　時間外等加算があるか確認する(D)。
〔(D)を算定する場合、施設基準を満たして届出を行っている医療機関は「イ」で算定する〕

施設基準を満たしている医療機関の場合 ㊡		略称
イ	時間外の場合……(A+B)×0.8	外
	休日・深夜の場合……(A+B)×1.6	休　深

(時間外の加算は外来患者及び引き続き入院患者のみ算定可)

または

「イ」以外の医療機関の場合		略称
ロ	時間外の場合……(A+B)×0.4	外
	休日・深夜の場合……(A+B)×0.8	休　深

(端数は四捨五入)

手術料＝A+B+C+D

項目	点数	算定要件
皮膚・皮下組織		
K000 創傷処理（6歳以上）		・切・刺・割創または挫創に対して、切除・結紮または縫合（ステープラーによる縫合を含む）を行う場合の第１回治療に算定する。２回目以降はJ000創傷処置で算定 ・創傷が数ヵ所ある場合はそれらの長さを合計して１つの創傷とする ・６歳未満の場合は、K000-2で算定する 算定例） 6月10日（休日）、創傷処理「4」 3cmに真皮縫合・デブリードマンを併施した場合 所定点数 530点……① 注の加算 460＋100＝560点……② 時間加算2（①＋②）×0.8→1090×0.8＝872……③ ①＋②＋③＝手術点数⇒1962点 レセプト 「摘要欄」 50 創傷処理4（3cm） 5日 休 1962×1
筋肉、臓器に達するもの		
1 長径5cm未満	1400	
2 長径5cm以上10cm未満	1880	
3 長径10cm以上		
イ．頭頸部のもの（長径20cm以上のものに限る）	9630	
ロ．その他のもの	3090	
筋肉、臓器に達しないもの		
4 長径5cm未満	530	
5 長径5cm以上10cm未満	950	
6 長径10cm以上	1480	
〈注加算〉		
注1真皮縫合（露出部）	＋460	
注2デブリードマン（当初の1回に限り）	＋100	
K000-2 小児創傷処理（6歳未満）		・〈注加算〉真皮縫合の露出部とは、頭部、頸部、上肢の肘関節以下、下肢の膝関節以下のことである ・デブリードマンの加算は、汚染された挫創に対して行われるブラッシングまたは汚染組織の切除等であって、通常は麻酔下で行われる程度のものを行ったときに算定できる
筋肉、臓器に達するもの		
1 長径2.5cm未満	1400	
2 長径2.5cm以上5cm未満	1540	
3 長径5cm以上10cm未満	2860	
4 長径10cm以上	4410	
筋肉、臓器に達しないもの		
5 長径2.5cm未満	500	
6 長径2.5cm以上5cm未満	560	
7 長径5cm以上10cm未満	1060	
8 長径10cm以上	1950	
〈注加算〉		
注1真皮縫合（露出部）	＋460	
注2デブリードマン（当初の1回に限り）	＋100	
K001 皮膚切開術		「長径10cm」とは、切開を加えた長さではなく、膿瘍、せつまたは蜂窩織炎等の大きさをいう
1 長径10cm未満	640	
2 長径10cm以上20cm未満	1110	
3 長径20cm以上	2270	
四肢関節、靭帯		
K082 人工関節置換術		・「1」はK939 画像等手術支援加算「1」ができる手術（実施時＋2000点） ・「2」「3」はK939 画像等手術支援加算「3」ができる手術（実施時＋2000点）
1 肩、股、膝	37690	
2 胸鎖、肘、手、足	28210	
3 肩鎖、指（手、足）	15970	
眼瞼		
K217 眼瞼内反症手術		
1 縫合法	1990	
2 皮膚切開法	2590	
3 眼瞼下制筋前転法	4230	

項目		点数	算定要件
水晶体、硝子体			
K282 水晶体再建術			・1眼に白内障及び斜視があり、両者を同時に手術した場合は、別に算定できる。ただし、斜視手術が保険給付の対象となる場合に限る ・眼内レンズの費用は所定点数に含まれる ・K282「1」の「イ」、「3」はA400 短手1 の対象手術 ・K282「1」の「ロ」、「2」はA400 短手3 の対象手術
1	眼内レンズを挿入する場合		
	イ．縫着レンズを挿入するもの	17840	
	ロ．その他のもの	12100	
2	眼内レンズを挿入しない場合	7430	
3	計画的後嚢切開を伴う場合	21780	
〈注加算〉 注1水晶体嚢拡張リング使用加算 注2高次収差解析加算		 +1600 +150	→「1」のイについて、水晶体偏位又は眼内レンズ偏位の患者に対し加算する
乳腺			
K476 乳腺悪性腫瘍手術			・「1」～「7」については、注1又は注2の加算を算出する場合に限り「通則4」の基準を満たす必要がある ・K935止血用加熱凝固切開装置を使用した場合　+700
1	単純乳房切除術（乳腺全摘術）	17040	
2	乳房部分切除術（腋窩部郭清を伴わないもの）	28210	
3	乳房切除術（腋窩部郭清を伴わないもの）	22520	
4	乳房部分切除術〔腋窩部郭清を伴うもの（内視鏡下によるものを含む）〕	42350	
5	乳房切除術（腋窩鎖骨下部郭清を伴うもの）・胸筋切除を併施しないもの	42350	
6	乳房切除術（腋窩鎖骨下部郭清を伴うもの）・胸筋切除を併施するもの	42350	
7	拡大乳房切除術（胸骨旁、鎖骨上、下窩など郭清を併施するもの）	52820	
8	乳輪温存乳房切除術（腋窩部郭清を伴わないもの）	27810	
9	乳輪温存乳房切除術（腋窩部郭清を伴うもの）	48340	
〈注加算〉 注1乳癌センチネルリンパ節生検加算1 注2乳癌センチネルリンパ節生検加算2 K935止血用加熱凝固切開装置を使用した場合		 +5000 +3000 +700	
気管支、肺			
K514			・K931超音波凝固切開装置等加算が算定できる手術（使用時に+3000） ・K936自動縫合器加算　+2500（「1」「3」は6個を限度とする、「2」は8個を限度とする） ・「9」及び「10」は悪性びまん性胸膜中皮腫に対して実施した場合に限り算定する ・「9」に対し、L008閉麻の実施が8時間を超えた場合は、長時間麻酔管理加算+7500点が加算される
1	部分切除	60350	
2	区域切除	69250	
3	肺葉切除または1肺葉を超えるもの	72640	
4	肺全摘	72640	
5	隣接臓器合併切除を伴う肺切除	78400	
6	気管支形成を伴う肺切除	80460	
7	気管分岐部切除を伴う肺切除	124860	
8	気管分岐部再建を伴う肺切除	127130	
9	胸膜肺全摘	92000	
10	壁側・臓側胸膜全切除（横隔膜、心膜合併切除を伴うもの）	105000	

項目	点数	算定要件
K514-2 胸腔鏡下肺悪性腫瘍手術		・A234「医療安全対策加算」の届出医療機関であることが算定要件(2024年) ・「2」はK939画像等手術支援加算「1」が算定できる手術(実施時＋2000) ・A234「医療安全対策加算1」の届出医療機関では、「2」および「3」は内視鏡手術用支援機器を用いて行った場合も算定できる(通則18)
1 部分切除	60170	
2 区域切除	72640	
3 肺葉切除または1肺葉を超えるもの	92000	
4 気管支形成を伴う肺切除	107800	
5 肺全摘	93000	
自動縫合器加算(K936)	＋2500	→自動縫合器加算：「1」は6個限度、「2」「3」は8個限度
心、心膜、肺動静脈、冠血管等		
K552-2 冠動脈、大動脈バイパス移植術(人工心肺を使用しないもの)		・K931超音波凝固切開装置等加算が算定できる手術(使用時に＋3000) ・K552-2冠動脈、大動脈バイパス移植術(人工心肺を使用しないもの)におけるバイパス造成用自家血管の採取料については、所定点数に含まれ、別に算定できない ・左心耳閉塞用クリップを使用した場合、自動縫合器加算(K936)となり2500点が加算され、心拍動下冠動脈、大動脈バイパス移植術用機器加算(K937)は30000点が加算される
1 1吻合のもの	71570	
2 2吻合以上のもの	91350	
＜注加算＞ 冠動脈形成術(血栓内膜摘除)を併せて行った場合	＋10000	
動脈		
K610 動脈形成術、吻合術		
1 頭蓋内動脈	99700	
2 胸腔内動脈(大動脈を除く)	52570	
3 腹腔内動脈(大動脈を除く)	47790	
4 指(手、足)の動脈	18400	
5 その他の動脈	21700	
空腸、回腸、盲腸、虫垂、結腸		
K718 虫垂切除術		
1 虫垂周囲膿瘍を伴わないもの	6740	
2 虫垂周囲膿瘍を伴うもの	8880	
K719 結腸切除術		・自動縫合器加算は、4個を限度として使用個数を乗じて得た点数を加算する ・「2」〔K931超音波凝固切開装置等加算が算定できる手術(使用時には+3000点)〕はクローン病または潰瘍性大腸炎の再手術に対して、超音波凝固切開装置等を用いた場合に限り算定する ・「3」については、自動吻合器加算(1個限度)及び超音波凝固切開装置等加算も算定可 ・人工肛門造設術を併せて実施した場合は人工肛門造設加算として2000点を所定点数に加算する
1 小範囲切除	24170	
2 結腸半側切除	29940	
3 全切除、亜全切除または悪性腫瘍手術	39960	
＜注加算＞ 人工肛門造設加算	＋2000	
自動縫合器加算(4個限度)(K936)	＋2500	
「3」のみ自動吻合器加算(1個限度)(K936-2)	＋5500	
直腸		
K740 直腸切除・切断術		・「4」において、人工肛門造設に係る腸管の切除等の手技料は所定点数に含まれ、別に算定できない ・K931超音波凝固切開装置等加算が算定できる手術(使用時には＋3000点) ・自動吻合器加算(1個限度)(K936-2)＋5500点 ・自動縫合器加算(4個限度)(K936)＋2500点 ・「1」～「3」について、人工肛門造設術を併せて実施した場合は、人工肛門造設加算として2000点を所定点数に加算する ・個方リンパ節郭清を併せて行った場合であって、片側のみに行った場合は片側個方リンパ節郭清加算として+4250点、両側に対して行った場合は、両側個方リンパ節郭清加算として+6380点を所定点数に加算する
1 切除術	42850	
2 低位前方切除術	71300	
3 超低位前方切除術	73840	
4 経肛門吻合を伴う切除術	82840	
5 切断術	77120	
＜注加算＞ 人工肛門造設加算「1」～「3」 片側側方リンパ節郭清加算 両側側方リンパ節郭清加算	＋2000 ＋4250 ＋6380	

項　目		点数	算　定　要　件
副腎			
K756-2 腹腔鏡下副腎悪性腫瘍手術		51120	K931超音波凝固切開装置等加算が算定できる手術（使用時には＋3000点）
腎、腎盂			
K768 体外衝撃波腎・尿管結石破砕術 （一連につき）		19300	体外衝撃波消耗性電極加算とは、1回または2回以上の使用により消耗し、交換が必要となる電極を使用した場合の加算をいう
体外衝撃波消耗性電極加算（K938）		＋3000	
K773 腎（尿管）悪性腫瘍手術		42770	K931超音波凝固切開装置等加算が算定できる手術（使用時には＋3000点）
尿管			
K781 経尿道的尿路結石除去術			・透視下にバスケットワイヤーカテーテルのみを用いて、砕石を行わず、結石の摘出のみを行った場合は、K798膀胱結石、異物摘出術の「1」に準じて算定する ・K781はA400 短手2 の対象手術
1	レーザーによるもの	22270	
2	その他のもの	14800	
膀胱			
K803 膀胱悪性腫瘍手術			・「6」は内視鏡検査に係る費用は所定点数に含まれ、別に算定できない ・K931超音波凝固切開装置等加算が算定できる手術（使用時には＋3000点）
1	切除	34150	
2	全摘（腸管等を利用して尿路変更を行わないもの）	66890	
3	全摘（尿管S状結腸吻合を利用して尿路変更を行うもの）	80160	
4	全摘（回腸または結腸導管を利用して尿路変更を行うもの）	120740	
5	全摘（代用膀胱を利用して尿路変更を行うもの）	110600	
6	経尿道的手術 イ．電解質溶液利用のもの ロ．その他のもの	 13530 10400	
〈注〉狭帯域光強調加算 自動吻合器加算（1個限度）（K936-2） 自動縫合器加算（5個限度）（K936）		＋200 ＋5500 ＋2500	
子宮			
K872 子宮筋腫摘出（核出）術			
1	腹式	24510	
2	腟式	14290	
子宮附属器			
K889 子宮附属器悪性腫瘍手術（両側）		58500	K931超音波凝固切開装置等加算が算定できる手術（使用時には＋3000点）

㊿主な輸血料一覧表

・輸血料には時間外・休日・深夜の加算はありません。

・輸血の1回目とは、一連の輸血において「最初の200mLの輸血」をいい、2回目とはそれ以降の輸血をいいます。

輸血料の算定の仕方

〔輸血の方法〕

・自家採血　・保存血液　・自己血貯血　・自己血輸血　・希釈式自己血輸血　・交換輸血

〔輸血の量〕

手順① 輸血の方法と輸血量を確認する（例として、保存血輸血のケースで算定する）

保存血輸血手技料表

保存血mL	200	400	600	800	1000	1200	1400	1600	1800	2000
1回目	450点	800	1150	1500	1850	2200	2550	2900	3250	3600
2回目以降	350点	700	1050	1400	1750	2100	2450	2800	3150	3500

手順② 血液交叉試験は何回するか確認する➡30点／1回

手順③ 間接クームスは何回するか確認する➡47点／1回

手順④ 血液型（ABO・Rh方式）検査はあるのか確認する➡54点

手順⑤ 不規則抗体検査を実施したか確認する➡197点／月1回（一般）

手順⑥ 年齢加算（6歳未満）があるのか確認する➡26点

手順⑦ その他の加算があるのか確認する
［HLA型クラスⅠ（A、B、C）検査……1000点／一連につき
HLA型クラスⅡ（DR、DQ、DP）検査…1400点／一連につき
血小板洗浄術を実施した場合………580点］

輸血料（①＋②＋③＋④＋⑤＋⑥＋⑦）

手順⑧ 血液料を計算する……薬価表参照（端数は五捨五超入）

薬価表

製剤名（銘柄名）	規格	薬価（円）	照射済の薬価（円）
人全血液-LR「日赤」	200mL 献血由来	8350	9084
	400mL 献血由来	16700	18164
赤血球液-LR「日赤」	血液200mL由来　1袋	8597	9067
	血液400mL由来　1袋	17194	18132
解凍赤血球液-LR「日赤」	血液200mL由来　1袋	15965	16379
	血液400mL由来　1袋	31930	32757
洗浄赤血球液-LR「日赤」	200mL　1袋	9684	10261
	400mL　1袋	19369	20522
合成血液-LR「日赤」	血液200mL由来　1袋	13788	14364
	血液400mL由来　1袋	27575	28727
濃厚血小板-LR「日赤」	1単位約 20mL　1袋	7984	8060
	2単位約 40mL　1袋	15968	16119
	5単位約100mL　1袋	40796	41038
	10単位約200mL　1袋	81262	81744
	15単位約250mL　1袋	121881	122604
	20単位約250mL　1袋	162510	163471
濃厚血小板HLA-LR「日赤」	10単位約200mL　1袋	97438	98193
	15単位約250mL　1袋	146157	147103
	20単位約250mL　1袋	194875	195822
照射洗浄血小板HLA-LR「日赤」	10単位約200mL　1袋	—	98193
照射洗浄血小板-LR「日赤」	10単位約200mL　1袋	—	81744
新鮮凍結血漿-LR「日赤」120	血液200mL由来　1袋	9160	—
新鮮凍結血漿-LR「日赤」240	血液400mL由来　1袋	18322	
新鮮凍結血漿-LR「日赤」480	480mL　1袋	24210	

項目	点数	算定要件
K920 **輸血**		・患者に一連（概ね1 週間）の輸血につき1回、文書で説明を行う ・1回目は最初の200mL ・2 回目とはそれ以外の輸血をいう ・一連とは、概ね1週間を指すが、再生不良性貧血、白血病等で反復して輸血が必要な場合は、この限りではない ・保存血液輸血とは、献血などにより採取された血液。一般的な輸血方法 ・血液型検査（ABO式及びRh式）を行った場合は54点を算定する ・血液交叉試験（30点）または間接クームス検査の加算（47点）は、自家採血を使用する場合は供血者ごとに、保存血を使用する場合は血液バッグ（袋）1バッグごとにそれぞれ算定する ・不規則抗体検査を行った場合は、検査回数にかかわらず月1回197点を加算する（頻回に輸血を行った場合は、1週間に1回を限度に197点を加算する） ・HLA型クラスⅠ（A,B,C）検査（一連につき）を実施した場合は＋1000点加算する ・HLA型クラスⅡ（DR,DQ,DP）（一連につき）を実施した場合は＋1400点加算する ・血小板洗浄術を実施した場合は＋580点加算する ・6歳未満に対する年齢加算は輸血量にかかわらず、26点を加算する
1　自家採血輸血（200mLごとに）		
イ　1回目（最初の200mL）	750	
ロ　2回目以降	650	
2　保存血液輸血（200mLごとに）		
イ　1回目（最初の200mL）	450	
ロ　2回目以降	350	
3　自己血貯血		
イ　6歳以上（200mLごとに）		
(1)液状保存の場合	250	
(2)凍結保存の場合	500	
ロ　6歳未満（体重1kgにつき4mLごとに）		
(1)液状保存の場合	250	
(2)凍結保存の場合	500	
4　自己血輸血		
イ　6歳以上（200mLごとに）		
(1)液状保存の場合	750	
(2)凍結保存の場合	1500	
ロ　6歳未満（体重1kgにつき4mLごとに）		
(1)液状保存の場合	750	
(2)凍結保存の場合	1500	
5　希釈式自己血輸血		
イ　6歳以上の患者の場合（200mLごと）	1000	
ロ　6歳未満の患者の場合（体重1kgにつき4mLごと）	1000	
6　交換輸血（1回につき）	5250	
K920-2 **輸血管理料** ㊡（月1回）		・輸血管理料は、輸血療法の安全かつ正確な実施を推進する観点から、施設基準適合の医療機関において輸血を行った場合、月1回を限度として算定する ・算定対象は、 ①赤血球濃厚液（浮遊液を含む）、血小板濃厚液、自己血の輸血 ②新鮮凍結血漿、アルブミン製剤の輸注を行った場合に算定する ・輸血管理料を算定した場合は、レセプト「摘要欄」に 輸管Ⅰ または 輸管Ⅱ と表示する
1　輸血管理料Ⅰ　輸管Ⅰ	220	
〈注加算〉 輸血適正使用加算 貯血式自己血輸血管理体制加算	 ＋120 ＋50	
2　輸血管理料Ⅱ　輸管Ⅱ	110	
〈注加算〉 輸血適正使用加算 貯血式自己血輸血管理体制加算	 ＋60 ＋50	

㊿主な麻酔料一覧表

同一の目的のために2つ以上の麻酔を行った場合の麻酔料及び神経ブロック料は主たる麻酔のみで算定する。

〔年齢加算〕

未熟児加算➡出生時体重2500g未満で生後90日以内の場合に加算

新生児加算➡生後28日未満の場合に加算（未熟児以外）

乳児加算➡生後28日目から1歳未満の場合に加算

幼児加算➡満1歳から3歳未満の場合に加算

〔時間外等加算〕

時間外➡外来のみ算定可（引き続き入院も算定可）

休日・深夜➡外来・入院とも算定可

麻酔料の算定の仕方

手順① 点数表から麻酔の点数を探す……(A)

手順② 点数表の注の加算があるか確認する……(B)

手順③ 年齢加算があるか確認する
- 未熟児 未、新生児 新……(A+B)×2
- 乳児 乳（1歳未満）…………(A+B)×0.5
- 幼児 幼（3歳未満）…………(A+B)×0.2

(C)

手順④ 時間加算があるか確認する
- 時間外 外（入院外）…………(A+B)×0.4
- 休日 休、深夜 深…………(A+B)×0.8

(D)

麻酔料 ＝ A ＋ B ＋ C ＋ D

項　目		点　数	算　定　要　件
L000 **迷もう麻酔**		31	吸入麻酔であり、実施時間が10分未満のものをいう
L001 **筋肉注射による全身麻酔、注腸による麻酔**		120	
L001-2 **静脈麻酔**			・「1」は検査、画像診断、処置、手術が行われた場合で、麻酔の実施時間が10分未満の場合に算定する ・「2」及び「3」はL008のマスクまたは気管内挿管による閉鎖循環式全身麻酔以外の静脈麻酔が、10分以上行われた場合に算定する ・「3」の複雑な場合とは、常勤麻酔科医が専従で麻酔を実施した場合で、実施時間が2時間を超えた場合をいう。2 時間を超えた場合は、麻酔管理時間加算として100点を加算する ・3歳以上6歳未満は所定点数の100分の10を所定点数に加算する
1	短時間のもの	120	
2	十分な体制で行われる長時間のもの（単純な場合）	600	
3	十分な体制で行われる長時間のもの（複雑な場合）	1100	
	麻酔管理時間加算 「3」のみ実施時間が2時間を超えた場合	＋100	
〈注加算〉3歳以上6歳未満に行った場合 （＋所定点数×0.1）加算		＋10/100	

項目	点数	算定要件
L002 **硬膜外麻酔**(2時間まで)		例）硬膜外(腰部)2時間45分の場合(3歳以上) 1600点 〔計算内訳〕 2時間 30分 30分 800 400 400 800+400+400=1600点
1 頸・胸部	1500	
1 〈注加算〉麻酔管理時間加算 2時間を超えた場合は30分ごとまたはその端数を増すごとに加算する	+750	
2 腰部	800	
2 〈注加算〉麻酔管理時間加算 2時間を超えた場合は30分ごとまたはその端数を増すごとに加算する	+400	
3 仙骨部	340	
3 〈注加算〉麻酔管理時間加算 2時間を超えた場合は30分ごとまたはその端数を増すごとに加算する	+170	
L003 **硬膜外麻酔後における局所麻酔剤の持続的注入** (1日につき)(麻酔当日を除く)	80	自動注入ポンプを用いて1時間に10mL以下の速度で局所麻酔剤を注入した場合に精密持続注入加算をする
〈注加算〉精密持続注入加算 精密持続注入を行った場合(1日につき)	+80	
L004 **脊椎麻酔**(2時間まで)	850	
〈注加算〉麻酔管理時間加算 2時間を超えた場合は30分ごとまたはその端数を増すごとに加算する	+128	
L005 **上・下肢伝達麻酔**	170	
L006 **球後麻酔及び顔面・頭頸部の伝達麻酔** (瞬目麻酔及び眼輪筋内浸潤麻酔を含む)	150	
L008 **マスクまたは気管内挿管による閉鎖循環式全身麻酔**		
1 低体温心臓手術など(2時間以内)		〈注加算〉麻酔管理時間加算 ・2時間を超えた場合30分ごとまたはその端数を増すごとに次の点数を加算する ・「1」は＋1800点 ・「2」は＋1200点 ・「3」は＋900 ・「4」は＋660 ・「5」は＋600 ＜※厚生労働大臣が定める麻酔が困難な疾患＞ ①心不全、②冠動脈疾患、③弁膜症、④不整脈、⑤先天性心疾患、⑥肺動脈性肺高血圧症、⑦呼吸不全、⑧呼吸器疾患、⑨糖尿病、⑩腎不全、⑪肝不全、⑫血球減少、⑬血液凝固異常、⑭出血傾向、⑮肺血症、⑯神経障害、⑰BMIが35以上
1 イ 麻酔困難患者※	24900	
1 ロ イ以外の場合	18200	
2 脳脊髄手術(坐位など)(2時間以内)		
2 イ 麻酔困難患者※	16720	
2 ロ イ以外の場合	12190	
3 1、2以外の心臓手術など (2時間以内)		
3 イ 麻酔困難患者※	12610	
3 ロ イ以外の場合	9170	
4 腹腔鏡手術など(2時間以内)		
4 イ 麻酔困難患者※	9130	
4 ロ イ以外の場合	6610	

項目	点数	算定要件
5 その他(2時間以内)		「5」その他とは、「1」~「4」以外で行った閉麻をいう 例)閉鎖循環式全身麻酔2時間50分の場合(3歳以上) 7200点 2時間 6000 / 30分 600 / 30分 600
イ 麻酔困難患者※	8300	
ロ イ以外の場合	6000	
〈注加算〉麻酔管理時間加算 2時間を超えた場合は30分ごとまたはその端数を増やすごとにに加算する	+600	
〈注加算〉 ①硬膜外麻酔併施加算(2時間まで)		・硬膜外麻酔を併せて行った場合に上記「1」~「5」の点数に加算する ・2時間を超えた場合は30分またはその端数を増すごとに麻酔管理時間加算として次の点数を加算する ①頸・胸部:375点 ②腰部:200点 ③仙骨部:85点
頸・胸部	+750	
腰部	+400	
仙骨部	+170	
〈注加算〉 ②術中経食道心エコー連続監視加算(2時間まで) 1	+880	・「1」は心臓手術が行われる場合または厚生労働大臣が定める麻酔が困難な患者のうち、冠動脈疾患もしくは弁膜症のものに行われる場合に、術中に経食道心エコー法を行った場合に880点を加算する ・「2」は上記「1」において、弁膜症のものに対するカテーテルを用いた経皮的心臓手術を行った場合は1500点を加算する
2	+1500	
〈注加算〉 ③臓器移植術加算(生体を除く)(2時間まで)	+15250	同種臓器移植術(生体を除く)の麻酔を行った場合は、臓器移植術加算として点数に15250点を加算する
〈注加算〉 ④L100 神経ブロック併施加算		L100に掲げる神経ブロックを併せて行った場合には450点または45点を加算する
イ 別に厚生労働大臣が定める患者に対して行う場合	+450	
ロ 「イ」以外の場合	+45	
〈注加算〉 ⑤非侵襲的血行動態モニタリング加算	+500	麻酔が困難な患者に腹腔鏡下手術(K672-2腹腔鏡下胆嚢摘出術、K718-2腹腔鏡下虫垂切除術を除く)が行われる場合で、術中に非侵襲的血行動態モニタリングを実施した場合に500点加算する
＜注加算＞ 術中脳灌流モニタリング加算	+1000	K609動脈血栓内膜摘出術(内頸動脈に限る)または人工心肺を用いる心臓血管手術において、術中に非侵襲的に脳灌流のモニタリングを実施した場合に1000点加算する
L009 麻酔管理料(Ⅰ) 届		・常勤の麻酔科標榜医が麻酔を行った場合、麻管Ⅰを算定する ・常勤の麻酔科標榜医の指導の下、麻酔科標榜医以外の医師が麻酔を行った場合、麻管Ⅱを算定 ・麻管Ⅰと麻管Ⅱとの併算定はできない ・長時間麻酔管理加算の対象手術は、K017、K020、K136-2、K142-2の「1」、K151-2、K154-2、K169の「1」、K172、K175の「2」、K177、K314の「2」、K379-2「2」、K394の「2」、K395、K403の「2」、K415の「2」、K514の「9」、K514-4、K519、K529の「1」、K529-2の「1」K529-2の「2」、K552、K553の「3」、K553-2の「2」、K553-2の「3」、K555-2の「3」、K558、K560の「1」のイ~K560の「1」のハまで、K560の「2」、K560の「3」のイ~K560の「3」のニまで、K560の「4」、K560の「5」、K560-2の「2」のニ、K567の「3」、(続く)
1 L002 硬膜外麻酔またはL004脊椎麻酔を行った場合 麻管Ⅰ 帝王切開術	250 +700	
2 L008 マスクまたは気管内挿管による閉鎖循環式全身麻酔を行った場合 麻管Ⅰ 周産期薬剤管理加算	1050 +75	
＜注加算＞ 長時間麻酔管理加算(L008の実施時間が8時間を超えた場合)	+7500	
L010 麻酔管理料(Ⅱ) 届		
1 L002 硬膜外麻酔またはL004脊椎麻酔を行った場合 麻管Ⅱ	150	

	項目	点数	算定要件
2	L008 マスクまたは気管内挿管による閉鎖循環式全身麻酔を行った場合 麻管Ⅱ	450	K579-2の「2」、K580の「2」、K581の「3」、K582の「2」、K582の「3」、K583、K584の「2」、K585、K586の「2」、K587、K592-2、K605-2、K605-4、K610の「1」、K645、K645-2、K675の「4」、K675の「5」、K677-2の「1」、K695の「4」～「7」まで、K697-5、K697-7、K703、K704、K801の「1」、K803の「2」、K803の「4」及びK803-2

(50)主な神経ブロック料一覧表

項目		点数
L100 神経ブロック※（局所麻酔剤またはボツリヌス毒素使用）	1	1500
	2	800
	3	570
	4	400
	5	340
	6	170
	7	90
L102 神経幹内注射		25
L103 カテラン硬膜外注射		140
L104 トリガーポイント注射（1日につき）		70
L105 神経ブロックにおける麻酔剤の持続的注入（1日につき）（チューブ挿入当日を除く）		80
〈注加算〉精密持続注入加算 精密持続注入を行った場合（1日につき）		+80

※（1）トータルスパイナルブロック、三叉神経半月神経節ブロック、胸部交感神経節ブロック、腹腔神経叢ブロック、頸・胸部硬膜外ブロック、神経根ブロック、下腸間膜動脈神経叢ブロック、上下腹神経叢ブロック、（2）眼神経ブロック、上顎神経ブロック、下顎神経ブロック、舌咽神経ブロック、蝶形口蓋神経節ブロック、腰部硬膜外ブロック、（3）腰部交感神経節ブロック、くも膜下脊髄神経ブロック、ヒッチコック療法、腰神経叢ブロック、（4）眼瞼痙攣、片側顔面痙攣、痙性斜頸、上肢痙縮または下肢痙縮の治療目的でボツリヌス菌毒素を用いた場合、（5）星状神経節ブロック、仙骨部硬膜外ブロック、顔面神経ブロック、（6）腕神経叢ブロック、おとがい神経ブロック、舌神経ブロック、迷走神経ブロック、副神経ブロック、横隔神経ブロック、深頸神経叢ブロック、眼窩上神経ブロック、眼窩下神経ブロック、滑車神経ブロック、耳介側頭神経ブロック、浅頸神経叢ブロック、肩甲背神経ブロック、肩甲上神経ブロック、外側大腿皮神経ブロック、閉鎖神経ブロック、不対神経節ブロック、前頭神経ブロック、（7）頸・胸・腰傍脊椎神経ブロック、上喉頭神経ブロック、肋間神経ブロック、腸骨下腹神経ブロック、腸骨鼠径神経ブロック、大腿神経ブロック、坐骨神経ブロック、陰部神経ブロック、経仙骨孔神経ブロック、後頭神経ブロック、筋皮神経ブロック、正中神経ブロック、尺骨神経ブロック、腋窩神経ブロック、橈骨神経ブロック、仙腸関節枝神経ブロック、頸・胸・腰椎後枝内側枝神経ブロック、脊髄神経前枝神経ブロック

(60)主な検体検査料一覧表

検体検査は 緊検 が算定できる（時間外等の加算がある）……外来、引き続き入院の場合

レセプト記載：(60)	緊検 （検査開始の日・時） 200×1

引き続き入院した場合 → 引き続き入院 と記載する

①検体検査は、検査実施料と判断料及び検体採取料で算定する（原則）。
②回数にかかわらず所定点数で計算する。
③外来管理加算はすべて算定可。
④年齢加算はない。
⑤時間の加算はない（ 緊検 で算定する）。
㊟ 外迅検 と 緊検 は同一日に併算定はできない（いずれか一方のみ）。

検体検査料

名　称	略　称	点数	備　考
時間外緊急院内検査加算 (1日につき)	緊検 開始日時(引き続き入院した場合はその旨)	+200	・時間外・休日・深夜に外来患者(外来から引き続き入院をした場合を含む)に対して、緊急に検体検査を行った場合 ・同一日に外来迅速検体検査加算は算定できない
外来迅速検体検査加算 (1項目につき) (1日5項目限度) 対象検査には◎を付記した	外迅検 (引き続き入院した場合はその旨)	+10	・外来患者(外来から引き続き入院をした場合を含む)のみ算定する ・下記の厚生労働大臣が定める検体検査を検査実施日のうちに説明した上で文書により情報を提供し、当該検査に基づく診療が行われた場合 [厚生労働大臣が定める検査] ・D000尿中一般物質定性半定量検査 ・D002尿沈渣(鏡検法)(院内で行った場合に算定) ・D003「7」糞便中ヘモグロビン ・D005「1」赤血球沈降速度(ESR)(院内で行った場合に算定)、「5」末梢血液一般検査、「9」ヘモグロビンA1c(HbA1c) ・D006「2」プロトロンビン時間(PT)、「10」フィブリン・フィブリノゲン分解産物(FDP)定性、フィブリン・フィブリノゲン分解産物(FDP)半定量、フィブリン・フィブリノゲン分解産物(FDP)定量、「15」Dダイマー ・D007「1」総ビリルビン(T-Bil)、総蛋白(TP)、アルブミン(BCP改良法・BCG法)、尿素窒素(BUN)、クレアチニン、尿酸(UA)、アルカリホスファターゼ(ALP)、コリンエステラーゼ(ChE)、γ-グルタミントランスフェラーゼ(γ-GT)、中性脂肪(TG)、ナトリウム及びクロール、カリウム、カルシウム、グルコース、乳酸デヒドロゲナーゼ(LD)、クレアチンキナーゼ(CK)、「3」HDL-コレステロール、総コレステロール、AST、ALT、「4」LDL-コレステロール、「17」グルコアルブミン ・D008「6」甲状腺刺激ホルモン(TSH)、「14」遊離サイロキシン(FT_4)、遊離トリヨードサイロニン(FT_3) ・D009「3」癌胎児性抗原(CEA)、「2」α-フェトプロテイン(AFP)、「9」前立腺特異抗原(PSA)、CA19-9 ・D015「1」C反応性蛋白(CRP) ・D017排泄物、滲出物または分泌物の細菌顕微鏡検査「3」その他のもの
検体検査判断料 (各 判 、月1回算定)	尿・糞便等 判尿	34	・D004-2の1 D006-2 〜 D006-9 D006-11 〜 D006-20 D006-22 〜 D006-28 ── 判遺 100で算定する
	遺伝子・染色体 判遺	100	
	血液学的 判血	125	
	生化学的Ⅰ 判生Ⅰ	144	
	生化学的Ⅱ 判生Ⅱ	144	
	免疫学的 判免	144	
	微生物学的 判微	150	
検体検査管理加算(Ⅰ)	検管Ⅰ	+40	・検体検査管理加算(Ⅰ)〜(Ⅳ)の重複算定はできない ・検体検査管理加算(Ⅰ)は、外来患者または入院患者に対し、検体検査管理加算(Ⅱ)、(Ⅲ)、(Ⅳ)は入院患者に対して算定する。(Ⅱ)、(Ⅲ)、(Ⅳ)を算定した場合は、国際標準検査管理加算 届 として 国標 40点を加算する
	検管Ⅱ	+100	
	検管Ⅲ	+300	
	検管Ⅳ	+500	

主な尿・糞便等検査一覧表

※ 判 尿：34点（D000は算定不可）
判 遺：100点（D004-2の１の場合）

項目		点数	略称	算定要件
D000 尿中一般物質定性半定量検査（院内のみ）◎				
比重・pH・蛋白定性（E）・グルコース（Z）・ウロビリノゲン（Uro）・ウロビリン定性・ビリルビン・ケトン体・潜血反応・試験紙法による尿細菌検査（亜硝酸塩）・食塩・試験紙法による白血球検査（白血球エステラーゼ）・アルブミン		26	尿一般 U-検	採取料・判断料は算定不可
D001 尿中特殊物質定性定量検査				
1	尿蛋白	7	U-タン	
2	VMA定性（尿）	9		
	尿グルコース			
3	ウロビリノゲン（尿）	16	U-U	
	先天性代謝異常症スクリーニングテスト（尿）			
	尿浸透圧			
4	ポルフィリン症スクリーニングテスト（尿）	17		
5	N-アセチルグルコサミニダーゼ（NAG）（尿）	41	U-NAG	
6	アルブミン定性（尿）	49		
7	黄体形成ホルモン（LH）定性（尿）	72	U-LH	
	フィブリン・フィブリノゲン分解産物（FDP）（尿）		U-FDP	
8	トランスフェリン（尿）（3月に1回のみ）	98		
9	アルブミン定量（尿）（3月に1回のみ）	99		
10	ウロポルフィリン（尿）	105		
	トリプシノーゲン２（尿）			
11	δアミノレブリン酸（δ-ALA）（尿）	106		
12	ポリアミン（尿）	115		
13	ミオイノシトール（尿）（1年に1回のみ）	120		
14	コプロポルフィリン（尿）	131		
15	Ⅳ型コラーゲン（尿）（3月に1回のみ）	184		
16	総ヨウ素（尿）	186		
	ポルフォビリノゲン（尿）			
17	プロスタグランジンE主要代謝物（尿）	187		
18	シュウ酸（尿）	200		
19	L型脂肪酸結合蛋白（L-FABP）（尿）	210		
	好中球ゼラチナーゼ結合性リポカリン（NGAL）（尿）			
20	尿の蛋白免疫学的検査			D015血漿蛋白免疫学的検査の例により算定した点数とする
21	その他			検査の種類の別によりD007血液化学検査、D008内分泌学的検査、D009腫瘍マーカー、D010特殊分析の例により算定した点数とする ※D007血液化学検査、D008内分泌学的検査、D009腫瘍マーカー、D010特殊分析の所定点数を準用した場合は、当該区分の「注」についても同様に準用する。

◎：外迅検 の対象検査

項目		点数	略称	算定要件
D002 尿沈渣(鏡検法)(Sed)(院内のみ)◎		27	U-沈(鏡検法)	併せて行った場合は、主たるもののみ算定するもの 注2院内で検査を行った場合に算定する。 ・D002尿沈渣(鏡検法)とD002-2尿沈渣(フローサイトメトリー法) ・D002またはD002-2とD017排泄物・滲出物または分泌物の細菌顕微鏡検査
	〈注加算〉注3尿沈渣染色標本加算	+9	沈/染色	
D002-2 尿沈渣(フローサイトメトリー法)(院内のみ)		24		
D003 糞便検査				
1	虫卵検出(集卵法)(糞便) ウロビリン(糞便)	15	F-集卵	
2	糞便塗抹顕微鏡検査(虫卵、脂肪、消化状況観察を含む)	20	F-塗抹	
3	虫体検出(糞便)	23		
4	糞便中脂質	25		
5	糞便中ヘモグロビン定性	37		
6	虫卵培養(糞便)	40		
7	糞便中ヘモグロビン◎	41		
8	糞便中ヘモグロビン及びトランスフェリン定性・定量	56		
9	カルプロテクチン(糞便)	268		
D004 穿刺液・採取液検査				
1	ヒューナー検査	20		
2	関節液検査	50		
3	胃液または十二指腸液一般検査	55		例)胃液検査を実施した場合 検査料(D004「3」、採取料(D419「1」)、判断料(D026)を算定する レセプト記入例 ⑥⓪ G-胃液 55×1 胃液・十二指腸液採取料 180×1 判 尿 34×1
4	髄液一般検査	62		
5	精液一般検査	70		
6	頸管粘液一般検査	75		
7	顆粒球エラスターゼ定性(子宮頸癌管粘液)、IgE定性(涙液)	100		
8	顆粒球エラスターゼ(子宮頸管粘液)	116		
9	マイクロバブルテスト	200		
10	IgGインデックス	390		
11	オリゴグローナルバンド	522		
12	ミエリン塩基性蛋白(MBP)(髄液)	570		
13	タウ蛋白(髄液)	622		
14	リン酸化タウ蛋白(髄液)	641		
15	アミロイドβ42/40比(髄液)	1282		
16	髄液蛋白免疫学的検査			D015血漿蛋白免疫学的検査の例により算定した点数
17	髄液塗抹染色標本検査			D017排泄物または分泌物の細菌顕微鏡検査の例により算定した点数
18	その他			検査の種類の別により、D007血液化学検査またはD008内分泌学的検査、D009腫瘍マーカーもしくはD010特殊分析の例により算定した点数

◎：外迅検 の対象検査

主な血液学的検査一覧表

※ 判 血：125点
判 遺：100点（D006-2～D006-9、D006-11～D006-20、D006-22～D006-28の場合）

	項目	点数	略称	算定要件
D005	血液形態・機能検査			
1	赤血球沈降速度（ESR）（院内のみ）	9	ESR	
2	網赤血球数	12	レチクロ	
3	血液浸透圧	15		
	好酸球（鼻汁・喀痰）			
	末梢血液像（自動機械法）		像（自動機械法）	
4	好酸球数	17		
5	末梢血液一般検査 ①赤血球数（RBC）　②白血球数（WBC）　③血色素測定（Hb）　④ヘマトクリット値（Ht）　⑤血小板数（Pl）	21	末梢血液一般	全部・一部にかかわらず21点
6	末梢血液像（鏡検法） 〈注加算〉特殊染色加算	25 +37	像（鏡検法） 特染	
7	血中微生物検査、DNA含有赤血球計数検査	40		
8	赤血球抵抗試験	45		
9	ヘモグロビン$A1_c$（HbA1c）◎	49	HbA1c	
10	自己溶血試験	50		
	血液粘稠度			
11	ヘモグロビンF（HbF）	60	HbF	
12	デオキシチミジンキナーゼ（TK）活性	233	TK活性	
13	ターミナルデオキシヌクレオチジルトランスフェラーゼ（TdT）	250	TdT	
14	骨髄像 〈注加算〉特殊染色加算	788 +60	特殊 特染	
15	造血器腫瘍細胞抗原検査（一連につき）	1940		
D006	出血・凝固検査			
1	出血時間	15	出血	「1」の出血時間測定時の耳朶採血料は出血時間の所定点数に含まれる
2	プロトロンビン時間（PT）◎	18	PT	
3	血餅収縮能	19		
	毛細血管抵抗試験		毛細抵抗	
4	フィブリノゲン半定量	23		
	フィブリノゲン定量			
	クリオフィブリノゲン			
5	トロンビン時間	25		
6	蛇毒試験	28		
	トロンボエラストグラフ			
	ヘパリン抵抗試験			
7	活性化部分トロンボプラスチン時間（APTT）	29	APTT	

◎：外迅検 の対象検査

	項目	点数	略称	算定要件
8	血小板粘着能	64		
9	アンチトロンビン活性	70		
	アンチトロンビン抗原			
10	フィブリン・フィブリノゲン分解産物(FDP)定性◎	80	FDP定性	
	フィブリン・フィブリノゲン分解産物(FDP)半定量◎		FDP半定量	
	フィブリン・フィブリノゲン分解産物(FDP)定量◎		FDP定量	
	プラスミン			
	プラスミン活性			
	α_1-アンチトリプシン			
11	フィブリンモノマー複合体定性	93		
12	プラスミノゲン活性	100		
	プラスミノゲン抗原			
	凝固因子インヒビター定性(クロスミキシング試験)			
13	Dダイマー定性	121		
14	von Willebrand因子(VWF)活性	126		
15	Dダイマー◎	127		
16	プラスミンインヒビター(アンチプラスミン)	128		
	Dダイマー半定量			
17	α_2-マクログロブリン◎	138		
18	PIVKA-II	143		
19	凝固因子インヒビター	144		
20	von Willebrand因子(VWF)抗原	147		
21	プラスミン・プラスミンインヒビター複合体(PIC)	150	PIC	
22	プロテインS抗原	154		
23	プロテインS活性	163		
24	β-トロンボグロブリン(β-TG)	171	β-TG	
	トロンビン・アンチトロンビン複合体(TAT)		TAT	
25	血小板第4因子(PF_4)	173	PF_4	
26	プロトロンビンフラグメントF1+2	192		
27	トロンボモジュリン	204		
28	フィブリンモノマー複合体	215		
29	凝固因子（第II因子、第V因子、第VII因子、第VIII因子、第IX因子、第X因子、第XI因子、第XII因子、第XIII因子）	223		
30	プロテインC抗原	226		
31	プロテインC活性	227		
32	tPA・PAI-1複合体	240		
33	$ADAMTS_{13}$活性	400		
34	血小板凝集能 イ．鑑別診断の補助に用いるもの ロ．その他のもの	 450 50		
35	$ADAMTS_{13}$インヒビター	1000		

□の検査を1回に採取した血液で3項目以上行ったとき
3～4項目⇒530点　5項目以上⇒722点

◎：外迅検の対象検査

生化学的検査(Ⅰ)一覧表

※ 判 生Ⅰ：144点

	項目	点数	略称
D007	血液化学検査		
1	総ビリルビン◎	11	T-BILまたはBIL/総
	直接ビリルビンまたは抱合型ビリルビン		D-BILまたはBIL/直
	総蛋白◎		TP
	アルブミン（BCP改良法・BCG法)◎		Alb
	尿素窒素◎		BUN
	クレアチニン◎		CRE
	尿酸◎		UA
	アルカリホスファターゼ(ALP)◎		ALP
	コリンエステラーゼ(ChE)◎		ChE
	γ-グルタミルトランスフェラーゼ(γ-GT)◎		γ-GT
	中性脂肪◎		TG
	ナトリウム及びクロール◎		Na，Cl
	カリウム◎		K
	カルシウム◎		Ca
	マグネシウム		Mg
	クレアチン		
	グルコース◎		BS
	乳酸デヒドロゲナーゼ(LD)◎		LD
	アミラーゼ		Amy
	ロイシンアミノペプチダーゼ(LAP)		LAP
	クレアチンキナーゼ(CK)◎		CK
	アルドラーゼ		ALD
	遊離コレステロール		遊離-cho
	鉄(Fe)		Fe
	血中ケトン体・糖・クロール検査（試験紙法・アンプル法・固定化酵素電極によるもの)		
	不飽和鉄結合能（UIBC）（比色法)		UIBC(比色法)
	総鉄結合能(TIBC)(比色法)		TIBC(比色法)
2	リン脂質	15	PL
3	HDL-コレステロール◎	17	HDL-cho
	無機リン及びリン酸		P及びHPO_4
	総コレステロール◎		T-cho
	アスパラギン酸アミノトランスフェラーゼ(AST)◎		AST
	アラニンアミノトランスフェラーゼ(ALT)◎		ALT
4	LDL-コレステロール◎	18	LDL-cho
	蛋白分画		タン分画
5	銅(Cu)	23	Cu
6	リパーゼ	24	
7	イオン化カルシウム	26	
8	マンガン(Mn)(3月に1回のみ)	27	Mn
9	ケトン体	30	
10	アポリポ蛋白 イ．1項目の場合 ロ．2項目の場合 ハ．3項目の場合	 31 62 94	
11	アデノシンデアミナーゼ(ADA)	32	ADA
12	グアナーゼ	35	GU
13	有機モノカルボン酸	47	
	胆汁酸		TBA
14	ALPアイソザイム	48	ALP・アイソ
	アミラーゼアイソザイム		Amy-アイソ
	γ-GTアイソザイム		γ-GTP・アイソ
	LDアイソザイム		LDH-アイソ
	重炭酸塩		
15	ASTアイソザイム	49	AST-アイソ
	リポ蛋白分画		
16	アンモニア	50	NH_3
17	CKアイソザイム	55	CK-アイソ
	グリコアルブミン◎		
18	コレステロール分画	57	
19	ケトン体分画 遊離脂肪酸	59	
20	レシチン・コレステロール・アシルトランスフェラーゼ(L-CAT)	70	L-CAT

◎：外迅検 の対象検査

	項　　目	点数	略　称
21	グルコース-6-リン酸デヒドロゲナーゼ(G-6-PD)	80	G-6-PD
	リポ蛋白分画（PAGディスク電気泳動法）		
	1,5-アンヒドロ-D-グルシトール(1,5AG)		1,5AG
	グリココール酸		
22	CK-MB(蛋白量測定)	90	
23	LDアイソザイム1型	95	
	総カルニチン		
	遊離カルニゲン		
24	ALPアイソザイム及び骨型アルカリホスファターゼ(BAP)	96	
25	フェリチン半定量	102	
	フェリチン定量		
26	エタノール	105	
27	リポ蛋白(a)(3月に1回のみ)	107	
28	ヘパリン	108	
	KL-6		
29	心筋トロポニンI	109	
	心筋トロポニンT(TnT)定性・定量		
	アルミニウム(Al)		AI
30	シスタチンC(3月に1回のみ)	112	
31	25-ヒドロキシビタミン	117	
32	ペントシジン(3月に1回のみ)	118	
33	イヌリン(6月に1回のみ)	120	
34	リポ蛋白分画(HPLC法)	129	
35	肺サーファクタント蛋白-A(SP-A)	130	SP-A
	ガラクトース		
36	血液ガス分析(院内のみ算定)	131	
	Ⅳ型コラーゲン		
	ミオグロビン定性		
	ミオグロビン定量		
	心臓由来脂肪酸結合蛋白(H-FABP)定性		H-FABP
	心臓由来脂肪酸結合蛋白(H-FABP)定量		
37	亜鉛(Zn)	132	Zn
38	アルブミン非結合型ビリルビン	135	
39	肺サーファクタント蛋白-D(SP-D)	136	SP-D
	プロコラーゲン-Ⅲ-ペプチド(P-Ⅲ-P)		P-Ⅲ-P
	アンギオテンシンⅠ転換酵素(ACE)		ACE
	ビタミンB_{12}		
40	セレン	144	
41	葉酸	146	
42	Ⅳ型コラーゲン・7S	148	
43	ピルビン酸キナーゼ(PK)	150	PK
44	レムナント様リポ蛋白コレステロール（RLP-C）（3月に1回のみ）	174	RLP-C
45	膣分泌液中インスリン様成長因子結合蛋白1型(IGFBP-1)定性	175	IGFBP-1
46	ヒアルロン酸	179	
47	ALPアイソザイム（PAG電気泳動法）	180	ALP
	アセトアミノフェン		アイソ
48	心室筋ミオシン軽鎖Ⅰ	184	
49	トリプシン	189	膵PLA_2
50	Mac-2結合蛋白糖鎖修飾異性体	194	
	マロンジアルデヒド修飾LDL(MDA-LDL)(3月に1回のみ)		MDA-LDL
	オートキタシン		
	サイトケラチン18フラグメント(CK-18F)		
	ELFスコア		
51	ホスフォリパーゼA_2(PLA_2)	204	PLA_2
52	赤血球コプロポルフィリン	210	
53	リポ蛋白リパーゼ(LPL)	219	
54	肝細胞増殖因子(HGF)	227	HGF
55	ビタミンB_2	235	
56	ビタミンB_1	239	
57	ロイシンリッチα_2グリコプロテイン	268	
58	赤血球プロトポルフィリン	272	
59	プロカルシトニン(PCT)定量	276	PCT(定量)
	プロカルシトニン(PCT)半定量		PCT(半定量)
60	ビタミンC	296	
61	プレセプシン定量	301	
62	インフリキシマブ定性	310	

	項　　　目	点数	略　称
63	1,25-ジヒドロキシビタミンD_3(3月に1回のみ)	388	1,25(OH)$_2D_3$
64	血管内皮増殖因子(VEGF)	460	
	コクリントモプロテイン(CTP)		
65	FGF23	788	

[　] の検査を1回に採取した血液で5項目以上行った場合
イ. 5 ～ 7項目⇒93点
ロ. 8 ～ 9項目⇒99点
ハ. 10項目以上⇒103点
入院患者(初回加算)　　+20点

主な生化学的検査(Ⅱ)一覧表

※ 判 生Ⅱ：144点

	項　　　目	点数	略称
D008 内分泌学的検査			
1	ヒト絨毛性ゴナドトロピン(HCG)定性	55	HCG定性
2	11-ハイドロキシコルチコステロイド(11-OHCS)	60	11-OHCS
3	ホモバニリン酸(HVA)	69	HVA
4	バニールマンデル酸(VMA)	90	VMA
5	5-ハイドロキシインドール酢酸(5-HIAA)	95	5-HIAA
6	プロラクチン(PRL)	98	PRL
	甲状腺刺激ホルモン(TSH)◎		TSH
7	トリヨードサイロニン(T_3)	99	
8	レニン活性 インスリン(IRI)	100	T_3 IRI
9	ガストリン	101	
10	レニン定量	102	
11	サイロキシン(T_4)	105	T_4
12	成長ホルモン(GH)	105	GH
	卵胞刺激ホルモン(FSH)		FSH
	C-ペプチド(CPR)		CPR
	黄体形成ホルモン(LH)		LH
13	テストステロン	119	
14	遊離サイロキシン(FT_4)	121	FT_4
	遊離トリヨードサイロニン(FT_3)		FT_3
	コルチゾール		
15	アルドステロン	122	
16	サイログロブリン	128	
17	ヒト絨毛性ゴナドトロピン-βサブユニット(HCG-β)	129	HCG-β
18	サイロキシン結合グロブリン(TBG)	130	TBG
	脳性Na利尿ペプチド(BNP)		BNP
	カルシトニン		
	ヒト絨毛性ゴナドトロピン(HCG)定量		HCG(定量)
	ヒト絨毛性ゴナドトロピン(HCG)半定量		HCG(半定量)
19	抗グルタミン酸デカルボキシラーゼ抗体(抗GAD抗体)	134	GAD
20	脳性Na利尿ペプチド前駆体N端フラグメント(NT-proBNP)	136	NT-proBNP
	ヒト胎盤性ラクトーゲン(HPL)		HPL
21	サイロキシン結合能(TBC)	137	TBC
22	プロゲステロン	143	
23	グルカゴン	150	
24	低カルボキシル化オステオカルシン(ucOC)(6月に1回)	154	ucOC
25	Ⅰ型コラーゲン架橋N-テロペプチド(NTX)(骨粗鬆症の場合は6月に1回のみ)	156	NTX
	酒石酸抵抗性酸ホスファターゼ(TRACP-5b)(6月に1回)		TRACP-5b
26	オステオカルシン(OC)	157	OC
	骨型アルカリホスファターゼ(BAP)		BAP
27	遊離テストステロン	159	
28	Ⅰ型プロコラーゲン-N-プロペプチド(PINP)	160	PINP
29	副甲状腺ホルモン(PTH)	161	PHT
	カテコールアミン分画		
30	インタクトⅠ型プロコラーゲン-N-プロペプチド(Intact PINP)	163	Intact PINP
31	デヒドロエピアンドロステロン硫酸抱合体(DHEA-S)	164	
32	低単位ヒト絨毛性ゴナドトロピン(HCG)半定量	165	HCG
	サイクリックAMP(cAMP)		C-AMP
33	エストラジオール(E_2)	167	E_2

◎：外迅検 の対象検査

	項目	点数	略称
34	Ⅰ型コラーゲン架橋C-テロペプチド-β異性体(β-CTX)(尿)	169	β-CTX
35	Ⅰ型コラーゲン架橋C-テロペプチド-β異性体(β-CTX)(6月に1回)	170	β-CTX
36	エストリオール(E_3)	180	E_3
	エストロゲン半定量		
	エストロゲン定量		
	副甲状腺ホルモン関連蛋白C端フラグメント(C-PTHrP)		C-PTHrP
37	副腎皮質刺激ホルモン(ACTH)	184	ACTH
	カテコールアミン		
38	副甲状腺ホルモン関連蛋白(PTHrP)	186	PTHrP
39	デオキシピリジノリン(DPD)(尿)(骨粗鬆症の場合は6月に1回のみ)	191	
40	17-ケトジェニックステロイド(17-KGS)	200	17-KGS
41	エリスロポエチン	209	
42	ソマトメジンC	212	
43	17-ケトステロイド分画(17-KS分画)	213	17-KS分画
	17α-ヒドロキシプロゲステロン(17α-OHP)		17α-OHP
	抗IA-2抗体		
	プレグナンジオール		
44	メタネフリン	217	
45	17-ケトジェニックステロイド分画(17-KGS分画)	220	17-KGS分画
	メタネフリン・ノルメタネフリン分画		
46	心房性Na利尿ペプチド(ANP)	221	ANP
47	抗利尿ホルモン(ADH)	224	ADH
48	プレグナントリオール	232	
49	ノルメタネフリン	250	
50	インスリン様成長因子結合蛋白3型(IGFBP-3)	280	IGFBP-3
51	遊離メタネフリン・遊離ノルメタネフリン分画	450	
52	抗ミュラー管ホルモン(AMH)(6月に1回)	597	
53	レプチン(ELISA法1回のみ算定)	1000	

□の検査を1回に採取した血液で3項目以上行った場合
3～5項目　410点
6～7項目　623点
8項目以上　900点

◎：外迅検の対象検査

	項目	点数	略称
D009	腫瘍マーカー		
1	尿中BTA	80	
2	α-フェトプロテイン(AFP)◎	98	AFP
3	癌胎児性抗原(CEA)◎	99	CEA
4	扁平上皮癌関連抗原(SCC抗原)	101	SCC抗原
5	組織ポリペプタイド抗原(TPA)	110	TPA
6	NCC-ST-439	112	
	CA15-3		
7	DUPAN-2	115	
8	エラスターゼ1	120	
9	前立腺特異抗原(PSA)(3月に1回限り、3回を上限)◎	121	PSA
	CA19-9v◎		
10	PIVKA-Ⅱ半定量	131	
	PIVKA-Ⅱ定量		
11	CA125	136	
12	核マトリックスプロテイン22(NMP22)定量(尿)	139	
	核マトリックスプロテイン22(NMP22)定性(尿)		
13	シアリルLe^x-i抗原(SLX)	140	SLX抗原
14	神経特異エノラーゼ(NSE)	142	NSE
15	SPan-1	144	
16	CA72-4	146	
	シアリルTn抗原(STN)		STN
17	塩基性フェトプロテイン(BFP)	150	BFP
	遊離型PSA比(PSA F/T比)		
18	サイトケラチン19フラグメント(シフラ)	154	
19	シアリルLe^{x}抗原(CSLEX)	156	CSLEX抗原
20	BCA225	158	
21	サイトケラチン8・18(尿)	160	
22	抗p53抗体	163	
23	Ⅰ型コラーゲン-C-テロペプチド(ⅠCTP)	170	ICTP
24	ガストリン放出ペプチド前駆体(ProGRP)	175	ProGRP
25	CA54/61	184	
26	α-フェトプロテインレクチン分画(AFP-L3%)	185	AFP-L_3%

	項目	点数	略称
27	CA602	190	
	組織因子経路インヒビター2(TFP12)		TFP12
28	γ-セミノプロテイン(γ-Sm)	192	γ-Sm
29	ヒト精巣上体蛋白4(HE4)	200	
30	可溶性メソテリン関連ペプチド	220	
31	S2,3PSA%	248	
32	プロステートヘルスインデックス(phi)(3月に1回、3回限度)	281	Phi
33	癌胎児性抗原(CEA)定性(乳頭分泌液)	305	
	癌胎児性抗原(CEA)半定量(乳頭分泌液)		
34	HER2蛋白	320	
35	アポリポ蛋白A2(APOA2)アイソフォーム	335	
36	可溶性インターロイキン-2レセプター(sIL-2R)	438	sIL-2R

□の検査を1回に採取した血液で2項目以上行ったとき、次の点数で算定する
2項目(230点)、3項目(290点)、4項目以上(385点)

免疫学的検査一覧表

※ 判免：144点

	項目	点数	略称
D011	**免疫血液学的検査**		
1	ABO血液型	24	ABO
	Rh(D)血液型		Rh(D)
2	Coombs試験		
	イ 直接	34	
	ロ 間接	47	
3	Rh(その他の因子)血液型	148	
4	不規則抗体(K898帝王切開術等を行った場合に算定する)	159	
5	ABO血液型関連糖転移酵素活性	181	
6	血小板関連IgG(PA-IgG)	190	
7	ABO血液型亜型	260	
8	抗血小板抗体	261	
9	血小板第4因子-ヘパリン複合体抗体(IgG抗体)	376	
10	血小板第4因子-ヘパリン複合体抗体(IgG、IgM、IgA抗体)	390	
11	血小板第4因子-ヘパリン複合体抗体定性	420	
D012	**感染症免疫学的検査**		
1	梅毒血清反応(STS)定性	15	STS定性
	抗ストレプトリジンO(ASO)定性		ASO定性
	抗ストレプトリジンO(ASO)半定量		ASO半定量
	抗ストレプトリジンO(ASO)定量		ASO定量
2	トキソプラズマ抗体定性	26	
	トキソプラズマ抗体半定量		
3	抗ストレプトキナーゼ(ASK)定性	29	ASK定性
	抗ストレプトキナーゼ(ASK)半定量		ASK半定量
4	梅毒トレポネーマ抗体定性	32	TPHA(定性)
	マイコプラズマ抗体定性		
	マイコプラズマ抗体半定量		
5	梅毒血清反応(STS)半定量	34	
	梅毒血清反応(STS)定量		
6	梅毒トレポネーマ抗体半定量	53	TPHA
	梅毒トレポネーマ抗体定量		
7	アデノウイルス抗原定性(糞便)	60	
	迅速ウレアーゼ試験定性		
8	ロタウイルス抗原定性(糞便)	65	
	ロタウイルス抗原定量(糞便)		
9	ヘリコバクター・ピロリ抗体定性・半定量	70	
	クラミドフィラ・ニューモニエIgG抗体		
10	クラミドフィラ・ニューモニエIgA抗体	75	
11	ウイルス抗体価(定性・半定量・定量)(1項目当たり・8項目限度)	79	
12	クロストリジオイデス・ディフィシル抗原定性	80	
	ヘリコバクター・ピロリ抗体		
	百日咳菌抗体定性		
	百日咳菌抗体半定量		
13	HTLV-I抗体定性	85	
	HTLV-I抗体半定量		
14	トキソプラズマ抗体	93	
15	トキソプラズマIgM抗体	95	

項	目	点数	略称
16	HIV-1,2　抗体定性	109	
	HIV-1,2　抗体半定量		
	HIV-1,2　抗原・抗体同時測定定性		
17	HIV-1抗体	113	
18	抗酸菌抗体定量	116	
	抗酸菌抗体定性		
19	A群β溶連菌迅速試験定性	121	
20	HIV-1,2　抗体定量	127	
	HIV-1,2　抗原・抗体同時測定定量		
21	ヘモフィリス・インフルエンザb型(Hib)抗原定性(尿・髄液)	129	
22	インフルエンザウイルス抗原定性	132	
23	カンジダ抗原定性	134	
	カンジダ抗原半定量		
	カンジダ抗原定量		
	梅毒トレポネーマ抗体（FTA-ABS試験)定性		
	梅毒トレポネーマ抗体（FTA-ABS試験)半定量		
24	RSウイルス抗原定性	138	
25	ヘリコバクター・ピロリ抗原定性	142	
	ヒトメタニューモウイルス抗原定性		
26	肺炎球菌抗原定性(尿・髄液)	146	
27	マイコプラズマ抗原定性（免疫クロマト法)	148	
28	ノロウイルス抗原定性	150	
	インフルエンザ菌（無莢膜型）抗原定性		
	SARS-CoV-2抗原定性		
29	クラミドフィラ・ニューモニエIgM抗体	152	
	クラミジア・トラコマチス抗原定性		
30	アスペルギルス抗原	157	
31	大腸菌O157抗体定性	159	
	HTLV-Ⅰ抗体		
32	D-アラビニトール	160	
33	大腸菌O157抗原定性	161	
34	クリプトコックス抗原半定量	166	
35	クリプトコックス抗原定性	169	
36	マイコプラズマ抗原定性(FA法)	170	
37	大腸菌血清型別	175	
38	アデノウイルス抗原定性（糞便を除く)	179	
	肺炎球菌細胞壁抗原定性		

項	目	点数	略称
39	淋菌抗原定性	180	
	単純ヘルペスウイルス抗原定性		
	単純ヘルペスウイルス抗原定性(皮膚)		
40	カンピロバクター抗原定性（糞便)	184	
41	肺炎球菌莢膜抗原定性(尿・髄液)	188	
42	(1→3)-β-D-グルカン	195	
43	ブルセラ抗体定性	200	
	ブルセラ抗体半定量		
	グロブリンクラス別クラミジア・トラコマチス抗体		
44	グロブリンクラス別ウイルス抗体価(1項目当たり)(2項目限度)	200	
45	ツツガムシ抗体定性	203	
	ツツガムシ抗体半定量		
46	レジオネラ抗原定性(尿)	205	
47	単純ヘルペスウイルス抗原定性(角膜)	210	
	単純ヘルペスウイルス抗原定性(性器)		
	アニサキスIgG・IgA抗体		
48	百日咳菌抗原定性	217	
49	赤痢アメーバ抗体半定量	223	
	赤痢アメーバー抗原定性		
50	SARS-CoV-2・インフルエンザウイルス抗原同時検出定性	225	
51	水痘ウイルス抗原定性(上皮細胞)	227	
52	エンドトキシン	229	
53	デングウイルス抗原定性	233	
	デングウイルス抗原・抗体同時測定定性		
	白癬菌抗原定性		
54	百日咳菌抗体	257	
55	HIV-1抗体（ウエスタンブロット法)	280	
56	結核菌群抗原定性	291	
57	サイトメガロウイルスpp65抗原定性	356	
58	HIV 2抗体（ウエスタンブロット法)	380	
59	SARS-CoV-2・RSウイルス抗原同時検出定性	420	
	SARS-CoV-2・インフルエンザウイルス・RSウイルス抗原同時検出定性		
60	HTLV-Ⅰ抗体(ウエスタンブロット法及びラインブロット法)	425	
61	SARS-CoV-2抗原定量	560	
62	HIV抗原	600	
63	HIV-1特異抗体・HIV-2特異抗体	660	
64	抗トリコスポロン・アサヒ抗体	822	

	項目	点数	略称
65	鳥特異的IgG抗体	873	
66	抗アデノ随伴ウイルス9型(AAV9)抗体 (届)	12850	AAV9

D013 肝炎ウイルス関連検査

	項目	点数	略称
1	HBs抗原定性・半定量	29	
2	HBs抗体定性	32	
	HBs抗体半定量		
3	HBs抗原	88	
	HBs抗体		
4	HBe抗原	98	
	HBe抗体		
5	HCV抗体定性・定量	102	
	HCVコア蛋白		
6	HBc抗体半定量・定量	130	
7	HCVコア抗体	143	
8	HA-IgM抗体	146	
	HA抗体		
	HBc-IgM抗体		
9	HCV構造蛋白及び非構造蛋白抗体定性	160	
	HCV構造蛋白及び非構造蛋白抗体半定量		
10	HE-IgA抗体定性	210	
11	HCV血清群別判定	215	
12	HBVコア関連抗原(HBcrAg)	252	
13	デルタ肝炎ウイルス抗体	330	
14	HCV特異抗体価	340	
	HBVジェノタイプ判定		

□の検査を1回に採取した血液で3項目以上行ったとき3項目(290点)、4項目(360点)、5項目以上(425点)

D014 自己抗体検査

	項目	点数	略称
1	寒冷凝集反応	11	COLD
2	リウマトイド因子(RF)定量	30	
3	抗サイログロブリン抗体半定量	37	
	抗甲状腺マイクロゾーム抗体半定量		
4	Donath-Landsteiner試験	55	
5	抗核抗体(蛍光抗体法)定性	99	
	抗核抗体(蛍光抗体法)半定量		
	抗核抗体(蛍光抗体法)定量		
6	抗インスリン抗体	107	
7	抗核抗体(蛍光抗体法を除く)	110	
8	抗ガラクトース欠損IgG抗体定性	111	
	抗ガラクトース欠損IgG抗体定量		
9	マトリックスメタロプロテイナーゼ-3(MMP-3)	116	MMP-3
10	抗サイログロブリン抗体	136	
11	抗甲状腺ペルオキシダーゼ抗体	138	
12	抗Jo-1抗体定性	140	
	抗Jo-1抗体半定量		
	抗Jo-1抗体定量		
13	抗RNP抗体定性	144	
	抗RNP抗体半定量		
	抗RNP抗体定量		
14	抗Sm抗体定性	147	
	抗Sm抗体半定量		
	抗Sm抗体定量		
15	C_1q結合免疫複合体	153	
16	抗Scl-70抗体定性	157	
	抗Scl-70抗体半定量		
	抗Scl-70抗体定量		
	抗SS-B/La抗体定性		
	抗SS-B/La抗体半定量		
	抗SS-B/La抗体定量		
17	抗DNA抗体定量	159	
	抗DNA抗体定性		
18	抗SS-A/Ro抗体定性	161	
	抗SS-A/Ro抗体半定量		
	抗SS-A/Ro抗体定量		
19	抗RNAポリメラーゼⅢ抗体	170	
20	抗セントロメア抗体定量	174	
	抗セントロメア抗体定性		
21	抗ミトコンドリア抗体定性	181	
	抗ミトコンドリア抗体半定量		
22	抗ミトコンドリア抗体定量	189	
23	抗ARS抗体	190	
24	抗シトルリン化ペプチド抗体定性	193	
	抗シトルリン化ペプチド抗体定量		
25	モノクローナルRF結合免疫複合体	194	
26	IgG型リウマトイド因子	198	
27	抗TSHレセプター抗体(TRAb)	214	TRAb
28	抗LKM-1抗体	215	

	項　　目	点数	略称
29	抗カルジオリピンβ_2グリコプロテインI複合体抗体	223	抗CL・β_2GP I
30	抗カルジオリピンIgG抗体	226	
	抗カルジオリピンIgM抗体		
	抗β_2グリコプロテインI IgG抗体		
	抗β_2グリコプロテインI IgM抗体		
31	IgG_2（TIA法によるもの）	239	
32	抗好中球細胞質ミエロペルオキシダーゼ抗体（MPO-ANCA）	251	MPO-ANCA
33	抗好中球細胞質プロテイナーゼ3抗体（PR3-ANCA）	252	PR3-ANCA
34	抗糸球体基底膜交代（抗GBM抗体）	262	
35	ループスアンチコアグラント定量	265	
	ループスアンチコアグラント定性		
36	抗デスモグレイン3抗体	270	
	抗BP180-NC16a抗体		
37	抗MDA5抗体	270	
	抗TIF1-r抗体		
	抗Mi-2抗体		
38	抗好中球細胞質抗体（ANCA）定性	290	
39	抗デスモグレイン1抗体	300	
40	甲状腺刺激抗体（TSAb）	330	TSAb
41	IgG_2	377	
42	IgG_2（ネフェロメトリー法によるもの）	388	
43	抗GM1IgG抗体	460	
	抗GQ1IgG抗体		
44	抗デスモグレイン1抗体	490	
	抗デスモグレイン3抗体及び抗BP180-NC16a抗体同時測定		
45	抗アセチルコリンレセプター抗体（抗AChR抗体）	775	抗AChR抗体
46	抗グルタミン酸レセプター抗体	970	
47	抗アクアポリン4抗体	1000	
	抗筋特異的チロシンキナーゼ抗体		
	抗P/Q型電位依存性カルシウムチャネル抗体（抗P/Q型VGCC抗体）		
48	抗HLA抗体（スクリーニング検査）㊎届	1000	
49	抗HLA抗体（抗体得意性同定検査）㊎届	4850	

◎：外迅検 の対象検査

□の検査を2項目以上行った場合は点数にかかわらず下記の点数となる
2項目（320点）、3項目以上（490点）

D015 血漿蛋白免疫学的検査

	項　　目	点数	略称
1	C反応性蛋白（CRP）定性	16	CRP（定性）
	C反応性蛋白（CRP）◎		CRP
2	赤血球コプロポルフィリン定性	30	
	グルコース-6-ホスファターゼ（G-6-Pase）		G-6-Pase
3	グルコース-6-リン酸デヒドロゲナーゼ（G-6-PD）定性	34	G-6-PDH定性
	赤血球プロトポルフィリン定性		
4	血清補体価（CH_{50}）	38	CH_{50}
	免疫グロブリン		IgA IgG IgD IgM
5	クリオグロブリン定性	42	
	クリオグロブリン定量		
6	血清アミロイドA蛋白（SAA）	47	SAA
7	トランスフェリン（Tf）	60	Tf
8	C_3	70	C_3
	C_4		C_4
9	セルロプラスミン	90	
10	β_2-マイクログロブリン	98	β_2-m
11	非特異的IgE半定量	100	
	非特異的IgE定量		
12	トランスサイレチン（プレアルブミン）	101	
13	特異的IgE半定量・定量（1430点限度）	110	
14	α_1-マイクログロブリン	129	
	ハプトグロビン（型補正を含む）		
15	レチノール結合蛋白（RBP）	132	RBP
16	C_3プロアクチベータ	160	
17	免疫電気泳動法（抗ヒト全血清）	170	
	インターロイキン-6（IL-6）		
18	TARC	179	

	項目	点数	略称
19	ヘモペキシン	180	
20	APRスコア定性	191	
21	アトピー鑑別試験定性	194	
22	Bence Jones蛋白同定(尿)	201	
23	癌胎児性フィブロネクチン定性(頸管腟分泌液)	204	
24	免疫電気泳動法(特異抗血清)	218	
25	C_1インアクチベータ	253	
26	SCCA2	300	
27	免疫グロブリンL鎖κ/λ比	330	
28	インターフェロンλ3(IFN-λ3)	340	
	sFlt-1/PlGF比(1回のみ算定)		
29	免疫グロブリン遊離L鎖κ/λ比	388	
30	結核菌特異的インターフェロン-γ産生能	593	

	項目	点数	略称
D016	細胞機能検査		
1	B細胞表面免疫グロブリン	155	
2	T細胞サブセット検査(一連につき)	185	
3	T細胞・B細胞百分率	193	
4	顆粒球機能検査(種目数にかかわらず一連につき)	200	
5	顆粒粒スクリーニング検査(種目数にかかわらず一連につき)	220	
6	赤血球・好中球表面抗原検査	320	
7	リンパ球刺激試験(LST)		
	イ　1薬剤	345	
	ロ　2薬剤	425	
	ハ　3薬剤以上	515	
8	顆粒球表面抗原検査	640	

微生物学的検査一覧表

※ 判 微：150点

	項目	点数	略称
D017	排泄物、滲出物または分泌物の細菌顕微鏡検査		トマツ
1	蛍光顕微鏡	50	S-蛍光M
	位相差顕微鏡		S-位相差M
	暗視野装置等を使用するもの		S-暗視野
	〈注加算〉集菌塗抹法加算	+35	
2	保温装置使用アメーバ検査	45	
3	その他のもの	67	S-M
※同一検体について、D017と当該検査とD002尿沈渣(鏡検法)又はD002-2尿沈渣(フローサイトメトリー法)を併せて行った場合は、主たる検査の所定点数のみ算定する。なお、検査に用いた検体の種類をレセプトの摘要欄に記載する			
D018	細菌培養同定検査		S-同定
1	口腔、気道または呼吸器からの検体(喀痰・咽頭液・口腔液・鼻腔液など)	180	
2	消化管からの検体(胃液・十二指腸液・胆汁・糞便など)	200	
3	血液または穿刺液(血液・腹水・胸水・髄液・関節液など)	225	
4	泌尿器または生殖器からの検体(尿・前立腺液・腟分泌液・子宮内液など)	190	
5	その他の部位からの検体(皮膚・爪・膿・耳漏・褥創・眼脂・皮下からの検体などで上記「1」～「4」までに掲げる部位に含まれないすべての部位からの検体)	180	

	項目	点数	略称
6	簡易培養(種類を問わず)	60	S-簡培
	〈1～6に対する注加算〉嫌気性培養加算 ※嫌気性培養のみを行った場合、「1」から「6」までの所定点数のみ算定し、「注加算」は算定できない	+122	S-嫌培
	<入院中の患者に対する加算>質量分析装置加算 ※入院中の患者に質量分析装置を用いて細菌の同定を行った場合	+40	
D019	細菌薬剤感受性検査		S-ディスク
1	1菌腫	185	
2	2菌種	240	
3	3菌種以上	310	
4	薬剤耐性菌検出	50	
5	抗菌薬併用スクリーニング	150	
※結果として菌が検出できず実施できなかった場合は算定しない			
D019-2	酵母様真菌薬剤感受性検査	150	
※酵母様真菌薬剤感受性検査は、深在性真菌症(カンジダ、クリプトコックスに限る)であり、原因菌が分離できた患者に対して行った場合に算定			
D020	抗酸菌分離培養検査		
※検体の採取部位が異なる場合でも、同時に又は一連として検体を採取した場合は、1回のみ所定点数を算定			
1	抗酸菌分離培養(液体培地法)	300	
2	抗酸菌分離培養(それ以外のもの)	209	
D021	抗酸菌同定	361	
※種目数にかかわらず一連につき			
D022	抗酸菌薬剤感受性検査	400	
※培地数に関係なく4薬剤以上使用時に算定			

	項目	点数	略称
D023	**微生物核酸同定・定量検査**		
1	クラミジア・トラコマチス核酸検出	188	
2	淋菌核酸検出	198	
3	A群β溶血連鎖球菌核酸検出	204	
4	HBV核酸定量	256	
5	淋菌及びクラミジア・トラコマチス同時核酸検出	262	
6	マイコプラズマ核酸検出	291	
	インフルエンザ核酸検出		
7	レジオネラ核酸検出	292	
8	EBウイルス核酸定量	310	
9	HCV核酸検出	330	
10	HPV核酸検出 (届)	347	
11	HPV核酸検出（簡易ジェノタイプ判定）(届)	347	
12	膣トリコモナス及びマイコプラズマ・ジェニタリウム核酸同時検出	350	
13	百日咳菌核酸	360	
	肺炎クラミジア核酸検出		
	百日咳・バラ百日咳菌核酸同時検出		
	ヘリコバクター・ピロリ核酸及びクラリスロマイシン耐性遺伝子検出		
14	抗酸菌核酸同定	410	
	結核菌群核酸検出		
15	HCV核酸定量	412	
16	マイコバクテリウム・アビウム及びイントラセルラー（MAC）核酸検出	421	
17	HBV核酸プレコア変異及びコアプロモーター変異検出	450	
	ブドウ球菌メチシリン耐性遺伝子検出		
	SARSコロナウイルス核酸検出		
	HTLV-1核酸検出		
	単純疱疹ウイルス・水疱帯状疱疹ウイルス核酸定量		
	サイトメガロウイルス核酸定量		
18	HIV-1核酸定量	520	
	〈注加算〉 濃縮前処理加算	＋130	
19	SARS-CoV-2核酸検出	700	
	SARS-CoV-2・インフルエンザ核酸同時検出		
	SARS-CoV-2・RSウイルス核酸同時検出		
	SARS-CoV-2・インフルエンザ・RSウイルス核酸同時検出		
20	サイトロメガロウイルス核酸検出	801	
21	結核菌群リファンピシン耐性遺伝子検出	850	
	結核菌群ピラジナミド耐性遺伝子検出		
	結核菌群イソニアジド耐性遺伝子検出		
22	ウイルス・細菌核酸多項目同時検出 (届)（SARS-CoV-2核酸検出を含まないもの）	963	
	結核菌群リファンピシン耐性遺伝子及びイソニアジド耐性遺伝子同時検出		
23	ウイルス・細菌核酸多項目同時検出（SARS-CoV-2核酸検出を含む）	1350	
24	細菌核酸・薬剤耐性遺伝子同時検出	1700	
	ウイルス・細菌核酸多項目同時検出(髄液) (届)		
25	HPVジェノタイプ判定	2000	
26	HIVジェノタイプ薬剤耐性	6000	
	〈注加算〉 迅速微生物核酸同定・定量検査加算	＋100	

※6（マイコプラズマ核酸検出に限る）,7,13（百日咳菌核酸検出及び百日咳菌・バラ百日咳菌核酸同時検出に限る）又は14（結核菌群核酸検出に限る）の検査結果について、検査実施当日に説明した上で文書により情報提供した場合は、迅速微生物核酸同定・定量検査加算として、100点を所定点数に加算する

	項目	点数	略称
D023-2	**その他の微生物学的検査**		
1	黄色ブドウ球菌ペニシリン結合蛋白2(PBP2)定性	55	PBP2
2	尿素呼気試験(UBT)	70	
3	大腸菌ベロトキシン定性	184	
4	黄色ブドウ球菌ペニシリン結合蛋白2（PBP2）定性（イムノクロマト法によるもの）	291	
5	クロストリジオイデス・ディフィシルのトキシンB遺伝子検出	450	
D026	**検体検査判断料**		
1	尿・糞便等検査判断料	34	判 尿
2	遺伝子関連・染色体検査判断料	100	判 遺
3	血液学的検査判断料	125	判 血
4	生化学的検査（Ⅰ）判断料	144	判 生Ⅰ
5	生化学的検査（Ⅱ）判断料	144	判 生Ⅱ
6	免疫学的検査判断料	144	判 免
7	微生物学的検査判断料	150	判 微
	〈注加算〉		
	イ．検体検査管理加算（Ⅰ）(届)	＋40	検管Ⅰ
	ロ．検体検査管理加算（Ⅱ）(届)	＋100	検管Ⅱ
	ハ．検体検査管理加算（Ⅲ）(届)	＋300	検管Ⅲ
	ニ．検体検査管理加算（Ⅳ）(届)	＋500	検管Ⅳ
	国際標準検査管理加算 (届)	＋40	国標
	免疫電気泳動法診断加算	＋50	
	遺伝カウンセリング加算 (届)	＋1000	遺伝
	骨髄像診断加算	＋240	骨診

⑥⓪主な生体検査料一覧表

〈表の見方と生体検査の算定上のポイント〉

1．外来管理加算が算定できる検査には○、算定できない検査は×としました。
2．判断料が算定できる検査には○、算定できない検査は×としました。
3．同一月内に同一検査を2回以上した場合、2回目以降を90%で計算する検査は [減] としました。
4．乳幼児に対する検査点数は次の計算式で算定します。

新生児→ [新] ＝(点数＋注加算)×2、3歳未満→ [乳幼] ＝(点数＋注加算)×1.7、3歳～6歳未満→ [幼] ＝(点数＋注加算)×1.4

〔計算例〕

[2回目以降90%で算定する検査を5歳児に行った場合の計算の仕方]

1回目の点数＝(点数＋注加算)×1.4…(小数点以下四捨五入)

2回目の点数 [減] ＝(点数＋注加算)×0.9×1.4…(少数点以下四捨五入)

〈留意点〉

＊生体検査は [緊検] は算定しない。

＊検査料に(片側)と記載のある検査を両側に行った場合は、2倍の点数を算定する。

呼吸循環機能検査等

	項目	点数	略称	備考 2回目～ [減]	備考 判断料 [判]	備考 外管 52点
[D200]	スパイログラフィー等検査			―	○ [判]呼 140	○
1	肺気量分画測定（安静換気量測定及び最大換気量測定を含む）	90	肺気分画			
2	フローボリュームカーブ(強制呼出曲線を含む)	100				
3	機能的残気量測定	140				
4	呼気ガス分析	100				
5	左右別肺機能検査	1010	PET			
[D204]	基礎代謝測定	85	BMR			
[D205]	呼吸機能検査等判断料	140	[判]呼	D200～D204に算定できる(月1回)		
[D208]	心電図検査			[減]	×	○
1	四肢単極誘導及び胸部誘導を含む最低12誘導	130	ECG_{12}			
2	ベクトル心電図、体表ヒス束心電図	150				
3	携帯型発作時心電図記憶伝達装置使用心電図検査	150				
4	加算平均心電図による心室遅延電位測定	200				
5	その他(6誘導以上)	90	ECG_6			

算定要件・「1」～「5」はそれぞれ同一の検査として扱う
・「3」は外来患者のみ算定可。一連につき1回算定する
・他院で描写した心電図について診断を行った場合は1回につき70点

例）4／1 ECG_{12}、4／15 ベクトル心電図を実施した場合
レセプト「摘要欄」

⑥⓪	ECG_{12}	130×1
	ベクトル心電図 [減]	135×1

項目	点数	略称	備考 2回目～ 減	備考 判断料 判	備考 外管 52点
D209 負荷心電図検査			減	×	○
1 四肢単極誘導及び胸部誘導を含む最低12誘導	380	ECG_{12}フカ			
2 その他(6誘導以上)	190	ECG_{6}フカ			
＊他院で描写した心電図の診断を行ったとき	70		×		
・同一日にD208の心電図とD209 の心電図を行った場合は、D209のみで算定					
D210 ホルター型心電図検査			減	×	○
1 30分またはその端数を増すごとに	90	ECG携			
2 8時間を超えた場合	1750				
D211 トレッドミルによる負荷心肺機能検査、サイクルエルゴメーターによる心肺機能検査	1600	トレッドミル／フカ	減	×	○
〈注加算〉連続呼気ガス分析加算	+520				

超音波検査等

項目	点数	略称	備考 2回目～ 減	備考 判断料 判	備考 外管 52点
D215 超音波検査			減	×	×
1 Aモード法	150				
2 断層撮影法(心臓超音波検査を除く)					
イ 訪問診療時に行った場合(月1回に限り算定)	400				
ロ その他の場合					
(1) 胸腹部	530				
(2) 下肢血管	450				
(3) その他(頭頸部、四肢、体表、末梢血管等)	350				
〈注加算〉造影剤使用加算 パルスドプラ法加算	+180 +150				
3 心臓超音波検査		UCG			
イ 経胸壁心エコー法	880				
ロ Mモード法	500				
ハ 経食道心エコー法	1500				
ニ 胎児心エコー法 ㊧届	300				
ホ 負荷心エコー法	2010				
〈注加算〉造影剤使用加算 胎児心エコー法診断加算(「3」の「ニ」のみ)	+180 +1000				

項目		点数	略称	備考		
				2回目～ 減	判断料 判	外管 52点
4	ドプラ法(1日につき)			減	×	×
	イ 胎児心音観察、末梢血管血行動態検査	20				
	ロ 脳動脈血流速度連続測定	150				
	ハ 脳動脈血流速度マッピング法	400				
〈注加算〉微小栓子シグナル加算 「4」の「ロ」のみ、微小栓子シグナル(HITS/MES)の検出を行った場合は、150点を所定点数に加算する		+150				
5	血管内超音波法	4290				
D217 骨塩定量検査(検査種類にかかわらず4月に1回)				—	×	×
1	DEXA法による腰椎撮影	360				
	〈注加算〉大腿骨同時撮影加算	+90	腿撮			
2	REMS法(腰椎)	140				
	〈注加算〉大腿骨同時検査加算	+55				
3	MD法、SEXA法等(撮影に使用したフィルム料は別に算定できる)	140				
4	超音波法	80				

監視装置による諸検査

項目		点数	略称	備考		
				2回目～ 減	判断料 判	外管 52点
D218 分娩監視装置による諸検査				—	×	○
1	1時間以内の場合	510				
2	1時間を超え1時間30分以内の場合	700				
3	1時間30分を超えた場合	890				
D220 呼吸心拍監視、新生児心拍・呼吸監視、カルジオスコープ(ハートスコープ)、カルジオタコスコープ				—	×	○
1	1時間以内または1時間につき	50				
2	3時間を超えた場合(1日につき)					
	イ 7日以内の場合	150				
	ロ 7日を超え14日以内の場合	130				
	ハ 14日を超えた場合	50				
D222 経皮的血液ガス分圧測定、血液ガス連続測定				—	×	○
1	1時間以内または1時間につき	100				
2	5時間を超えた場合(1日につき)	630				
D223 経皮的動脈血酸素飽和度測定(1日につき)		35		—	×	○
D228 深部体温計による深部体温測定(1日につき)		100		—	×	○
D229 前額部、胸部、手掌部または足底部体表面体温測定による末梢循環不全状態観察(1日につき)		100		—	×	○

脳波検査等

項目		点数	略称	備考		
				2回目～ 減	判断料 判	外管 52点
D235 脳波検査(過呼吸、光及び音刺激による負荷検査を含む)		720	EEG	—	○	×
〈注加算〉賦活検査加算　睡眠賦活検査または薬物賦活検査		+250				
〈注加算〉他院で描写した脳波の診断を行ったとき		70				
D236 脳誘発電位検査(脳波検査を含む)				—	○	×
1	体性感覚誘発電位	850				
2	視覚誘発電位	850				
3	聴性誘発反応検査、脳波聴力検査、脳幹反応聴力検査、中間潜時反応聴力検査(２種類以上行った場合、主たるもののみ１回算定)	850				
4	聴性定常反応(「３」と「４」を行った場合は、主たるもののみ算定)	1010				
D238 脳波検査判断料1 ㊞届 **脳波検査判断料2**		350 180	判 脳1 判 脳2	D235～D237-3に算定できる(月1回)		

神経・筋検査

項目		点数	略称	備考		
				2回目～ 減	判断料 判	外管 52点
D239 筋電図検査				—	○	×
1	筋電図〔1肢につき(針電極にあっては1筋につき)〕	320	EMG			
2	誘発筋電図(神経伝導速度測定を含む)(1神経につき)	200				
	〈注加算〉複数神経加算 1神経増すごとに+150点(上限1050点まで)	+150				
3	中枢神経磁気刺激による誘発筋電図 届 (一連につき)(施設基準適合外の医療機関は80%で算定)	800				
4	単線維筋電図(一連につき) 届	1500				
D241 神経・筋検査判断料		180	判 神	D239～D240に算定できる(月1回)		

耳鼻咽喉科学的検査

項目			点数	略称	備考		
					2回目～ 減	判断料 判	外管 52点
D244 自覚的聴力検査					—	×	×
1	標準純音聴力検査、自記オージオメーターによる聴力検査		350	純音			
2	標準語音聴力検査、ことばのききとり検査		350	語音			
3	簡易聴力検査						
	イ	気導純音聴力検査	110				
	ロ	その他(種目数にかかわらず一連につき)	40				
4	後迷路機能検査(種目数にかかわらず一連につき)		400				

項目		点数	略称	備考 2回目～ 減	判断料 判	外管 52点
5	内耳機能検査(種目数にかかわらず一連につき)、耳鳴検査(種目数にかかわらず一連につき)	400		—	×	×
6	中耳機能検査(種目数にかかわらず一連につき)	150				
D247	**他覚的聴力検査または行動観察による聴力検査**			—	×	×
1	鼓膜音響インピーダンス検査	290	インピーダンス／コマク			
2	チンパノメトリー	340				
3	耳小骨筋反射検査	450				
4	遊戯聴力検査	500				
5	耳音響放射(OAE)検査		OAE			
イ	自発耳音響放射(SOAE)　同一月内で「イ」「ロ」の両方を行った場合は「ロ」のみ算定する	100	SOAE			
ロ	その他の場合	300				

眼科学的検査

項目		点数	略称	備考 2回目～ 減	判断料 判	外管 52点
D255	**精密眼底検査(片側)**	56	精眼底	—	×	×
※両側の場合…⑥⓪精眼底(両側)は112×1となる						
D256	**眼底カメラ撮影**			—	×	×
1	通常の方法の場合　「1」～「3」を行った場合は主たる検査の所定点数のみ算定する					
イ	アナログ撮影	54				
ロ	デジタル撮影	58				
2	蛍光眼底法の場合	400				
3	自発蛍光撮影法の場合	510				
広両眼底撮影加算		+100	広眼			
D257	**細隙燈顕微鏡検査(前眼部及び後眼部)**	110	精密スリットM	—	×	×
D258	**網膜電位図(ERG)**	230	ERG	—	×	×
D259	**精密視野検査(片側)**	38	精視野	—	×	×
D261	**屈折検査**					
1	6歳未満の場合	69	屈折	—	×	×
2	「1」以外の場合					
〈注〉「1」について弱視または不同視と診断された患者に眼鏡処方箋の交付を行わずに矯正視力検査を実施した場合、小児矯正視力検査加算として、+35点所定点数に加算する。この場合、D263矯正視力検査は算定しない						
D262	**調節検査**	70	調節	—	×	×
D264	**精密眼圧測定**	82	精眼圧	—	×	×
〈注〉負荷測定加算		+55				
D273	**細隙燈顕微鏡検査(前眼部)(D257と併せて算定できない)**	48	スリットM	—	×	×

負荷試験等

項目		点数	略称	備考		
				2回目～ 減	判断料 判	外管 52点
D286 肝及び腎のクリアランステスト		150		—	×	×
〈注〉・検査に当たって、尿管カテーテル法、膀胱尿道ファイバースコピーまたは膀胱尿道鏡検査を行った場合は、D318尿管カテーテル法（1200点）、D317膀胱尿道ファイバースコピー（950点）、またはD317-2膀胱尿道鏡検査（890点）を併せて算定する ・検査に伴って行った注射、採血及び検体測定の費用は算定できない。使用した薬剤は算定できる						
D288 糖負荷試験				—	×	×
1	常用負荷試験（血糖及び尿糖検査を含む）	200	OGTT			
2	耐糖能精密検査（常用負荷試験及び血中インスリン測定または常用負荷試験及び血中C-ペプチド測定を行った場合）、グルカゴン負荷試験	900	GITT			
D289 その他の機能テスト				—	×	×
1	膵機能テスト（PFDテスト）	100	PFD			
2	肝機能テスト（ICG1回法又は2回法、BSP2回法）、ビリルビン負荷試験、馬尿酸合成試験、フィッシュバーグ、水利尿試験、アジスカウント（Addis尿沈渣定量検査）、モーゼンタール法、ホードカリ試験	100				
3	胆道機能テスト、胃液分泌刺激テスト	700				
4	セクレチン試験	3000				
D290 卵管通気・通水・通色素検査、ルビンテスト 検査の種類・回数に関係なく所定点数のみ算定する		100	卵管通過	—	×	×

内視鏡検査

①内視鏡検査に際し、麻酔を行った場合は、麻酔の費用を別に算定する。
前処置または局所麻酔で行うときは、薬剤料のみ算定する。
②超音波内視鏡検査を実施した場合、所定点数に 超内 300点が加算できる。
③D295～D323、D325の内視鏡検査を同一月に、同一検査を同一患者に行った場合は「所定点数×90％」で計算する。
④他院で撮影した内視鏡写真を診断する場合は、1回につき70点を算定する。
⑤内視鏡検査を緊急のために時間外等に行った場合は、開始時間をもって、
休、深 ＝所定点数×0.8、外 ＝所定点数×0.4の加算点を所定点数に加算する。

項目	点数	略称	備考		
			2回目～ 減	判断料 判	外管 52点
超音波内視鏡検査を実施した場合	＋300	超内			
D295 関節鏡検査（片側）	760	E-関節	減	×	×
D302 気管支ファイバースコピー	2500	EF-ブロンコ	減	×	×
〈注加算〉気管支肺胞洗浄法検査同時加算	＋200				
D303 胸腔鏡検査	7200	E-胸腔	減	×	×
D306 食道ファイバースコピー	800	EF-食道	減	×	×
〈注加算〉粘膜点墨法 狭帯域光強調加算（拡大内視鏡を用いて、狭帯域光で観察した場合に加算する）	＋60 ＋200	墨 狭光			

項　　目			点数	略称	備　考		
					2回目〜 減	判断料 判	外管 52点
D308 胃・十二指腸ファイバースコピー			1140	EF-胃・十二指腸	減	×	×
〈注加算〉1　胆管・膵管造影法 2　粘膜点墨法 3　胆管・膵管鏡使用 4　狭帯域光強調加算(拡大内視鏡を用いて、狭帯域光で観察した場合に加算する)			+600 +60 +2800 +200	 墨 狭光			
D310 小腸内視鏡検査				EF-小腸	減	×	×
1	バルーン内視鏡によるもの		6800				
2	スパイラル内視鏡によるもの		6800				
3	カプセル型内視鏡によるもの		1700				
4	その他のもの		1700				
〈注加算〉内視鏡的留置術加算(「3」の15歳未満のみ) 粘膜点墨法(「4」のみ)			+260 +60	 墨			
D311 直腸鏡検査			300	E-直腸	減	×	×
D311-2 肛門鏡検査			200		減	×	×
D312 直腸ファイバースコピー 〈注加算〉粘膜点墨法			550 +60	EF-直腸 墨	減	×	×
D312-2 回腸嚢ファイバースコピー			550		減	×	×
D313 大腸内視鏡検査				EF-大腸	減	×	×
1	ファイバースコピーによるもの						
	イ	S状結腸	900				
	ロ	下行結腸及び横行結腸	1350				
	ハ	上行結腸及び盲腸	1550				
2	カプセル型内視鏡によるもの		1550				
〈注加算〉粘膜点墨法 狭帯域光強調加算（拡大内視鏡を用いて、狭帯域光で観察した場合に加算する） バルーン内視鏡加算(「1」のハ) 内視鏡的留置術加算(「2」の15歳未満)			+60 +200 +450 +260	墨 狭光			
D314 腹腔鏡検査			2270	E-腹	減	×	×
・D314腹腔鏡検査に伴って行われる場合には算定できない ・D315腹腔ファイバースコピーと同時に行った場合は主たるもののみ算定							
D317 膀胱尿道ファイバースコピー			950	EF-膀胱尿道	減	×	×
〈注加算〉狭帯域光強調加算（拡大内視鏡を用いて、狭帯域光で観察した場合に加算する）			+200	狭光			
D318 尿管カテーテル法(ファイバースコープによるもの)(両側)			1200		減	×	×
D321 コルポスコピー			210	E-コルポ	減	×	×
D322 子宮ファイバースコピー			800	EF-子宮	減	×	×

主な診断穿刺・検体採取料一覧表

＊自然に排出されたり、採取できるもの（尿、糞便、喀痰、分泌液、膿、眼・耳脂、鼻汁、咽頭粘液）は、採取料は算定できない。
＊手術に当たって、診断穿刺または検体採取を行った場合は採取料は算定できない（手術料に含まれ、別に算定できない）。
＊診断穿刺または検体採取後の創傷処置については、手術翌日から算定できる。

項　目	点数	略称	算　定　要　件
D400 血液採取（1日につき）			・血液回路から採血した場合は算定しない ・6歳未満　＋30点（「1」及び「2」のそれぞれに加算） ・出血時間測定時の耳朶採血料はD006「1」に含まれる
1　静脈（外来のみ）	40	B-V	
2　その他（外来のみ）	6	B-C	
D401 脳室穿刺	500		・同一日に処置のJ005脳室穿刺と重複算定は不可 ・6歳未満　＋100点
D402 後頭下穿刺	300		・同一日に処置のJ006後頭下穿刺と重複算定は不可 ・6歳未満　＋100点
D403 腰椎穿刺、胸椎穿刺、頸椎穿刺（脳脊髄圧測定を含む）	260		6歳未満　＋100点
D404 骨髄穿刺			・同一日に処置のJ011骨髄穿刺と重複算定は不可 ・6歳未満　＋100点
1　胸骨	260		
2　その他	300		
D404-2 骨髄生検	730		・骨髄生検は、骨髄生検針を用いて採取した場合にのみ算定できる ・骨髄穿刺針を用いた場合はD404骨髄穿刺で算定する ・6歳未満　＋100点
D405 関節穿刺（片側）	100	P-関節	・同一側の関節に対して、同一日に行った処置のJ116関節穿刺は重複算定不可 ・3歳未満　＋100点
D406-2 扁桃周囲炎または扁桃周囲膿瘍における試験穿刺（片側）	180		同一日に行ったJ103扁桃周囲膿瘍穿刺との重複算定は不可
D407 腎嚢胞または水腎症穿刺	240		・同一日に処置のJ012腎嚢胞または水腎症穿刺と重複算定は不可 ・6歳未満　＋100点
D410 乳腺穿刺または針生検（片側）			同一日に処置のJ014乳腺穿刺と重複算定は不可
1　生検針によるもの	690		
2　その他	200		
D412 経皮的針生検法（透視、心電図検査及び超音波検査を含む）	1600		・経皮的針生検法とは、D404-2、D409、D410、D411、D412-2、D413に掲げる針生検以外の臓器に係る経皮的針生検をいう ・所定点数には透視（CT透視を除く）、心電図、超音波検査が含まれており別に算定できない
D413 前立腺針生検法			・「1」は超音波検査では検出できず、MRI撮影によってのみ検出できる病変が認められる患者に対し、実施した場合に限り算定できる ・組織採取に用いる医療材料の費用は所定点数に含まれ別に算定できない
1　MRI撮影及び超音波検査融合画像によるもの	8210		
2　その他のもの	1540		
D414 内視鏡下生検法（1臓器につき）	310		1臓器の取り扱いについては、N000病理組織標本作製（1臓器につき）に準ずる

項　目	点数	略称	算　定　要　件
D417 組織試験採取、切採法			6歳未満　+100点
1 皮膚、筋肉（皮下、筋膜、腱及び腱鞘を含み、心筋を除く）	500		
2 筋肉（心筋を除く）	1500		
3 骨、骨盤、脊椎	4600		
4 眼			
イ 後眼部	650		
ロ その他（前眼部を含む）	350		
5 耳	400		
6 鼻、副鼻腔	400		
7 口腔	400		
8 咽頭、喉頭	650		
9 甲状腺	650		
10 乳腺	650		
11 直腸	650		
12 精巣（睾丸）、精巣上体（副睾丸）	400		
13 末梢神経	1620		
14 心筋	6000		
D418 子宮膣部等からの検体採取			
1 子宮頸管粘液採取	40		
2 子宮膣部組織採取	200		
3 子宮内膜組織採取	370		
D419 その他の検体採取			
1 胃液・十二指腸液採取（一連につき）	210		
2 胸水・腹水採取（簡単な液検査を含む）	220		6歳未満の場合、乳幼児加算＋60点
3 動脈血採取（1日につき）	60	B-A	血液回路から採血した場合は算定不可 6歳未満の場合　乳幼児加算＋35点
4 前房水採取	420		6歳未満の場合、乳幼児加算＋90点
5 副腎静脈サンプリング（一連につき）	4800		6歳未満の場合、乳幼児加算＋1000点 透視、造影剤注入手技、造影剤使用撮影及びエックス線診断の費用はすべて所定点数に含まれる。フィルムは算定可
6 鼻腔・咽頭拭い液採取	25		
D419-2 眼内液（前房水・硝子体液）検査	1000		

⑳主な画像診断料一覧表

〈通則加算〉

時間外緊急院内画像診断加算（1日につき） 緊画	110点	・診療時間以外の時間、休日または深夜に外来患者に対して緊急に画像診断を行った場合算定する レセプト記載 ⑳ 緊画 （○日、開始時間）110×1	
画像診断管理加算1（月1回） 届	70点	E001写真診断 写画1 E004基本的エックス線診断 基画1 E102核医学診断 核画1 E203コンピューター断層診断 コ画1 （それぞれ算定可）	・算定要件は、①放射線科を標榜している保険医療機関であること、②画像診断を専ら担当する常勤の医師（経験10年以上または専門医）が1名以上配置されていること、③画像診断管理を行うにつき、十分な体制が整備されていること ・読影結果は文書で、患者の診療担当医師に報告する必要がある ・病院・診療所で算定する（月の最初の診断日に算定する）
画像診断管理加算2（月1回） 届	175点	E102核医学診断 核画2 E203コンピューター断層診断 コ画2 （それぞれ算定可）	・算定要件は、①放射線科を標榜している病院であること、②上記（画像診断管理加算1）の②と同様。③当該保険医療機関で行われるすべての核医学診断及びCT撮影、MRI撮影について、②の医師によって画像情報の管理が行われていること ・核医学診断、コンピューター断層診断のうち、8割以上の読影結果が翌診療日までに文書で、患者の診療担当医師に報告される必要がある ・病院で算定する（月の最初の診断日に算定する）
画像診断管理加算3（月1回） 届	235点	E102核医学診断 核画3 E203コンピューター断層診断 コ画3 （それぞれ算定可）	・算定要件は、①放射線科を標榜している特定機能病院（救急救命救急センター）であること、②画像診断を専ら担当する常勤医師（経験10年以上または関係学会から示されている2年以上の所定の研修を終了した旨が登録されている医師に限る）が3名以上配置されていること、③核医学診断、コンピューター断層診断のうち8割以上の読影結果が翌日診療までに文書で患者の療養担当医師に報告されていること ・病院（特定機能病院）で算定する（月の最初の診断日に算定する）
画像診断管理加算4（月1回） 届	340	E102核医学診断 核画4 E203コンピューター断層診断 コ画4 （それぞれ算定可）	・算定要件は、①放射線科を標榜している特定機能病院であること。②画像診断を専ら担当する常勤医師（経験10年以上または関係学会から示されている2年以上の所定の研修をし、登録された医師に限る）が6名以上配置されていること ・8割以上の読影結果が翌診療日までに文書で患者の診療担当医師に報告されていること。病院で算定する
電子画像管理加算 電画	57点 58点 66点 54点 120点	単純撮影 特殊撮影 造影剤使用撮影 乳房撮影 CT、MRI、核医学診断	・デジタル撮影をした画像を電子媒体に保存して管理した場合をいい、フィルムへのプリントアウトを行った場合にも加算できる ・電子画像管理加算を算定した場合には、当該フィルムの費用は算定できない

＊画像診断管理加算1･2･3は、「写真診断または基本的エックス線診断」「核医学診断」「コンピューター断層撮影診断」を行った場合に、それぞれ月1回に限り加算する。ただし、同一の診断において「1」と「2」または「3」を併算定できない。
＊遠隔画像診断の場合は受診側が算定できる。

持ち込みフィルムを診断する場合

他の医療機関で撮影したフィルムの診断料については以下のとおり。

単純	頭・躯幹	85点	撮影部位・撮影方法 ㊟別に診断料を（フィルム枚数にかかわりなく）1回算定する ㊟単純撮影、特殊撮影、造影剤使用撮影、乳房撮影を指し、アナログまたはデジタル撮影の別は問わない
	その他	43点	
特殊	96点		
造影剤使用	72点		
乳房撮影	306点		
コンピューター断層	450点		初診時に限り、コンピューター断層診断を算定

造影剤注入手技料（注入手技料を必要とする場合のみ算定）

E003 「1」点滴注射（1日につき）（注1） 年齢加算（6歳未満＋45）	6歳以上	500mL以上　102	500mL未満　53（外来のみ）
	6歳未満	100mL以上　153（105+48）	100mL未満　101（53+48）（外来のみ）

E003 「2」動脈注射（1日につき）
1　内臓の場合　155
2　その他の場合　45

E003 「3」動脈造影カテーテル法
イ　主要血管の分枝血管を選択的に造影撮影した場合（注2）　3600
　血流予備能測定検査加算　＋400
　頸動脈閉塞試験加算　＋1000
ロ　イ以外の場合　1180
　血流予備能測定検査加算　＋400

E003 「4」静脈造影カテーテル法
（副腎静脈、奇静脈または脊椎静脈に対して行った場合）　3600

E003 「5」内視鏡下の造影剤注入
イ　気管支ファイバースコピー挿入　2500
ロ　尿管カテーテル法（両側）〔ファイバースコープによるもの〕　1200
　（膀胱尿道ファイバースコピー等を含む）

E003 「6」腔内注入及び穿刺注入
イ　注腸　300
ロ　その他（注3）　120

E003 「7」嚥下造影　240

注1　同一日に点滴注射を算定した場合は、造影剤注入手技の点滴注射「1」の所定点数は重複して算定できない。
注2　主要血管である総頸動脈、椎骨動脈、鎖骨下動脈、気管支動脈、腎動脈、腹部動脈（腹腔動脈、上及び下腸間膜動脈も含む）、骨盤動脈または各四肢の動脈の分枝血管を選択的に造影撮影した場合、分枝血管の数にかかわらず1回に限り算定できる。
注3　【その他120点】とは
腰椎穿刺注入、胸椎穿刺注入、頸椎穿刺注入、上顎洞穿刺注入、関節腔内注入、気管内注入（内視鏡下の造影剤注入によるものは除く）、子宮卵管内注入、膀胱内注入、腎盂内注入、唾液腺注入、胃・十二指腸ゾンデ挿入による注入

A 写真診断料（E001）と撮影料（E002）のシャッター回数ごとの合計点数一覧表

＊数字は黒文字がアナログ撮影、赤文字がデジタル撮影の場合の点数
＊6歳未満の撮影料＝所定点数×1.3、3歳未満の撮影料＝所定点数×1.5、新生児の撮影料＝所定点数×1.8

撮影方法／シャッター回数		年齢別	診断 E001	撮影 E002 アナログ／デジタル	1	2	3	4	5〜
単純撮影	頭部・胸部・腹部・脊椎（耳・副鼻腔・骨盤・腎・尿管・膀胱・頸部・腋窩・股関節部・肩関節部・肩胛骨・鎖骨含む）	6歳以上	85	60	145	218	290	363	435
				68	153	230	306	383	459
		6歳未満	85	78	163	245	326	408	489
				88	173	261	347	434	520
		3歳未満	85	90	175	263	350	438	525
				102	187	281	374	468	561
		新生児	85	108	193	290	386	483	579
				122	207	312	415	519	622
	その他の部位（指骨・四肢）	6歳以上	43	60	103	155	206	258	309
				68	111	167	222	278	333
		6歳未満	43	78	121	182	242	303	363
				88	131	198	263	329	394
		3歳未満	43	90	133	200	266	333	399
				102	145	218	290	363	435
		新生児	43	108	151	227	302	378	453
				122	165	249	331	414	496

撮影方法／シャッター回数		年齢別	診断 E001	撮影 E002	アナログ／デジタル	1	2	3	4	5～
特殊撮影	パントモグラフィー 断層撮影 スポット撮影など	6歳以上	96 (48)	260	アナログ	一連につき ※同一部位を他の撮影方法と併用した場合の診断料は50%（ ）の数字で算定する				356(308)
				270	デジタル					366(318)
		6歳未満	96 (48)	338	アナログ					434(386)
				351	デジタル					447(399)
		3歳未満	96 (48)	390	アナログ					486(438)
				405	デジタル					501(453)
		新生児	96 (48)	468	アナログ					564(516)
				486	デジタル					582(534)
造影剤使用撮影	消化管 その他の臓器	6歳以上	72	144	アナログ	216	324	432	540	648
				154	デジタル	226	339	452	565	678
		6歳未満	72	187	アナログ	259	389	518	648	778
				200	デジタル	272	408	544	681	817
		3歳未満	72	216	アナログ	288	432	576	720	864
				231	デジタル	303	455	606	758	909
		新生児	72	259	アナログ	331	497	662	828	994
				277	デジタル	349	524	698	873	1048
	脳脊髄腔（ミエロ）	6歳以上	72	292	アナログ	364	546	728	910	1092
				302	デジタル	374	561	748	935	1122
		6歳未満	72	380	アナログ	452	677	903	1129	1355
				393	デジタル	465	697	929	1162	1394
		3歳未満	72	438	アナログ	510	765	1020	1275	1530
				453	デジタル	525	788	1050	1313	1575
		新生児	72	526	アナログ	598	896	1195	1494	1793
				544	デジタル	616	923	1231	1539	1847
乳房撮影	乳房	6歳以上	306 (153)	192	アナログ	一連につき （ ）：同一部位に他の撮影方法と併用した場合				498(345)
				202	デジタル					508(355)
		6歳未満	306 (153)	250	アナログ					556(403)
				263	デジタル					569(416)
		3歳未満	306 (153)	288	アナログ					594(441)
				303	デジタル					609(456)
		新生児	306 (153)	346	アナログ					652(499)
				364	デジタル					670(517)

*6枚目以降はフィルム代のみ加算します。

※特殊撮影・造影剤使用撮影・乳房撮影の3歳未満の写真診断料＋撮影料の合計点数は省略

〈加算〉

・年齢加算：撮影料に対して、新生児加算（28日未満）…＋所定点数×0.8、幼児加算（3歳未満）…＋所定点数×0.5、幼児加算(6歳未満)…＋所定点数×0.3

・電子画像管理加算 電画 ：単純撮影+57点、特殊撮影+58点、造影剤使用撮影+66点、乳房撮影+54点

・画像診断管理加算1：+70点(月1回)要届出

・時間外緊急院内画像診断加算 緊画 ：+110点(1日につき)

レセプト	⑦⓪	緊画 （○日、開始時間）110×1

Bフィルム(主要)の大きさと枚数ごとの点数一覧表

大きさ＼枚数	1	2	3	4	5	6	7	8	9	10
半切　120円	12.0	24.0	36.0	48.0	60.0	72.0	84.0	96.0	108.0	120.0
大角　115円	11.5	23.0	34.5	46.0	57.5	69.0	80.5	92.0	103.5	115.0
大四ツ切　76円	7.6	15.2	22.8	30.4	38.0	45.6	53.2	60.8	68.4	76.0
四ツ切　62円	6.2	12.4	18.6	24.8	31.0	37.2	43.4	49.6	55.8	62.0
六ツ切　48円	4.8	9.6	14.4	19.2	24.0	28.8	33.6	38.4	43.2	48.0
八ツ切　46円	4.6	9.2	13.8	18.4	23.0	27.6	32.2	36.8	41.4	46.0

大きさ＼枚数	1	2	3	4	5	6	7	8	9	10
カビネ　38円	3.8	7.6	11.4	15.2	19.0	22.8	26.6	30.4	34.2	38.0
30×35　87円	8.7	17.4	26.1	34.8	43.5	52.2	60.9	69.6	78.3	87.0
24×30　68円	6.8	13.6	20.4	27.2	34.0	40.8	47.6	54.4	61.2	68.0
18×24　46円	4.6	9.2	13.8	18.4	23.0	27.6	32.2	36.8	41.4	46.0
標準型3×4　29円	2.9	5.8	8.7	11.6	14.5	17.4	20.3	23.2	26.1	29.0
咬合型　27円	2.7	5.4	8.1	10.8	13.5	16.2	18.9	21.6	24.3	27.0
咬翼型　40円	4.0	8.0	12.0	16.0	20.0	24.0	28.0	32.0	36.0	40.0
オルソパントモ型										
20.3×30.5　103円	10.3	20.6	30.9	41.2	51.5	61.8	72.1	82.4	92.7	103.0
15×30　120円	12.0	24.0	36.0	48.0	60.0	72.0	84.0	96.0	108.0	120.0
小児型										
2.2×3.5　31円	3.1	6.2	9.3	12.4	15.5	18.6	21.7	24.8	27.9	31.0
2.4×3　23円	2.3	4.6	6.9	9.2	11.5	13.8	16.1	18.4	20.7	23.0
間接撮影用										
10×10　29円	2.9	5.8	8.7	11.6	14.5	17.4	20.3	23.2	26.1	29.0
7×7　22円	2.2	4.4	6.6	8.8	11.0	13.2	15.4	17.6	19.8	22.0
6×6　15円	1.5	3.0	4.5	6.0	7.5	9.0	10.5	12.0	13.5	15.0
オデルカ用										
10×10　33円	3.3	6.6	9.9	13.2	16.5	19.8	23.1	26.4	29.7	33.0
7×7　22円	2.2	4.4	6.6	8.8	11.0	13.2	15.4	17.6	19.8	22.0
マンモグラフィー用										
24×30　135円	13.5	27.0	40.5	54.0	67.5	81.0	94.5	108.0	121.5	135.0
20.3×25.4　135円	13.5	27.0	40.5	54.0	67.5	81.0	94.5	108.0	121.5	135.0
18×24　121円	12.1	24.2	36.3	48.4	60.5	72.6	84.7	96.8	108.9	121.0

*6歳未満の乳幼児に対して、「**胸部**単純撮影」または「**腹部**単純撮影」を行ったときに限り、フィルムに1.1倍する。

〔フィルム料の計算の手順〕

①フィルム価格×1.1＝ ［¥①］ ……フィルムの価格に1.1倍し、金額を計算する。

② ［¥①］ ×使用枚数＝ ［¥②］ ……①で計算した金額に使用枚数分を乗じ、金額を計算する。

③ ［¥②］ ÷10＝ ［点数］ （四捨五入）……②で出された金額を点数に直します。端数は四捨五入です。

*複数の撮影方法（単純、特殊、造影剤使用、乳房）を併用した場合は、その撮影方法別に端数を整理する。端数処理の仕方：1点未満の場合の端数は四捨五入する。

B-2 画像記録用フィルム

大きさ＼枚数	1	2	3	4	5	6	7	8	9	10
半切　226円	22.6	45.2	67.8	90.4	113.0	135.6	158.2	180.8	203.4	226.0
大角　188円	18.8	37.6	56.4	75.2	94.0	112.8	131.6	150.4	169.2	188.0
大四ツ切　186円	18.6	37.2	55.8	74.4	93.0	111.6	130.2	148.8	167.4	186.0
B4　149円	14.9	29.8	44.7	59.6	74.5	89.4	104.3	119.2	134.1	149.0
四ツ切　135円	13.5	27.0	40.5	54.0	67.5	81.0	94.5	108.0	121.5	135.0
六ツ切　115円	11.5	23.0	34.5	46.0	57.5	69.0	80.5	92.0	103.5	115.0
24×30　145円	14.5	29.0	43.5	58.0	72.5	87.0	101.5	116.0	130.5	145.0

*画像記録用フィルムとは、コンピューター断層撮影、コンピューテッド・ラジオグラフィー法撮影、シンチグラム（画像を伴うもの）、シングルホトンエミッションコンピューター断層撮影、磁気共鳴コンピューター断層撮影またはデジタル・サブトラクション・アンギオグラフィー法に用いるフィルムをいう。

クイック表(アナログ撮影)

Ⓐ(写真診断料＋撮影料)＋Ⓑ(フィルム料)の合計点数一覧表

撮影方法		フィルム枚数	点数								
			写真診断料＋撮影料＋フィルム料								
			半切	大角	大四ツ切	四ツ切	六ツ切	八ツ切	カビネ	オルソパントモ型 20.3×30.5	オルソパントモ型 15×30
	フィルム	価格	120円	115円	76円	62円	48円	46円	38円	103円	120円
		点数	12.0	11.5	7.6	6.2	4.8	4.6	3.8	10.3	12.0
単純撮影	頭部、胸部、腹部、脊椎、耳、副鼻腔、骨盤、腎、尿管、膀胱、頸部、腋窩、股関節部、肩関節部、肩胛骨、鎖骨	1	157	157	153	151	150	150	149	155	157
		2	242	241	233	230	228	227	226	239	242
		3	326	325	313	309	304	304	294	321	326
		4	411	409	393	388	382	381	378	404	411
		5	495	493	473	466	459	458	454	487	495
	その他の部位	1	115	115	111	109	108	108	107	113	115
		2	179	178	170	167	165	164	163	176	179
		3	242	241	229	225	220	220	217	237	242
		4	306	304	288	283	277	276	273	299	306
		5	369	367	347	340	333	332	328	361	369
特殊撮影	パントモグラフィー、断層撮影、スポット撮影、側頭骨・上顎骨・副鼻腔曲面断層撮影、児頭骨盤不均衡特殊撮影	1	368	368	364	362	361	361	360	366	368
		2	380	379	372	368	366	365	364	377	380
		3	392	391	379	375	370	370	367	387	392
		4	404	402	386	381	375	374	371	397	404
		5	416	414	394	387	380	379	375	408	416
造影剤使用撮影	造影剤使用撮影	1	228	228	224	222	221	221	220	226	228
		2	348	347	339	336	334	333	332	345	348
		3	468	467	455	451	446	446	443	463	468
		4	588	586	570	565	559	558	555	581	588
		5	708	706	686	679	672	671	667	700	708
	脳脊髄腔造影	1	376	376	372	370	369	369	368	374	376
		2	570	569	561	558	556	555	554	567	570
		3	764	763	751	747	742	742	739	759	764
		4	958	956	940	935	929	928	925	951	958
		5	1152	1150	1130	1123	1116	1115	1111	1144	1152

*透視診断(X-D)110点が算定できる。

マンモグラフィー用フィルム		24×30	20.3×25.4	18×24
	価格	135円	135円	121円
	点数	13.5	13.5	12.1
乳房撮影	1	512	512	510
	2	525	525	522
	3	539	539	534
	4	552	552	546
	5	566	566	559

*年齢加算はされていません。

クイック表(デジタル撮影)

A(写真診断料+撮影料)+B(フィルム料)の合計点数一覧表

撮影方法		フィルム枚数	点数						
			写真診断料+撮影料+フィルム料						
			半切	大角	大四ツ切	四ツ切	六ツ切	B4	24×30
	画像記録用フィルム	価格	226円	188円	186円	135円	115円	149円	145円
		点数	22.6	18.8	18.6	13.5	11.5	14.9	14.5
単純撮影	頭部、胸部、腹部、脊椎、耳、副鼻腔、骨盤、腎、尿管、膀胱、頸部、腋窩、股関節部、肩関節部、肩胛骨、鎖骨	1	176	172	172	167	165	168	168
		2	275	268	267	257	253	260	259
		3	374	362	362	347	341	351	350
		4	473	458	458	437	429	443	441
		5	572	553	552	527	517	534	532
	その他の部位	1	134	130	130	125	123	126	126
		2	212	205	204	194	190	197	196
		3	290	278	278	263	257	267	266
		4	368	353	352	332	324	338	336
		5	446	427	426	401	391	408	406
特殊撮影	パントモグラフィー、断層撮影、スポット撮影、側頭骨・上顎骨・副鼻腔曲面断層撮影、児頭骨盤不均衡特殊撮影	1	389	385	385	380	378	381	381
		2	411	404	403	393	389	396	395
		3	434	422	422	407	401	411	410
		4	456	441	440	420	412	426	424
		5	479	460	459	434	424	441	439
造影剤使用撮影	造影剤使用撮影	1	249	245	245	240	238	241	241
		2	384	377	376	366	362	369	368
		3	520	508	508	493	487	497	496
		4	655	640	639	619	611	625	623
		5	791	772	771	746	736	753	751
	脳脊髄腔造影	1	397	393	393	388	386	389	389
		2	606	599	598	588	584	591	590
		3	816	804	804	789	783	793	792
		4	1025	1010	1009	989	981	995	993
		5	1235	1216	1215	1190	1180	1197	1195

*透視診断(X-D)110点が算定できる。

マンモグラフィー用フィルム		24×30	20.3×25.4	18×24
	価格	135円	135円	121円
	点数	13.5	13.5	12.1
乳房撮影	1	522	522	520
	2	535	535	532
	3	549	549	544
	4	562	562	556
	5	576	576	569

*年齢加算はされていません。

CT（コンピューター断層撮影診断）・MRI（磁気共鳴コンピューター断層撮影）の算定

・E200、E201、E202の撮影料は年齢加算された点数
3歳以上6歳未満＝所定点数×1.3、3歳未満＝所定点数×1.5、新生児＝所定点数×1.8
・頭部外傷の場合：3歳以上6歳未満＝所定点数×1.35、3歳未満＝所定点数×1.55、新生児＝所定点数×1.85

①断層撮影	単純（1回目）				CT、MRI（同月2回目～）
	6歳以上	6歳未満	3歳未満	新生児	同一月に行った2回目以降のCT、MRI問わず算定
E200 コンピューター断層撮影（CT撮影）（一連につき）					頭部外傷の場合： 新生児⇒＋（所定点数の80/100）（所定点数の85/100）を加算 乳幼児⇒＋（所定点数の50/100）（所定点数の55/100）を加算 幼児⇒＋（所定点数の30/100）（所定点数の35/100）を加算
1. CT イ 64列以上のマルチスライス型の機器使用の場合 届 (1)共同利用施設において行われる場合 (2)その他の場合	 1020 1000	 1326 1377 1300 1350	 1530 1581 1500 1550	 1836 1887 1800 1850	
ロ 16列以上64列未満のマルチスライス型の機器使用の場合 届	900	1170 1215	1350 1395	1620 1665	
ハ 4列以上16列未満のマルチスライス型の機器による場合 届	750	975 1013	1125 1163	1350 1388	
ニ イ、ロ又はハ以外の場合	560	728 756	840 868	1008 1036	2回目以降の点数は、所定点数（1回目）×0.8で算定する ※注 加算は含まず計算
2. 脳槽CT撮影 （造影を含む）	2300	2990 3105	3450 3565	4140 4255	
<注加算> 外傷全身CT加算（1についてのみ） 届	＋800				
冠動脈CT撮影加算 届	＋600				
大腸CT撮影加算					
「1」イの場合	＋620				
「1」ロの場合	＋500				
E200-2 血流予備量比コンピューター断層撮影	9400				血流予備量比コンピューター断層撮影の種類または回数にかかわらず、月1回に限り算定する
E201 非放射性キセノン脳血流動態検査	2000	2600	3000	3600	――
E202 磁気共鳴コンピューター断層撮影（MRI撮影）（一連につき）					2回目以降の点数は、所定点数（1回目）×0.8で算定する ※注 加算は含まず計算 1、2及び3を同時に行った場合は主たる撮影の所定点数のみで算定
1 3テスラ以上の機器使用の場合 届 (1)共同利用施設において行われる場合 (2)その他の場合	 1620 1600	 2106 2080	 2430 2400	 2916 2880	
2 1.5テスラ以上3テスラ未満の機器による場合 届	1330	1729	1995	2394	
3 1又は2以外の場合	900	1170	1350	1620	
<注加算> 心臓MRI撮影加算 届 乳房MRI撮影加算 届 小児鎮静下MRI撮影加算 届 （15歳未満） 頭部MRI撮影加算 届 （「1」についてのみ） 全身MRI撮影加算 届 肝エラストグラフィ加算	 ＋400 ＋100 ＋所定点数×0.8 ＋100 ＋600 ＋600				

＋ ②使用フィルム（※使用フィルム料はP.102のB-2の表を参照）または 電画 （P.99参照）を確認する

＋③CT、MRI造影剤使用加算					
造影剤使用加算（静脈内注射、点滴注射、腔内注入、穿刺注入等によるもの） ※造影剤注入手技料と麻酔手技料（L008閉鎖循環式を除く）が含まれている。					
CT（脳槽CTを除く）	6歳以上	500	MRI（脳血管造影を除く）	6歳以上	250
	幼児加算（6歳未満）	650		幼児加算（6歳未満）	325
	乳幼児加算（3歳未満）	750		乳幼児加算（3歳未満）	375
	新生児加算（新生児）	900		新生児加算（新生児）	450

E203 (CT、MRI共通) コンピューター断層診断料	月1回 450点	<通則加算> ㊞ 画像診断管理加算1 コ画1 ＋70点 ㊞ 画像診断管理加算2 コ画2 ＋175点 ㊞ 画像診断管理加算3 コ画3 ＋235点 ㊞ 画像診断管理加算4 コ画4 ＋340点 電子画像管理加算 電画 ＋120点 ※ 電画 を算定する場合、フィルムは算定しない

⑥⓪主な病理診断料一覧表

病理標本作製料

項目		点数	略称	算定要件
N000 病理組織標本作製 (1臓器につき、3臓器を限度)			T-M又は病理組織	・次の①～⑨は、各区分に1臓器として算定する ①気管支及び肺臓、②食道、③胃及び十二指腸、④小腸、⑤盲腸、⑥上行結腸・横行結腸・下行結腸、⑦S状結腸、⑧直腸、⑨子宮体部・子宮頸部 ・1臓器から多数のブロック、標本等を作成した場合であっても、1臓器の標本作製として算定する
1	組織切片によるもの(1臓器につき)	860		
2	セルブロック法によるもの(1部位につき)	860		
N001 電子顕微鏡病理組織標本作製 (1臓器につき)		2000		
N002 免疫染色(免疫抗体法)病理組織標本作製				
1	エストロジェンレセプター	720		
2	プロジェステロンレセプター(PgR)	690		
3	HER2タンパク	690		
4	EGFRタンパク	690		
5	CCR4タンパク	10000		
6	ALK融合タンパク	2700		
7	CD30	400		
8	その他(1臓器につき)	400		
〈注加算〉 「1」と「2」について：同一月病理組織標本作製加算 「8」について：4種類以上の抗体免疫染色での標本作製加算		＋180 ＋1200	 4免	
N003 術中迅速病理組織標本作製 (1手術につき)		1990	T-M/OP	手術の途中において、迅速凍結切片等による標本作製と検鏡を完了した場合において、1手術につき1回算定する
N003-2 迅速細胞診				手術の途中において腹水及び胸水等の体腔液を検体として、標本作製及び鏡検を完了した場合において、1手術につき1回算定する
1	手術中の場合(1手術につき)	450		
2	検査中の場合(1検査につき)	450		

項目	点数	略称	算定要件
N004 細胞診(1部位につき)			「2」は、喀痰細胞診、気管支洗浄細胞診、体腔液細胞診、体腔洗浄細胞診、体腔臓器擦過細胞診、髄液細胞診等を指す
1 婦人科材料等によるもの(スメア)	150		
2 穿刺吸引細胞診、体腔洗浄等によるもの	190		
〈注加算〉 「1」について　婦人科材料等液状化検体細胞診加算 「2」について　液状化検体細胞診加算	 +45 +85		
N005 HER2遺伝子標本作製			N005とN002免疫染色（免疫抗体法）病理組織標本作製の「３」を同一の目的で実施した場合は、N005「２」で算定する
1 単独の場合	2700		
2 N002免疫染色(免疫抗体法)病理組織標本作製の「3」HER2タンパクとの併施の場合	3050		
N005-2 ALK融合遺伝子標本作製	6520		
N005-3 PD-L1タンパク免疫染色体（免疫抗体法）病理組織標本作製	2700		本標本作製とは、抗PD-L1抗体抗悪性腫瘍剤の投与の適応を判断することを目的にして、免疫染色（免疫抗体法）病理組織標本作製を行った場合には、当該抗悪性腫瘍剤投与方針の決定までの間に1回を限定として算定する
N005-4 ミスマッチ修復タンパク免疫染色(免疫抗体法)病理組織標本作製 〈注加算〉 遺伝カウンセリング加算 (届)	2700 +1000		N005-4を実施し、その結果を患者又は家族等に対し遺伝カウンセリングを行った場合に、患者1人につき、月1回限り算定できる
N006 病理診断料 (届)			・月1回に限る ・N006病理診断は、保険医療機関間の連携による病理診断の施設基準適合届出の医療機関で実施時に算定できる ・病理診断を専ら担当する医師が、勤務する病院または診療所において、下記のいずれかの組織標本に基づく診断を行った場合または他の医療機関で作製した組織標本を診断した場合に算定する ・「1」はN000、N001、N003が対象 ・「2」はN003-2 ～ N004「2」が対象
1 組織診断料(月1回)	520	判 組診	
2 細胞診断料(月1回)	200	判 細診	
〈注加算〉 注4 イ．病理診断管理加算1 (届) 　(1)組織診断を行った場合 　(2)細胞診断を行った場合 ロ．病理診断管理加算2 (届) 　(1)組織診断を行った場合 　(2)細胞診断を行った場合 注5悪性腫瘍病理組織標本加算 (届)	 +120 +60 +320 +160 +150	 病管1 病管2	・注4：病理診断管理加算1・2は受信側または送信側が(届)医療機関であり、病理診断の結果を文書で報告した場合に区分に従い所定点数に加算する。 ・注5：悪性腫瘍病理組織標本加算はN000「1」について悪性腫瘍に係る手術の検体から、N002により作製された組織標本に基づく診断を行った場合は、悪性腫瘍病理組織標本加算として、所定点数を150点加算する
N007 病理判断料(月1回)	130	判 病判	・月1回に限る ・同一月にN006病理診断料との重複算定は不可

内視鏡検査から病理診断への連携を見る

例）カルテの記載内容が次のような場合

カルテの記載内容		算定
胃ファイバースコープ（粘膜点墨法）により検査を行う。	➡	内視鏡検査　D308胃ファイバースコーピー（EF-胃）1140点、粘膜点墨法（墨）60点
患部に異物発見につき、内視鏡下生検法にて組織を一部採取し、病態を明らかにするために病理組織診断（組織診断）も行う。病理専門医が実施。	➡	内視鏡下生検法　D414　310点
	➡	N000　病理組織診断（T-M）860点
	➡	病理診断料　N006組織診断料 判 組診 520点
使用薬剤は○○○1A・キシロカインゼリー○g・○○○		

レセプトの書き方

⑥⓪	4回2890	⑥⓪	EF-胃 墨	1200×1
薬剤	●●		内視鏡下生検法	310×1
			T - M（1臓器）	860×1
			判 組診	520×1
			○○○ 1 A キシロカインゼリー○ g ○○○	●●×1

⑧⓪主なリハビリテーション料一覧表

項　目	点数	外来	入院	算定要件
H000 心大血管疾患リハビリテーション料 届		○	○	・注1：別に厚生労働大臣が定める患者に対して、医師、理学療法士、作業療法士または看護師が個別療法又は集団療法でリハビリテーションを行った場合に、治療開始日から150日以内に限り算定する ・標準的な実施時間：①入院では1回1時間（3単位）、②入院外では1日当たり1時間（3単位）以上、1週3時間（9単位） ・監視の医師1人当たりの患者数は、入院が1回15人程度、入院外が1回20人程度 ・理学療法士・作業療法士・看護師1人当たりの患者数は、入院が1回5人程度、入院外が1回8人程度 ・注2：早期リハビリテーション加算：入院患者に対して早期リハビリテーションを行った場合に算定。発症、手術もしくは急性増悪から7日目または治療開始日のいずれか早いものから起算して30日に限り、1単位につき25点を加算する ・注3：初期加算：入院患者に対して、リハビリテーションを行った場合に算定。発症、手術もしくは急性増悪から7日目または治療開始日のいずれか早いものから起算して14日の間に限り、1単位につき45点を加算する ・注6：施設基準適合の届出医療機関において、入院患者以外の患者に対し、リハビリテーションを行った場合、月1回に限り50点を所定点数に加算する ・注4：は入院中の患者に対して、発症・手術・急性増悪から7日目または治療開始日のいずれか早い日から14日を限度に急性期リハビリテーション加算として1単位につき50点をさらに所定点数に加算する
1　心大血管疾患リハビリテーション料（Ⅰ）（1単位につき）				
イ．理学療法士による場合	205			
ロ．作業療法士による場合	205			
ハ．医師による場合	205			
ニ．看護師による場合	205			
ホ．集団療法による場合	205			
2　心大血管疾患リハビリテーション料（Ⅱ）（1単位につき）				
イ．理学療法士による場合	125			
ロ．作業療法士による場合	125			
ハ．医師による場合	125			
ニ．看護師による場合	125			
ホ．集団療法による場合	125			
〈注加算〉				
注2早期リハビリテーション加算（1単位につき） 早リ加	+25	×	○	
注3初期加算（1単位につき） 初期 届	+45	×	○	
注6リハビリテーションデータ提出加算（月1回） 急リ加 届	+50	○	×	
注4急性期リハビリテーション加算（1単位につき） 届	+50	×	○	

レセプト「摘要欄」	⑧⓪	疾患名、治療開始日

例）早期リハビリテーション加算を算定した場合

レセプト「摘要欄」	⑧⓪	早リ加 （発症、手術または急性増悪の日）　点数×回数

項目	点数	外来	入院	算定要件
H001 脳血管疾患等リハビリテーション料 ㊗届		○	○	・別に厚生労働大臣が定める患者に対して、理学療法士・作業療法士・言語聴覚士または専任医師が1対1でリハビリテーションを行った場合に、発症日・手術日・急性増悪または最初の診断日から180日以内に限り算定する ・注6：厚生労働大臣の定める患者で、入院中の要介護被保険者等に必要があって、それぞれ発症、手術、急性増悪又は最後に診断された日から180日を超えてリハビリを行った場合は、1月13単位に限り(　)内の点数で算定できる レセプト「摘要欄」 ⑳ 疾患名、(発症月日、手術月日、急性増悪した月日、または最初に診断された月日) 例)早期リハビリテーション加算を算定した場合 レセプト「摘要欄」 ⑳ 早リ加 点数×回数 ・当該患者が要介護被保険者等である場合、それぞれの発症日、手術日、急性増悪または最初の診断日から60日を経過した後に、引き続きリハビリテーションを実施する場合、過去3ヵ月以内にH003-4に掲げる目標設定等支援・管理料を算定していない場合には、所定点数の100分の90に相当する点数により算定する
1 脳血管疾患等リハビリテーション料(Ⅰ)(1単位) (　)は注6 180日超・要介護被保険者等の場合 イ．理学療法士による場合 ロ．作業療法士による場合 ハ．言語聴覚士による場合 ニ．医師による場合	(147) 245 245 245 245			
2 脳血管疾患等リハビリテーション料(Ⅱ)(1単位) (　)は注6 180日超・要介護被保険者等の場合 イ．理学療法士による場合 ロ．作業療法士による場合 ハ．言語聴覚士による場合 ニ．医師による場合	(120) 200 200 200 200			
3 脳血管疾患等リハビリテーション料(Ⅲ)(1単位) (　)は注6 180日超・要介護被保険者等の場合 イ．理学療法士による場合 ロ．作業療法士による場合 ハ．言語聴覚士による場合 ニ．医師による場合 ホ．イ～ニ以外の場合	(60) 100 100 100 100 100			
〈注加算〉 注2早期リハビリテーション加算(1単位につき) 早リ加	+25	×	○	・注2:発症、手術、急性増悪から30日に限り、早期リハビリテーションを行った場合に、1単位につき25点を加算する(入院・外来) ・注3：発症、手術、急性増悪から14日に限り、1単位につき45点を所定点数に加算する(入院・外来) ・注7：過去3ヵ月以内にH003-4の目標設定等支援・管理料を算定していない場合は、所定点数の90/100で算定する ・注8：施設基準適合の届出医療機関において、入院患者以外の患者に対し、リハビリテーションを行った場合、リハビリテーションデータ提出加算として月1回に限り50点を所定点数に加算する
注3初期加算(1単位につき) ㊗届 初期	+45	×	○	
注4急性期リハビリテーション加算(1単位につき) 急リ加 ㊗届	+50	×	○	
注8リハビリテーションデータ提出加算(月1回) ㊗届	+50	○	×	
H001-2 廃用症候群リハビリテーション料		○	○	・廃用症候群の患者に対して個別療法を行った場合に、廃用症候群の診断または急性増悪から120日を限度として算定する ・注6：必要があって、入院中の要介護被保険者等に対し、廃用症候群の診断又は急性増悪から120日を超えてリハビリを行った場合には、1月13単位に限り(　)内の点数で算定できる ・廃用症候群リハビリテーション料の所定点数には、徒手筋力検査及びその他のリハビリテーションに付随する諸検査が含まれる ・廃用症候群リハビリテーション料は、医師の指導監督の下、理学療法士、作業療法士または言語聴覚士の監視下に行われたものについて算定する。また、専任の医師が、直接訓練を実施した場合にあっても、理学療法士、作業療法士または言語聴覚士が実施した場合と同様に算定できる。
1 廃用症候群リハビリテーション料(Ⅰ)(1単位) (　)は注6 120日超・要介護被保険者等の場合 イ．理学療法士による場合 ロ．作業療法士による場合 ハ．言語聴覚士による場合 ニ．医師による場合	(108) 180 180 180 180			
2 廃用症候群リハビリテーション料(Ⅱ)(1単位) (　)は注6 120日超・要介護被保険者等の場合 イ．理学療法士による場合 ロ．作業療法士による場合 ハ．言語聴覚士による場合 ニ．医師による場合	(88) 146 146 146 146			

項　　　目	点数	外来	入院	算　定　要　件
3　廃用症候群リハビリテーション料(Ⅲ)(1単位) ( )は注6 120日超・要介護被保険者等の場合 イ. 理学療法士による場合 ロ. 作業療法士による場合 ハ. 言語聴覚士による場合 ニ. 医師による場合 ホ. イ～ニ以外の場合	(46) 77 77 77 77 77			
＜注加算＞ 早期リハビリテーション加算(1単位につき) 早リ加	+25	×	○	・施設基準適合の届出医療機関において、入院患者以外の患者に対し、リハビリテーションを行った場合、月1回に限り50点を所定点数に加算する
初期加算(1単位につき) (届) 初期	+45	×	○	
注4急性期リハビリテーション加算(1単位につき) 急リ加 (届)	+50	×	○	
リハビリテーションデータ提出加算(月1回) (届)	+50	○	×	
H002 運動器リハビリテーション料 (届)		○	○	・別に厚生労働大臣が定める患者に対して、理学療法士・作業療法士または専任医師が1対1で、発症日・手術日・急性増悪の日から150日以内に限り算定する ・注6：厚生労働大臣の定める患者で、入院中の要介護被保険者等に必要があって、それぞれ発症、手術、急性増悪又は最後に診断された日から150日を超えてリハビリを行った場合は、1月13単位に限り( )内の点数で算定できる レセプト「摘要欄」 (80) 疾患名、(発症月日、手術月日、急性増悪した月日、または最初に診断された月日) 例)早期リハビリテーション加算を算定した場合 レセプト「摘要欄」 (80) 早リ加　点数×回数
1　運動器リハビリテーション料(Ⅰ)(1単位) ( )は注6 150日超・要介護被保険者等の場合 イ. 理学療法士による場合 ロ. 作業療法士による場合 ハ. 医師による場合	(111) 185 185 185			
2　運動器リハビリテーション料(Ⅱ)(1単位) ( )は注6 150日超・要介護被保険者等の場合 イ. 理学療法士による場合 ロ. 作業療法士による場合 ハ. 医師による場合	(102) 170 170 170			
3　運動器リハビリテーション料(Ⅲ)(1単位) ( )は注6 150日超・要介護被保険者等の場合 イ. 理学療法士による場合 ロ. 作業療法士による場合 ハ. 医師による場合 ニ. イ～ハ以外の場合	(51) 85 85 85 85			
〈注加算〉 早期リハビリテーション加算(1単位につき) 早リ加	+25	×	○	
初期加算(1単位につき) (届) 初期	+45	×	○	
注4急性期リハビリテーション加算(1単位につき) 急リ加 (届)	+50	×	○	
リハビリテーションデータ提出加算 (届)(月1回)	+50	○	×	・届出医療機関（データ提出加算の届出を行っていない医療機関）で、診療報酬の請求状況、診療内容に関するデータを継続して厚労省に提出している場合、月1回に限り50点算定可

項　目	点数	外来	入院	算定要件
H003 呼吸器リハビリテーション料 届		○	○	・別に厚生労働大臣が定める患者に対して、理学療法士・作業療法士または専任医師が1対1で行った場合に、治療開始日から90日以内に限り算定する。必要があって90日を超えてリハビリテーションを行った場合は1月13単位に限り算定できるものとする。 ・初期加算：入院患者に対してリハビリテーションを行った場合は、手術もしくは急性増悪から7日目または治療開始日のいずれか早いものから起算して、14日を限度として、1単位につき45点をさらに加算する ・早期リハビリテーション加算：入院患者に対して、治療開始から30日に限り、早期リハビリテーションを行った場合、1単位につき25点を加算する レセプト「摘要欄」 ⑳ 疾患名、治療開始年月日
1 呼吸器リハビリテーション料(Ⅰ)(1単位)				
イ理学療法士による場合	175			
ロ作業療法士による場合	175			
ハ言語聴覚士による場合	175			
ニ医師による場合	175			
2 呼吸器リハビリテーション料(Ⅱ)(1単位)				
イ理学療法士による場合	85			
ロ作業療法士による場合	85			
ハ言語聴覚士による場合	85			
ニ医師による場合	85			
〈注加算〉				
早期リハビリテーション加算(1単位につき) 早リ加	+25	×	○	
初期加算(1単位につき) 初期 届	+45	×	○	
注4急性期リハビリテーション加算(1単位) 急リ加 届	+50	×	○	
リハビリテーションデータ提出加算(月1回) 届	+50	○	×	
H003-2 リハビリテーション総合計画評価料 届 (月1回) リハ総評		○	○	
1 リハビリテーション総合計画評価料1	300			
2 リハビリテーション総合計画評価料2	240			
〈注加算〉				
入院時訪問指導加算(入院中1回)	+150			
運動量増加機器加算(月1回) 届	+150			
H004 摂食機能療法(1日につき)		○	○	・「1」については、摂食機能障害の患者に対し、30分以上訓練指導を行った場合、月4回に限り、1日につき算定する。ただし、治療開始から3月以内の患者については、1日につき算定できる ・「2」については、脳卒中で摂食機能の障害の患者に対し、脳卒中発生から14日以内に限り、1日につき算定する ・摂食機能または嚥下機能の回復に必要な指導管理を行った場合に、各区分に従い、患者(「ハ」は療養病棟入院料1または療養病棟入院料2の算定患者に限る) 1人につき週1回に限り所定点数に加算する レセプト「摘要欄」 ⑳ 疾患名及び当該疾患に係る摂食機能療法の治療開始日
1 30分以上の場合	185			
2 30分未満の場合	130			
〈注加算〉				
摂食嚥下機能回復体制加算				
イ．摂食嚥下機能回復体制加算1 届	+210			
ロ．摂食嚥下機能回復体制加算2 届	+190			
ハ．摂食嚥下機能回復体制加算3 届	+120			
H005 視能訓練(1日につき)		○	○	
1 斜視視能訓練	135			
2 弱視視能訓練	135			

⑧主な精神科専門療法料一覧表

項目	点数	外来	入院	算定要件
I001 入院精神療法(1回につき)				・「1」において、入院患者に精神保健指定医が30分以上実施の場合、入院日より起算して3月を限度として週3回限度として算定する ・「2」において、入院日より起算して4週間以内は週2回、4週間超は週1回を限度として算定する
1 入院精神療法(Ⅰ)	400	×	○	
2 入院精神療法(Ⅱ)				
イ 入院日より起算して6月以内	150			
ロ 6月超	80			
I002 通院・在宅精神療法(1回につき)				・外来患者について、退院後4週間以内の期間に行われる場合は「1」と「2」を合わせて週2回を、その他の場合は「1」と「2」を合わせて週1回をそれぞれ限度として算定する。ただし、B000に掲げる特定疾患療養管理料を算定している患者については算定しない ・I002通院・在宅精神療法は、診療時間が5分を超えたときに限り算定する 。ただし、A000初診料の算定日にI002通院・在宅精神療法を行った場合は、診療時間が30分を超えたときに限り算定する ・退院後4週間以内に患者に算定した場合 レセプト「摘要欄」 ⑧ (退院日) ・「1」の「イ」または「2」の「イ」「ロ」を算定した場合 レセプト「摘要欄」 ⑧ (診療に要した時間) ・「1」のハ(イ・ロ以外の場合)で情報通信機器を用いて精神保健指定医が実施した場合は所定点数に代えて、30分以上は357点、30分未満は274点で算定する
1 通院精神療法		○	×	
イ 精神保健福祉法第29条または第29条の2の規定による入院措置を経て退院した形であって、都道府県等が作成する退院後に必要な支援内容等を記載した計画に基づく支援機関にあるものに対して、当該計画において療養を担当することとされている保険医療機関の精神科の医師が行った場合	660			
ロ A000初診料算定の初診日において60分以上行った場合 (1)精神保健指定医による場合 (2)(1)以外の場合	 600 550			
ハ イ及びロ以外の場合 (1)30分以上の場合 ①精神保健指定医による場合 ①で情報通信機器使用 届 ②①以外の場合 (2)30分未満の場合★ ①精神保健指定医による場合 ①で情報通信機器使用 届 ②①以外の場合	 410 (357) 390 315 (274) 290			
〈注加算〉 療養生活環境整備指導加算(月1回)	+250			→「1」を算定する患者で、直近の入院において、B015精神科退院時共同指導料1を算定した患者に対し、初回算定日の月から起算して1年を限度として月1回に限り、250点を所定点数に加算する
2 在宅精神療法				
イ 精神保健福祉法第29条または第29条の2の規定による入院措置を経て退院した形であって、都道府県等が作成する退院後に必要な支援内容等を記載した計画に基づく支援機関にあるものに対して、当該計画において療養を担当することとされている保険医療機関の精神科の医師が行った場合	660			

項目		点数	外来	入院	算定要件
ロ	A000初診料算定の初診日において60分以上行った場合 (1)精神保健指定医による場合 (2)(1)以外の場合	 640 600	○	×	
ハ	イ及びロ以外の場合 (1)60分以上の場合★ ①精神保健指定医による場合 ②①以外の場合 (2)30分以上60分未満の場合 ①精神保健指定医による場合 ②①以外の場合 (3)30分未満の場合 ①精神保健指定医による場合 ②①以外の場合	 590 540 410 390 315 290			
〈注加算〉 注3 20歳未満（精神科受診日から1年以内） 注4児童思春期精神科専門管理加算 イ．16歳未満（通院・在宅精神療法実施の場合）最初の受診日から2年以内の期間に限る (1)当院の精神科を最初に受診した日から２年以内の期間に行った場合 (2)(1)以外の場合 ロ．20歳未満（60分以上の通院・在宅精神療法実施の場合）最初の受診日から3ヵ月以内の期間に限る 注5特定薬剤副作用評価加算(月1回) (副評) ★が対象 注7措置入院後継続支援加算 注8療養生活環境整備指導加算(月1回) イ．直近の入院でB015精神科退院時共同指導料1を算定患者の場合 ロ．イ以外の場合 注9心理支援加算(月2回) 注10児童思春期支援指導加算 イ．60分以上の通院・在宅精神療法を行った場合 ロ．イ以外の場合 (1) 当院の精神科を最初の受診日から2年以内に行った場合 (2) (1) 以外の場合 注11早期診療体制充実加算 イ．病院の場合 (1) 当院の精神科を最初の受診日から3年以内に行った場合 (2) (1) 以外の場合 ロ．診療所の場合 (1) 当院の精神科を最初の受診日から3年以内に行った場合 (2) (1) 以外の場合 注12情報通信機器を用いて行った場合 1のハの(1)の① 1のハの(2)の①		+320 +500 +300 +1200 +25 +275 +250 +350 +500 +350 +250 +1000 +450 +250 +20 +15 +50 +15 357 274	○	×	→注3：注4または注10の加算を算定した場合は算定しない →注4：注3または注10の加算を算定した場合は算定できない →注5：特定薬剤副作用評価加算は「1」の「ハ」の(1)、「2」の「ハ」の(1)および(2)のみ(月1回) Ｉ002-2精神科継続外来支援・指導料の注４を加算する月は算定しない →注7：措置入院後継続支援加算は「1」の「イ」のみ(3月に1回) →注8：療養生活継続支援加算は、初回算定月から1年を限度に月1回500点を算定する 「イ」「ロ」いずれかのみ加算する →注9：心理支援加算は初回算定月から2年限度(月2回) →注10：児童思春期支援指導加算は「1」を算定する20歳未満の患者を対象に 「イ」+1000(60分以上、精神科初回受診日から3ヵ月以内) 「ロ」(1)+450(イ以外で精神科初回受診日から2年位内) (2)+250(それ以外) →注11：早期診療体制加算は精神科初回受診日から3年以内の期間に行った場合、病院は+20点、診療所は+50点を加算する。それ以外の場合は、病院も診療所も+15点を加算する →注12：情報通信機器を用いて精神療法を行った場合は、所定点数に代えてそれぞれ算定する

項　　　目	点数	外来	入院	算　定　要　件
I002-2 精神科継続外来支援・指導料（1日につき）	55	○	×	・注1：精神科の担当医が、外来の患者又はその家族等に対して、病状、服薬状況及び副作用の有無等の確認を主とした支援を行った場合に、患者1人につき1日に1回に限り算定する ・注2：1回の処方で、3種類以上の抗不安薬、睡眠薬、抗うつ薬又は抗精神病薬を投与した場合（臨時の投薬等のもの及び3種類の抗うつ薬又は3種類の抗精神病薬を患者の病状等によりやむを得ず投与するものを除く）には、算定しない
〈注加算〉 注3療養生活環境整備加算 精外療加	+40			→注3：医師の支援と併せて、精神科担当医の指示の下、保健師、看護師、作業療法士又は精神保健福祉士が、患者又はその家族等に対して、療養生活環境整備の支援を行った場合は、40点を所定点数に加算する
注4特定薬剤副作用評価加算（月1回）副評	+25			→注4：抗精神病薬を服用患者に、当該薬剤の副作用の評価を行った場合は、特定薬剤副作用評価加算として、月1回に限り25点を所定点数に加算する。ただし、I002通院・在宅精神療法で加算した月は、算定しない ・注5：1回の処方で3種類以上の抗うつ薬又は抗精神病薬を投与した場合（注2に規定する場合を除く）で、別に厚生労働大臣が定める要件を満たさない場合、所定点数の100分の50に相当する点数により算定する ・注6：他の精神科専門療法と同一日に行う精神科継続外来支援・指導に係る費用は、他の精神科専門療法の所定点数に含まれるものとする
I003 標準型精神分析療法（1回につき）	390	○	○	・精神科以外の診療科で心身医学専門医が行った場合も算定できる ・診療時間が45分を超えた場合に限り算定できる レセプト「適用欄」 ⑳（診療に要した時間）
I004 心身医学療法（1回につき）				・精神科以外の診療科でも算定できる ・入院患者は入院日から4週間以内は週2回を、4週間超は週1回を限度として算定する ・外来患者は初診日から4週間以内は週2回を、4週間超は週1回を限度として算定する
1　入院患者	150	○	○	
2　外来患者				
イ　初診時	110			
ロ　再診時	80			
〈注加算〉注5 20歳未満の患者の場合	+所定点数×2			・注5 20歳未満の患者には、100分の200の点数を加算する
I005 入院集団精神療法（1日につき）	100	×	○	・入院日より起算し、6月に限り、週2回限度として算定する ・同一日に行う他の精神科専門療法は算定できない
I006 通院集団精神療法（1日につき）	270	○	×	・6月に限り、週2回を限度として算定する ・同一日に行う他の精神科専門療法は算定できない
I007 精神科作業療法 ㊝（1日につき）	220	○	○	

項目	点数	外来	入院	算定要件
I009 **精神科デイ・ケア** (届) (1日につき)				レセプト「摘要欄」 (80) 最初に算定した年月日 早期加算を算定した場合 (80) 早 当診療法の初回算定日(または精神病床を退院した年月日) →I009注4、I010注3、I010-2注3：精神科ショートケア、精神科デイ・ケア、精神科ナイト・ケアまたは精神科デイ・ナイト・ケアのいずれかを最初に算定した日から３年を超える期間に行われる場合で週３日を超えて算定する場合は、長期の入院歴のある患者を除き、当該日における点数は「所定点数×90%」で算定する
1 小規模なもの	590	○	×	
2 大規模なもの	700			
〈注加算〉注5早期加算 早 注6 I011 精神科退院指導料算定の退院予定者に実施した場合（入院中1回に限る） 注4長期減算 精長減	+50 +所定点数×50% +所定点数×90%			
I010 **精神科ナイト・ケア** (届) (1日につき)	540	○	×	
〈注加算〉注4早期加算 早 注3長期減算 精算減	+50 +所定点数×90%			
I010-2 **精神科デイ・ナイト・ケア** (届) (1日につき)	1000	○	×	→注5：疾患等に応じた診療計画を作成して療法を行った場合に所定点数に 疾計 40点加算する
〈注加算〉注4早期加算 早 注5疾患別等診療計画加算 疾計 注3長期減算 精算減	+50 +40 +所定点数×90%			
I011 **精神科退院指導料** (当該入院中1回に限り)	320	×	○	精神科地域移行支援加算を算定する場合は、退院時に1回に限り、算定する レセプト「摘要欄」 (80) 精移行
〈注加算〉注2精神科地域移行支援加算(退院時1回限り)(精移行)	+200			
I011-2 **精神科退院前訪問指導料** (当該入院中3回限り)	380	×	○	2回以上算定した場合 レセプト「摘要欄」 (80) 各々の訪問指導日
〈注加算〉注2共同訪問指導加算 複職	+320			

⑳主な放射線治療料一覧表

放射線治療の年齢加算

年齢加算の対象	年　齢　区　分	レセ	加算割合	計　算　式
M000～M001-3、M002～M004に限り年齢加算できる	新生児（生後28日未満）	新	80/100	＋（所定点数×0.8）
	3歳未満（生後28日目～2歳）	乳幼	50/100	＋（所定点数×0.5）
	6歳未満（3歳～5歳）	幼児	30/100	＋（所定点数×0.3）
	15歳未満（6歳～14歳）	小児	20/100	＋（所定点数×0.2）

項　　目				点　数	略称	算定要件
M000 放射線治療管理料					放管	分布図の作成、1回につき1回、一連につき2回
1	1門照射、対向2門照射または外部照射を行った場合			2700		
2	非対向2門照射、3門照射または腔内照射を行った場合			3100		
3	4門以上の照射、運動照射、原体照射または組織内照射を行った場合			4000		
4	強度変調放射線治療（IMRT）による体外照射を行った場合			5000		
	〈注加算〉注2放射線治療専任加算 届			＋330		
	注3外来放射線治療加算 届			＋100		一連につき
	注4遠隔放射線治療加算 届			＋2000		1回につき
M001 体外照射					—	疾病の種類、部位の違い、部位数、同一患部に対する照射方法にかかわらず、1回につき所定点を算定する
1	エックス線表在治療					
	イ	1回目		110		
	ロ	2回目		33		
2	高エネルギー放射線治療 届					
	イ	1回目				
		1	1門照射または対向2門照射	840		
		2	非対向2門照射または3門照射	1320		
		3	4門以上の照射、運動照射または原体照射	1800		
	ロ	2回目				
		1	1門照射または対向2門照射	420		
		2	非対向2門照射または3門照射	660		
		3	4門以上の照射、運動照射または原体照射	900		
・注1施設基準適合以外の医療機関で実施の場合				所定点数×0.7		
・注2 1回線量増加加算（1回の線量が2.5Gy以上の全乳房照射） 届				＋690		
3	強度変調放射線治療（IMRT） 届			3000		
・注2 1回線量増加加算（1回の線量が2.5Gy以上の全乳房照射） 届				＋1400		

項目	点数	略称	算定要件
〈注加算〉			
注1術中照射療法加算	+5000		1患者1日を限度
注2体外照射用固定器具加算	+1000		1患者1日1回限度
注3画像誘導放射線治療加算 (届)		画誘	
イ　体表面の位置情報によるもの	+150		
ロ　骨構造の位置情報によるもの	+300		
ハ　腫瘍の位置情報によるもの	+450		
注5体外照射呼吸性移動対策加算 (届)	+150	体呼	
M001-2 ガンマナイフによる定位放射線治療(1回のみ)	50000	—	数ヵ月間の一連の治療過程に複数回の治療を行った場合でも1回のみ算定
M001-3 直線加速器による放射線治療(一連につき)		—	一連につき
1　定位放射線治療の場合 (届)	63000		
2　1以外の場合	8000		
〈注加算〉			
注2定位放射線治療呼吸性移動対策加算 (届)		定呼	
イ　動体追尾法	+10000		
ロ　その他	+5000		
M002 全身照射(一連につき)	30000	—	
M004 密封小線源治療(一連につき)		—	一連につき
1　外部照射	80		
2　腔内照射			
イ　高線量率イリジウム照射を行った場合または新型コバルト小線源治療装置を用いた場合	12000		
〈注加算〉注8「イ」のみ画像誘導密封小線源治療加算(一連につき) (届)	+1200		
ロ　その他の場合	5000		
3　組織内照射			
イ　前立腺癌に対する永久挿入療法	48600		
〈加算注4〉線源使用加算(1個につき)	+630		
ロ　高線量率イリジウム照射を行った場合、または新型コバルト小線源治療装置を用いた場合	23000		
ハ　その他の場合	19000		
4　放射性粒子照射(本数に関係なく)	8000		
〈注加算〉(端数は四捨五入)			
高線量率イリジウム加算	+(購入価格÷50)		
低線量率イリジウム加算	+(購入価格÷10)		
食道用アプリケーター加算	+6700	食アプ	
気管・気管支用アプリケーター加算	+4500	気アプ	
放射性粒子	+(購入価格÷10)		
コバルト費用	+(購入価格÷1000)		

はじめに

本書は、医療事務資格取得を目指す方の受験対策本です。これまで、高い合格実績を誇ってきた受験者必勝の特別講義の内容を公開することで、広く合格を目指す方々に効率よく学習していただくことを目的に作成しました。解き方を身につける手順書としてご使用ください。

医療事務の資格試験は、診療報酬請求事務能力認定試験、医療秘書技能検定試験、医療事務技能審査試験（メディカルクラーク®）など、複数の主催者によって実施されています。

一般にどの試験も「学科問題」と「実技問題（レセプト作成）」による出題構成で、どちらも一定レベルに達していないと合格はできません。

これから受験を考えている方は、各試験の学科・実技の出題傾向を把握し、効率よく学習していくことが合格の近道となるでしょう。

本書では、特に診療報酬請求事務能力認定試験（医科）の合格をサポートするために、過去5年間、10回分の問題分析を行い、“どこを押さえておくべきか”、出題傾向などを明らかにしました。

受験生の皆さま自身が“押さえておくべき点はどこなのか‼”を理解した上で取り組まれることが、合格につながります。

本書は、一問一答にとどまらず、主要部分には丁寧な説明を加え、**これから基本を習得しようとする方にも、しっかり基礎知識をマスターした方にも、活用していただけるように作成しました。**

第1章では、医療保険制度や療養担当規則など、医療事務を行う上での基本内容について丁寧に説明し、どのような問題が学科問題として出題されているのかを紹介しながら、重要箇所を厳選して解説しました。随所に設けた「Keyword」には、ポイントとなる用語をできるだけ平易な表現を用いて解説しています。第2章では、診療報酬の基本診療料について、第3章では特掲診療料について主要項目をレセプトコードに従って解説しました。第4章は、外来レセプトおよび入院レセプトを作成するにあたっての手順書です。カルテのどこに着目し、どんな手順で仕上げていくのか、試験時間内に完成させるためのポイントやノウハウをこの章で紹介しました。巻末には調べたい箇所をすばやく探せる索引もついています。

別冊②の模擬試験は、本番のつもりで3時間でトライしてみましょう。外来および入院レセプトの作成ポイント、算定手順も付けました。

また、**別冊①には、診療報酬点数早見表を収載しました。本体から取り外しができますので、受験準備期間から試験当日に至るまで、ぜひご活用ください。**

皆さまがこの1冊を読み終え、診療報酬請求事務能力認定試験（医科）や各種医療事務の試験にトライされた時“合格”への扉が開きますよう、本書を通して応援しております。

本書が皆さまのお役に立てば幸いです。

2024年7月

著者を代表して　青山　美智子

Contents

目次

第１章　医療保険制度の基礎知識

第2章　基本診療料

第3章　特掲診療料

第4章　レセプトの作成手順

イラスト／宮下やすこ
本文デザイン／提箸圭子
DTP ／有限会社中央制作社
編集協力／有限会社ヴュー企画
編集担当／田丸智子（ナツメ出版企画株式会社）

診療報酬請求事務能力認定試験について

診療報酬請求事務能力認定試験は、診療報酬請求事務に従事する者の資質の向上及び医療保険事務の効率化を図ることを目的とし、次のとおり全国一斉統一試験が実施されています。全国一斉統一試験の医療事務検定試験の中でも難易度が高い試験です。

2013年4月1日から公益財団法人として内閣府より認定されている（公財）日本医療保険事務協会が、試験の主催者です。

【診療報酬請求事務能力認定試験の概要】

本書の「別冊①　オールカラーレセプト主要点数早見表」は試験会場に持ち込むことができます。レセプト作成に使用してください。

●受験資格

受験資格は問いません。

●出題範囲

出題範囲は「診療報酬請求事務能力認定試験ガイドライン」のとおりです。

●持ち込み

試験場への診療報酬点数表、その他の資料の持ち込みは自由です。

●試験日時

年2回 7月及び12月（日曜日または祝日）13：00～16：00で実施。

●試験時間

3時間

●試験会場

札幌市、仙台市、埼玉県、千葉県、東京都、神奈川県、新潟市、金沢市、静岡市、愛知県、大阪府、岡山市、広島市、高松市、福岡県、熊本市、那覇市

●受験料

9,000円

●受験申込方法

インターネットを使って、協会のホームページから申し込むことができます。
個人申込と団体申込の2種類があります。

> **申込期間は日本医療保険事務協会のホームページでご確認ください。**
> **https://www.iryojimu.or.jp/**

●問い合わせ先

〒101-0047 東京都千代田区内神田2-5-3 児谷ビル　公益財団法人日本医療保険事務協会
（電話 03-3252-3811 ／ FAX 03-3252-2233）

●合格者発表

試験日の約2ヵ月後

本書の特長と使い方

本書は、診療報酬請求事務能力認定試験（医科）に合格するため、解き方を身につける手順書です。主要項目を抜粋し、必要な知識を効率的に学習できるようにつくられています。第1章～第3章で診療報酬請求事務に必要な知識を身につけ、第4章でレセプト作成の方法を学んでいきます。

●本文で重要な部分は文字が赤くなっています。
付属の赤シートを使って暗記に使用してください。

ココでた!!

試験に出題された箇所を記しています。要チェックです。

言語聴覚士法（抜粋） 1997年制定

言語聴覚士法は、言語聴覚士（ST）の資格を定めるとともに、その業務が適正に運用されるように規律し、もって医療の普及及び向上に寄与することを目的としています。言語聴覚士とは、厚生労働大臣の免許を受けて、言語聴覚士の名称を用いて、**音声機能**、**言語機能**又は**聴覚**に　　　　についてその機能の維持向上を図るため、言語訓練その他の訓練、これに必要な検査及び助言、指導その他の援助を行います。

【免　許】

言語聴覚士になろうとする者は、言語聴覚士国家試験に合格し、厚生労働大臣の免許を受けなければなりません（第3条）。

また、次のいずれかに該当する者には、免許を与えないことがあります（第4条）。

①罰金以上の刑に処せられた者
②言語聴覚士の業務に関し犯罪又は不正の行為があった者
③心身の障害により言語聴覚士の業務を適正に行うことができない者として厚生労働省令で定めるもの
④麻薬、大麻、あへんの中毒者

厚生労働省令は、《施行規則第1条》でP.49の医師法と同じです。

言語聴覚士は、診療の補助として医師又は歯科医師の指示の下に、嚥下訓練、人工内耳の調整、その他厚生労働省令で定める行為を行うことができます（第42条）。

ZOOM UP!

その他の厚生労働省で定める行為《施行規則第22条》

①機器を用いる聴力検査（聴力レベル等） ②聴性脳幹反応検査 ③音声機能に係る検査及び訓練 ④言語機能に係る検査及び訓練 ⑤耳型の採型 ⑥補聴器装用訓練
※本検査は、主治医の指導を受けなければならない
※③と④については、他動もしくは抵抗運動を伴うもの、または薬剤もしくは器具を使用するものに限る

Keyword【嚥下】
食べ物を認識し咀嚼（噛み砕く）して飲み込みやすくし、口腔から咽頭・食道・胃へと食べ物を送り込む一連の流れのうち、飲み込むことを嚥下という。

62

ZOOM UP!

さらに掘り下げておきたい内容をまとめています。

Keyword 本文に関係する用語を平易な表現で解説しています。押さえておきましょう。

項目ごとに、覚えておきたいポイントや気をつけたい箇所、用語などをピックアップしています。本文を読む前に確認しておきましょう。確認できたらチェックボックスに印を付けておくとよいでしょう。

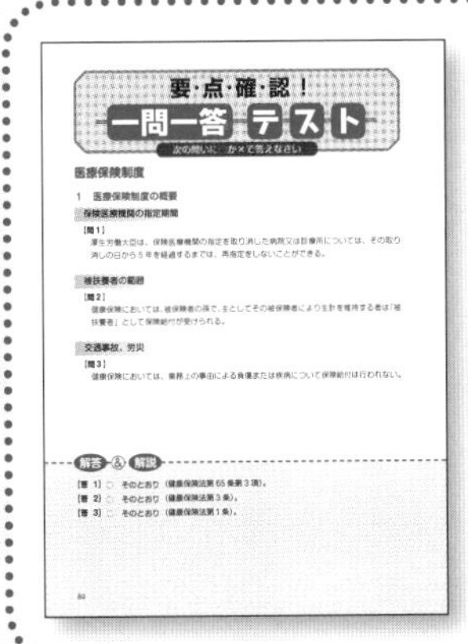
要·点·確·認！
一問一答テスト
次の問いに○か×で答えなさい

医療保険制度

1　医療保険制度の概要

保険医療機関の指定期間

【問1】
厚生労働大臣は、保険医療機関の指定を取り消した病院又は診療所については、その取り消しの日から5年を経過するまでは、再指定をしないことができる。

被扶養者の範囲

【問2】
健康保険においては、被保険者の孫で、主としてその被保険者により生計を維持する者は「被扶養者」として保険給付が受けられる。

交通事故、労災

【問3】
健康保険においては、業務上の事由による負傷または疾病について保険給付は行われない。

解答&解説

【答1】○　そのとおり（健康保険法第65条第3項）。
【答2】○　そのとおり（健康保険法第3条）。
【答3】○　そのとおり（健康保険法第1条）。

第１章～第３章の章末に掲載している一問一答テストは、学習した内容がしっかり理解できているか、実力を確認するためのものです。
学科試験の対策にもなりますので、挑戦してみましょう。

療養担当規則

□療養を担当するための規則を理解する
□しなければならないこと、してはならないことを理解する
□条文出題に対応できるように理解する

診療に関する法規（療養担当規則）

療養担当規則は正式には「保険医療機関及び保険医療養担当規則」といいます。

療養担当規則は、保険医療機関や保険医が保険診療を行う上で守らなければならない基本的な約束事項で、「保険医療機関」に対しては、療養の給付の担当範囲や担当方針などが、「保険医」には診療の一般的・具体的方針、診療録の記載などが書かれています。

保険診療は、厚生労働大臣が定めた「療養担当規則」に基づいて行われているので、しっかり理解して業務にあたらなければならないのです。したがって、診療報酬請求事務能力認定試験の学科問題でも最も多く出題されます。

これまで出題された箇所以外もターゲットになる分野です。

ココでた!!

保険医療機関が担当する療養の給付並びに被保険者及び被保険者であった者、これらの者の被扶養者の療養（以下単に「療養の給付」という）の範囲は、次のとおりです。

①診察
②薬剤又は治療材料の支給
③処置、手術その他の治療
④居宅における療養上の管理及びその療養に伴う世話その他の看護
⑤病院又は診療所への入院及びその療養に伴う世話その他の看護

Q 保険医療機関が担当する療養の給付の範囲には、治療材料の支給は含まれていない。
➡ ×　治療材料の支給は、「療養の給付の担当範囲の二」に含まれている【第34回・第39回】

Keyword【療養】
病気やケガを治療し、体を休めて回復を図ること。

63

試験に出やすい箇所、間違えやすい箇所などを解説しています。

先生からのアドバイス
注意しておきたい内容、試験に関することなど、先生からの学習のアドバイスです。

厚生労働省のホームページにある「診療報酬改定について」には、診療報酬のすべての所定点数や薬価（基準）が掲載されています。本書とあわせてご覧いただくと効果的です。

別冊①　オールカラーレセプト主要点数早見表

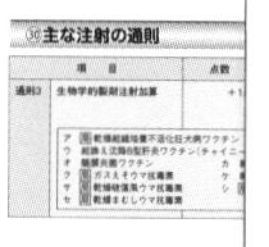

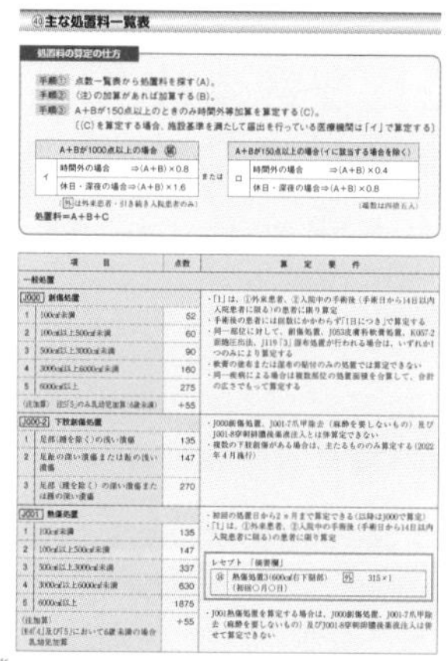

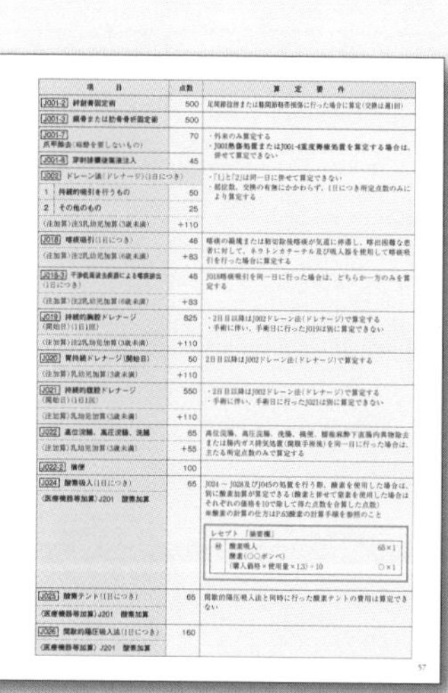

診療報酬請求事務能力認定試験のレセプト作成に必要な内容をまとめています。試験会場に持ち込むことができますので、本体から外して使用してください。

別冊②　模擬試験（3時間トライアル）

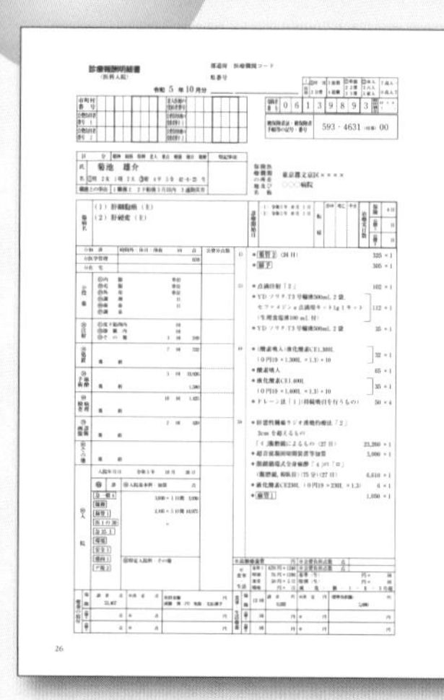

学科試験問題（医科）

問1　次の文章のうち正しいものはどれですか。

（1）健康保険法において、被保険者が療養の給付（保険外併用療法費に係る療養を含む）を受けるため、病院又は診療所に移送されたときは、保険者が必要と認める場合に限り、移送費が支給される。
（2）健康保険の任意継続被保険者は、任意継続被保険者でなくなることを希望する旨を、厚生労働省令で定めるところにより、保険者に申し出た場合において、その申出が受理された日の翌日からその資格を喪失する。
（3）保険医療機関は、1月以上の予告期間を設けて、その指定を辞退することができる。
（4）生活保護法による保護を受けている世帯（その保護を停止されている世帯を除く）に属する者は、75歳以上になっても後期高齢者医療の被保険者とならない。

a（1）、（2）　b（2）、（3）　c（1）、（3）、（4）
d（1）～（4）のすべて　e（4）のみ

問2　次の文章のうち正しいものはどれですか。

（1）保険医療機関は、入院患者の症状が特に重篤である場合に限り、その入院患者に対して、患者の負担により、当該保険医療機関の従業者以外の者による看護を受けさせることができる。
（2）患者の自己利用目的によるレントゲンのコピー代は、セカンド・オピニオンの利用目的の場合であっても、患者から当該費用を徴収することができる。
（3）注射薬は、保険医療機関及び保険医療養担当規則において、厚生労働大臣の定める注射薬に限り患者に投与することができることとされており、その投与量は、症状の経過に応じたものでなければならず、厚生労働大臣が定めるものについては、その投与量は、1回14日分が限度と定められている。
（4）入院期間の考え方について、介護保険適用病床に入院している患者が、急性増悪等により一般病棟での医療が必要となり、同病棟に転棟した場合は、転棟後30日までの間は、新規入院患者と同様に取り扱う。

a（1）、（2）　b（2）、（3）　c（1）、（3）、（4）
d（1）～（4）のすべて　e（4）のみ

問3　次の文章のうち正しいものはどれですか。

（1）診療所に病床を設けようとするとき、又は診療所の病床数、病床の種別その他厚生労働省で定める事項を変更しようとするときは、厚生労働省令で定める場合を除き、厚生労働大臣の許可を受けなければならない。
（2）介護保険における第2号被保険者とは、市町村又は特別区の区域内に住所を有する40歳以上65歳未満の医療保険加入者のことである。
（3）介護保険においては、被保険者の要介護状態に関する保険給付を「介護給付」、被保険者の要支援状態に関する保険給付を「予防給付」という。
（4）病院、診療所又は助産所の開設者が、その病院、診療所又は助産所を休止したときは、20日以内に、都道府県知事に届け出なければならない。

a（1）、（2）　b（2）、（3）　c（1）、（3）、（4）
d（1）～（4）のすべて　e（4）のみ

問4　次の文章のうち正しいものはどれですか。

（1）保険外併用療養費の支給対象となる先進医療実施に当たっては、先進医療ごとに、保険医療機関が別に厚生労働大臣が定める施設基準に適合していることを地方厚生（支）局長に届け出なければならない。
（2）入院時食事療養（Ⅰ）又は入院生活療養（Ⅰ）の届出を行っている保険医療機関においては、医師、管理栄養士又は栄養士による検食が毎食行われ、その所見が検食簿に記入されていなければならない。
（3）特定保険医療材料である緊急時ブラッドアクセス用留置カテーテルは、2週間に1本を限度として算定できる。
（4）特定保険医療材料である血管内手術用カテーテルについて、経皮的脳血管形成術用カテーテルは、頭蓋内血管の経皮的形成術に使用した場合には算定できない。

a（1）、（2）　b（2）、（3）　c（1）、（3）、（4）
d（1）～（4）のすべて　e（4）のみ

問5　次の文章のうち正しいものはどれですか。

（1）基本診療料は、初診、再診及び入院治療の際（特に規定する場合を除く）に原則として

第59回診療報酬請求事務能力認定試験（医科）の問題にチャレンジしてみましょう。詳しい解説も掲載していますので、実力試しに挑戦してみてください。

P.221～223にレセプト用紙を掲載しているので、コピーをして使用してください。

第1章

医療保険制度の基礎知識

第１章では「医療保険制度の概要」「保険給付の概要」「医療関係法規の概要」「医療施設に関する法律（医療法）」「医療従事者に関する法規」「療養担当規則」「介護保険の概要」「公費負担医療制度の概要」について学習します。覚えておくべきポイントを押さえていきましょう。

医療保険制度の概要

□日本の医療保険制度の特徴を理解する
□医療保険体系と患者負担を理解する
□給付のしくみと種類を整理する

社会保障制度

社会保障制度は、1950 年の社会保障制度審議会による勧告によって、1. **社会保険**、2. **公的扶助**、3. **社会福祉**、4. **保健医療・公衆衛生**、の４つの領域を基本としていましたが、その後、**老人保健**（高齢者の保健･医療）が加わり、現在は５つの領域に大別されます。「**社会保険**」はさらに、「**医療保険**」「**労働者災害補償保険**」「**介護保険**」「**雇用保険**」「**年金保険**」に制度が細分化されています。医療保険制度は、病気やケガをした場合に、誰もが安心して医療を受けることができるようにするための制度です。

安心できる生活を保障するために、保険料を拠出して、一定の給付を得るしくみになっています。

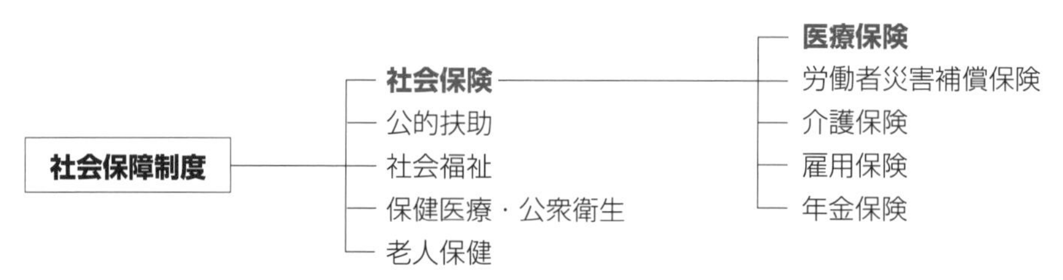

日本の医療保険制度の特徴

①**国民皆保険制度**であること

原則として、すべての国民は何らかの公的医療保険制度に加入しなければなりません。この制度を国民皆保険制度といい、1961 年 4 月から実施されました。

②**現物給付制度**であること

保険給付には「現物給付」と「現金給付」があります。診察、投薬、検査などの医療行為を「現物」といい、我が国の保険給付の中心となっています。保険医療機関は患者に対して先に医療行為を行い、後から審査支払機関を経由して保険者から医療費の給付が行われます。

③**フリーアクセス**であること ココでた!!

患者の意思によって自由に保険医療機関を選ぶことができます。

Keyword 【国民皆保険】
生活保護法の適用者を除くすべての国民は保険料を支払い、その保険料や国庫負担等を財源にして国民に対し医療保障を行うしくみ。

医療保険のしくみ

被保険者に被保険者証（保険証）が交付され、保険医療機関で受診した際の診療報酬の流れを見てみましょう。

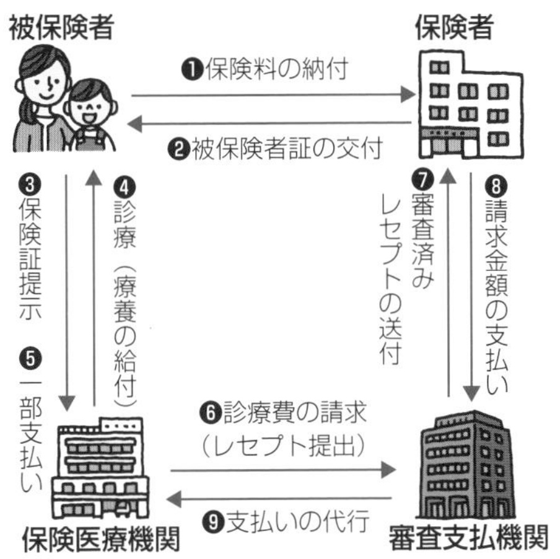

❶被保険者は、保険者に対し保険料を納付する。
❷保険者は、被保険者に対して被保険者証を交付する。
❸被保険者（被扶養者）は、受診する際に保険医療機関の会計窓口に被保険者証を提示する。
❹保険医療機関は、被保険者（被扶養者）に対し、診療を行う（療養の給付）。
❺被保険者は、保険医療機関の会計窓口で医療費の一部負担金を支払う。
❻保険医療機関は、被保険者（被扶養者）の1ヵ月分の診療内容について、**診療報酬明細書**（レセプト）を作成し、審査支払機関（支払基金または国保連合会）に**翌月10日（国保は10日前後）まで**に提出する。ココでた!!
❼審査支払機関は、提出されたレセプトを審査し、妥当なレセプトは保険者に送付する。
❽保険者は、審査済みのレセプトを再チェックし、審査支払機関に請求金額の支払いを行う。
❾審査支払機関は、保険医療機関に対して支払いを行う（支払いの代行）。

被用者保険の被扶養者の範囲（三親等の親族図）

保険医療給付が受けられる被扶養者の範囲とは、

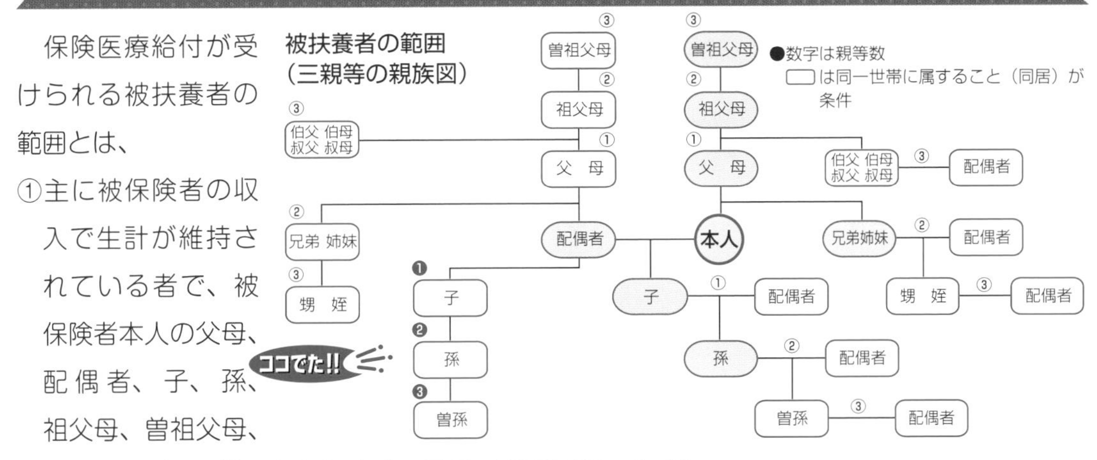

①主に被保険者の収入で生計が維持されている者で、被保険者本人の父母、配偶者、子、孫、祖父母、曽祖父母、兄弟姉妹がその範囲となります。**同居・別居は問いません。**

②主に被保険者の収入で生計が維持されている者で、(1) 上記①を除く三親等以内の親族、(2) 被保険者の配偶者で戸籍上の届出はないが事実婚の関係と同様の事情にある者の父母および子、(3)配偶者が死亡したあとにおける父母と子がその範囲となります。**同居のみに限られます。**

Keyword【被保険者】
保険者に保険料を納付している本人をいい、病気やケガ（業務外の事由）に対し、医療保険が給付される者。

> **Q** 健康保険においては、被保険者の孫で、主としてその被保険者により生計を維持する者は「被扶養者」として保険給付が受けられる。
> ➡ ○　そのとおり（健康保険法第３条）【第 32 回・第 38 回】

年齢別の給付割合（自己負担割合）

（1）被保険者

ココでた!!

被保険者（本人）、被扶養者（家族）ともに、一部負担割合は **3 割**になります。ただし、義務教育就学前（6 歳に達する日以降の最初の 3 月 31 日までの期間）までは当該被保険者の所得に関係なく一律 **2 割**負担です。

自己負担が３割であれば保険給付は７割ということですね。

自己負担割合の年齢区分

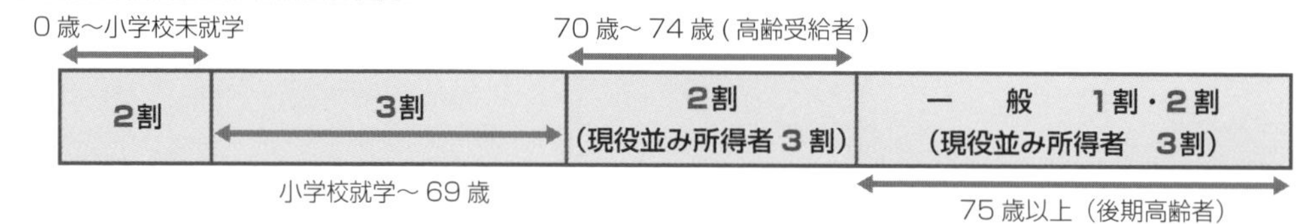

（2）高齢受給者

70 歳〜 74 歳を高齢受給者といいます。一部負担割合は **2 割**（**現役並み所得者**は **3 割**）です。

（3）高齢受給者の適用開始

高齢受給者の適用開始は 70 歳の誕生日の属する月の翌月からになります。

ただし 1 日生まれの場合のみ、その月から適用されます。

例）６月１日生まれ→６月から適用　　　６月２日生まれ→７月から適用

（4）後期高齢者医療制度　ココでた!!

75 歳となった**その日から後期高齢者医療制度**の適用を受けます。また、65 歳以上の寝たきり等の者もこれに該当します（障害認定日から該当）。一部負担割合は **1 割**、一定以上の所得者は **2 割**（2022 年 10 月から）、**現役並み所得者**は **3 割**になります。

※後期高齢者医療制度の詳細は P.24 を参照

> **Q** 健康保険において、義務教育就学前の乳幼児に係る療養費の給付割合は、当該被保険者の所得に関係なく一律８割である。
> ➡ ○　そのとおり（健康保険法第 110 条）【第 46 回】
>
> **Q** 後期高齢者医療広域連合が行う後期高齢者医療制度に係る療養の給付は、75 歳に達した日から受けることができる。
> ➡ ○　そのとおり（高齢者の医療の確保法第 50 条）【第 35 回】
>
> **Q** 後期高齢者医療制度による医療は、75 歳に達した月の翌月１日（その日が月の初日である場合は当月）から受けることができる。
> ➡ ×　75 歳となった日から適用を受ける【第 46 回・第 50 回】
>
> **Q** 現役並み所得者の給付割合について、医療保険の 70 歳以上の高齢受給者は７割であるが、後期高齢者医療制度の 75 歳以上の被保険者は９割である。
> ➡ ×　後期高齢者医療制度の 75 歳以上の被保険者も、現役並み所得者の給付割合は７割である（高齢者の医療の確保に関する法律第 67 条）【第 32 回・第 38 回・第 53 回】

Keyword 【フリーアクセス】

医療が必要なときは原則保険証があれば、誰でも自らの意思で医療機関を選択できることをいう。

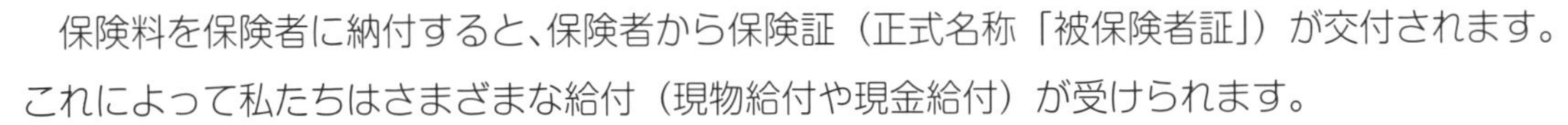

あなたの保険証を見てみよう

保険料を保険者に納付すると、保険者から保険証（正式名称「被保険者証」）が交付されます。これによって私たちはさまざまな給付（現物給付や現金給付）が受けられます。

では、その保険証には何が書かれているのか見ていきましょう。

●保険者番号とは

保険者番号とは、保険証を交付した保険者名を数字で表わしたものです。すべての「被保険者証」には必ず交付元である保険者とその番号が記載されています。保険証は、紙タイプからカードタイプになりました（一部紙タイプあり）。

保険証見本

健康保険	本人（被保険者）	
被保険者証	❶	令和○○年○月○日交付
	記号　6	❷ 番号 279　（枝番）00
氏名	日本（ニホン）　太郎（タロウ）	
生年月日	平成４年１月10日	性別　男
資格取得年月日	令和１年４月１日	
事業所所在地	川口市 ×××1-2-3	
事業所名称	ABC 株式会社	
保険者番号	❸ 01110014	印
保険者名称	全国健康保険協会　埼玉支部	
保険者所在地	埼玉県さいたま市大宮区○○○-○○	

見本の 01110014 は
8 桁なので社保ですね。

❶記号：被保険者を雇用している事業所の記号。事業所ごとに設定されている。

❷番号：被保険者ごとに割り当てられた番号。家族である被扶養者も同じ番号を使用する。
（枝番）は被保険者本人は 00、家族は資格取得順で 01、02、03……と家族１人ひとりに割り当てられた番号。

❸保険者番号：保険者ごとに割り当てられた固有の番号。

社保の保険者番号は８桁・国保は６桁の数字で表されています。数字には意味があり、社保の場合は最初の２桁が法別番号、次の２桁が都道府県番号、続く３桁が保険者別番号、最後の１桁が検証番号です。

Keyword【法別番号】
医療保険のそれぞれの制度を２桁の番号で表わしたもの。

国保の場合は法別番号がないので６桁の数字で表され、都道府県番号（２桁）＋保険者別番号（３桁）＋検証番号（１桁）で構成されています。

表にまとめると次のようになります。

保険者番号の構成

区分		法別番号	都道府県番号	保険者別番号	検証番号	保険者番号の桁数
		2桁	2桁	3桁	1桁	
社保		●●	●●	●●●	●	8桁
国保	一般国保	なし	●●	●●●	●	6桁
	組合国保	なし	●●	●●●	●	

※表の●には数字が入ります。

都道府県番号表

都道府県	コード	都道府県	コード	都道府県	コード	都道府県	コード	都道府県	コード
北海道	01又は51	埼玉	11又は61	岐阜	21又は71	鳥取	31又は81	佐賀	41又は91
青森	02又は52	千葉	12又は62	静岡	22又は72	島根	32又は82	長崎	42又は92
岩手	03又は53	東京	13又は63	愛知	23又は73	岡山	33又は83	熊本	43又は93
宮城	04又は54	神奈川	14又は64	三重	24又は74	広島	34又は84	大分	44又は94
秋田	05又は55	新潟	15又は65	滋賀	25又は75	山口	35又は85	宮崎	45又は95
山形	06又は56	富山	16又は66	京都	26又は76	徳島	36又は86	鹿児島	46又は96
福島	07又は57	石川	17又は67	大阪	27又は77	香川	37又は87	沖縄	47又は97
茨城	08又は58	福井	18又は68	兵庫	28又は78	愛媛	38又は88		
栃木	09又は59	山梨	19又は69	奈良	29又は79	高知	39又は89		
群馬	10又は60	長野	20又は70	和歌山	30又は80	福岡	40又は90		

※ コードについては（例：北海道の場合「01」）から設定することとし、当該コードにおいては設定可能な実施機関番号がなくなり次第（例：北海道の場合「51」）を設定することになっています。

※ 51～97は2016年10月31日から適用

【保険者番号】

各都道府県別に、保険者の設立順に保険者を３桁で表したもの。

医療保険制度

医療保険制度は「**社保（職域保険）**」と「**国保（地域保険）**」に大別されます。

75歳以上（一定の障害の認定者は65歳以上）になると、独立した「後期高齢者医療制度」に移行します。

体系	年齢	区分	保険の種類	法別番号	負担	対象
医療保険制度の体系	70歳未満	社保 被用者保険〈職域保険〉	全国健康保険協会管掌健康保険（協会けんぽ） ※主に中小企業に勤める人	01	3割	主にサラリーマン（本人）とその家族が対象【保険者番号8桁】
			日雇特例被保険者、特別療養費 ※日々雇い入れられる労働者	03、04	3割	
			組合管掌健康保険 ※主に大企業に勤める人	06	3割	
			船員保険　※船員	02	3割	
			業務上・下船後3ヵ月以内の業務外		0割	
			自衛官等の療養給付　※自衛官等	07	3割	
			国家公務員共済組合 ※国家公務員、自衛官等の被扶養者	31	3割	
			地方公務員等共済組合　※地方公務員	32	3割	
			警察共済組合　※警察勤務者	33	3割	
			私立学校教職員共済組合（公立学校共済組合、日本私立学校振興・共済事業団） ※公立学校・私立学校教職員	34	3割	
			特例退職　特定健康保険組合	63	3割	
			特例退職　特定共済組合	72～75	3割	
		国保 国民健康保険	国民健康保険（一般国保） ※一般農林漁業、自営業の人、休職中の人	なし	3割	主に自営業者とその家族（社保加入者を除く）が対象【保険者番号6桁】
			国民健康保険組合（国保組合） ※同業種の人	なし	3割	

年齢	保険の種類	法別番号	負担	対象
70～74歳	医療保険・高齢受給者 ※現役並み所得者は3割	なし	2割[※1]	
75歳以上	後期高齢者医療制度 （高齢者の医療の確保に関する法律） ※現役並み所得者は3割	39	1割 2割[※2]	75歳以上と65歳以上で一定の障害の状態にあると認定された者が対象

※1　2014年3月末までに70歳に達している者は1割です。高齢受給者の適用は70歳の誕生日の翌月から開始されます（ただし1日生まれは誕生月から）。

※2　2022年10月より、一定以上の所得のある人（P.25）は2割負担になります。（現役並み所得者を除く）

Keyword 【都道府県番号】

保険者の所在地の都道府県を示す。北海道01から沖縄47まで。

社保　各種被用者保険（職域保険）

（1）全国健康保険協会管掌健康保険（法別番号 01）

通称「**協会けんぽ**」といわれており、民間の中小事業所に勤務している従業員を対象とした保険です。株式会社、有限会社、財団法人などの「法人事業所」と「適用事業所」（法人以外で常時従業員が5人以上の事業所で、組合管掌健康保険に加入していない事業所）は**全国健康保険協会管掌健康保険**への加入が義務づけられています。このように法律で健康保険への加入が義務づけられている事業所を「**強制適用事業所**」といいます。

※従業員が4人以下の場合は、任意加入となる。

○**保険者**：全国健康保険協会「協会けんぽ」（本部と47都道府県支部で構成）
○**対象者**：民間の事業所の事業主、従業員とその家族
○**保険料**：毎月給料から引き落とし（保険料は労使折半）ココでた!!
○**資格取得日**：事業所で初めてその仕事に就いた日から
○**資格喪失日**：原則事業所に使用されなくなった日の翌日から
※他の被保険者になった場合はその日から（第36条）
○**一部負担金**：3割（義務教育就学前の者は2割）ココでた!!
○**給付期間**：治るまで。資格喪失後に日雇特例被保険者（被扶養者）になったときは資格喪失後6ヵ月以内（特別療養給付）

（2）日雇特例被保険者　一般療養（法別番号 03）、特別療養費（法別番号 04）

「日雇特例被保険者」は、臨時に短期で使用される者等が健康保険を適用している事業所に雇われる場合に加入できる制度です。**臨時的で短期**のため、健康保険の加入対象者ではありません。したがって、保険料の支払いや被保険者の資格取得など、一般の社保の扱いとは異なります。

日雇労働者とは、①臨時に日々雇用される人で期間が1ヵ月を超えない者、②臨時に2ヵ月以内の期間を定めて使用されその期間を超えない者、③季節的業務に4ヵ月を超えない期間使用される予定の者、④臨時的事業の事業所に6ヵ月を超えない期間使用される予定の者をいいます。

○**保険者**：全国健康保険協会「協会けんぽ」（本部と47都道府県支部で構成）
○**対象者**：日雇労働者とその家族
○**保険料の支払い方**：月額ではなく日額で、働いた日ごとに保険料（印紙）を納付※
※事業主が日雇特例被保険者手帳に健康保険印紙を貼り、消印することで保険料の納付となる（健康保険法第169条）
○**資格取得**：保険診療・保険調剤を受ける日の属する月の前**2ヵ月間に通算して26日分以上**の保険料を納付しているか、またはその受ける日の属する月の前**6ヵ月間に通算して78日分以上**の保険料を納付している者

Keyword【協会けんぽ】
従来、中小企業の従業員やその家族を対象に国（社会保険庁）が運営していた「政府管掌健康保険」が、2008年10月1日から全国健康保険協会に運営が移行された。その通称。

前2ヵ月間に通算して
26日分以上納付

1月	2月	3月	4月	5月	6月	7月 診療・調剤

前6ヵ月間に通算して78日分以上納付

では、この条件に当てはまらない期間に、日雇特例被保険者およびその被扶養者が治療を受けようとする場合はどうしたらよいのでしょうか。全額自己負担になってしまうのでしょうか。

それをカバーするのが『**特別療養費（04）**』です。初めて日雇特例被保険者となった者は、保険料納付要件を満たすことができないため、保険料納付要件を満たすまでの間、特別療養費によって保険診療を受けることができる制度です。特別療養費は、日雇特例被保険者のみの給付です。

○**一部負担金**：被保険者（本人）、被扶養者（家族）ともに**3割**負担。ただし義務教育就学前（6歳に達する日以降の最初の3月31日までの期間）は**2割**負担 ココでた!!

○**給付期間**：一般療養（03）……給付を受けはじめてから1年（結核性疾病は5年）以内
特別療養費（04）… 被保険者手帳交付日の属する月の初日から3ヵ月（交付日が月の初日の場合は2ヵ月）

（3）組合管掌健康保険（法別番号06）

健康保険組合が**管掌**する保険をいいます。**単独**で従業員を常時**700人**以上使用する**事業所**（単一組合）は、その従業員の**1/2以上の同意**を得たうえで、厚生労働大臣の認可を受けて健康保険組合を設立し、独自に運営することができます。

また、単独で従業員が700人に満たなくても、**同業種**の**複数の事業主**が共同して健康保険組合を設立することができます（総合組合）。この場合、被保険者の数が**3000人以上**でなければなりません。このようにして設立された健康保険組合が管掌する保険を「組合管掌健康保険」といいます。

○**保険者**：各健康保険組合

○**対象者**：民間の主に大企業の事業主、従業員とその家族

○**保険料、資格取得日・喪失日**：P.16参照

○**一部負担金**：3割（義務教育就学前の者は2割）

○**給付期間**：治るまで。資格喪失後に日雇特例被保険者（被扶養者）になったときは資格喪失後6ヵ月以内（特別療養給付）

Keyword 【被扶養者】
被保険者の生計によって扶養されている者（個人）をいう。

（4）船員保険（法別番号 02）

船員を対象とした保険です。船員とは次の１～４の船舶に乗り組む①～③の人をいいます（船員法第１ 条に規定する船員）。

対象となる船舶は以下の４つです。

1. 日本国民、日本法人、日本官公署の所有する船舶
2. 日本船舶以外の船舶で、日本国民、日本法人、日本官公署が借り入れ、または国内の港から外国の港まで回航を請け負った船舶
3. 日本政府が乗組員の配乗を行っている船舶
4. 国内各港のみを航海する船舶

①**船長**および**海員**※

※海員とは、機関長、機関士、航海士、船舶通信士、甲板員など、船長以外の乗組員のこと。

②**予備船員**※

※予備船員とは、船舶に乗り組むために雇用されている人で、船内で使用されていない人のこと。

③**商船学校の生徒、商船大学の学生**

船員保険の対象外

- 総トン数が**5トン未満**の船舶
- **湖**、**川**または**港**のみを航行する船舶
- 政令の定める、総トン数が**30トン未満**の漁船
- 船舶職員及び小型船舶操縦士法に規定する小型船舶であって、スポーツまたはレジャー用のヨット、モーターボートなど目的、運航体制等から船員労働の特殊性が認められないとして国土交通省で定める船舶

※海上保安官は国家公務員共済組合

○**保険者**：全国健康保険協会「協会けんぽ」。ここに設置された船員保険部で運営

○**対象者**：前出 1. ～ 4. の船舶に乗り組む①～③の船員とその家族

○**保険料、資格取得・喪失**：P.16 参照

○**一部負担金**：被保険者（本人）、被扶養者（家族）ともに**3割**負担。ただし義務教育就学前（6歳に達する日以降の最初の3月 31 日までの期間）は**2割**負担。本人の場合、下船後**3ヵ月以内**の業務外（雇用契約存続中に職務外の事由により傷病を負った場合）における傷病に限り、自己負担は**0割**。これは船舶所有者の療養補償として給付されるもの

○**給付期間**：業務上の場合は治るまで。業務外の場合は被保険者である間

Keyword 【総合組合】

健康保険組合のうち、同業種が集まって作られた組合。独自で運営するため保険料率や付加給付など独自で決めることができる。

（5）自衛官等（の療養の給付）（法別番号 07）

自衛官等は、本来国家公務員ですが共済組合からの給付は行われません。この自衛官等の療養の給付は、**被保険者**（本人）だけを対象にしています。自衛官等の「家族」は国家公務員共済組合（31）の対象になります。自衛官の中でも「制服組（陸海空の三自衛隊において命令に服して隊務を行う自衛官）」が療養の給付（07）の対象で、事務職の勤務者は国家公務員共済組合（31）の対象になります。

○**保険者**：各駐屯部隊
○**対象者**：自衛官、訓練招集中の予備自衛官、各駐屯部隊の隊員、防衛大学校の学生などが対象、家族は対象ではない
○**保険料、被保険者の資格取得・喪失**：P.16 参照
○**一部負担金**：被保険者（本人）は**3 割**負担
○**給付期間**：治るまで

●自衛官診療証

自衛官には、「**自衛官診療証**」が発行されます。自衛官の場合、まず駐屯地・基地の衛生隊（医務室）で医官（自衛官の医師）や近傍病院の委託医師による診療を受けます。そして、ここでの治療が困難な場合や専門医の診察が必要な場合に、自衛隊病院や一般の病院で診療を受けます。

自衛官が駐屯地・基地の衛生隊や自衛隊病院で診療を受けると、薬まで含めて無料です。

一般の病院を受診するときは「自衛官診療証」を提示し、一部負担をしますが、残りは共済組合ではなく国が支払うしくみです。そのため、本人は「自衛官診療証」、家族は国家公務員共済の「組合員証」に分かれているのです。

（6）各種共済組合（法別番号 31 ～ 34）

国家公務員、地方公務員、警察勤務者、公立・私立学校教職員などは、それぞれの共済組合法に基づいて共済組合を作り、そこが保険事業を運営しています。

○**保険者**：国家公務員共済組合（31）、地方公務員等共済組合（32）、警察共済組合（33）、公立学校共済組合、日本私立学校振興・共済事業団（34）
○**対象者**：国家公務員、地方公務員、警察勤務者、学校の教職員とその家族
○**保険料、資格取得・喪失**：P.16 参照
○**一部負担金**：3 割（義務教育就学前の者は 2 割）
○**給付期間**：治るまで。資格喪失後に日雇特例被保険者（被扶養者）になったときは資格喪失後 6 ヵ月以内（特別療養給付）

Keyword 【海上保安官】
海上保安庁法に基づき、海上における犯罪防止や捜査、海難救助など、またこれらに関する事務を行う国家公務員。海上保安庁の潜水士は映画の中で「海猿」と呼ばれ、有名になった。

(7) 退職した場合の保険

退職した日の翌日から社保の資格がなくなりますが、必ず何かしらの保険に入らなければなりません。

1. 一般的な事業所の場合

①国民健康保険の被保険者になる

国民健康保険は前年度所得を基準に保険料（所得割部分）が算定されることから、退職後に所得がないにもかかわらず、退職時の高い所得に基づく保険料額が算定される場合があります。

②家族の健康保険などの被扶養者になる

原則として、日本国内に住所を有するものが認定対象ですが、被扶養者認定要件の改正省令（2020 年 4 月施行）により、外国において留学をする学生、日本からの海外赴任に同行する家族なども規定されました（被用者保険の被扶養者の範囲：P11 を参照）。

③任意継続被保険者制度

ココをCHECK！ **任意継続被保険者について（健康保険法第 36 条、第 37 条、第 38 条）**

退職すると、その翌日に健保（社保）の被保険者の資格を失い、国保の被保険者になります（健康保険法第 36 条、国民健康保険法第 7 条）が、任意継続被保険者の申請により、以下の場合は、退職しても元の勤務先の健康保険に、最長2年間、継続して被保険者となることができます。

これを任意継続被保険者制度といいます。

●加入条件 ココでた!!

①被保険者資格を喪失する前日まで継続して 2 ヵ月以上被保険者であったこと。

②資格を喪失した日（退職日の翌日）から 20 日以内に申請すること（勤務先で可）。

●資格喪失（いつでも脱退可）2022 年 1 月法改正

①加入日から 2 年を経過したとき

②納付期日までに保険料を納付しなかったとき

③就職して新たに被保険者になったとき

④死亡したとき

⑤後期高齢者医療制度の被保険者になったとき

⑥被保険者から資格喪失（任意脱退）の申し出があったとき（2022 年 1 月 1 日より）

2. 特例退職被保険者制度（法別番号 63、72 ～ 75）

一部の健康保険組合や共済組合に限り、定年退職後も、引き続き 75 歳になるまでの間、それまで所属していた健康保険組合の被保険者になることができる制度です。

この取り扱いのできる健康保険組合を「**特定**

	特定健康保険組合の種類	法別番号
社保	特定健康保険組合	63
	国家公務員特定共済組合	72
	地方公務員等特定共済組合	73
	警察特定共済組合	74
	公立学校特定共済組合 日本私立学校振興・共済事業団	75

Keyword **【自衛隊駐屯地】**

部隊が留まっている地のこと。全国約 160 ヵ所に部隊が配置されている。

健康保険組合」といい、厚生労働大臣の許可を受けなければなりません。この場合の退職被保険者を「**特例退職被保険者**」といいます。

Q 健康保険の任意継続被保険者が後期高齢者医療の被保険者に該当するに至ったときは、その至った日から任意継続被保険者の資格を喪失する。
➡ ○ そのとおり（健康保険法第3条および第38条）【第49回】
Q 健康保険の任意継続被保険者は、当該被保険者となった日から起算して1年を経過したときは、その翌日から資格を喪失する。
➡ × 【第39回・第44回】

保険者および被保険者の資格取得と資格喪失（健康保険法第35条、第38条）

1 被用者保険（社保）の概要

他人に雇われている人を対象にしている保険で「職域保険」ともいいます。会社や官公庁、学校などの職場に勤める人とその家族を対象とした健康保険です。

●**健康保険の保険者**は、全国健康保険協会と健康保険組合（日雇特例被保険者を除く）です（健康保険法第4条）。ココでた!!

●全国健康保険協会管掌健康保険の保険料は、都道府県ごとの支部被保険者を単位として、全国健康保険協会が決定します（健康保険法第160条の1）。ココでた!!

健康保険料の金額は、被用者（本人）の報酬により定められていて毎月給料から引かれますが、原則労使折半のため、事業主は被用者の保険料の1/2を負担することになっています（健康保険法第161条）。ココでた!!

被用者保険（社保）では、被用者1人分の保険料で本人と被扶養者（家族）全員、人数に関係なく保険の適用が受けられます。

●**被保険者の資格取得日**は、**事業所で初めてその仕事に就いた日です**（健康保険法第35条）。

●**被保険者の資格喪失日**は、被保険者が死亡した場合や退職した場合などにより**事業所に使用されなくなった日の翌日です**（健康保険法第36条）。ココでた!!

※他の保険の被保険者になった場合はその日から（第36条）。

Q 健康保険（日雇特例被保険者の保険を除く）の保険者は、全国健康保険協会および健康保険組合である。
➡ ○ そのとおり（健康保険法第4条）【第35回・第48回】
Q 全国健康保険協会管掌健康保険の保険料は、都道府県を単位として、厚生労働大臣が決定する。
➡ × 都道府県ごとの支部被保険者を単位として全国健康保険協会が決定する（健康保険法第160条の1）【第35回・第45回】

2 国民健康保険（国保）の概要

地域住民を対象にしている保険で「**地域保険**」ともいいます。社保に加入している者、生活保護世帯、一時的な滞在者を除いて、すべて国保に加入します。国保の保険者番号には法別番号がなく、都道府県番号から始まる**6桁**で構成されています。

国保には、一般国保と組合国保があります。求職中の人や農業や商店などを営む自営業者などに対して市町村が行う「**市町村国保**（一般国保）」と、個人で開業している開業医や理容業など、同業者たち（300人以上の同意が必要）によって設立された「**組合国保**（国保組合）」です。国保の場合、被保険者は世帯主とその家族全員を指します（被扶養者という区別はない）。

ココでた!!

- **国民健康保険**の保険者は、都道府県・市町村と特別区並びに**国民健康保険組合**です（国民健康保険法第3条第1項、第3条第2項）。 ココでた!!
- **保険料**は、一般国保は地方税法の規定により、市町村（特別区）ごとに前年の所得や被保険者の人数等により保険料が定められていますが、組合国保の場合は組合ごとに保険料が定められています（地方税法第703条の4）。 ココでた!!
- **被保険者の資格取得日**は、一般国保は市町村または特別区の区域内に住所を有した日（国民健康保険法第5条）。組合国保は各組合の規定によります。加入申し込みを受理した日が一般的です。 ココでた!!
- **被保険者の資格喪失日**は、一般国保の資格喪失日は被保険者が死亡した場合やその区域内に住所を有しなくなった場合はその翌日（転出の翌日）です。生活保護法の適用を受けるようになった場合[注1)]は、その日から資格を失います。組合国保は組合員が死亡した場合や組合員でなくなった日の翌日です。

注1）生活保護法による保護を受けることになった場合、国民健康保険や後期高齢者医療制度の被保険者の資格は喪失することになるが、被用者保険はその限りではない（国民健康保険法第8条、高齢者の医療の確保に関する法律第53条、健康保険法第36条）。 ココでた!!

Q 国民健康保険の保険者は、市町村および特別区並びに国民健康保険組合である。
➡ ○　そのとおり（国民健康保険法第3条）【第35回・第44回・第55回】

Q 国民健康保険においては、都道府県および国民健康保険組合単位で事業を行い、被保険者証もそれぞれが交付する。
➡ ×　国民健康保険においては、市町村または特別区および国民健康保険組合単位で事業を行い、被保険者証もそれぞれが交付する（国民健康保険法第85条）【第32回・第39回】

Q 国民健康保険の被保険者は、生活保護法による保護を受けるに至った日の翌日から、その資格を喪失する。
➡ ×　国民健康保険の被保険者は、生活保護法による保護を受けるに至った日から、その資格を喪失する（国民健康保険法第8条第2項）【第45回・第50回】

Keyword【国保連合会】
国民健康保険法第83条、84条により、全国47都道府県にそれぞれ1つ設立されている。

保険者および被保険者の資格取得と資格喪失（国民健康保険法第8条）

（1）国民健康保険（一般国保）

社保に加入していない地域住民を対象とすることから「**地域保険**」ともいわれます。個々の市区町村が運営する「**一般国保**」の保険料は、世帯ごとに収入や世帯人数等により算出されますが、算出割合は各市区町村が個々に定めるので、住んでいる市区町村によって保険料が異なります。

○**保険者**：都道府県・市町村および特別区

○**対象者**：社保に加入していないその地域の住民で、農林業・自営業・自由業・求職者など

○**保険料（税）**：各市町村で、加入世帯ごとに前年の所得割、世帯別平等割、資産割などを組み合わせて計算された保険料の納入通知書の金額を、世帯主が保険者に、期限までに納入します

○**資格取得日**：資格取得日は、市町村または特別区の区域内に**住所を有した日**（国民健康保険法第５条）。**会社退職の場合は退職日の翌日（生活保護適用者を除く）**

○**資格喪失日**：被保険者が死亡した日やその区域内に**住所を有しなくなった日の翌日**（転出の翌日）。社保に**変更した場合は、加入日の翌日から（生活保護法適用者を除く）**

※なお、資格の取得・喪失の届出を、その日から 14 日以内に世帯主が市町村に提出しなければならない（国民健康保険法第 76 条）

○**一部負担金**：P.16 参照（協会けんぽ）

○**給付期間**：治るまで

（2）国民健康保険組合（組合国保）

市区町村が運営する一般国保の他に、「**組合国保**（国保組合）」があります。これは個人で開業している開業医や理容業などの同業者たち 300 人以上の同意によって、同業者の国民健康保険組合を設立するものです。設立の際は、15 人以上の発起人が規約を作り、組合員となる 300 人以上の同意を得て、都道府県知事の許可を得なければなりません。ココでた!!

Q 市町村が行う国民健康保険の被保険者は、当該市町村の区域内に住所を有しなくなった日の翌日から、その資格を喪失する。

➡ ○ そのとおり（国民健康保険法第８条）【第 34 回】

Q 医療保険各法の被保険者は、生活保護法による保護を受けることになった日から、その資格を喪失する。

➡ × 生活保護法による保護を受けることになった場合、国民健康保険や後期高齢者医療制度の被保険者の資格は喪失することになるが、被用者保険各法の資格は喪失しない（国民健康保険法第８条第２項、高齢者の医療確保に関する法律第 53 条、健康保険法第 36 条）【第 39 回・第 45 回】

Keyword【組合国保】

同業の自営業者が作った国保のこと。開業医の「医師国保」、理容業の「理容国保」などがある。

後期高齢者医療制度

3 後期高齢者医療制度の概要

これまでの「社保」や「国保」の医療保険から切り離して独立させて運営されているもので、2008年4月に導入された制度です。**後期高齢者医療広域連合**が運営の主体となります。75歳以上が対象ですが、当該区域内に住所を有する65歳以上75歳未満の者で、厚生労働省令で定め、政令で定める程度の障害の状態にあると認定を受けた者も対象となります（高齢者の医療の確保に関する法律第50条）。ココでた!!

●後期高齢者医療制度（法別番号39）

後期高齢者医療制度では、後期高齢者1人ひとりが被保険者となります。特別地方公共団体である後期高齢者医療広域連合から、1人ずつに被保険者証が交付されます（**生活保護受給者**を除く）。したがってその保険料も、後期高齢者が自分で納めることになります。

●**後期高齢者医療制度の保険者**は、後期高齢者医療広域連合です（都道府県単位ですべての市町村が加入）。

●後期高齢者医療広域連合の業務

各都道府県に1団体、全国に47ヵ所あり、区域内のすべての市区町村が加入する団体です。市区町村と連携して「**被保険者証の交付**」「**保険料の決定**」「**保険給付**」等を行います。

●市区町村の業務 ココでた!!

後期高齢者医療広域連合が決定した「**保険料の徴収**」「**申請や届出の受付**」「**被保険者証の受け渡し**」を行います。年額18万円以上の年金受給者に関しては、保険料を年金から天引き（特別徴収）し、特別徴収の対象とならない場合は、口座振替などの方法で市区町村に納付する普通徴収を行います。

●対象者 ココでた!!

75歳以上（65歳以上で一定以上の障害がある者を含む）の高齢者。75歳の誕生日から被保険者になります（手続きは不要）。

一定以上の障害とは

①身体障害者手帳1級から3級のすべて
②身体障害者手帳4級の一部<下記ア～エ>
　ア.下肢障害4級1号（両下肢のすべての指を欠くもの）
　イ.下肢障害4級3号（1下肢を下腿1/2以上で欠くもの）
　ウ.下肢障害4級4号（1下肢の著しい障がい）
　エ.音声・言語・そしゃく機能障がい
③療育手帳A（重度）

Keyword **【後期高齢者医療制度】**

従来の老人保健制度が2008年4月から「高齢者の医療の確保に関する法律」に基づいて「後期高齢者医療制度」に代わった。財政運営の責任の明確化が目的で、給付内容は老人保健制度と同様。

④国民年金法による障害基礎年金1・2級
⑤精神障害者福祉手帳1・2級

●**患者負担割合**

1割	一般	
2割	一定以上所得者 （2022年10月～）	①課税所得28万円以上で、 かつ②「年金収入＋その他の合計所得金額」が ・単身世帯で200万円以上　・複数世帯で320万円以上　の場合
3割	現役並み所得者	①標準報酬月額28万円以上 ②課税所得145万円以上等（例外規定あり）
注）外来受診については、2025年9月まで移行措置として、1割負担の場合と比べた1月分の患者の負担増額を最大3,000円とする。つまり、上限額を超えた分は、窓口での支払いはなく、同一医療機関での受診は現物給付されることとなった。		

●**財源**

後期高齢者医療制度の財源は、「**公費**（国4：都道府県1：市区町村1）」「**国保・社保からの支援金**」「**後期高齢者からの保険料**」です。

●**保険料**は、世帯単位で保険料が計算される国民健康保険とは異なり、後期高齢者医療制度では「個人単位」で保険料が計算されることになります。後期高齢者医療広域連合が決定した保険料を年金の支払期ごとに、原則、年金支給分から保険料が自動天引き（特別徴収）されます。年額18万円以上の年金受給者からは、**特別徴収**し、特別徴収の対象とならない場合は、口座振替などで市町村に**普通徴収**の方法で納付します。

●**被保険者の資格取得日**は、当該後期高齢者医療広域連合の区域内に住所を有する者が75歳に達した日、または75歳以上の者が当該後期高齢者医療広域連合の区域内に住所を有した日です。当該後期高齢者医療広域連合の区域内に住所を有する65歳以上75歳未満の者で、厚生労働省令で定め、政令で定める程度の障害の状態（高齢者の医療の確保に関する法律第50条第2号の状態）にあると認定を受けた人も該当します。ココでた!!

●**被保険者の資格喪失日**は、①後期高齢者医療広域連合の区域内に住所を有しなくなった日、②厚生労働省令で定め、政令で定める程度の障害の状態（高齢者の医療の確保に関する法律第50条第2号の状態）に該当しなくなった日、③生活保護法の保護を受けている者に該当するに至った日です。

Q **後期高齢者医療広域連合が行う後期高齢者医療の被保険者資格は、当該広域連合の区域内に住所を有する75歳以上の者でなければ取得できない。**

➡ ×　後期高齢者医療広域連合の区域内に住所を有する75歳以上の高齢者の他に、65歳以上75未満の者で厚生労働省令で定め、政令で定める程度の障害の状態にあると認定を受けた者も対象となる（高齢者の医療の確保に関する法律第50条）【第30回・第45回】

Q **後期高齢者医療制度の療養の給付に係る一部負担金は、高齢者の医療の確保に関する法律により、10円未満の端数を四捨五入して10円単位で支払うことが定められている。**

➡ ○　そのとおり（高齢者の医療の確保に関する法律第68条）【第44回・第49回・第51回】

Keyword **【標準報酬月額】**

標準報酬月額の基礎となる報酬は、給料、各種手当、賞与、その他被保険者が労務の対償として受けるもの（見舞金や年3回以下の賞与は除く）。

保険給付の概要

□保険給付の基本を理解する
□保険給付の範囲や制度について理解する
□保険給付の種類を理解する

保険給付も一定のきまりのもとで行われています。保険医療機関（医療施設）や保険医（医師）が保険診療を行ううえで守らなければならない基本的な約束事については、後述する「療養担当規則」（P.63）で説明し、ここでは保険給付の概要についてみていきましょう。

保険給付の範囲（療養の給付）

健康保険の被保険者が業務以外の事由により病気やケガをした場合、または被扶養者が病気やケガをした場合は健康保険で治療を受けることができます。このように保険診療によって治療を受けることを「**療養の給付**」といいます。その範囲は次のとおりです（健康保険法第 63 条、療養担当規則第 1 条）。

【療養の給付の内容】

1．診察
2．薬剤または治療材料の支給
3．処置、手術その他の治療
4．在宅で療養する上での管理、その療養に伴う世話、その他の看護 ココでた!!
5．病院や診療所への入院、その療養の伴う世話、その他の看護 ココでた!!

保険診療としては認められないものには、次のようなものがあります。

【療養の給付にならないもの】

1．業務上や通勤途上の病気やケガ※1 ココでた!!
2．単なる疲労やけん怠
3．隆鼻整形、二重まぶた整形、ホクロやシミ取りなどの美容整形
4．先天的なアザなど

5. 正常な妊娠、出産 ココでた!!
6. 健康診断など、それを目的とする検査
7. 予防接種
8. 経済上の理由による妊娠中絶

※1 業務上の病気やケガについては、労災保険（労働者災害補償保険法）による給付がされる。通勤途中の交通事故によるケガについては、保険者が損害賠償請求権を取得した場合は、健康保険の療養の給付が行われることがある（健康保険法第55条第1項および第57条）。

給付の制限があるもの（不正または不当な行為に対する制限）として、次のようなものがあります。

（健康保険法第116条から第122条）
健康保険制度の趣旨に反する恐れや公共性の見地から、一定の条件のもとに給付の全部又は一部について給付制限があります。
具体的には、下記のとおりです。
①故意の犯罪行為又は故意に事故をおこしたとき
②けんか、よっぱらいなど著しい不行跡により事故をおこしたとき
③正当な理由がなく医師の指導に従わなかったり保険者の指示による診断を拒んだとき
④詐欺その他不正な行為で保険給付を受けたとき、又は受けようとしたとき
⑤正当な理由がないのに保険者の文書の提出命令や質問に応じないとき

Q 健康保険法においては、労働者の業務外の事由による疾病又は負傷に対して、保険給付が行われるものであり、死亡又は出産については、その対象とはならない。
➡ × 健康保険法の目的は、「労働者又はその被扶養者の業務災害以外の疾病、負傷もしくは死亡又は出産に関して保険給付を行い、もって国民の生活の安定と福祉の向上に寄与する」ことであり、死亡や出産も対象となる（健康保険法第1条）【第44回・第49回】

保険給付の時効

民法上の時効は10年ですが、健康保険法上では保険給付を受ける権利は、**受けることができるようになった日の翌日から2年**で時効になります。
時効の起算日は次のとおりです。

給付の種類	給付の時効の起算日（下記の日から２年過ぎると給付の権利は消滅）
療養費	療養に要した費用を支払った日の翌日
高額療養費	診療月の翌月１日（自己負担分を診療月の翌月以降に支払ったときは支払った日の翌日）
移送費	移送に要した費用を支払った日の翌日
傷病手当金	労働不能であった日ごとにその翌日
出産手当金	出産日の翌日
出産育児一時金	出産日の翌日
埋葬料（費）	埋葬料は死亡した日の翌日
	埋葬費は埋葬した日の翌日

出典：全国健康保険協会資料

保険外併用療養費

保険外併用療養費制度は、「評価療養」「選定療養」「患者申出療養」の３つに大別されます。「患者申出療養」は未承認薬の使用など、患者の申し出に基づき、個別に認可される医療で、2016年に導入されたものです。

保険で認められている治療法と保険で認められていない治療法を併用した、いわゆる「**混合診療**」は原則禁止しており、保険外のものがわずかでも含まれると保険適用の部分も認められず、すべて**自由診療**として自費扱いになります。ただし、次にあげる「評価療養」と「選定療養」については、保険診療と自由診療の併用が認められています。

評価療養または選定療養と組み合わせた保険診療についてのみ、保険適用の部分に保険給付が行われます。この部分を「**保険外併用療養費**」といいます。

【評価療養】…保険導入のための評価を行うもの（5 種類）

①先進医療

②医薬品・医療機器・再生医療等製品の治験に係る診療

③医薬品医療機器等法で承認された保険収載前の医薬品・医療機器・再生医療等製品の使用

④薬価基準収載医薬品の適応外使用（用法・容量・効能・効果の一部変更の承認申請がなされたもの）

⑤保険適用医療機器、再生医療等製品の適用外使用（使用目的・効能・効果等の一部変更の承認申請がなされたもの）

【選定医療】…保険導入を前提としないもの（11 種類） ココでた!!

①特別の療養環境（入院差額ベッド代）の提供

②歯科の金合金等

③金属床総義歯

④予約診療

⑤患者希望の時間外の診療

⑥ 200 床以上の大病院の紹介なしの初診※1

⑦ 200 床以上の病院の再診※1

⑧小児う蝕の指導管理

⑨患者都合による長期入院（180 日以上の入院 ）

⑩制限回数を超える医療行為

⑪水晶体再建に使用する多焦点眼内レンズ

※1 定額負担徴収の対象病院に紹介状なしで受診した場合、原則、定額徴収を責務とすることが 2016 年改正により定められました。最低金額は、初診が 5,000 円、再診は 2,500 円が保険診療とは別に徴収されます（2022 年 10 月 1 日より、初診時 7,000 円以上、再診時 3,000 円以上に変更された）。

例）先進医療の手術を行った場合（3 割負担の患者の場合）

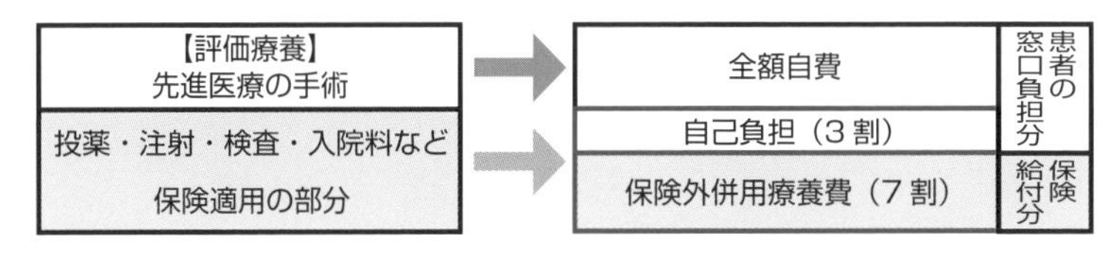

Q 健康保険においては、通勤途中の事故による傷病について、療養の給付を受けることができる。

➡ × 通勤途中の事故による傷病については、労災保険から療養の給付を受ける（健康保険法第 55 条、労働者災害補償保険法第 1 条）【第 31 回】

Q 通勤途中の事故および交通事故によって発生した傷病については、被用者保険による療養の給付は行われない。

➡ × 交通事故に関しては、保険者が損害賠償請求権を取得した場合、被用者保険による療養の給付が可能である（健康保険法第 55 条第 1 項および第 57 条）【第 35 回・第 39 回】

Q 保険者は交通事故や損害事件など第三者の行為によって生じた傷病について療養の給付を行ったときは、その限度において第三者に対する損害賠償請求権を取得する。

➡ ○ （健康保険法第 1 条、57 条）【第 30 回】

Q 病気やけがの原因が交通事故など第三者の行為によるものであっても、業務外であれば保険給付の対象となる。

➡ ○ そのとおり。労働者の業務外の事由による疾病、負傷若しくは死亡または出産及びその被扶養者の疾病、負傷、死亡または出産に関して保険給付を行う（健康保険法第 1 条、第 57 条）【第 32 回・第 47 回】

Q 被保険者の喧嘩闘争、泥酔または著しい不行跡により生じた事故については、保険者は保険給付の全部または一部を行わないことができる。

➡ ○ 保険給付の制限による（健康保険法第 117 条）【第 33 回】

Q 正常分娩について、保険医療機関において保険医の手当てを受けたときは、療養の給付として取り扱う。

➡ × 正常分娩に係る費用は療養の給付として取り扱われない。なお、医師の手当てを要する異常分娩の際に行った処置・手術等は療養の給付の対象となる。出産に関しては出産育児一時金と出産手当金が支給される（健康保険法第 52 条）【第 31 回】

法定給付（現物給付と現金給付）と付加給付（独自）

保険給付を大別すると、法定給付と付加給付があります。法定給付とは、健康保険法によって、その種類と要件が定められているもので、「**現物給付**」と「**現金給付**」があります。

付加給付はそれぞれの健康保険組合が独自に行うことができる給付で、法定給付に上乗せされるものです。各健康保険組合の規約の定めるところにより、保険給付としてその他の給付を行うことができます（健康保険法第 53 条）。

一般的には、保険医療機関での診療行為である「現物給付（療養の給付）」がイメージしやすいのですが、下図のように、たくさんの種類の「現金給付」があります。

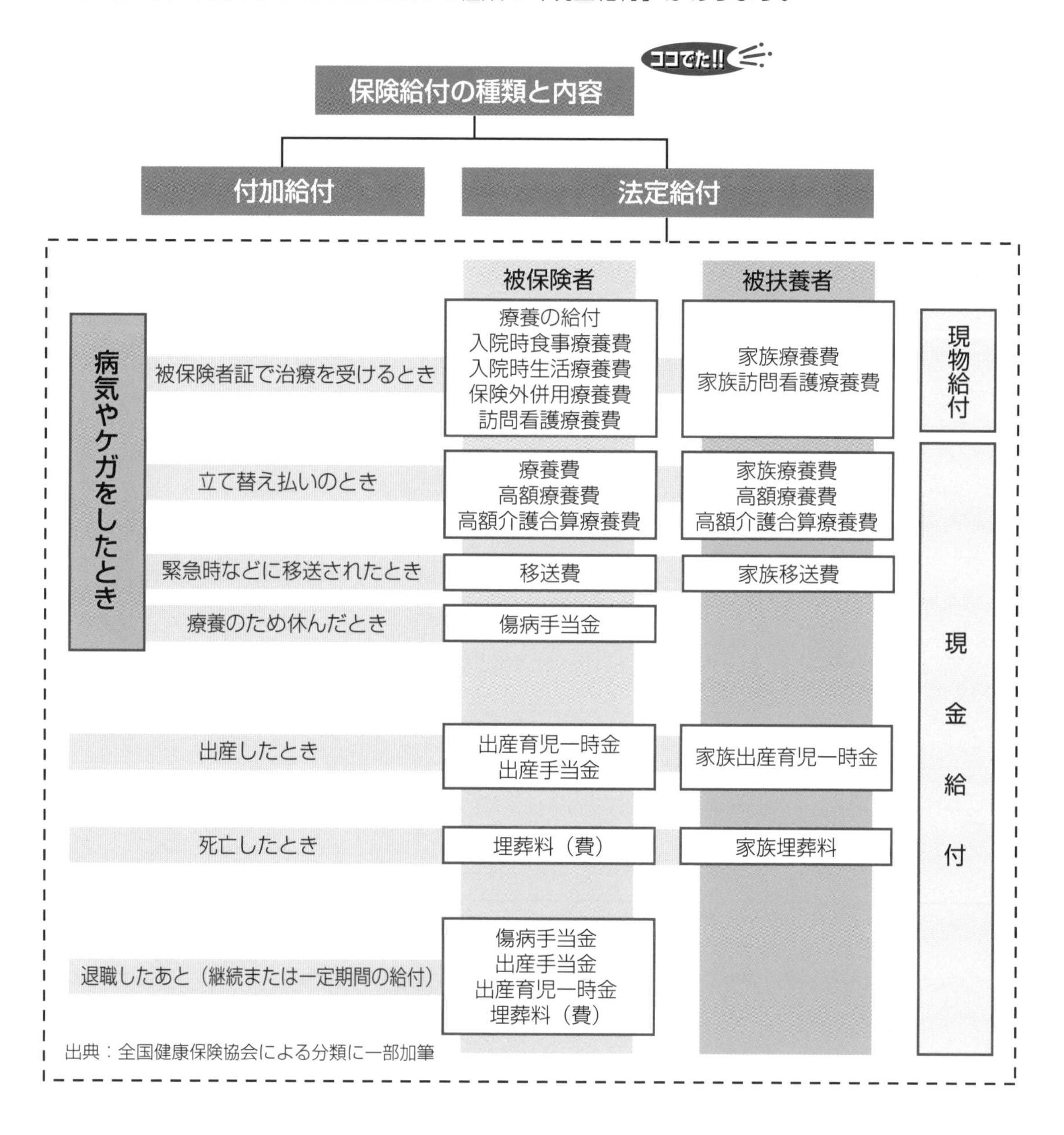

Q 健康保険組合は、健康保険法で定められた保険給付に併せて、規約の定めるところにより、保険給付としてその他の給付を行うことができる。
➡ ○ そのとおり（健康保険法第53条）【第44回】

現金給付の詳細

現物給付は、第2章で学習する診療報酬請求事務（レセプト作成）に直結しているので、先に現金給付について説明しましょう。

（1）移送費 ココでた!!

移送費とは、被保険者（被扶養者）が病気やケガで移動が困難な場合、医師の指示のもとで一時的・緊急的に病院又は診療所に移送された場合は、**厚生労働省令で定めた金額**を、移送費として保険者から支給されるものです（健康保険法第97条、健康保険法施行規則第95条）。

ココをCHECK! **移送費とは**

移送費は、医師の「意見書」と移送経路、移送方法、移送年月日を記載した「事実を証する書類」を添付します。移送費は、最も経済的な通常の経路及び方法により移送された場合の旅費に基づいて算定した額の範囲での実費です。なお、必要があって医師等の付添人が同乗した場合は、「必要と認めた理由」の書類が必要です（健康保険法施行規則第82条第2項）。

≪支給の要件≫（健康保険法施行規則第81条）

保険者が次のいずれにも該当すると認める場合に移送費が支給される。

①移送の目的が保険診療の適切なものであること。

②患者が病気やケガで移動が困難な場合であること。

③緊急、その他やむを得なかったこと。

Q 被保険者が療養の給付を受けるため、病院または診療所に移送された場合は、保険者が必要と認めたときに限り、移送費が支給される。
➡ ○ そのとおり（健康保険法第97条第2項、健康保険法施行規則第81条）【第36回】

（2）傷病手当金

傷病手当金とは、被保険者が病気やケガのために労務に服することができない間の生活の保障をするため現金で支給されるものです。ただし任意継続被保険者には傷病手当金は支給されません（健康保険法第104条）。

Keyword **【現金給付】**
医療保険はたんに病気やケガの治療に対するものだけでなく、会社を長期間休んだ時、出産や葬祭の時などには、現金で一定の費用が給付される。現金給付は原則領収証を提出（立替払い）して後から払い戻しされる事後申請。

≪支給の要件≫（健康保険法第 99 条～第 109 条）

①その労務に服することができなくなった日から起算して**３日を経過した日から**労務に服することができない期間、傷病手当金として、１日につき、（支給開始日以前の継続した12ヵ月間の各月の標準報酬月額を平均した額）÷30日×2/3に相当する金額が支給される。※５円未満の端数は切り捨てで四捨五入して支給される。

②支給開始日とは、一番最初に給付が支給された日のこと（2016年4月施行）。

③傷病手当金の支給期間は、2022年１月１日から改正され通算化された。同一の疾病または負傷及びこれにより発した疾病に関しては、その支給を始めた日から通算して１年６ヵ月に達する日まで対象となる。

④任意継続者を除く。

⑤労務に服せない間も給与の支給がある場合、

・支給日額が傷病手当金の日額より多く支払いを受けている場合は、傷病手当金の対象にはならない。

・支給日額が傷病手当金の日額より少なく支払いを受けている場合は、傷病手当金はその差額が支給される。

単に疲労回復のために会社を休んでいる場合などは対象とはなりません。受給には下記の書類を添付し保険者に申請しなければなりません（健康保険法施行規則第 84 条第２項）。

ア．発生の年月日、原因、主症状、経過の概要、期間に関する「医師の意見書」

イ．事業主の証明書

傷病手当金の支給

労務に服することができなくなった日から起算して**３日を経過した日から**

↓

会社を休んだ日が連続して３日間（この間は「待機期間」で給付対象とはならない）あった上で、さらに４日目以降も休業が続いた場合に、給付が開始される。

2022 年１月１日から傷病手当金の支給期間が通算化された。支給開始日から通算して１年６ヵ月の範囲で支給される。

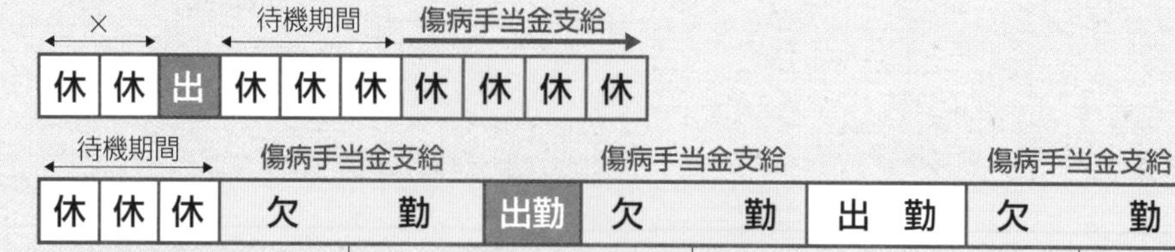

※**日雇・日雇特例（03、04）**の対象者は、１日につき、最大月間標準日額総額の 1/45 が６ヵ月（結核性は１年６ヵ月）分支給される（３日待機）。

※**船員保険（02）**の対象者は、１日につき、標準報酬日額の 2/3 が３年分支給される（３日の待機期間なし）。

※**教職員（34）**の対象者は、１日につき、標準給与日額の 80%（私立）、2/3 × 1.25（公立）が１年６ヵ月（結核性は３年）分支給される。

（3）出産育児一時金

出産育児一時金（家族出産育児一時金）とは、被保険者および被扶養者が妊娠22週以降に**出産した場合**※1に、1児につき50万円（産科医療補償制度の未加入医療機関で出産した場合は、2023年4月1日からは48万8,000円）が、保険者から支給されるものです。

【支給額】※2023年4月1日から支給額が変わりました。

産科医療補償制度に加入の医療機関等で出産	妊娠週数22週以降に出産した場合	1児につき50万円
	妊娠週数22週未満で出産した場合	1児につき48万8,000円
産科医療補償制度に未加入の医療機関等で出産	—	

●1児につき50万円。三つ子を出産した場合は150万円（50万円×3）。

（健康保険法第101条、104条、健康保険法施行規則第86条、97条）

※1　出産とは、次のいずれかに該当する場合をいい、保険医療機関に支払う出産費用等として、被保険者または被扶養者に支給される。

≪支給の要件≫

①妊娠12週以上（85日以降）であること。

②「①」であれば、流産、早産、死産、人工妊娠中絶※2は問わない。

※2　経済上の理由による人工妊娠中絶は、医療保険での診療（療養の給付）の対象ではないが、出産育児一時金の対象にはなる。

【被保険者だった者が資格喪失後(退職後)に出産育児一時金の給付を受ける場合】

資格喪失後（退職後）であっても、次のすべてを満たしている場合には、保険者から出産育児一時金を受けることができます。被扶養者であった家族の出産は対象外です。

①妊娠12週以上（85日以降）の出産であること。

②資格喪失日の前日（退職日）までに継続して1年以上被保険者としての期間（任意継続被保険者期間は除く）があること。

③資格喪失後（退職日の翌日）から6ヵ月以内の出産であること。

〈健康保険法第106条〉

ZOOM UP!

出産・子育て応援給付金（2023年1月～）

出産や育児に伴う経済的負担を軽減するために給付金が支給されるという新しい制度。自治体により給付方法や給付のタイミングが異なるため、詳細については各自治体の担当窓口に確認すること。

（4）出産手当金

出産手当金とは、被保険者が出産のために会社を休んだ場合、その間の生活の保障や産前産後の休養を安心してできるよう現金で支給されるものです。支給期間は、出産の日（実際の出産が予定日後のときは出産の予定日）以前**42日目**（多胎妊娠の場合は**98日目**）から、出産の日の翌日以後56日目までの範囲内で会社を休んだ期間について支給されます。

出産が予定日より早まった場合でも、また、遅れた場合でも、出産日の翌日から56日目までのカウントで支給されます（健康保険法第102条、健康保険法施行規則第87条）。

※**日雇・日雇特例（03、04）**の対象者は、1日につき、最大月間標準日額総額の45分の1が支給される。
※**教職員（34）**の対象者は、1日につき、標準給与日額の80%（私立）、2/3×1.25（公立）が支給される。

≪支給の要件≫（健康保険法第102条）

①出産手当金として、1日につき、（支給開始以前の継続した12ヵ月間の各月の標準報酬月額を平均した額）÷30日×2/3に相当する金額が支給される（健康保険法第102条）。※10円未満は四捨五入して支給される。
②支給開始日とは、一番最初に給付が支給された日のこと（2016年4月施行）。
③出産以前42日目（多胎妊娠の場合は98日目）から出産の日の翌日以降56日目まで。
④任意継続者を除く（健康保険法第104条）。
⑤出産手当金を支給する場合、その期間、傷病手当金の受給に該当していても二重に支給はされず、傷病手当金が支払われた場合は、その支払われた傷病手当金は、出産手当金の内払となる（健康保険法第103条）。

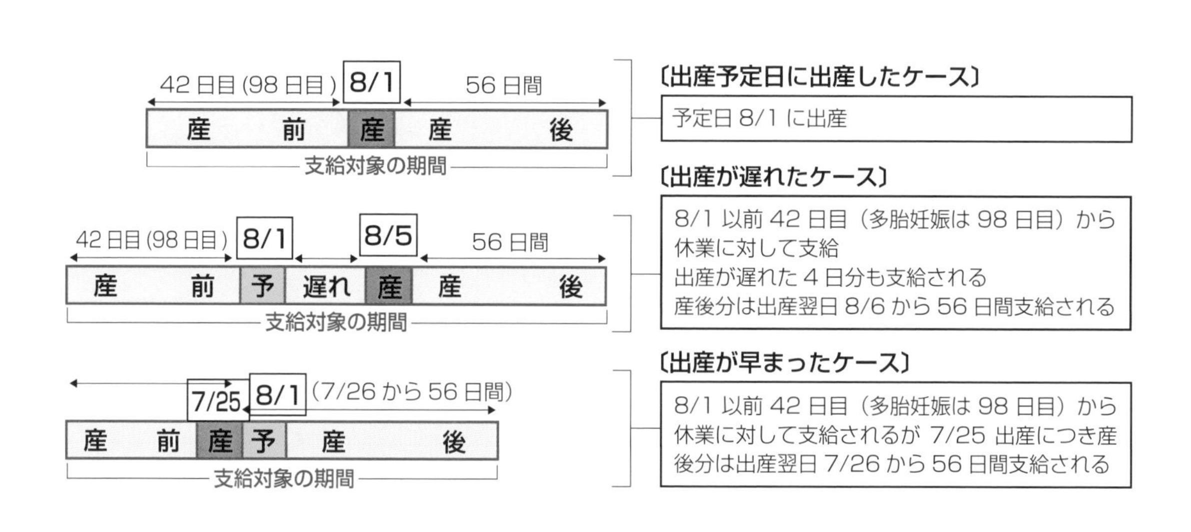

（5）埋葬料・埋葬費

埋葬料とは、被保険者が死亡した時に、家族など、**被保険者によって生計を維持していた者**が埋葬を行った場合に、その執り行った者に対して、被保険者の最後の保険者から一律５万円が支給されます。

埋葬費とは、被保険者が死亡した時に、近所の方など、**被保険者によって生計を維持していた者でない者**が埋葬を行った場合に、その執り行った者に対して、埋葬に要した実費（上限５万円を限度）が支給されるものです（健康保険法第100条、第105条、健康保険法施行規則第85条）。

船員保険の対象者の場合は、付加給付があります（船員保険法第72条、第80条）。

≪埋葬料支給の要件≫

１．本人が死亡した場合

①被保険者本人が死亡した場合に**葬祭料**として支給される。

②被保険者の資格喪失後3ヵ月以内に死亡した時、**葬祭料**として支給される。

・**葬祭料**の金額は、業務外は**一律５万円**。

・その他、**葬祭料付加金**として葬祭を行った家族に対して被保険者の資格喪失当時の標準報酬月額の２ヵ月分から葬祭料の５万円を控除した額が支給される。

※家族以外の者が葬祭を行った場合は、葬祭に要した実費（標準報酬月額２ヵ月分を限度）から葬祭料を控除した額が、葬祭を執り行った者に支給される。

２．家族が死亡した場合

①家族など被扶養者が死亡した場合は**家族葬祭料**として支給される。

・家族葬祭料の金額は、一律５万円。

・その他、保険者独自で**家族葬祭料付加金**が支給される場合もある。

ZOOM UP!

埋葬費は上限５万円

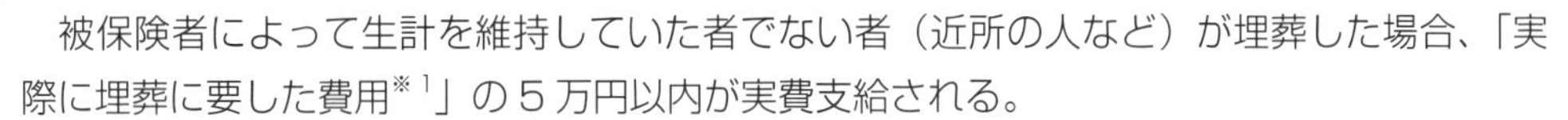

被保険者によって生計を維持していた者でない者（近所の人など）が埋葬した場合、「実際に埋葬に要した費用※1」の５万円以内が実費支給される。

※1　霊柩車代、霊柩運搬代、霊前供物代、火葬料、僧侶の謝礼等が対象となる。

（6）高額療養費

高額療養費制度とは、医療費が高額になることで十分な治療が受けられないことがないように、保険医療機関や保険薬局で支払った金額が１月の中で一定の限度額を超えた場合、本人の申請により、差額分が「高額療養費」として支給される制度です。保険外併用療養費の自己負担分や入院時食事療養費・入院時生活療養費の自己負担分については対象外です。ココでた!!

年齢区分や所得区分によって次のように分かれます。

● 70 歳未満の場合

	高額療養費制度（医療保険）			高額医療＋高額介護合算制度／年単位の上限額
	対象者	月単位の上限額	多数該当の場合（4 回目以降）	
〔区分ア〕年収約 1,160 万円以上	健保：標準報酬月額 83 万円以上 国保：年間所得 901 万円超	252,600円＋(総医療費－842,000円)×1％	140,100 円	212 万円
〔区分イ〕年収約 770 万～ 1,160 万円	健保：標準報酬月額 53 万～ 79 万円 国保：年間所得 600 万～ 901 万円	167,400円＋(総医療費－558,000円)×1％	93,000 円	141 万円
〔区分ウ〕年収約 370 万～ 770 万円	健保：標準報酬月額 28 万～ 50 万円 国保：年間所得 210 万～ 600 万円	80,100円＋(総医療費－267,000円)×1％	44,400 円	67 万円
〔区分エ〕年収 370 万円以下	健保：標準報酬月額 26 万円以下 国保：年間所得 210 万円以下	57,600 円	44,400 円	60 万円
〔区分オ〕住民税非課税	低所得者	35,400 円	24,600 円	34 万円
高額長期疾病患者［慢性腎不全、血友病、HIV の患者］の自己負担限度額（月額）：**1 万円**。ただし、人工透析を要する上位所得者（標準報酬月額 53 万円以上）については **2 万円**。				

※70歳未満の自己負担限度額は、①医療機関ごと、②医科・歯科別、③入院・外来別に適用。
※「低所得者」とは、世帯員全員が①市町村民税非課税者、あるいは②受診月に生活保護法の要保護者であって、自己負担限度額や食事標準負担額の減額による保護が必要でなくなる者。
※「多数該当」は、直近1年間における4回目以降の自己負担限度額（月額）。

●高額療養費制度（70 歳以上）

対象者（70 歳以上）	自己負担限度額（月額）		多数該当（4 回目以降）
	世帯単位（入院・外来）	個人単位（外来）	
［現役並所得Ⅲ］ 年収約1,160万円以上 標準報酬月額83万円以上／課税所得690万円以上	252,600 円＋(総医療費－ 842,000 円)×1％		140,100 円
［現役並所得Ⅱ］ 年収約 770 万～ 1,160 万円 標準報酬月額 53 万円以上／課税所得 380 万円以上	167,400 円＋(総医療費－ 558,000 円)×1％		93,000 円
［現役並所得Ⅰ］ 年収約 370 万～ 770 万円 標準報酬月額 28 万円以上／課税所得 145 万円以上	80,100 円＋(総医療費－ 267,000 円) ×1％		44,400 円
一般　年収約 156 万～ 370 万円 標準報酬月額 26 万円以下／課税所得 145 万円未満	57,600 円	18,000 円（年間上限 144,000 円）	44,400 円
低所得者Ⅱ（住民税非課税）	24,600 円	8,000 円	
低所得者Ⅰ（住民税非課税／所得が一定以下）	15,000 円	8,000 円	

※高額長期疾病患者(慢性腎不全、HIV、血友病の患者)の自己負担限度額(月額)は1万円。

(1)「低所得者Ⅱ」は世帯員全員が①市町村民税非課税者、あるいは②受診月に生活保護法の要保護者であって、自己負担限度額・食事標準負担額の減額による保護が必要でなくなる者
(2)「低所得者Ⅰ」は世帯員全員が「低所得者Ⅱ」に該当し、さらにその世帯所得が一定基準以下
(3)70歳以上の自己負担限度額は、世帯単位(入院・外来含む)・個人単位(外来のみ)別に適用。保険外併用療養費の自己負担分や入院時食事療養費・入院時生活療養費の自己負担分については対象外
(4)多数該当:直近1年間における4回目以降の自己負担限度額(月額)。「低所得者Ⅱ」「低所得者Ⅰ」の区分については、多数該当の適用はない
(5)世帯合算:同一月に同一世帯内でかかった自己負担額の合算額に対して高額療養費が適用される

医療保険制度の問題の解き方

医療保険制度が出題されたら、まずP.15の医療保険(障)制度の体系の一覧を確認します。法別番号・負担割合の問題ならこれを参照し、それぞれの制度なら、社保はP.16〜21、国保はP.22〜23で確認しましょう。

高額療養費の払い戻し金の計算の仕方

【例題】

〔区分ウ〕標準報酬月額28万のAさん(45歳)の今月の医療費が100万円かかった場合、Aさんには高額療養費としていくら払い戻されるのでしょうか?

〈考え方〉

高額療養費制度は、その人が支払う医療費の上限を計算して、超えた分を払い戻す制度です。Aさんの医療費は100万円で、その3割を支払いました。支払った金額が支払い上限額を超えている場合、申請により払い戻されます。Aさんの支払い上限と払い戻し金があるか計算してみましょう。

Aさんは一般所得者なので、下記の計算式を使います。

計算式=80,100円+(総医療費−267,000円)×1%

■手順①

医療費100万円に対し、Aさんは窓口で自己負担分(3割)を支払いました。100万円の3割を計算します。

【計算方法】1,000,000円×30%=300,000円

窓口でAさんは30万円を支払いました。

■手順②

本来Aさんが支払うべき医療費の上限額を上記の式で求めます。

【計算方法】80,100円+(1,000,000円−267,000円)×1%

計算すると87,430円になります。Aさんの医療費支払い上限は87,430円です。

■手順③

Aさんはすでに30万円を支払っているので、87,430円を超えた分が高額療養費として払い戻されます。

【計算方法】300,000円−87,430円=212,570円

高額療養費の申請により、Aさんには212,570円が払い戻されます。

医療関係法規の概要

□さまざまな法規の下で保険診療が行われている
□保険医療機関に関する法規は医療法に収載されている
□医療従事者に関する法規は、各法に収載されている

保険医療機関としての指定や、その場所で医療行為を行う医師の登録がなければ、保険診療をすることができません。はじめに、保険医療機関（施設）と、保険医（医師）のかかわりから見ていきましょう。

保険医療機関と保険医の二重指定制度

医療機関の建物ができあがっても、翌日からすぐに保険診療をすることはできません。保険診療をするためには申請を行い、保険医療機関としての指定や、そこで保険診療を行う医師の登録（保険医）が必要となるなど、さまざまな約束事があります。

はじめに、保険医療機関として診療を開始するまでの手続きについて、見ていきましょう。

医療機関が保険診療を行うための手続きに関する出題が見られます。
誰から指定されるのか。有効期間は何年か。登録が認められないのはどのような場合なのか、しっかりチェックしましょう。

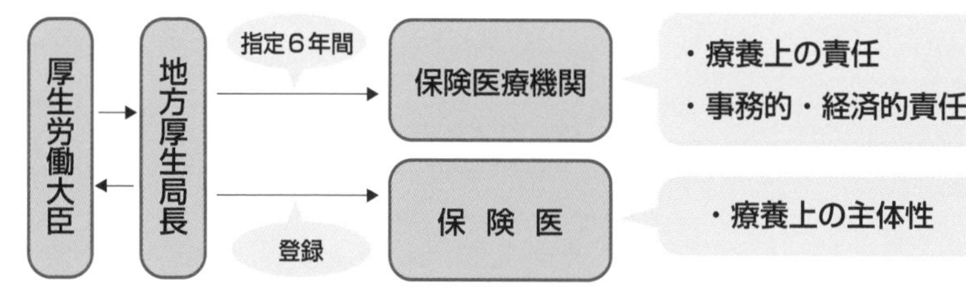

Keyword【医療法】
医療機関の開設に必要な手続き、構造設備、必要人員、管理事項などが定められている。

1 保険医療機関になるには ココでた!!

保険診療を行うためには、病院・診療所の開設者は申請を行い、**厚生労働大臣**（実際には地方厚生（支）局長）から**保険医療機関の指定**を受けなければなりません（健康保険法第 65 条）。指定の有効期間は **6 年間**で、その都度更新する必要があります。ココでた!!

また、保険医療機関の開設者に異動があったときは、旧開設者は速やかに、その旨及びその年月日を管轄地方厚生（支）局長に届け出なければなりません（健康保険法第 68 条）。ココでた!!

なお、保険医療機関は 1 月以上の予告期間を設けて、その指定を辞退することやその登録の抹消を求めることもできます（健康保険法第 79 条）。ココでた!!

2 保険医になるには

保険医療機関で保険診療に従事する医師は、**厚生労働大臣**（実際には地方厚生（支）局長）により**保険医**としての**登録**を受けなければなりません（健康保険法第 64 条）。ココでた!!

登録を受ける際には、「保険医・保険薬剤師登録申請書」を、勤務先医療機関の所在地（勤務していない場合は住所地）を管轄する地方厚生局長に申請しなければなりません。原則として申請が受理されると登録されることになり、通常は一度保険医の登録を行えば、特段の変更がなければ**更新等の手続きは必要ありません**。

保険医療機関または保険医が登録の取り消しを受けて 5 年以内に申請した場合や、著しく不適当なところがあると認められる場合は、再指定（登録）をしない場合があります（健康保険法第 65 条第 3 項）。

Q 保険医療機関の指定は、指定の日から起算して 5 年を経過したときは、その効力を失う。
➡ ×　保険医療機関指定の効力は 6 年である（健康保険法第 68 条）【第 36 回・第 44 回・第 49 回】

Q 保険医療機関において、健康保険の診療に従事する医師は、都道府県知事の登録を受けた医師でなければならない。
➡ ×　保険医療機関に従事する医師は、厚生労働大臣の登録を受けた医師でなければならない（健康保険法第 64 条）【第 38 回】

Q 保険医療機関の開設者に異動があったときは、旧開設者は、速やかに、その旨及びその年月日を指定に関する管轄地方厚生（支）局長に届け出なければならない。
➡ ○　保険医療機関及び保険薬局の指定並びに保険医及び保険薬剤師の登録に関する省令第 8 条 2 項

医療関係法規

本書では、医療関係法規を下記の分類に従って解説します。

特に診療報酬請求事務能力認定試験に出題された主な法規を中心に見ていきましょう。

①医療施設に関する法規（医療法）／②医療従事者に関する法規（医師法他）／③診療に関する法規（療養担当規則）／④介護保険制度／⑤公費負担医療制度

Keyword【保険医療機関】
病院・診療所で公的医療保険（保険証）が使える機関をいう。保険医療機関になるためには厚生労働大臣の指定が必要。

医療施設に関する法律(医療法)

□医療機関の分類を理解する
□分類の医療機関の特色と役割を理解する
□保険医療機関となる施設条件を理解する

1 医療法とは

医療法とは、**医療施設に関する法律**のことです。国民が**適正**な医療を**安心して**受けられるよう、国は医療機関の**人的・物的**の両面にわたる一定水準の**維持向上**を図るための法律を制定しています。

具体的には、下記について規制しています。

①病院、診療所の適切な配置／②その開設の手続き／③医療施設の人的構成／④構造設備／⑤管理体制／⑥運営管理に対する監督／⑦広告の制限／⑧公的医療機関の役割

2 医療法による保険医療機関の分類

医療法では、保険医療機関を下記のように分類しています。分類の大きな目安は、病床数（入院ベッド数）により、病院（20床以上）と診療所（19床以下）に分けられます。

さらに病院は、地域医療支援病院、特定機能病院、臨床研究中核病院、一般病院に分けられます。それぞれの病床数や役割によって、お互いに連携をとりながら国民への医療の提供を支え合っているのです。

特に、病院と診療所の大きな違いは何かをチェックしましょう。
病床数や役割は出題されやすいところです。

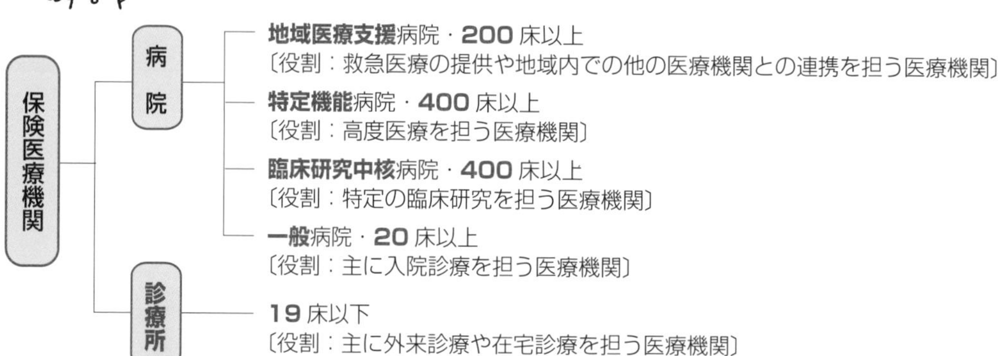

受診する際に多くの人々が「病院に行く」といいます。正確には、病床数によって「病院」と「診療所」の区別があることが理解できたでしょう。
ここでは、病院と診療所の違いをしっかり把握しましょう。
また、病院は役割によって、さらに分けられていることを理解しましょう。

医療機関の特色と役割

●特定機能病院

高度の医療提供、医療技術の開発、高度医療に関する研修も行います。一般の病院では難しいとされている手術や高度な医療機器で治療を行うことができる病院です。地域医療支援病院よりさらに高い施設基準が求められます。厚生労働大臣の承認が必要です。

【例】大学病院の本院、国立がんセンター、国立循環器病センターなど

●地域医療支援病院

地域の医療水準を高める役割も担い、地域内にある医療機関に対して、連携して患者の治療の支援ができるレベルの病院です。一般病院以上の施設基準が求められ、「かかりつけ医」等からの紹介を受けたり救急患者を受け入れたり、逆に他の医療機関への紹介（逆紹介）も行い、地域の医療確保における重要な位置づけになっています。

地域医療支援病院のもつ４つの機能は、①**紹介患者に対する医療の提供**、②**医療機器の共同利用**、③**救急医療の提供**、④**地域の医療従事者への研修の実施**です。かかりつけ医への支援等を通じて、地域医療の確保を図る病院として位置づけられています。都道府県知事の承認が必要です。

【例】国公立あるいは公的な病院、社会福祉法人（社会福祉法第 22 条）等の病院など

●一般病院

多くの病院は一般病院と呼ばれ、主に通院及び入院診療を要する患者に一般的な治療を行う医療機関です。入院設備として一般病床を持ち、そのほか医療法で定められた法律に則り、施設基準（医師数・看護師数・病室の広さなど）に適合しなければなりません。都道府県知事の許可が必要です。

●診療所

診療所の多くは、医院やクリニックなどと呼ばれており、医師が１人で開業していることが多くあります。軽い症状や一般的な初期段階の医療を行い、いわゆる、「かかりつけ医」の役割を担う医療機関です。主に外来患者の治療にあたります。診療所は入院設備がなくてもかまいません。１ベッドでも入院設備があれば「有床診療所」、全く入院設備がなければ「無床診療所」と呼ばれます。

【例】○○医院・○○クリニックなど

Keyword **【地域医療支援病院】**

地域で必要な医療を確保するために、救急医療の提供やかかりつけ医等の支援を行い、研修・情報提供・施設開放など、地域の医療機関との連携を図る役割の医療機関。

一次（初期）医療、二次医療、三次医療の役割分担

医療技術は日々進歩していますが、すべての医療機関で研究を行い、技術向上の開拓をし、高度で専門的な高額機器を導入して治療にあたることは不可能です。したがって、それぞれの医療機関では診療の範囲を認識しながら治療にあたり、連携をとっているのです。

さらに、医療行為の内容によって「**一次医療**」「**二次医療**」「**三次医療**」と役割を分けて、スムーズな医療を図れるしくみにもなっています。

一次医療
主に地域の**無床診療所**がその役割を担う。

一次医療〔初期医療〕
ホームドクターなどにより、初期段階の病気や外傷などを治療し、また、日頃から疾病予防や健康管理を行うなどの役割を担っています。疾病の状態によっては専門的な医療機能をもつ病院や他の医療機関と連携します。二次医療へもつなげます。

二次医療
主に有床診療所、一般病院及び一部の**地域医療支援病院**など、地域の中核的病院がその役割を担う。

二次医療
診療所や他の医療機関と連携を図りながら、比較的専門性の高い入院医療および専門外来医療を担当します。さらに専門性や高度な医療が必要な場合は、三次医療につなげます。

三次医療
主に一部の地域医療支援病院や**特定機能病院**がその役割を担う。

三次医療
特殊で先進的な高度医療技術や特殊医療機器が整っている医療機関で緊急性のある状態や一般的ではない疾病に対応します。治療技術も先進的で専門の医療スタッフが対応しています。

医療法　主要抜粋

次に医療法の重要な部分を見ていきましょう。

この法律は、国民の健康の保持に寄与することを目的として、病院、診療所などの**開設及び管理に関し必要な事項**と、これらの**施設の整備並びに医療提供施設相互間の機能の分担及び業務の連携を推進するために必要な事項**を定め、医療を受ける者の利益の保護及び良質で適切な医療を提供する体制の確保を図っています（第１条目的）。

Keyword【特定機能病院】
高度な医療技術の開発・評価、高度医療の提供、高度医療に関する研修を行う、厚生労働大臣が承認した医療機関。

開設及び管理に関し必要な事項

- 医療計画
- 医療法人
- 適正配置の推進事項　など

施設の整備を推進するために必要な事項

- 開設許可
- 構造設備基準
- 人員配置基準

病院・診療所などの開設・管理、整備推進のために必要な事項を覚えておきましょう。

病院とは、医師又は歯科医師が、公衆又は特定多数人のため医療を行う場所であって、**20人以上**の患者を入院させるための施設を有するものをいいます。傷病者が科学的かつ適正な診療を受けることができる便宜を与えることを主たる目的として組織され、かつ、運営されるものでなければなりません（第１条の5）。

入院ベッド数が20床以上ある　＝　病院

診療所とは、医師又は歯科医師が、公衆または特定多数人のため医療を行う場所であって、**19人以下**の患者を入院させるための施設を有するものと定めています。

入院ベッド数が19床以下　＝　診療所

○診療所で患者用入院ベッドがあるところ→　有床診療所

○診療所で患者用入院ベッドがないところ→　無床診療所

Q 医師が公衆または特定多数人のため医業を行う場所であって、入院施設を有しないもの又は19人以下の入院施設を有するものを「診療所」という。

➡　○　そのとおり（医療法第１条の5）【第35回・第45回】

【地域医療支援病院】

地域医療支援病院に関しては、次のような定めがあります（第4条）。

Keyword【病院】

20人以上を入院させられる医療機関。入院施設（ベッド数）が20床以上。

≪地域医療支援病院≫

1．国、都道府県、市町村、社会医療法人、その他厚生労働大臣の定める者の開設する病院であって、地域における医療の確保のために必要な支援に関する次の要件に該当するものとして、**都道府県知事**の**承認**を得た病院。

一　他の病院又は診療所から紹介された患者に対し医療を提供し、かつ、病院の建物、設備、器械又は器具を他の医療機関の医師等の診療、研究又は研修のために利用させる体制が整備されている。

二　救急医療を提供する能力を有する。

三　地域の医療従事者の資質の向上を図るための研修を行わせる能力を有する。

四　厚生労働省令で定める数以上の患者を入院させるための施設を有する。

五・六　第21条、第22条に規定する施設を有し、構造設備が要件に適合する。ココでた!!

3．地域医療支援病院でないものは、地域医療支援病院又はこれに紛らわしい名称をつけてはならない。

厚生労働省令で定める地域医療支援病院の病床数は、施行規則第６条の２で**200床以上（ただし都道府県知事が認めたときはこの限りではない）**（医療法施行規則第６条の２）。ココでた!!

【特定機能病院】

特定機能病院とは、次の要件に該当するものとして、**厚生労働大臣**の**承認**を得た病院です（第4条の2）。

①高度の医療を提供する能力を有する。

②高度の医療技術の開発及び評価を行う能力を有する。

③高度の医療に関する研修を行わせる能力を有する。

④**厚生労働省令で定める診療科名**を有する。

⑤**厚生労働省令で定める数**（400床）以上の患者を入院させるための施設を有する。

⑥第21条、第22条に規定する人員、設備、構造設備の要件に適合する。

また、特定機能病院でないものは、特定機能病院又はこれに紛らわしい名称をつけてはなりません。

≪厚生労働省令で定める診療科（施行規則第６条の４）≫

内科、外科、精神科、小児科、整形外科、脳神経外科、皮膚泌尿器科、皮膚科、泌尿器科、産婦人科、産科、婦人科、眼科、耳鼻咽喉科、放射線科、歯科。

その他厚生労働大臣の許可を受けた診療科のうち10以上の診療科を含みます。

厚生労働省令で定める数は施行規則第６条の５で、400床以上です。

Keyword **【診療所】**

入院施設（ベッド数）が19床以下の医療機関。入院施設がなくてもかまわない。

【開設許可】 ココでた!!

病院を開設しようとするとき、医師法第 16 条の 4 第 1 項の規定による登録を受けた者や歯科医師法第 16 条の 4 第 1 項の規定による登録を受けた者でないものが診療所を開設するとき、又は助産師でない者が助産所を開設しようとするときは、開設地の**都道府県知事**（診療所又は助産所は保健所を設置する市又は特別区にあっては市長又は区長）の**許可**を受けなければなりません（第 7 条）。

つまり、医師・歯科医師・助産師でないものが開設する場合は都道府県知事の許可が必要です。
営利を目的にしなければ、開設者は臨床研修等修了医師でなくてもよいのです。

病院を開設した者が、病床数、下記の病床の種類（病床の種別）、その他厚生労働省令で定める事項を変更しようとするときも、厚生労働省令で定める場合を除き、許可を受けなければなりません。

営利を目的として病院、診療所又は助産所を開設しようとする者に対しては、規定にかかわらず開設の**許可を与えない**ことができます。

ZOOM UP!

病床の種類

1. 精神病床：**精神疾患を有する者**を入院させるための病床
2. 感染症病床：「感染症の予防及び感染症の患者に対する医療に関する法律」に規定する**一類**、**二類**（結核を除く）及び**指定感染症**の患者、**新感染症**の所見がある者を入院させるための病床 ココでた!!
3. 結核病床：**結核の患者**を入院させるための病床
4. 療養病床：病院又は診療所の病床のうち、**精神**、**感染症**、**結核**の病床を除く病床で、主として**長期にわたり療養を必要とする患者**を入院させるための病床
5. 一般病床：上記以外の病床

Q 感染症患者が入院する感染症病床を差額ベッドとし、特別の料金を徴収することはできない。
➡ ○　医療法により感染症患者を入院させるための病床であるのだから、特別料金の徴収対象とはなり得ない（医療法第 7 条）【第 33 回】

Q 病院又は診療所が医業を行うものである場合は、その開設者は臨床研修等修了医師でなければならない。
➡ ×　営利を目的としていなければ、病院又は診療所の開設者は臨床研修等修了医師でなくてもよい（医療法第 7 条）【第 24 回・第 31 回・第 44 回・第 51 回】

Keyword **【管理者】**
都道府県知事の許可を受けた場合を除き、他の医療機関の管理者を兼任することはできない（医療法第 12 条第 2 項）。

【診療所開設の届出】

臨床研修等修了医師が診療所を開設したときは、**開設後 10 日以内**に**都道府県知事**（保健所を設置する市又は特別区にあっては市長又は区長）に届け出なければなりません（第 8 条）。
※休止・再開（第 8 条の 2）、廃止（第 9 条）も同様。ココでた!!

Q 病院または診療所の開設者が、その病院または診療所を廃止した時は、10 日以内に、所在地の地方厚生局長等に届け出なければならない。
➡ × 10日以内に、所在地の都道府県知事に届け出なければならない（医療法第 9 条）【第24回・第32回】

【病院等の管理者】

病院又は診療所の開設者は、臨床研修等修了医師にこれを管理させなければなりません（第 10 条）。

医療機関の管理者は医師でなければなりません。

【業務委託】

病院又は診療所等の業務のうち、医師等の診療等に著しい影響を与えるものとして下記の政令で定めるものを委託するときは、厚生労働省令で定める基準に適合するものに委託しなければなりません（第 15 条の 2）。

ZOOM UP!

政令で定めるもの　施行令第４条の７

一　検体検査
二　医療用具等の滅菌又は消毒
三　病院における患者等への食事の提供
四　患者の搬送
七　患者等の寝具等の洗濯
八　施設の清掃　など

ZOOM UP!

厚生労働省令で定める基準　施行規則第９条８～15

業務の内容に応じて、人員、構造設備、運営、その他の事項について技術的な基準を設定。

Keyword **【開設者】**
開設者は医師でなくともよいが、開設者は医療機関の開設・経営の責任主体であり、原則として、営利を目的としない法人または医師（歯科医師）である個人とされている。

【医療法人の設立】

1．医療法人は、**都道府県知事**の**認可**を受けなければ、これを設立することができない。

2．医療法人を設立しようとする者は、定款又は寄附行為をもって、少なくとも次に掲げる事項を定めなければならない。

> 一　目的
> 二　名称
> 三　その開設しようとする病院、診療所又は介護老人保健施設（地方自治法第244条の2第3項 に規定する指定管理者として管理しようとする公の施設である病院、診療所又は介護老人保健施設を含む）の名称及び開設場所
> 四　事務所の所在地
> 五　資産及び会計に関する規定
> 六　役員に関する規定
> 七　社団たる医療法人にあっては、社員総会及び社員たる資格の得喪に関する規定
> 八　財団たる医療法人にあっては、評議員会及び評議員に関する規定
> 九　解散に関する規定
> 十　定款又は寄附行為の変更に関する規定
> 十一　公告の方法

3．財団たる医療法人を設立しようとする者が、その名称、事務所の所在地又は理事の任免の方法を定めないで死亡したときは、都道府県知事は、利害関係人の請求により又は職権で、これを定めなければならない。

4．医療法人の設立当初の役員は、定款又は寄附行為をもって定めなければならない。

5．第2項第９号に掲げる事項中に、残余財産の帰属すべき者に関する規定を設ける場合には、その者は、国もしくは地方公共団体又は医療法人その他の医療を提供する者であって厚生労働省令で定めるもののうちから選定されるようにしなければならない。

6．この節に定めるもののほか、医療法人の設立認可の申請に関して必要な事項は、厚生労働省令で定める。

> **Q　医療法人は、厚生労働大臣の認可を受けなければ、これを設立することができない。**
> ➡　×　医療法人の設立は、都道府県知事の認可を受けなければならない（医療法第 44 条）【第 54 回】

【診療録への記載及び整備】

保険医療機関は、第 22 条の規定による診療録に療養の給付の担当に関し、必要な事項を記載し、これを他の診療録と区別して整備しなければならない（保険医療機関及び保険医療療養担当規則第 8 条）。ココでた!!

Keyword **【指定感染症】**
感染症疾病（一類感染症、二類感染症、三類感染症を除く）であって、疾患のまん延により国民の生命や健康に重大な影響を与えるおそれがあるものを１年を期限に政令で定めたもの。

医療従事者に関する法規（抜粋）

- □医療従事者は人の健康や生命に直接影響する職種である
- □職種に応じて免許制度がありそれに基づいて業務を行うことができる
- □医療従事者の任務、目的、資格取得、業務の範囲などを定めている

医療従事者に関する法規

医療従事者に関する法規は、保険医療機関において医療に携わる者の業務内容が、人の健康や生命に直接影響を与えることから、国はこれらの業務を行うことのできる者に対して、免許制度を定め、その任務、目的、資格取得、業務の範囲等を定めているものです。

医療従事者には、医師、看護師、診療放射線技師、臨床工学技士、薬剤師、理学療法士、作業療法士、言語聴覚士、その他たくさんの有資格者がいます。

医療行為をするためには、それぞれの医療従事者に関する法律と施行規則があります。

ここでは主に診療報酬請求事務能力認定試験に出題されている法規を中心に説明します。

医師法（抜粋） 1948年制定

【免　許】

医師法第１条では、医師は、医療及び保健指導を掌ることによって公衆衛生の向上及び増進に寄与し、もって国民の健康な生活を確保するものとするとしています。医師になろうとする者は、医師国家試験に合格し、厚生労働大臣の免許を受けなければなりません(第２条～第８条)。

試験名称：医師国家試験
国試は医師法第９条～第16条に基づき実施される

未成年者、成年被後見人又は被保佐人には、免許を与えません（第３条）。

また、次のいずれかに該当する者にも免許を与えないことがあります（第４条）。

①心身の障害により医師の業務を適正に行うことができない者として、下記の厚生労働省令で定めるもの

②麻薬、大麻、又はあへんの中毒者

Keyword【医療法人】
病院、医師や歯科医師が常勤する診療所、または介護老人保健施設の開設・所有を目的とする法人。

③罰金以上の刑に処せられた者

④医事に関し犯罪または不正の行為のあった者

心身の障害により業務を適切に行うことができない者について厚生労働省令で定めるもの《施行規則第1条》

視覚、聴覚、音声機能、言語機能、精神の機能障害により医師の業務を適正に行うに当たって必要な認知、判断及び意思疎通を適切に行うことができない者とする。

ココでた!!

【免許の取消、業務停止及び再免許】

医師が上記に該当するときは、厚生労働大臣はその免許を取り消します。また、医師としての品位を損するような行為のあったときも、厚生労働大臣は次に掲げる処分をすることができます（第7条）。

①戒告　／　②3年以内の医業の停止　／　③免許の取り消し

上記の取り消し処分を受けた者であっても、その取り消しの理由がなくなったときや他の事情により再免許を与えるのが適当であると認められるに至ったときは、再免許を与えることができます。

Q 保険医療機関、保険医、保険薬局等に対する監査結果に基づく行政処分（取り消し、戒告、注意等）の権限は、厚生労働大臣・地方厚生局長等にある。
➡ ○　そのとおり（医師法第7条　他）【第33回】

【試験の実施】

医師国家試験および医師国家試験予備試験は、毎年少なくとも1回、厚生労働大臣が行っています。

医師国家試験予備試験とは、外国で医師免許を得た者または外国の医学学校を卒業した者に対して行われる試験のことです。

【臨床研修】

診療に従事しようとする医師は、2年以上、医学を履修する課程を置く大学に附属する病院、又は厚生労働大臣が指定する病院において、臨床研修を受けなければなりません（医師法第16条の2）。ココでた!!

Keyword 【院長】

「院長」は法律用語ではない。社会通念上、院長を医療法上の管理者と考えた場合は、管理者＝医師である必要がある（医療法第10条、第12条）。

【医師以外の医業の禁止】

医師でなければ医業をなしてはなりません（第17条）。

第31条の規定により3年以下の懲役もしくは100万円以下の罰金に処し、又はこれを併科する。

下記の行為は、「医療行為ではない」と明確化した通知が出されました。
①体温測定　②血圧測定　③軽微な処置　④点眼、湿布の貼付、座薬挿入　⑤耳垢除去　⑥口腔内刷掃・清拭　など
（2005年7月26日　医政発第0726005号）

【応招義務等】 ココでた!!

診療に従事する医師は、診察治療の求めがあった場合は、**正当な事由**がなければ、これを拒んではなりません。診察もしくは検案をし、又は出産に立ち会った医師は、診断書もしくは検案書、又は出生証明書もしくは死産証書の交付の求めがあった場合には、正当な事由がなければ、これを拒んではなりません（第19条）。

下記の場合が正当な理由にあたります。
①医師が不在であったり病気などの理由で診療不能である場合
②自分の専門外で、他の専門医による診療が時間的・距離的に可能な状態にある場合
など社会通念上妥当と認められる場合に限ります。

Q 診療に従事する医師は、診察治療の求めがあった場合には、正当な事由がなければ、これを拒んではならない。
➡ ○　そのとおり。応招義務がある（医師法第19条第1項）【第34回】

【無診治療等の禁止】 ココでた!!

医師は、自ら診察しないで治療をし、もしくは診断書もしくは処方箋を交付し、自ら出産に立ち会わないで出生証明書もしくは死産証書を交付し、又は自ら検案をしないで検案書を交付してはなりません。ただし、診療中の患者が受診後24時間以内に死亡した場合に交付する死亡診断書については、この限りではありません（第20条）。

Q 医師は、同一医療機関の他の医師が診察した患者の診断書を交付することができる。
➡ ×　医師は自ら診察を行わずに診断書を交付することはできない（医師法第20条）【第34回】
Q 医師は自ら診察しないで治療をし、または診断書もしくは処方箋を交付してはならない。
➡ ○　そのとおり　無診治療等の禁止（医師法第20条）【第36回・第29回】

Keyword 【応招義務】
診療に従事する医師は、診察治療の求めがあった場合は、正当な事由がなければ、これを拒んではならない。

各書類

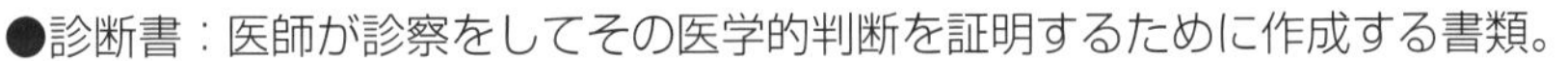

●診断書：医師が診察をしてその医学的判断を証明するために作成する書類。
●死亡診断書：医師が自己の診療中の患者が死亡した場合に、これに対する医学的判断を証明するために作成する書類。
●死体検案書：医師が診療中でない人の死体又は他の医師が診察していた患者の死体に対する、医学的判断を証明するために作成する書類。
●死胎検案書：診療中でない死産児に対する医学的判断を証明するために作成する書類。
●死産証書：医師が診察した妊婦が死産児を分娩した際、その死産児に対する医学的判断を証明するために作成する書類。

※死産児…妊娠４ヵ月以降における死児のこと。
死　産…妊娠４ヵ月以降における死児の分娩のこと。
死　児…分娩後において心臓膊動、随意筋の運動及び呼吸のいずれも認めないもの。

【異状死体等の届出義務】

医師は、死体又は妊娠４ヵ月以上の死産児を検案して**異常がある**と認められたときは、**24時間以内**に所轄警察署に届け出なければなりません（第21条）。

検案した地を所轄する警察に届けます。犯罪や証拠を隠すことを防止するなど司法警察の便宜のために設けられた義務です。

【処方箋の交付義務】

医師は患者に対し、治療上薬剤を調剤して投与する必要があると認めた場合には、患者又はその看護に当たっている者に対して処方箋を交付しなければなりません。ただし、患者又は看護に当たっている者が処方箋の交付を必要としない旨を申し出た場合や次に該当する場合は交付しません（第22条）。

①暗示的効果を期待する場合において、処方箋を交付することがその目的の達成を妨げるおそれがある場合
②処方箋を交付することが診療又は疾病の予後について患者に不安を与え、その疾病の治療を困難にするおそれのある場合
③病状の短時間ごとの変化に即応して薬剤を投与する場合
④診断又は治療方法の決定していない場合
⑤治療上必要な応急の措置として薬剤を投与する場合
⑥安静を要する患者以外に薬剤の交付を受けることができる者がいない場合
⑦覚醒剤を投与する場合
⑧薬剤師が乗り組んでいない船舶内において薬剤を投与する場合

Keyword **【院内処方】**
院内で薬を調剤し患者に薬を渡す処方を通常「院内処方」という。

医師法の一部改正が行われ、第22条［処方箋の交付］2項が追加されました※1（2022年5月20日医師法第47号第3条）。

※1　第22条、医師は、地域における医療及び介護の総合的な確保の促進に関する法律（平成元年法律第64号）第12条の2第1項の規定により、処方箋を提供した場合は、前項の患者又は現にその看護にあたっている者に対して処方箋を交付したものとみなす（原文ママ）。

ZOOM UP!

処方箋の記載事項について《施行規則第21条》

医師は、患者に交付する処方箋に、「患者の氏名」「年齢」「薬名」「分量」「用法」「用量」「発行の年月日」「使用期間」「病院もしくは診療所の名称」「所在地又は医師の住所」を記載して、「記名押印又は署名」しなければならない。

【保健指導を行う義務】

医師は、診療をしたときは、本人又は保護者に対し、療養の方法その他保健の向上に必要な事項の指導をしなければなりません（第23条）。

医師は、その疾病に対する治療を行うだけでなく、日常の療養方法についても必要な指導を行うことを義務づけられています。

【診療録の記録及び保存】

医師は、診療をしたときは、遅滞なく診療に関する事項を診療録に記載しなければなりません。

病院又は診療所に**勤務する医師**のした診療に関するものは、その病院又は診療所の**管理者**において、その他の診療に関するものは、その医師において、**5年間**これを保存しなければなりません（第24条）。ココでた!!

ZOOM UP!

診察録の記録と保存

- **勤務医の診療したカルテはその医療機関の管理者が保管**
- **開業医の診療したカルテはその開業医が保管**
- **診療録（カルテ）は完結の日（一連の診療の終了日の翌日）から5年間保存しなければならない**

カルテに記載する事項

①診療を受けた者の住所、氏名、性別、年齢　②病名及び主要症状
③治療方法（処方及び処置）　④診療の年月日
※必ずしも日本語でなくてもよい

Keyword【院外処方】
患者が病院外にある保険調剤薬局に処方箋を提出し、調剤された薬を受け取る処方を通常「院外処方」という。

保健師助産師看護師法（抜粋） 1948 年制定

保健師助産師看護師法は、保健師、助産師及び看護師の資質を向上し、医療及び公衆衛生の普及向上を図ることを目的としています。

【免　許】

保健師、助産師又は看護師になろうとする者は、国家試験に合格し、**厚生労働大臣**の免許を受けなければなりません（第７条）。

准看護師になろうとする者は、**都道府県知事**の免許を受けなければなりません（第８条）。

また、次のいずれかに該当する者には、免許を与えないことがあります（第９条）。

①罰金以上の刑に処せられた者

②保健師、助産師、看護師、又は准看護師の業務に関し、犯罪又は不正の行為があった者

③心身の障害により．保健師、助産師、看護師、又は准看護師の業務を適正に行うことができない者として厚生労働省令で定めるもの

④麻薬、大麻又はあへんの中毒者

医師法の場合と同じ
P.49《施行規則第１条》参照

保健師、助産師もしくは看護師が上記の免許を与えない理由のいずれかに該当するに至ったとき、又は保健師、助産師もしくは看護師としての品位を損するような行為のあったときは、厚生労働大臣は、次に掲げる処分をすることができます。准看護師も同様の処分になります（第14 条）。

①戒告　②３年以内の業務の停止　③免許の取消

ZOOM UP!

戒告とは

医療ミスや刑事事件をおこした医療従事者（薬剤師、看護師等）に対する行政処分を厳格化するため、再教育制度が創設され、従来の「免許取消」「業務停止」の２種類の処分に「戒告」が加えられた （2008 年４月施行）。

【保健師に対する主治医の指示】 ココでた!!

保健師は、傷病者の療養上の指導を行うに当たって、主治の医師又は歯科医師がいるときは、その指示を受けなければなりません（第 35 条）。

主治医のもとで患者が療養を受けているときは、
保健指導も主治医の指示が必要となります。

Keyword **【診療録の記載】**

診療録（カルテ）の記載は、医師法と健康保険法の『保険医療機関及び保険医療養担当規則（療養担当規則）』で規定されており、それに基づいて作成されている。

【特定行為の制限】ココでた!!

保健師、助産師、看護師又は准看護師は、主治の医師又は歯科医師の指示があった場合を除いて、診療機械の使用、医薬品の授与、医薬品についての指示、その他医師又は歯科医師が行うのでなければ衛生上危害を生じるおそれがある行為をしてはなりません。ただし、臨時応急の手当をし、又は助産師がへその緒を切り、浣腸を施し、その他助産師の業務に当然に付随する行為をする場合は、この限りではありません（第 37 条）。

救急救命士法（抜粋） 1991 年制定

救急救命士法は救急救命士の資格や職務全般について規定した法律です。通常、医療従事者は医療法第 5 条における医療施設内において、医師の指示の下で医療行為を行いますが、救急救命士はケガや病気で苦しんでいる人のもとにいち早く駆け付け、現場（医療施設以外）において医師の指示の下で特定行為を行いながら救急車で医療機関まで搬送し、医師に引き継ぐことが主な業務になります。2021 年 10 月の法改正により、救急救命処置をできる場所が拡大（医療機関に入院するまで、または滞在している）されました。ただし院内研修を受けることが定められています。

【救急救命士ができる特定行為】
- 医療器具を使用した気道確保
- 心肺機能停止状態の患者への輸液
- 心臓機能停止状態の患者への薬剤（強心剤）投与
- 心肺機能停止前の患者への静脈路確保と輸液
- 低血糖発作患者へのブドウ糖溶液の投与

2024 年 3 月 31 日現在、救急救命士登録者数は 72,849 人。約 2/3 は消防に所属していますが、近年は医療機関で雇用される救急救命士も増加しています（日本救急医療財団のデータによる）。

診療放射線技師法（抜粋） 1951 年制定

診療放射線技師法は、診療放射線技師の資格を定めるとともに、その業務が適正に運用されるように規律し、医療及び公衆衛生の普及及び向上に寄与することを目的としています。

この法律で「放射線」とは、次に掲げる電磁波又は粒子線をいいます。

①アルファ線およびベータ線

②ガンマ線

Keyword 【新生児】
新生児期にある小児。新生児期とは出生から 28 日未満（生後 0 日～ 27 日）の期間で、その間の小児を新生児という。

③100万電子ボルト以上のエネルギーを有する電子線
④エックス線
⑤その他政令で定める電磁波または粒子線（陽子線及び重イオン線、中性子線）ココでた!!

診療放射線技師とは、厚生労働大臣の免許を受けて、医師又は歯科医師の指示の下に、放射線を人体に対して照射【撮影を含み、照射機器又は放射性同位元素（その化合物及び放射性同位元素又はその化合物の含有物を含む）を人体内に挿入して行うものを除く】することを業とする者をいいます（第2条）。

人体に照射できるのは、**『医師』・『歯科医師』**と**『診療放射線技師』**のみです（第24条参照）。

【免　許】

診療放射線技師になろうとする者は、診療放射線技師国家試験に合格し、**厚生労働大臣**の免許を受けなければなりません（第3条）。

また、次の者には免許を与えないことがあります。

①心身の障害により診療放射線技師の業務を適正に行うことができない者として厚生労働省令で定めるもの
②診療放射線技師の業務に関して犯罪又は不正の行為があった者

P.49《施行規則第1条》医師の場合と同じです。

【画像診断装置を用いた検査の業務】

診療放射線技師は、診療の補助として、磁気共鳴画像診断装置その他の画像による診断を行うための装置であって、政令で定めるものを用いた検査（医師又は歯科医師の指示の下に行うものに限る）を行うことができます（第24条の2）。

ZOOM UP!

検査に用いる政令で定める装置

《診療放射線技師法施行令第17条》
1．磁気共鳴画像診断装置（ＭＲＩ）
2．超音波診断装置（エコー）
3．眼底写真撮影装置（散瞳剤を投与した者の眼底撮影を除く）
4．核医学診断装置

Keyword **【診療放射線技師が関わる主な内容】**
放射線治療、核医学検査、単純撮影（X-P）、造影剤使用の撮影、CT撮影、MRI撮影、血管撮影、X線使用の骨密度検査など。

【業務上の制限】 ココでた!!

診療放射線技師は、医師又は歯科医師の具体的な指示を受けなければ、放射線を人体に対して、照射してはなりません。また、**病院又は診療所以外の場所**においてその業務を行ってはなりませんが、次の場合はその限りではありません（第２条）。

①医師又は歯科医師が診察した患者について、その医師又は歯科医師の指示を受け、出張して 100 万電子ボルト未満のエネルギーを有するエックス線を照射する場合

②多数の者の健康診断を一時に行う場合において、胸部エックス線検査 (コンピュータ断層撮影装置を用いた検査を除く)　その他厚生労働省令で定める検査のため 100 万電子ボルト未満のエネルギーを有するエックス線を照射するとき

③多数の者の**健康診断を一時に行う**場合において医師又は歯科医師の立会いの下に、100 万電子ボルト未満のエネルギーを有するエックス線を照射するとき

Q 診療放射線技師は、医師または歯科医師の具体的な指示を受けなければ、放射線を人体に対して照射してはならない。

➡ ○　そのとおり（診療放射線技師法第 26 条）【第 25 回・第 31 回・第 46 回・第 50 回】

臨床工学技士法（抜粋）　1987 年制定

臨床工学技士法は臨床工学技士の資格を定めるとともに、その業務が適正に運用されるように規律し、医療の普及及び向上に寄与することを目的としています。

臨床工学技士とは、厚生労働大臣の免許を受けて、臨床工学技士の名称を用いて、医師の指示の下に、生命維持管理装置の操作（生命維持管理装置の先端部の身体への接続又は身体からの除去であって政令で定めるものを含む）及び保守点検を行う者をいいます。

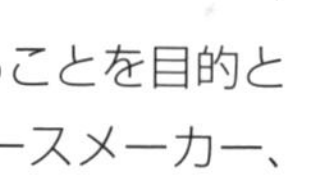

生命維持管理装置

生命維持管理装置とは、人の呼吸、循環又は代謝の一部を代替し、又は補助することを目的とする装置。具体的には、人工呼吸器、人工心肺装置、血液浄化装置、体外式ペースメーカー、補助循環装置、人工膵臓などのこと。

生命維持管理装置の操作とは、生命維持管理装置の先端部の身体への接続または身体からの除去をいいます。

参考：臨床工学技士法施行令

Keyword **【診療放射線の照射】**

人体に放射線を照射できるのは、医師・歯科医師・診療放射線技師のみ（第 24 条参照）。

【免 許】

臨床工学技士になろうとする者は、臨床工学技士国家試験に合格し、厚生労働大臣の免許を受けなければなりません（第3条）。

また、次のいずれかに該当する者には、免許を与えないことがあります（第4条）。

①罰金以上の刑に処せられた者

②臨床工学技士の業務に関し、犯罪又は不正の行為があった者

③心身の障害により臨床工学技士の業務を適正に行うことができない者として厚生労働省令で定めるもの

④麻薬、大麻又はあへんの中毒者

厚生労働省令で定めるものは、医師法の場合と同じです《施行規則第1条》P.49参照。

【業 務】

臨床工学技士は、診療の補助として生命維持管理装置の操作を行うことができます（第37条）。

医師の指示のもとで、医療従事者がその業をなすことができるのが原則であることを理解することが大切です（第38条参照）。

【特定行為の制限】 ココでた!!

臨床工学技士は、医師の具体的指示を受けなければ、厚生労働省令で定める生命維持管理装置の操作を行ってはなりません（第38条）。

ZOOM UP!

生命維持管理装置の操作《施行規則 第32条》

①身体への血液、気体又は薬剤の注入 ココでた!!

②身体からの血液又は気体の抜き取り（採血を含む）

③身体への電気的刺激の負荷

Q 臨床工学技士は、医師の具体的な指示を受けなければ、厚生労働省令で定める生命維持管理装置の操作を行ってはならない。

➡ ○ そのとおり（臨床工学技士法第38条）【第28回・第39回】

Q 臨床工学技士が行うことができる生命維持管理装置の操作には、身体への血液、気体又は薬剤の注入が含まれる。

➡ ○ そのとおり（臨床工学技士法施行規則第32条）【第44回・第49回】

Keyword **【臨床工学技士】**

厚生労働大臣の免許を受けて、臨床工学技士の名称を用いて、医師の指示の下に、生命維持管理装置の操作及び保守点検を行うことを業とする者のこと。

薬剤師法（抜粋） 昭和35年制定

薬剤師は、**調剤**、**医薬品の供給**その他薬事衛生をつかさどることによって、公衆衛生の向上及び増進に寄与し、もって国民の健康な生活を確保するものと薬剤師法に書かれています。薬剤師法は2004年に国家資格の受験資格の変更（4年制から6年制の修学者）、2006年には調剤場所の拡大（居宅等での一部調剤）への法改正が行われました。また、2013年12月13日の法改正によって、「情報提供義務」から「情報提供および指導義務」へと変更され、調剤がなされた場合には、薬の適正な使用のために薬学的知見に基づいた必要な指導を行うことが義務づけられました。

【免　許】

薬剤師になろうとする者は、厚生労働大臣の免許を受けなければなりません（第2条）。

薬剤師国家試験を受けます。
受験資格が4年制から6年制の薬学教育を修めた者に改正されました。
2006年4月1日より施行。

未成年者、成年被後見人、又は被保佐人には、免許を与えてはなりません（第4条）。

また、次のいずれかに該当する者には、免許を与えないことがあります（第5条）。

①心身の障害により薬剤師の業務を適正に行うことができない者として厚生労働省令で定める者

②麻薬、大麻又はあへんの中毒患者

③罰金以上の刑に処せられた者

④薬事に関し犯罪又は不正の行為があった者

ZOOM UP!

厚生労働省令で定める者《施行規則第1条の2》

厚生労働省令で定める者とは、視覚又は精神の機能の障害により、薬剤師の業務を適正に行うに当たって必要な認知、判断及び意思疎通を適切に行うことができない者とする。

薬剤師が、成年被後見人又は被保佐人になったときは、厚生労働大臣は、 その免許を取り消します（第8条）。

また、薬剤師が次のいずれかに該当し、又は薬剤師としての品位を損するような行為のあっ

Keyword 【臨床工学技士が関わる主な内容】
血液浄化療法、呼吸療法、手術室、集中治療室、心臓血管カテーテル、高気圧酸素、ペースメーカー（PM）、植込み型除細動器（ICD）などの生命維持装置の操作保守点検。

たときは、厚生労働大臣は、次に掲げる処分をすることができます。

①戒告

②３年以内の業務の停止

③免許の取り消し

都道府県知事は、上記の処分が行われる必要があると認めるときは、その旨を**厚生労働大臣**に具申しなければなりません。

【調　剤】

薬剤師でない者は、販売又は授与の目的で調剤してはなりません。ただし、医師もしくは歯科医師が次に掲げる場合において、自己の処方箋により自ら調剤するとき、又は獣医師が自己の処方箋により自ら調剤するときは、この限りではありません（第８条）。

①患者又は現にその看護に当たっているものが特にその医師又は歯科医師から薬剤の交付を受けることを希望する旨を申し出た場合

②医師法第 22 条各号の場合又は歯科医師法第 21 条各号の場合

医師は、すべての医療業務を行うことができるのです（オールマイティ）。

【調剤の場所】

2006 年６月 21 日の法改正により、調剤の場所拡大が行われました。これにより、薬剤師は医療を受ける者の居宅等において調剤の業務の一部を行うことが可能となりました。

薬剤師は、医療を受けるものの居宅等（居宅その他の厚生労働省令で定める場所をいう）において、医師又は歯科医師が交付した処方箋により、厚生労働省令で定めるものを行う場合を除き、**薬局以外の場所**で、販売又は授与の目的で**調剤**してはなりません。ただし、病院もしくは診療所又は飼育動物診療施設の調剤所において、その病院もしくは診療所又は飼育動物診療施設で診療に従事する医師もしくは歯科医師又は獣医師の処方箋によって調剤する場合、災害その他特殊の事由により薬剤師が薬局において調剤することができない場合、その他の厚生労働省令で定める特別の事情がある場合は、この限りではありません（第 21 条）。

【調剤された薬剤の表示】

薬剤師は、販売又は授与の目的で調剤した薬剤の容器又は被包に、処方箋に記載された患者の氏名、用法、用量その他厚生労働省令で定める事項を記載しなければなりません（第 25 条）。

Keyword 【薬剤師の勤務場所】

薬剤師の勤務場所 BEST3……1 位 薬局、2 位 保険医療機関、3 位 製薬会社。

厚生労働省令で定める事項《施行規則第 14 条》

厚生労働省令で定める事項とは、《施行規則第 14 条》より、
①調剤年月日
②調剤した薬剤師の氏名
③調剤した薬局または病院若しくは診療所若しくは飼育動物診療施設の名称及び所在地

【処方箋と調剤録】

薬局開設者は、当該薬局で調剤済みとなった処方箋を、調剤済みとなった日から**3 年間**、保存しなければなりません（第 27 条）。

また、薬局開設者は、薬局に調剤録を備えなければなりません。

薬剤師は、薬局で調剤したときは、調剤録に厚生労働省令で定める事項を記入します。ただし、その調剤により当該処方箋が調剤済みになったときは、その限りではありません。

薬局開設者は調剤録を、**最終の記入の日から 3 年間**保存しなければならないと定められています（第 28 条）。

ZOOM UP!

厚生労働省令で定める事項《施行規則第 16 条》

一　患者の氏名及び年令
二　薬名及び分量
三　調剤年月日
四　調剤量
五　調剤した薬剤師の氏名
六　処方箋の発行年月日
七　処方箋を交付した医師、歯科医師又は獣医師の氏名
八　前号の者の住所又は勤務する病院もしくは診療所もしくは飼育動物診療施設の名称及び所在地
九　前条第二号及び第三号に掲げる事項

Keyword【処方箋受取率】
外来で処方箋を受け取った患者のうち、院外の保険調剤薬局で調剤を受けた割合を示す。したがって、医薬分業率ともいえる。

理学療法士及び作業療法士法（抜粋） 1965年制定

理学療法士及び作業療法士法は、理学療法士（PT）及び作業療法士（OT）の資格を定めるとともに、その業務が、適正に運用されるように規律し、もって医療の普及及び向上に寄与することを目的としています。

この法律で「理学療法」とは、身体に障害のある者に対し、**運動療法**と**物理療法**により主としてその基本的動作能力の回復を図ることです。治療体操その他の運動を行わせ、及び電気刺激、マッサージ、温熱その他の物理的手段を用い、医師の指示の下で、理学療法を行います（第２条）。

この法律で「作業療法士」とは、身体又は精神に障害のある者に対し、主としてその**応用的動作能力**又は**社会的適応能力**の回復を図るため、**手芸**、**工芸**、その他の作業を行わせることをいいます。医師の指示の下で、作業療法を行います。

【免　許】

理学療法士又は作業療法士になろうとする者は、理学療法士国家試験または作業療法士国家試験に合格し、厚生労働大臣の免許を受けなければなりません（第３条）。

次のいずれかに該当する者には、免許を与えないことがあります（第４条）。

①罰金以上の刑に処せられた者

②理学療法士、作業療法士の業務に関し犯罪又は不正の行為があった者

③心身の障害により、理学療法士又は作業療法士の業務を適正に行うことができない者として厚生労働省令で定めるもの

④麻薬、大麻又はあへんの中毒者

ZOOM UP!

厚生労働省令で定めるものとは《施行規則第１条》

精神の機能の障害により理学療法士及び作業療法士の業務を適正に行うに当たって必要な認知、判断及び意思疎通を適切に行うことができない者。

Keyword **【OT・PT】**

作業療法士（Occupational Therapist）をOTと表す。理学療法士（Physical Therapist）をPTと表す。

言語聴覚士法（抜粋） 1997年制定

言語聴覚士法は、言語聴覚士（ST）の資格を定めるとともに、その業務が適正に運用されるように規律し、もって医療の普及及び向上に寄与することを目的としています。言語聴覚士とは、厚生労働大臣の免許を受けて、言語聴覚士の名称を用いて、**音声機能、言語機能**又は**聴覚**に**障害のある者**についてその機能の維持向上を図るため、言語訓練その他の訓練、これに必要な検査及び助言、指導その他の援助を行います。

【免　許】

言語聴覚士になろうとする者は、言語聴覚士国家試験に合格し、厚生労働大臣の免許を受けなければなりません（第3条）。

また、次のいずれかに該当する者には、免許を与えないことがあります（第4条）。

①罰金以上の刑に処せられた者

②言語聴覚士の業務に関し犯罪又は不正の行為があった者

③心身の障害により言語聴覚士の業務を適正に行うことができない者として厚生労働省令で定めるもの

④麻薬、大麻、あへんの中毒者

厚生労働省令は、《施行規則第1条》で P.49 の医師法と同じです。

言語聴覚士は、診療の補助として医師又は歯科医師の指示の下に、嚥下訓練、人工内耳の調整、その他厚生労働省令で定める行為を行うことができます（第42条）。

ZOOM UP!

その他の厚生労働省で定める行為《施行規則第22条》

①機器を用いる聴力検査（聴力レベル等）　②聴性脳幹反応検査　③音声機能に係る検査及び訓練　④言語機能に係る検査及び訓練　⑤耳型の採型　⑥補聴器装用訓練

※本検査は、主治医の指導を受けなければならない

※③と④については、他動もしくは抵抗運動を伴うもの、または薬剤もしくは器具を使用するものに限る

Keyword 【嚥下】

食べ物を認識し咀嚼（噛み砕く）して飲み込みやすくし、口腔から咽頭・食道・胃へと食べ物を送り込む一連の流れのうち、飲み込むことを嚥下という。

療養担当規則

□療養を担当するための規則を理解する
□しなければならないこと、してはならないことを理解する
□条文出題に対応できるように理解する

診療に関する法規（療養担当規則）

療養担当規則は正式には「保険医療機関及び保険医療養担当規則」といいます。

療養担当規則は、保険医療機関や保険医が保険診療を行う上で守らなければならない基本的な約束事項で、「保険医療機関」に対しては、療養の給付の担当範囲や担当方針などが、「保険医」には診療の一般的・具体的方針、診療録の記載などが書かれています。

保険診療は、厚生労働大臣が定めた「療養担当規則」に基づいて行われているので、しっかり理解して業務にあたらなければならないのです。したがって、診療報酬請求事務能力認定試験の学科問題でも最も多く出題されます。

これまで出題された箇所以外も
ターゲットになる分野です。

ココでた!!

保険医療機関が担当する療養の給付並びに被保険者及び被保険者であった者、これらの者の被扶養者の療養（以下単に「療養の給付」という）の範囲は、次のとおりです。

①診察
②薬剤又は治療材料の支給
③処置、手術その他の治療
④居宅における療養上の管理及びその療養に伴う世話その他の看護
⑤病院又は診療所への入院及びその療養に伴う世話その他の看護

Q 保険医療機関が担当する療養の給付の範囲には、治療材料の支給は含まれていない。
➡ × 治療材料の支給は、「療養の給付の担当範囲の二」に含まれている【第 34 回・第 39 回】

Keyword 【療養】
病気やケガを治療し、体を休めて回復を図ること。

【診療に関する照会】 ココでた!!

保険医療機関は、その担当した療養の給付に係る患者の疾病又は負傷に関し、他の保険医療機関から照会があった場合には、これに適切に対応しなければなりません（第２条の２）。

> **Q** 保険医療機関は、その担当した療養の給付に係る患者の疾病又は負傷に関し、他の保険医療機関から照会があった場合には、これに適切に対応しなければならない。
> ➡ ○ そのとおり【第 36 回・第 39 回】

【健康保険事業の健全な運営の確保】

保険医療機関は、その担当する療養の給付に関し、健康保険事業の健全な運営を損なうことのないよう努めなければなりません（第２条の４）。

> **Q** 保険医療機関は、その担当する療養の給付に関し、健康保険事業の健全な運営を損なうことのないよう努めなければならない。
> ➡ ○ そのとおり【第 38 回】

【経済上の利益の提供による誘引の禁止】

保険医療機関は、患者に対して、第５条の規定によって、受領する費用の額に応じて当該保険医療機関が行う収益業務に係る物品の対価の額の値引きをすること、その他の健康保険事業の健全な運営を損なうおそれのある経済上の利益の提供により、患者が自己の保険医療機関において診療を受けるように誘引してはなりません（第２条の４の２）。
（2012 年 10 月１日施行）

保険医療機関は、その担当する療養の給付に関し、健康保険事業の健全な運営を損なうことのないよう努めなければならないのです。

【特定の保険薬局への誘導の禁止】 ココでた!!

保険医療機関は、当該保険医療機関において、健康保険の診療に従事している保険医（以下「保険医」）の行う処方箋の交付に関し、患者に対して特定の保険薬局において調剤を受けるべき旨の指示等を行ってはなりません。

また、保険医療機関は、保険医の行う処方箋の交付に関し、患者に対して特定の保険薬局において調剤を受けるべき旨の指示等を行うことの対償として、保険薬局から金品その他の財産上の利益を収受してはなりません（第２条の５）。

> **Q** 保険医は処方箋の交付に際し、患者にとって最も利便性の良い保険薬局において調剤を受けるように指示することができる。
> ➡ × 特定の保険薬局において調剤を受けるべき旨の指示等を行ってはならない【第 41 回・第 48 回】

Keyword 【保険医療機関】
厚生労働大臣から指定を受け、健康保険法等による保険診療を行う医療機関をいう。

保険医療機関は、処方箋の交付に関して
対償としての金品等の収受がなくても、
特定の保険薬局で調剤を受けるべき旨の
指示等を行うことはできないのです。

Q 保険医療機関は、保険医の行う処方箋の交付に関し、患者に対して保険医の処方の意図を理解している特定の保険薬局において調剤を受けるよう指示することができる。
➡ × 特定の保険薬局において調剤を受けるべき指示等を行ってはならない【第34回・第38回】

【受給資格の確認】

保険医療機関は、患者から療養の給付を受けることを求められた場合には、その者の提出する被保険者証によって療養の給付を受ける資格があることを確かめます。ただし、緊急やむを得ない事由によって被保険者証を提出することができない患者であって、療養の給付を受ける資格が明らかなものについては、この限りでありません（第3条）。

Q 保険医療機関は、国民健康保険の被保険者である患者から療養の給付を求めた場合には、その者の提出する被保険者証の代わりに住民票により受給資格を確認することができる。
➡ × その者の提出する被保険者証によって、療養の給付を受ける資格があることを確かめなければならない【第39回】

【領収証等の交付】

保険医療機関は、患者から費用の支払いを受けるときは、正当な理由がない限り、個別の費用ごとに区分して記載した領収証を無償で交付します。

厚生労働大臣の定める保険医療機関で領収証を交付するときは、正当な理由がない限り、当該費用の計算の基礎となった項目ごとに記載した明細書を交付します。ただし、正当な理由で明細書を常に交付することが困難である場合は、患者から求められたときに交付するのでも構いません（第5条の2）。

明細書の交付は、無償で行わなければなりません。ココでた!!

※ 2014年4月1日施行

※ただし、400床以上の病院を除き、明細書を常に交付することが困難であることについて正当な理由がある場合には、当分の間、患者から求められたときに明細書を交付することで足りる。また、正当な理由がある場合には当分の間有償で発行することができる。

Q レセプト電子請求が義務づけられている保険医療機関は、領収証を交付するにあたっては、正当な理由がない限り、明細書を無償で交付しなければならない。
➡ ○ そのとおり【第32回】

Keyword 【保険薬局】

保険医の処方箋に基づき、医療保険を使って調剤することができる薬局をいう。

【証明書等の交付】 ココでた!!

保険医療機関は、患者から保険給付を受けるために必要な保険医療機関又は保険医の証明書、意見書等の交付を求められたときは、無償で交付しなければなりません。ただし、一部療養費（柔道整復を除く施術に係るものに限る）や傷病手当金、出産育児一時金、出産手当金又は家族出産育児一時金に係る証明書又は意見書については、この限りではありません（第６条）。

Q 保険医療機関は、患者から保険給付を受けるために必要な保険医療機関又は保険医の証明書、意見書等の交付を求められたときは、特に規定する場合を除き、無償で交付しなければならない。
➡ ○　そのとおり。ただし、傷病手当金、出産育児一時金、出産手当金等はこの限りではない【第36回・第39回・第48回】

【診療録の記載及び整備・帳簿等の保存】

保険医療機関は、療養の給付の担当に関し、診療録に必要な事項を記載し、これを他の診療録と区別して整備しなければなりません（第８条）。

また、保険医療機関は、療養の給付の担当に関する帳簿及び書類その他の記録をその完結の日から３年間保存しなければなりません。ただし、患者の診療録にあっては、その完結の日から５年間です（第９条）。ココでた!!

自費診療と保険診療の診療録を区別して整備することが必要です。

Q 保険医療機関は、患者の診療録を療養の給付の完結の日から３年間保存しなければならない。
➡ ×　診療録は療養の給付の完結の日から５年間保存しなければならない【第39回】

Q 保険医療機関は、診療録の療養の給付の担当に関する帳簿及び書類その他の記録をその完結の日から５年間保存しなければならない。
➡ ×　診療録は完結の日から５年間、療養の給付の担当に関する帳簿及び書類その他の記録は、その完結の日から３年間保存しなければならない【第35回・第38回】

Q 保険医療機関は、医療費の内容のわかる領収証を交付したときは、その控えを３年間保存しなければならない。
➡ ○　そのとおり。療養の給付の担当に関する帳簿及び書類、その他の記録は、その完結の日から３年間保存しなければならない【第30回・第47回】

診療関係帳簿の保存期間

項　目	具体的な種類	保存期間	定めている法令
診療録		診療完結の日から５年間	医師法第24条、療養担当規則第９条等
診療に関する諸記録	病院日誌、各科の診療日誌、処方箋※、手術記録、看護記録、検査所見記録、Ｘ線写真、入院・外来患者数の記録	２年間	医療法施行規則第20条第10号
帳簿等（フィルムを含む）	療養の給付の担当（および保険外併用療養費に係る療養費の取り扱い）に関する帳簿および書類、その他の記録（保険診療に係る諸帳簿）	３年間	療養担当規則第９条
レントゲンフィルム		２年間 ３年間 ５年間 ７年間	医療法施行規則 療養担当規則 労働安全衛生規則第51条 じん肺法第17条

※処方箋については「保険薬局及び保険薬剤師療養担当規則」第６条で３年間の保存期間

【通　知】

保険医療機関は、患者が下記に該当する場合には、遅滞なく、意見を附して、その旨を全国健康保険協会及び当該健康保険組合に通知しなければなりません（第10条）。

①家庭事情等のため退院が困難であると認められたとき
②闘争、泥酔又は著しい不行跡によって事故を起こしたと認められたとき
③正当な理由がなくて、療養に関する指揮に従わないとき
④詐欺その他不正な行為により、療養の給付を受け、又は受けようとしたとき

Q 保険医療機関は、患者が家庭の事情等のため、退院が困難であると認められたときは、遅滞なく、意見を付して、その旨を地方厚生局に通知しなければならない。
➡　×　その旨を全国健康保険協会又は当該健康保険組合に通知しなければならない【第36回・第49回】

【入　院】

患者の入院に関しては、療養上必要な寝具類を具備し、その使用に供するとともに、その病状に応じて適切に行い、療養上必要な事項について適切な注意及び指導を行います。

病院、診療所ともに医療法（1948年法律第205号）の規定に基づいて許可を受け、もしくは届出をし、又は承認を受けた病床数の範囲内で、それぞれ患者を入院させなければなりません。ただし、災害その他のやむを得ない事情がある場合は、この限りではありません（第11条）。

Keyword【領収証と明細書】
領収証は、投薬●点、検査●点と項目ごとの金額の内訳が書かれたもので、明細書は薬の種類や検査内容など詳細に診療内容と単価（点数）を表したもの。

Q 保険医療機関である病院は、健康保険法の規定に基づき許可を受け、もしくは届出をし、又は承認を得た病床数の範囲内で、患者を入院させなければならない。
➡ × 健康保険法ではなく、医療法の規定に基づき、許可を受けたものでなくてはならない。「療養担当規則 第11条」においても、明文化されている【第37回】
Q 保険医療機関は、患者の入院に際し、患者又はその家族等に対して当該患者の過去6ヵ月以内の入院の有無を確認しなければならない。
➡ × 過去3ヵ月以内の入院の有無を確認しなければならない（入院料等「通則」に関する保医発通知）【第44回】

【看 護】

保険医療機関は、その入院患者に対して、患者の負担により、当該保険医療機関の従業者以外の者による看護を受けさせてはなりません。

また、当該保険医療機関の従業者による看護を行うため、従業者の確保等必要な体制の整備に努める必要があります（第11条の2）。ココでた!!

Q 保険医療機関は、入院患者の症状が特に重篤である場合に限り、患者の負担により、当該保険医療機関の従業者以外の者による看護を受けさせることができる。
➡ × 患者の負担により、従業者以外による看護を受けさせてはならない【第39回】
Q 保険医療機関は、その入院患者に対して、患者の負担により、当該保険医療機関の従業者以外の者による看護を受けさせてはならない。
➡ ○ そのとおり【第35回】

【特殊療法等の禁止】

保険医は、特殊な療法又は新しい療法等については、厚生労働大臣の定めるもののほかを行ってはなりません（第18条）。ココでた!!

Q 保険医は、特殊な療法又は新しい療法については、厚生労働大臣の定めるもののほか行ってはならない。
➡ ○ そのとおり【第37回・第44回・第51回】

【診療の具体的方針】

医師である保険医の診療の具体的方針は、第12条の規定によるほか、次に掲げるところによるものとなっています。

一 診察

イ 診察は、特に患者の職業上及び環境上の特性等を顧慮して行う。

ロ 診察を行う場合は、患者の服薬状況及び薬剤服用歴を確認しなければならない。ただし、緊急やむを得ない場合については、この限りではない。

ハ 健康診断は、療養の給付の対象として行ってはならない。

ニ 往診は、診療上必要があると認められる場合に行う。

Keyword 【レセプト電子請求】
2006年4月の厚生労働省通知により、これまでのレセプト用紙による提出方法からオンライン請求の受け渡しによる仕組みとなった。

ホ　各種の検査は、診療上必要があると認められる場合に行う。

ヘ　ホによるほか、各種の検査は、研究の目的をもって行ってはならない。ただし、治験に係る検査については、この限りでない。

二　投薬

イ　投薬は、必要があると認められる場合に行う。

ロ　治療上1剤で足りる場合には1剤を投与し、必要があると認められる場合に2剤以上を投与する。

ハ　同一の投薬は、みだりに反復せず、症状の経過に応じて投薬の内容を変更する等の考慮をしなければならない。

ニ　投薬を行うに当たっては、医薬品、医療機器等の品質、有効性及び安全性の確保等に関する法律第14条の4第1項各号に掲げる医薬品（以下「新医薬品等」という）とその有効成分、分量、用法、用量、効能及び効果が同一性を有する医薬品として、同法第14条又は第19条の2の規定による製造販売の承認（以下「承認」という）がなされたもの（ただし、同法第14条の4第1項第2号に掲げる医薬品並びに新医薬品等に係る承認を受けている者が、当該承認に係る医薬品と有効成分、分量、用法、用量、効能及び効果が同一であってその形状、有効成分の含量又は有効成分以外の成分もしくはその含量が異なる医薬品に係る承認を受けている場合における当該医薬品を除く）（以下「後発医薬品」という）の使用を考慮するとともに、患者に後発医薬品を選択する機会を提供すること等患者が後発医薬品を選択しやすくするための対応に努めなければならない。

ホ　栄養、安静、運動、職場転換その他療養上の注意を行うことにより、治療の効果を挙げることができると認められる場合は、これらに関し指導を行い、みだりに投薬をしてはならない。

ヘ　投薬量は、予見することができる必要期間に従ったものでなければならないこととし、厚生労働大臣が定める内服薬及び外用薬については当該厚生労働大臣が定める内服薬及び外用薬ごとに1回14日分、30日分又は90日分を限度とする。

ト　注射薬は、患者に療養上必要な事項について適切な注意及び指導を行い、厚生労働大臣の定める注射薬に限り投与することができることとし、その投与量は、症状の経過に応じたものでなければならず、厚生労働大臣が定めるものについては当該厚生労働大臣が定めるものごとに1回14日分、30日分又は90日分を限度とする。

三　処方箋の交付

イ　処方箋の使用期間は、交付の日を含めて4日以内とする。ただし、長期の旅行等特殊の事情があると認められる場合は、この限りでない。ココでた!!

ロ　前イによるほか、処方箋の交付に関しては、前号に定める投薬の例による。

四　注射

Keyword **【保険外併用療養費制度】**
制度は大きく分けて「評価療養」と「選定療養」に分けられる。

イ　注射は、次に掲げる場合に行う。

（1）経口投与によって胃腸障害を起こすおそれがあるとき、経口投与をすることができないとき、又は経口投与によっては治療の効果を期待することができないとき。

（2）特に迅速な治療の効果を期待する必要があるとき。

（3）その他注射によらなければ治療の効果を期待することが困難であるとき。

ロ　注射を行うに当たっては、後発医薬品の使用を考慮するよう努めなければならない。

ハ　内服薬との併用は、これによって著しく治療の効果を挙げることが明らかな場合又は内服薬の投与だけでは治療の効果を期待することが困難である場合に限って行う。

ニ　混合注射は、合理的であると認められる場合に行う。

ホ　輸血又は電解質もしくは血液代用剤の補液は、必要があると認められる場合に行う。

五　手術及び処置

イ　手術は、必要があると認められる場合に行う。

ロ　処置は、必要の程度において行う。

六　リハビリテーション

リハビリテーションは、必要があると認められる場合に行う。

六の2　居宅における療養上の管理等

居宅における療養上の管理及び看護は、療養上適切であると認められる場合に行う。

七　入院

イ　入院の指示は、療養上必要があると認められる場合に行う。

ロ　単なる疲労回復、正常分べん又は通院の不便等のための入院の指示は行わない。

ハ　保険医は、患者の負担により、患者に保険医療機関の従業者以外の者による看護を受けさせてはならない。

Q 保険医は、投薬を行うに当たって、後発医薬品の使用を考慮するとともに、患者が後発医薬品を選択しやすくするための対応に努めなければならない。

➡ ○　そのとおり（保険医の診療方針に対する療養担当規則第 20 条の 2）【第 32 回・第 37 回・第 38 回】

Q 処方箋の使用期間は、事情の如何にかかわらず、交付の日を含めて 4 日以内である。

➡ ×　長期の旅行等、特殊な事情があるときはこの限りではない【第 36 回】

Q 使用期間の記載されていない処方箋の有効期間は、交付の日から 4 日以内である。

➡ ○　そのとおり【第 32 回】

【診療録の記載】 ココでた!!

保険医は、患者の診療を行った場合には、遅滞なく、様式第 1 号又はこれに準ずる様式の診療録に、当該診療に関し必要な事項を記載しなければなりません（第 22 条）。

Q 保険医は、患者の診察を行った場合は、遅滞なく、診療録に当該診療に関し、必要な事項を記載しなければならない。

➡ ○　そのとおり【第 39 回】

Keyword 【完結の日】

記録の保存における「完結の日」とは、明文化がないものの一般的には治癒や中止による診療の完了日とされる。

介護保険の概要

□介護保険制度のしくみを理解する
□保険者、被保険者を理解する
□認定区分とサービス内容を理解する

介護保険のしくみ

65 歳以上を**高齢者**と呼び、65 歳以上 74 歳以下を**前期高齢者**、75 歳以上を**後期高齢者**といいます。

わが国の 65 歳以上の高齢者人口は 3,622 万 5 千人、総人口に占める割合は 29.0% で、前年に比べると 1 万 1 千人増加しました（総務省統計局発表　2022 年 10 月 1 日現在）。

この超高齢社会を支えるために、2000 年 4 月から、介護保険制度が導入され、3 年に一度または臨時で 10 月に改正されます。ここでは介護保険制度について見ていきましょう。

被保険者と保険者や、介護保険サービス提供機関と国保連合会の関係、国・都道府県と保険者の関係など、介護保険の流れを見てみましょう。

介護保険の流れを
理解しましょう。

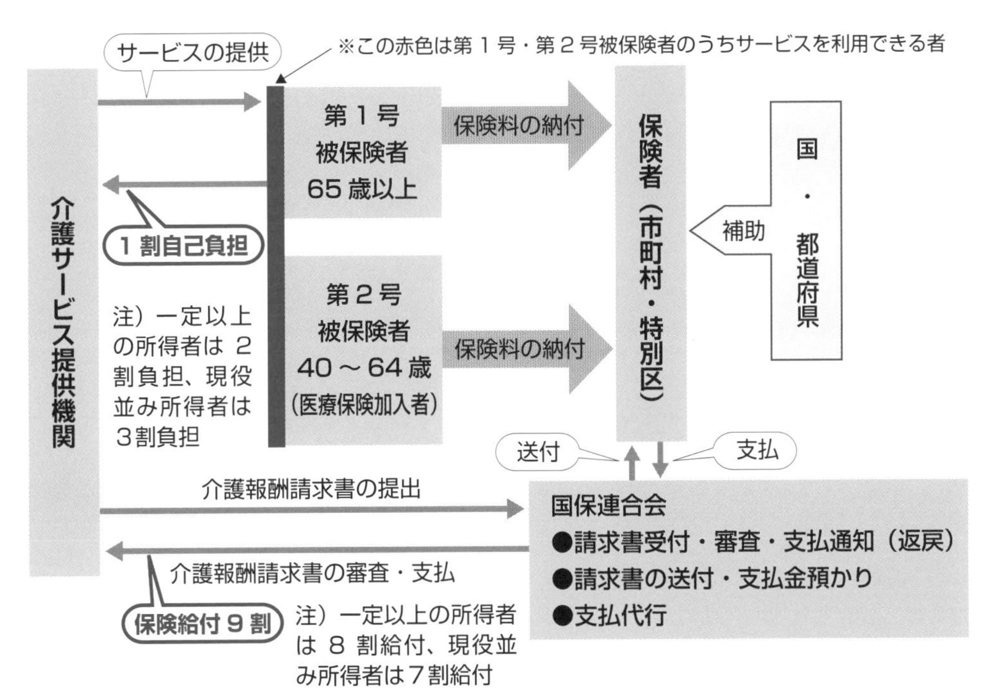

Keyword 【第 1 号被保険者】
市町村の区域内に住所を有する 65 歳以上の者（介護保険法第 9 条）。

【保険者】

介護保険の保険者は、市町村、特別区（東京23区）です。本書では「市町村」と表記します。保険者とは被保険者から保険料を徴収し、保険事業を運営するもの（団体）をいいます。

【被保険者】

介護保険の被保険者は、その市町村に住所のある40歳以上の人をいいます（介護保険法第9条）。

年齢によって2つに区分されています。

① 65歳以上⇒**第1号被保険者**

② 40～64歳の医療保険加入者⇒**第2号被保険者**

【保険給付（対象者）】

①第1号被保険者は、病気や事故など**一切の原因を問わず**、介護が必要な状態にあれば、**介護認定を受けて**、必要に応じて保険給付として介護サービスが受けられます。

②第2号被保険者は、「**特定疾病**」（16種類）が原因で、介護が必要な状態になった者に限り、**介護認定を受けて**、必要に応じて保険給付として介護サービスが受けられます。

ココをCHECK!

特定疾病　16種類

1.がん末期、2.関節リウマチ、3.筋萎縮性側索硬化症、4.後縦靭帯骨化症、5.骨折を伴う骨粗鬆症、6.初老期における認知症、7.進行性核上性麻痺、大脳皮質基底核変性症及びパーキンソン病（パーキンソン病関連疾患）、8.脊髄小脳変性症、9.脊柱管狭窄症、10.早老症、11.多系統萎縮症、12.糖尿病性神経障害、糖尿病性腎症及び糖尿病性網膜症、13.脳血管疾患、14.閉塞性動脈硬化症、15.慢性閉塞性肺疾患、16.両側の膝関節又は股関節に著しい変形を伴う変形性関節症

【介護認定】

介護認定は、①「訪問調査（基本調査の項目チェック）」⇒②「一次判定（①の項目をコンピューターに入力し判定）」⇒③「二次判定（主治医の意見書等を含め介護認定審査会で審査）」⇒④「認定・通知（要介護・要支援・非該当）」によって決まります。

【介護認定区分と利用サービスの種類】

介護認定審査会では、7段階で判定されます。

Keyword 【第2号被保険者】

市町村の区域内に住所を有する40歳以上65歳未満の医療保険加入者（介護保険法第9条）。

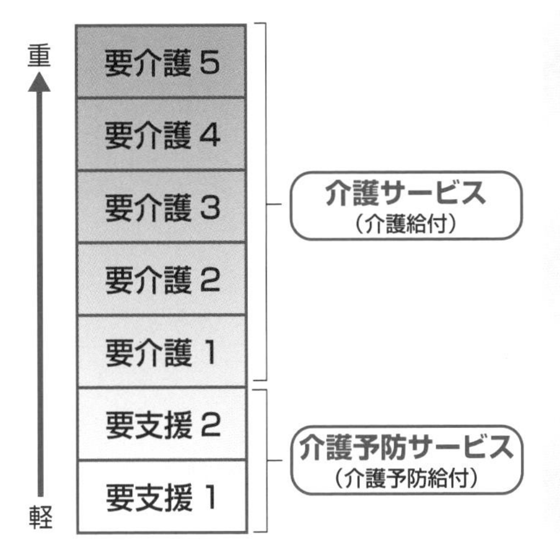

※2015 年度から要支援に対する「通所介護」「訪問介護」は、市町村の地域支援事業に移行された。

≪居宅サービス≫①訪問介護（ホームヘルプ）、②訪問入浴介護、③訪問看護、④訪問リハビリテーション、⑤居宅療養管理指導、⑥通所介護（デイサービス）、⑦通所リハビリテーション（デイケア）、⑧短期入所生活介護（特養ショートステイ）、⑨短期入所療養介護（老健、療養型医療施設、老人性認知症疾患療養施設によるショートステイ）、⑩特定施設入居者生活介護（有料老人ホーム、在宅介護対応型軽費老人ホーム）、⑪福祉用具の貸与及び購入費の支給、⑫住宅改修費の支給

≪支援サービス≫①居宅介護支援

≪施設サービス≫①介護老人福祉施設（ 特別養護老人ホーム（2015 年度より、入所基準は原則要介護 3 以上））②介護老人保健施設（ 老人保健施設 ）③介護療養型医療施設④介護医療院

≪地域密着型サービス≫①認知症対応型通所介護②小規模多機能型居宅介護③認知症対応型共同生活介護（グループホーム）④複合型サービス（看護小規模多機能型居宅介護）⑤定期巡回・随時対応型訪問介護看護⑥夜間対応型訪問介護⑦地域密着型特定施設入居者生活介護⑧地域密着型介護老人福祉施設入所者生活介護⑨地域密着型通所介護

※下線のサービスは、要支援 1・2 の人は利用できません。

【サービス利用料】

利用者は、**原則**サービス利用料の **1 割**（一定以上の所得者 **2 割**）を支払います。

ココでた!!

介護保険では、介護給付費単位表に定められた「単位」に「単価」を乗じて金額を出し、その 1 割を自己負担として利用者が支払います。

要介護度別に利用限度額が定められています。この限度額を超えて介護サービスを利用する場合は、その超えた分は全額自己負担となります。

※ 2018 年 8 月 1 日から、現役並み所得者（課税所得 145 万円以上）の人は自己負担の上限が 3 割。

※ 2022 年 10 月 1 日から、一定以上の所得者（①課税所得が 28 万円以上で、かつ②「年金収入＋その他の合計所得金額」の合計が単身で 200 万円以上、2 人以上世帯で 320 万円以上）は、2 割負担。

「単価」は地域やサービスの種類によって異なり、全国一律ではありません。

Keyword **【介護保険の保険者】**

制度の運営主体である保険者は、市町村と特別区（東京 23 区）である。

【財源構成】

財源は、1. 公費 50%【国（25%）、都道府県（12.5%）、市町村（12.5%）】
2. 保険料 50%【第 1 号被保険者の保険料、第 2 号被保険者の保険料】

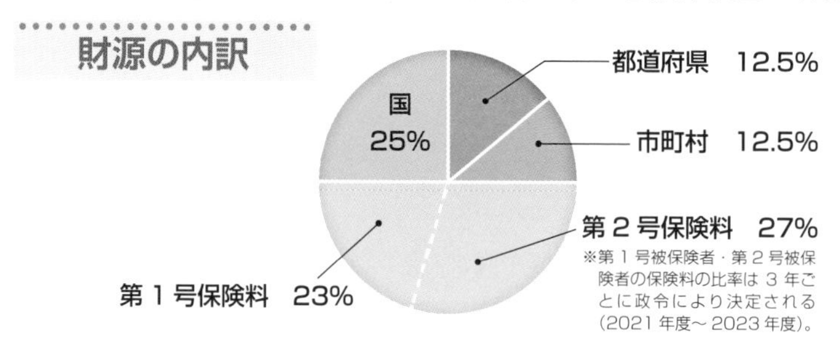

【保険料の納入方法】

介護保険料の納入は、第 1 号被保険者と第 2 号被保険者では異なります。

≪第 1 号被保険者の場合≫

①普通徴収……被保険者の年金受給額が、年額 18 万円未満の場合は、納付方法として口座振替、コンビニなどからの振込または市町村に直接納付します。

②特別徴収……被保険者の年金受給額が、年額 18 万円以上の場合は、年金から天引きされ、市町村に納入されます。

≪第 2 号被保険者の場合≫

医療保険の加入者である第 2 号被保険者の場合、介護保険料は医療保険と合算されて徴収されます。

1. 健康保険（社保）に加入している第 2 号被保険者の介護保険料

健康保険に加入している第 2 号被保険者が負担する介護保険料は、健康保険料と一体的に徴収されます。介護保険料は医療保険と同様に、原則、事業主と被保険者で 1 ／ 2 ずつ負担します。

2. 国民健康保険（国保）に加入している第 2 号被保険者の介護保険料

国民健康保険に加入している第 2 号被保険者が負担する介護保険料は、国民健康保険の保険料と一体的に徴収されます。

※介護保険料の金額は、市町村や加入している医療保険によっても異なる。

【介護報酬の請求】

請求先は、サービス事業所や施設の所在地の**国民健康保険団体連合会**（国保連合会）です。サービス提供月の翌月 10 日までに請求書類として「介護給付費明細書（介護レセプト）」「介護給付費請求書」を提出します。支援サービス事業所は「給付管理票」も提出します。

Keyword **【予防給付】**

予防給付とは、「要支援 1・2」と認定された者が利用できるサービス。

介護保険法（抜粋）

介護保険法は、加齢に伴って生ずる心身の変化に起因する疾病等により要介護状態となり、入浴、排せつ、食事等の介護、機能訓練並びに看護及び療養上の管理その他の医療を要する者等について記しています。これらの者が尊厳を保持し、その有する能力に応じて自立した日常生活を営むことができるよう、必要な保健医療サービス及び福祉サービスに係る給付を行うために介護保険制度を設け、その行う保険給付等に関して必要な事項を定め、国民の保健医療の向上及び福祉の増進を図ることを目的とします。

介護保険は、被保険者の要介護状態又は要支援状態（以下「要介護状態等」）に関し、必要な保険給付を行うものです。保険給付は、要介護状態等の軽減又は悪化の防止に資するよう行われるとともに、医療との連携に十分配慮して行われなければなりません。被保険者の心身の状況、その置かれている環境等に応じて、被保険者の選択に基づき、適切な保健医療サービス及び福祉サービスが、多様な事業者又は施設から、総合的かつ効率的に提供されるよう配慮して行います。被保険者が要介護状態となった場合においても、可能な限り、その居宅において、その有する能力に応じ自立した日常生活を営むことができるように配慮されなければなりません。

【国民の努力及び義務】

国民は、自ら要介護状態になることを予防するため、加齢に伴って生じる心身の変化を自覚して、常に健康の保持増進に努めるとともに、要介護状態となった場合においても、進んでリハビリテーションなどの適切な保健医療サービス及び福祉サービスを利用し、その有する能力の維持向上に努めます（第４条）。

【被保険者】

下記の者は、市町村又は特別区（以下「市町村」）が行う介護保険の被保険者となります（第９条）。

①市町村の区域内に住所を有する65歳以上の者（以下「第１号被保険者」という）

②市町村の区域内に住所を有する40歳以上65歳未満の医療保険加入者（以下「第２号被保険者」という） ココでた!!

【資格取得の時期】

市町村が行う介護保険の被保険者は、次のいずれかに該当するに至った日から、その資格を取得します（第10条）。

①当該市町村の区域内に住所を有する医療保険加入者が40歳に達したとき

②40歳以上65歳未満の医療保険加入者又は65歳以上の者が当該市町村の区域内に住所を

有するに至ったとき
③当該市町村の区域内に住所を有する40歳以上65歳未満の者が医療保険加入者となったとき
④当該市町村の区域内に住所を有する者（医療保険加入者を除く）が65歳に達したとき

【資格喪失の時期】

当該市町村が行う介護保険の被保険者は、当該市町村の区域内に住所を有しなくなった日の翌日から、その資格を喪失します。ただし、当該市町村の区域内に住所を有しなくなった日に、他の市町村の区域内に住所を移動したときは、その日から、その資格を喪失します。

第2号被保険者は、医療保険加入者でなくなった日から、その資格を喪失します（第11条）。

【届出等】

第1号被保険者は、厚生労働省令で定めるところにより、被保険者の資格の取得及び喪失に関する事項やその他必要な事項を市町村に届け出なければなりません。ただし、当該市町村の区域内に住所を有するものが65歳に達して被保険者の資格を取得した場合（厚生労働省令で定める場合を除く）は、この限りではありません（第12条）。

第1号被保険者の属する世帯の世帯主は、その世帯に属する第1号被保険者に代わって、当該第1号被保険者に係る前項の規定による届出をすることができます。

被保険者は、市町村に対し、当該被保険者に係る被保険者証の交付を求めることができます。また、その資格を喪失したときは、厚生労働省令で定めるところにより、速やかに、被保険者証を返還しなければなりません。

【保険料】

市町村は、介護保険事業に要する費用（財政安定化基金拠出金の納付に要する費用を含む）に充てるため、保険料を徴収しなければなりません（第129条）。

保険料は第1号被保険者に対し、政令で定める基準に従って、条例で定めるところにより算定された保険料率によって算定された保険料額になります。

保険料率は、市町村介護保険事業計画に定める介護給付等対象サービスの見込量等に基づいて算定した保険給付に要する費用の予想額、財政安定化基金拠出金の納付に要する費用の予想額、第147条第1項第2号の規定による都道府県からの借入金の償還に要する費用の予想額並びに地域支援事業及び保険福祉事業に要する費用の予想額、第1号被保険者の所得の分布状況及びその見通し、並びに国庫負担等の額などに照らし、おおむね3年を通じ、財政の均衡を保つことができるものでなければなりません。

市町村は第1項の規定にかかわらず、第2号被保険者からは保険料を徴収しません。

Keyword **【介護認定審査会】**
介護認定の二次審査会で、保健・医療・福祉の分野の学識経験者で構成され、コンピュータによる一次判定に加え、主治医の意見書や状態等を含めた審査を行う。

公費負担医療制度の概要

□公費負担医療制度のしくみを理解する
□公費負担医療の種類と法別番号を理解する
□保険給付と患者負担を理解する

公費負担医療制度のしくみ

社会福祉や公衆衛生の向上発展を図るために、国と地方自治体がその一般財源を基にして、医療に関する給付を次の５つの視点から行うものをいいます。

５つの視点

①社会的弱者の援助・救済　②障害者の福祉
③健康被害に対する補償　④公衆衛生の向上
⑤難病・慢性疾患の治療研究と助成

公費負担医療制度は、それぞれの目的によって、全額国庫負担になるもの、公費負担が優先するもの、医療保険が優先し患者が支払う負担分に対して公費が適用されるものなどがあります。所得制限のあるもの等、それによって、患者の窓口負担が発生する場合と発生しない場合があります。

公費負担医療は各制度によって、その目的と給付内容・自己負担等が定められています。以下、主なものを挙げます。

全額公費負担

患者負担：なし
対象の法別番号：「12」生活保護法（国保の資格もなし）※
「13」「14」戦傷病者特別援護法（公傷病）
「18」原子爆弾被爆者に対する援護に関する法律（認定疾病）
「29」感染症法（新感染症、指定感染症）
※国民健康保険の被保険者は生活保護法における保護を受けるに至った日から、その資格を喪失する（国民健康保険法第８条２項）。ココでた!!

≪全額公費負担≫

公費　100%

全額公費負担・医療保険優先

患者負担：なし（患者負担分が公費で）

対象の法別番号：「11」感染症法（命令入所）
「12」生活保護法
「17」児童福祉法（療育の給付）
「19」原子爆弾被爆者に対する援護に関する法律（一般疾病）
「20」精神保健福祉法（措置入院）
「22」麻薬及び向精神薬取締法（措置入院）
「23」母子保健法（療育医療）
「28」感染症法（一・二類感染症）
「51」特定疾患治療研究事業（重症患者）

≪全額公費負担・医療保険優先≫

医療保険　70%	公費　30%

医療保険優先・公費と一部患者負担あり

患者負担：負担あり（患者負担の一部が公費で）

対象の法別番号：「10」感染症法（適正医療）
「15」「16」「21」障害者総合支援法
（更生医療・育成医療・精神通院医療）
「51」特定疾患治療研究事業（重症患者を除く）

≪医療保険優先・公費と一部患者負担あり≫

例）「自立支援医療受給者証（育成医療）」と「被保険者証」の提示患者の場合

医療保険　70%	公費（育成医療）	患者一部負担（原則１割）上限額あり
	30%	

<公費負担医療のレセプト請求>

レセプトの提出先は次のとおりです。

「公費単独」のレセプト	**支払基金へ提出**
「社保＋公費」のレセプト	
「国保＋公費」のレセプト	**国保連合会へ提出**
「後期高齢者医療＋公費」のレセプト	

Q 地方単独の公費負担医療の受給者について、当該地方単独事業の趣旨が特定の障害、特定の疾患に着目しているものである場合には、病院の初診に係る特別の料金を徴収することはできない。

➡ ○　そのとおり。保医発通知による「2．病院の初診に関する事項」（6）には、「いわゆる地方単独の公費負担医療の受給対象者については、当該地方単独事業の趣旨が特定の障害、特定の疾患に着目しているものである場合には、初診に係る特別の料金の徴収を行うことは認められない」としている【第29回・第32回・第39回】

Q 公費負担医療の併用に係る高額療養費の自己負担限度額は、公費負担医療及び患者の所得区分にかかわらず、一律「一般所得者」の自己負担限度額を適用している。

➡ ×　特定疾患治療研究事業や小児慢性特定疾患治療研究事業では、高額療養費の「所得区分別の自己負担限度額」を限度とする。なお、その他の公費負担医療と医療保険併用の場合は、原則として、所得にかかわらず、一般所得者の自己負担限度額を公費負担の限度額とする【第34回】

Q 70歳以上の高齢受給者の入院医療について、医療保険と公費負担医療（生活保護を除く）が併用される場合は、44,400円を超えた額が高額療養費として現物給付される。

➡ ×　公費が特定疾患治療研究事業による高額療養費の場合は、年齢区分及び所得区分ごとに、通常の世帯合算の高額療養費の算定基準額と同額である（健康保険法施行令第42条第7項）【第34回・第35回】

Q 医療保険と公費負担医療が併せて適用される場合には、医療保険の給付が優先する。

➡ ○　そのとおり。公費全額負担の場合を除き、併用は医療保険の給付が優先する（健康保険法第55条第3項）【第27回】

Q 障害者総合支援法（旧障害者自立支援法）精神通院医療の自己負担は医療保険が優先され、自己負担分に対する1割分を医療費として窓口徴収する。

➡ ○　そのとおり。障害者総合支援法（精神通院医療「21」）は、保険医療が優先し、自己負担額（原則1割）を控除した額が給付される　【第25回】※試験当時は、改正前の障害者自立支援法により出題された。

Q 特定疾患治療研究事業の対象疾患については、医療保険における患者負担額が公費負担となるので、入院・外来とも患者の自己負担額はない。

➡ ×　特定疾患治療研究事業の中でも、①スモン、②プリオン病、③難治性の肝炎のうち劇症肝炎、④重症急性膵炎、⑤重症認定を受けた患者、⑥生計中心者の市町村民税が非課税の患者、⑦重症多形滲出性紅斑（急性期）は全額公費負担の対象である。特定疾患治療研究事業は「難病の患者に対する医療等に関する法律（難病法）」（2015年1月施行）に移行された。①、②（ヒト由来乾燥硬膜移植によるクロイツフェルト・ヤコブ病に限る）、③、④（③・④は新規不可）は引き続き特定疾患治療による助成の対象として、旧法により給付される。【第24回】※現在の制度に基づいた解説に修正。

要・点・確・認！

一問一答テスト

次の問いに○か×で答えなさい

医療保険制度

1　医療保険制度の概要

保険医療機関の指定期間

【問 1】

厚生労働大臣は、保険医療機関の指定を取り消した病院又は診療所については、その取り消しの日から 5 年を経過するまでは、再指定をしないことができる。

被扶養者の範囲

【問 2】

健康保険においては、被保険者の孫で、主としてその被保険者により生計を維持する者は「被扶養者」として保険給付が受けられる。

交通事故、労災

【問 3】

健康保険においては、業務上の事由による負傷または疾病について保険給付は行われない。

解答 & 解説

【答 1】 ○　**そのとおり**（健康保険法第 65 条第 3 項）。

【答 2】 ○　**そのとおり**（健康保険法第 3 条）。

【答 3】 ○　**そのとおり**（健康保険法第 1 条）。

2　医療法

保険医療機関の開設・廃止等関係、医療法人の設立

【問 4】

病院又は診療所の開設者が、その病院又は診療所を廃止した時は、10 日以内に、所在地の地方厚生局長等に届け出なければならない。

保険医療機関・保険医

【問 5】

保険医療機関は療養の給付に関し、保険医は健康保険の診療に際し、厚生労働大臣の指導を受けなければならない。

3　療養担当規則

一部負担金等について

【問 6】

保険医療機関は、保険診療に係る一部負担金等の患者負担金を、任意に減免することはできない。

書類の保存

【問 7】

保険医療機関は、患者の診療録を療養の給付の完結の日から 3 年間保存しなければならない。

4　介護保険制度

被保険者

【問 8】

介護保険制度の被保険者には、40 歳以上 65 歳未満の第 1 号被保険者と 65 歳以上の第 2 号被保険者がある。

【答 4】 ×　10 日以内に、所在地の都道府県知事に届け出なければならない（医療法第 9 条）。

【答 5】 ○　**そのとおり**（健康保険法第 73 条）。

【答 6】 ○　**そのとおり**　保険診療に係る患者の一部負担金等は、健康保険法によって示されており、医療機関で任意に減免できない（療養担当規則第 1 条）。

【答 7】 ×　診療録は療養の給付の完結の日から 5 年間保存しなければならない（療養担当規則第 9 条）。

【答 8】 ×　65 歳以上の者が第 1 号被保険者、40 歳以上 65 歳未満の者が第 2 号被保険者である（介護保険法第 9 条）【第 24 回】。

介護報酬

【問 9】

介護保険の介護報酬は、厚生労働大臣がサービスの種類別に定めた介護給付費単位表により算定した単位数に、サービス地域別の 1 単位の単価を乗じて算定する。

介護給付の認定

【問 10】

介護保険においては、医療保険と異なり、保険者である市町村から要介護者又は要支援者として認定を受けなければ、介護給付は受けられない。

資格の喪失

【問 11】

介護保険の第 2 号被保険者は、医療保険加入者でなくなった日から、その資格を喪失する。

介護保険料の納付

【問 12】

公的年金以外に所得がない者は、介護保険の保険料が免除される。

介護保険と医療保険の関係

【問 13】

介護保険適用病床に入院している要介護度 5 の認定患者については、患者の状態等のいかんにかかわらず、医療保険から医療に係る給付を行うことができない。

5　その他

労災保険

【問 14】

通勤途中の事故による傷病については、健康保険で診療を受けることができる。

解答 & 解説

【答 9】○　**そのとおり**（告示「指定居宅サービスに要する費用の額の算定に関する基準」等）。

【答10】○　**そのとおり**（介護保険法第 19 条）。

【答11】○　**そのとおり**（介護保険法第 11 条第 2 項）【第 26 回・第 29 回】。

【答12】×　免除はされない。年金から天引きができない場合は普通徴収により、市町村に直接、個別に納付する（介護保険法第 129 条 1 項）【第 24 回】。

【答13】×　患者の状態等により、転床させず緊急に医療行為を行う場合、医療に係る給付については、医療保険から行う。

【答14】×　通勤途中は労災保険で給付を受ける（健康保険法第 55 条第 1 項、労働者災害補償保険法第 1 条）。

第2章

基本診療料

この章では「初診料」「再診料（外来診療料）」「入院料（入院基本料加算）」について学習します。初診料では、診療報酬請求事務および診療報酬明細書（レセプト）を作成するために必要な知識とその実技が出題されます。また、初診料（再診料）算定の要件や同日に行われた 複初 （ 複再 ）の算定の約束事の知識が必要です。再診料（外来診療料）では、同日再診における複再の算定の約束事や外来管理加算の算定要件などの知識が必要になります。

※診療報酬点数表には、医科、歯科、調剤の３種類がありますが、本書では医科について学びます。したがって、医科・歯科併設の保険医療機関では、それぞれに初診料・再診料（外来診療料を含む）の診察料を算定することができますが、同一の傷病又は、互いに関連のある傷病により医科を歯科とを併せて受診した場合は、主たる診療料のみで診療料を算定することも覚えておきましょう。

⑪初診料（A000）

□初診料が算定できるのはどのようなときか理解する
□患者の年齢や診療時間によって診察料が異なることを理解する
□同日に同一医療機関で複数科を受診した場合は、２つ目の診療科に限り 144 点の初診料が算定できる

A000 初診料とは

初診料（288 点）は、患者の訴え（病気やケガ）に対して、初めて診察を行ったときの基本診療料をいいます。**外来患者**と**診察後即日入院となった入院患者**に算定できます。また、すべての傷病が治癒してから、次に診察した場合も初診料が算定できます。

出題について

診療報酬点数表の構成は、「**基本診療料**」と「**特掲診療料**」からなっています。
基本診療料には、「初診料」「再診料・外来診療料」「入院基本料」「入院基本料等加算」「特定入院料」「短期滞在手術基本料」があります。
特掲診療料は、個々の診療行為についての診療料です。具体的には、「**医学管理等**」「**在宅医療**」「**投薬**」「**注射**」「**処置**」「**手術**」「**輸血**」「**検査・病理診断**」「**画像診断**」「**リハビリテーション**」「**精神科専門療法**」「**放射線治療**」があります。
診療報酬点数表の学科問題の過去出題（累計）ランキング１位は「入院」、２位「検査・病理」、３位「医学管理等」、４位「初診・再診」、５位「処置」となっています。
ここでは、診療報酬請求事務能力認定試験（医科）にポイントを絞って、該当する項目を解説していきます。

初診料早見表　早見表 P.1

	時間内	時間外	休　日	深　夜	時間外特例	同日２科目
６歳以上	291	376 （291 ＋ 85）	541 （291 ＋ 250）	771 （291 ＋ 480）	521 （291 ＋ 230）	複初 146
６歳未満	366 （291 ＋ 75）	491 （291 ＋ 200）	656 （291 ＋ 365）	986 （291 ＋ 695）	636 （291 ＋ 345）	

時間外加算：時間内なし（75）、時間外 +85（200）、休日 +250（365）、深夜 +480（695）　※（　　）は６歳未満の加算。

<注１、２の場合の初診料について>

注１）届出医療機関で、情報通信機器を用いた初診料は 253 点（同日２科目 127 点）で算定する

注２）①または②の医療機関において、他の医療機関からの紹介状がない初診料は 216 点（同日２科目 108 点）で算定する。ただし、緊急、その他やむを得ない事情がある場合を除く

※注１）の情報通信機器を用いた場合は 216 点→ 188 点で 108 点→ 94 点で算定する

①特定機能病院、一般病床数 200 床以上の地域医療支援病院および一般病床数 200 床以上の紹介受診重点医療機関であって、初診の患者に占める割合が他医療機関からの紹介状（文書）があるものの割合等が低いもの

②許可病床 400 床以上の病院（特定機能病院、地域医療支援病院、外来機能報告対象病院等および一般病床 200 床未満の病院を除く）において、初診の患者に占める割合が他医療機関からの紹介状（文書）があるものの割合等が低いもの

初診料の加算項目

●は診療所のみ

項目	点数	内容
●夜間・早朝等加算 夜早	+50 点	週 30 時間以上開業している診療所のみ算定する。C000 往診料の算定時も診察料に加算できる。 夜間・早朝加算ができる時間帯…平日は6：00 ～8：00、18：00 ～ 22：00 土曜日は6：00 ～8：00、12：00 ～ 22：00 日・祝日は 22：00 ～6：00（深夜）を除いた時間帯 ※ D282-3 コンタクトレンズ検査料、I010 精神科ナイト・ケア、J038 人工腎臓の注の１に規定する加算、J038-2 持続緩徐式血液濾過の注１に規定する加算をした場合は夜間・早朝等加算は算定できない（R4. 保医発 0304 第１号）
機能強化加算 届	+80 点	施設適合届出の「診療所」及び「200 床未満の病院」のみ算定する。診療の他、疾病や健康などに関する相談に継続的に応じ、必要に応じて専門医を紹介する「かかりつけ医機能」を評価するもの。
●外来感染対策向上加算（月１回）届 初感	＋６点	組織的な感染防止対策の施設基準適合の届出保険医療機関（診療所に限る）において診療を行った場合に算定する。発熱その他感染症を疑わせるような症状の患者に適切な感染防止対策を講じた上で初診を行った場合に、月１回さらに 20 点を加算する。
発熱患者等対応加算	＋ 20 点	
●連携強化加算（月１回）届 初連	＋３点	感染対策向上加算１の届出医療機関で算定する。過去１年間に４回以上、感染症の発生状況、抗菌薬の使用状況等について報告を行っていること。
●サーベイランス強化加算（月１回）届 初サ	＋１点	院内感染対策サーベイランス（JANIS）、感染対策連携共通プラットフォーム（J-SIPHE）等、地域や全国のサーベイランスに参加していること。
●抗菌薬適正使用体制加算 届	＋５点	抗菌薬使用状況をモニタリングするサーベイランスに参加等
医療情報取得加算 届（３月に１回）	受診者情報の取得についてマイナンバーカードを活用して行ったかに対する評価。 ＊当該新設に伴い、医療情報・システム基盤整備体制充実加算 医シ A 医シ B は削除された（2024 年）。	

Keyword【複初】

同一日に同じ医療機関内の内科に初診（または再診）で受診後、続いて皮膚科でも初診を受けた場合、皮膚科の初診料として 複初 146 点が算定できる（初めに初診か再診かの順番は問わない）。ココでた!!

	【施設基準】 以下の事項について院内及びホームページ等に掲示していること（必要に応じて患者に対して説明）。 （イ）オンライン資格確認を行う体制を有していること。 （ロ）受診歴、薬剤情報、特定健診情報その他必要な診療情報を取得・活用して診療を行うこと。			
	1	医情1	＋3点	・通常の被保険者証で受診患者の情報を十分に取得した上で初診を行った場合、3月に1回に限り、3点を所定点数に加算する。
	2	医情2	＋1点	・マイナンバーカードにより受診患者の情報を十分に取得した上で初診を行った場合、3月に1回に限り、1点を所定点数に加算する。 ＊健康保険法第3条第13項に規定する電子資格確認
医療DX推進体制整備加算㊞ 医DX	＋8			施設適合の届出医療機関で、月1回8点を所定点数に加算する。 「施設基準」 電子請求、電子資格確認による診療情報閲覧・活用、電子処方箋、マイナ保険証利用の実績など。医療DXに対応する体制確保に対する評価。

初診料算定の留意点

❶同日他科初診料

診療継続中は新たな傷病の診察を行っても初診料は算定できませんが、**同じ日に別の傷病で他科**で初めて診察した場合（複数科受診の初診）は、2つ目の診療科についてのみ複初**146点**の初診料が算定できます(乳幼児加算や時間外等の加算は算定不可)。医師が同じ場合は**算定不可**です。

❷小児科標榜の特例加算は、小児科（小児外科）を標榜する医療機関で、6歳未満の患者に診察を行う場合、それが診療時間内であっても、特例として**6:00～8:00**と**18:00**（土曜日は正午）～**22：00**の時間帯には夜間（**小特夜**）、**22：00～翌日6：00**には深夜（**小特深**）、休日（**小特休**）で算定します。小児科以外の診療科の医師が診療した場合も算定できます。

小児科特例の算定区分

小児科標榜（小児外科含む）の医療機関の場合、6歳未満の乳幼児に対し、夜間・休日・深夜に診療を行った場合、診療時間内であっても特例として時間外、休日、深夜加算を算定できます（平日18：00～／土曜日12：00～、次の帯グラフを参照)。

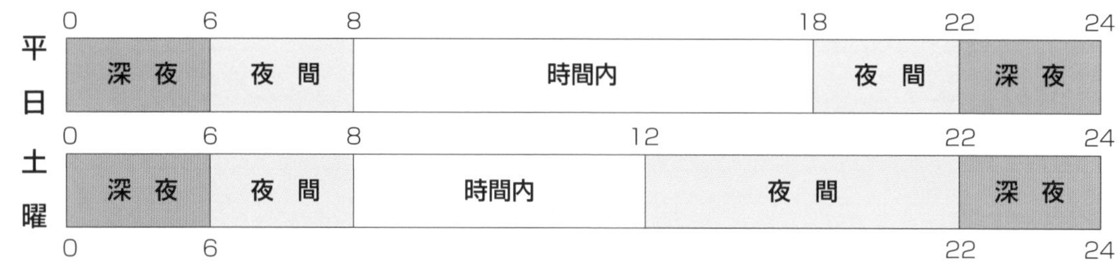

＜診察料が算定できる事例＞

●患者が違和を訴えて診察した結果、治療の必要がなかった場合も初診料は算定できます。

Keyword【紹介率】
受診患者のうち、当院と特別の関係のない他の医療機関から紹介状により紹介されて来院した患者の割合をいう（初診の患者に限る)。

●患者が勝手に診療を中止し、1ヵ月以上経過した後に来院し、以前と同じ傷病名（慢性疾患等を除く）であっても、初診料は算定できます。

＜診療日同日か否かにかかわらず、別途診察料が算定できない事例＞

①初診・再診時に行った検査・画像診断の結果のみを聞きに来たとき

②往診等の後、薬のみを取りに来たとき

③初診・再診時に検査・画像診断・手術等の必要があったものの、患者が一旦帰宅し、後刻（日）それを受けに来たとき

④健康診断で疾患が見つかり治療を開始する場合、その医療機関で同一疾患に限り自費から保険診療に切り替えたとき

初診料算定練習（診療時間 9：00 ～ 18：00）

	点数	割合	窓口徴収金
大人 10 時の初診料	291	3	870
7 歳児 17 時の初診料	291	3	870
3歳児 14 時の初診料	366	2	730
大人 1／1（祝日）の初診料	541	3	1,620
大人 19 時の初診料	376	3	1,130
2歳児 7 時半の初診料	491	2	980
5歳児 19 時半の初診料	491	2	980
7 歳児 23 時半の初診料	771	3	2,310
大人休日・23 時初診料	771	3	2,310
1歳児5／5（祝日）の初診料	656	2	1,310

※１円単位は四捨五入
※妊婦除く

患者負担割合

	患者負担割合	
75 歳以上（後期高齢者）※ 65 歳以上の寝たきり等の患者も含む	一般	1割
	一定以上の所得者※1	2割
	現役並みの所得者	3割
70歳～ 74歳（高齢受給者）	一般（現役並みの受給者以外）	2割
	現役並み受給者	3割
6歳～ 69 歳（4月から義務教育修学者）		3割
6歳未満		2割

※1　一定以上の所得者とは、①課税所得 28 万円以上で、かつ、②「年金収入＋その他の合計所得金額」が単身世帯で 200 万円以上、複数世帯で 320 万円以上の患者

Q 患者が勝手に診療を中止し、1ヵ月以上経過した後に来院し、以前と同じ傷病名（慢性疾患は除く）であっても、初診料は算定できる。

➡ ○　そのとおり

Q 夜間・早朝等加算の届出診療所において、AM5:50 に受付した患者の初診を AM6:15 に行ったため、初診料と夜間・早朝等加算を算定した。

➡ ×　夜間・早朝等加算は、診療応需体制に関係なく受付時間をもって区切るため、AM6:00 以降に受付を行った患者が対象となる。AM5:50 は深夜加算を算定する。

Q 平日 AM9:00 から PM7:00 まで開業している小児科標榜医療機関で、4 歳児が PM6:30 に初診を行った。小児科特例として、時間外加算を算定した。

➡ ○　そのとおり

Q 労災保険、健康診断、自費等（医療保険給付対象外）により傷病の治療を外来で受けている期間中又は医療法に規定する病床に入院（当該入院についてその理由等は問わない）している期間中にあっては、当該保険医療機関において医療保険給付対象となる診療を受けた場合においても、初診料は算定できない。

➡ ○　そのとおり（初診料算定の原則に関する保医発通知（5））

Keyword **【逆紹介率】**

当院と特別の関係のない他の医療機関に対して、文書を添えて紹介した患者の割合をいう。

⑫再診料(A001)・外来診療料(A002)

□再診料、または外来診療料が算定できるのはどのようなときか理解する
□同日に複数科を受診した場合は、2つ目の診療科に限り38点のみ算定できる
□加算項目または包括項目を理解する

A001 再診料とは

(1) 再診料

外来患者に対して「**診療所**または**一般病床数200床未満の病院**」で、初診後(2回目以降)の診察を行ったときの基本診療料を「**再診料**」といいます。

「**一般病床数200床以上の病院**」で行った場合は「**外来診療料**」といいます。

再診料早見表(一般病床200床未満の再診) 早見表P.1

	時間内	時間外	休日	深夜	時間外特例	同日2科目
6歳以上	75＊1	75+65	75+190	75+420	75+180	複再 38のみ＊1
6歳未満	113＊1 (75 + 38)	75+135	75+260	75+590	75+250	
妥結率50%以下の場合 55						28のみ

6歳未満の時間内の場合、年齢加算(38点)を所定点数に加算する。
時間外等加算:時間外+65(135)、休日+190(260)、深夜+420(590) ※(　　)は6歳未満の加算点数
※再診料の早見表は、レセプト記載に連動させるため、所定点数と時間加算を合算しないで分けて表示しています。
＊1 届出医療機関において情報通信機器を用いて行った再診の場合も含む
＊2 医療用医薬品の取引価格の妥結率が9月末で50%以下の場合、再診料は75点でなく、55点で算定する(同日他科再診料 複再 38点でなく28点)

Keyword 【小児科標榜の特例加算】
小児科標榜特例加算は、「診察料(初診・再診)のみ」に対して適用され、緊検・緊画・処置・手術・麻酔などの時間の加算は標榜時間をもって行う。

(2) 再診時の加算項目

再診時の加算項目　早見表 P.1

●は診療所のみ

<table>
<tr><td colspan="2">●夜間・早朝等加算 夜早</td><td>+50 点</td><td>P.85 の初診料の加算項目を参照（診療所のみ）</td></tr>
<tr><td colspan="2">外来管理加算</td><td>+52 点</td><td>再診を行った都度、算定できる（㊟※1）</td></tr>
<tr><td rowspan="4">●時間外対応加算㊞届
時外 1
時外 2
時外 3
時外 4</td><td>1</td><td>＋５点</td><td>①標榜時間以外において、常時患者からの電話等による問い合わせに応じること
②原則として、自院で対応すること</td></tr>
<tr><td>2</td><td>＋４点</td><td>①標榜時間以外において、常時患者からの電話等による問い合わせに応じること
②原則として自院の非常勤の医師・看護師により常時対応すること</td></tr>
<tr><td>3</td><td>＋３点</td><td>①標榜時間外の準夜帯において、常時患者からの電話等による問い合わせに応じること（休日・深夜・休診日は留守番電話等で対応しても差し支えない）
②原則として、自院で対応すること</td></tr>
<tr><td>4</td><td>＋１点</td><td>①地域の医療機関と輪番による連携を行い、当番日の標榜時間外の準夜帯において、患者からの電話等による問い合わせに応じること（当番日以外の深夜または休日等は留守番電話等で対応しても差し支えない）
②当番日は原則として自院で対応すること
③連携する診療所数は、本院を含め３つまでとする</td></tr>
<tr><td colspan="2">●明細書発行体制加算　明</td><td>＋１点</td><td>施設基準を満たす診療所のみ算定する。詳細な明細書を無料で発行している場合に算定する</td></tr>
<tr><td rowspan="2">●地域包括診療加算㊞届
再包 1
再包 2</td><td>1</td><td>+28 点</td><td>施設基準適合の診療所のみ算定する。在宅医療の提供および当該患者に対し 24 時間の往診等の体制を確保していることや、外来診療から訪問診療への移行に係る実績の要件など、適合していること</td></tr>
<tr><td>2</td><td>+21 点</td><td>施設基準適合の診療所のみ算定する。上記「地域包括診療加算 1」の要件を一部緩和した施設基準</td></tr>
<tr><td rowspan="2">●認知症地域包括診療加算（診療所のみ）</td><td>1</td><td>+38 点</td><td>施設基準適合の診療所のみ算定する　再認包 1</td></tr>
<tr><td>2</td><td>+31 点</td><td>施設基準適合の診療所のみ算定する　再認包 2</td></tr>
<tr><td colspan="2">薬剤適正使用連携加算　薬適連</td><td>+30 点</td><td>退院・退所の月から２ヵ月目までに１回のみ</td></tr>
</table>

●外来感染対策向上加算㊞届 再感	＋６点	看護師等遠隔診療補助加算㊞届 看師補	+50 点
発熱患者等対応加算㊞届 再熱対	＋20	●連携強化加算㊞届　再連	＋３点
●サーベイランス強化加算㊞届 再サ	＋１点	医療情報取得加算３㊞届　医情３	＋２点
●抗菌薬適正使用体制加算㊞届	＋５点	医療情報取得加算４㊞届　医情４	＋１点
P.85 の初診料の加算項目を参照			

㊟※１　次のものを算定する場合、外来管理加算は算定できない。
・A001 電話再診　・B001「17」慢性疼痛疾患管理料　・B001-3 生活習慣病管理加算（I）
・J000 ～ 129-4 処置　・K000 ～ 939-9 手術　・L000 ～ 105 麻酔　・H000 ～ 008 リハビリテーション　・I000 ～ 016 精神科専門療法　・M000 ～ 005 放射線治療
・生体検査のうち［D215 ～ 217 超音波検査、D235 ～ 238 脳波検査、
D239 ～ 242 神経・筋検査、D244 ～ 254 耳鼻咽喉科学的検査、
D255 ～ 282-3 眼科学的検査、D286 ～ 291-3 負荷試験等、
D292 ～ 294 ラジオアイソトープを用いた諸検査、
D295 ～ 325 内視鏡検査］

再診料算定の留意点

❶同日他科再診料

外来患者が、「**同じ日に別の診療科**」で再診として診察を受けた場合（複数科受診の再診）は、２つ目の診療科についてのみ 複再 **38** 点の再診料が算定できます（乳幼児加算や時間外等の加算は算定不可）。医師が同じ場合も算定不可です。

❷小児科・小児科標榜の医療機関での６歳未満の乳幼児の受診の場合、夜間・休日・深夜を標榜時間とする場合であっても、これらの時間外等の加算は算定できます。

再診料算定練習1（診療時間 9：00 ～ 18：00）

	点数	割合	窓口徴収金
大人の時間内の再診料と外来管理加算	127	3	380
7 歳児の時間内の再診料と外来管理加算	127	3	380
3 歳児の時間内の再診料と外来管理加算	165	2	330
大人の休日の再診料	265	3	800
大人の時間外の再診料	140	3	420
2 歳児の時間外の再診料と外来管理加算	262	2	520
5 歳児の時間外の再診料	210	2	420
7 歳児の深夜の再診料	495	3	1,490
大人の休日・深夜の再診料と外来管理加算	547	3	1,640
1 歳児の休日の再診料と外来管理加算	387	2	770
6 歳児の時間内の再診料と外来管理加算	127	3	380

※ 1 円単位は四捨五入

再診料算定練習2（診療時間 9：00 ～ 18：00）

	点数	割合	窓口徴収金
7 歳児 17 時の再診料と外来管理加算	127	3	380
3 歳児 14 時の再診料と外来管理加算	165	2	330
大人1/1（祝日）の再診料	265	3	800
大人19時の再診料	140	3	420
2 歳児 7 時半の再診料と外来管理加算	262	2	520
5 歳児 19 時半の再診料	210	2	420
7 歳児 23 時半の再診料	495	3	1,490
大人休日・23 時の再診料と外来管理加算	547	3	1,640
1 歳児 5/5（祝日）の再診料と外来管理加算	387	2	770
大人 10 時の再診料と外来管理加算	127	3	380

Q 再診料の地域包括診療加算を算定するための施設基準には、当該保険医療機関の敷地内が禁煙であることが、要件の１つとして含まれている。

➡ ○ そのとおり（告示③<基本診療料の施設基準等 第３の７ 地域包括診療加算の施設基準（5））

Q 再診料は、診療所に限り、同一日において２以上の再診があってもその都度算定できる。

➡ × 再診料は、診療所又は一般病床の病床数が 200 床未満の病院において、再診の都度（同一日において2以上の再診があってもその都度）算定できる（再診料の算定の原則に関する保医発通知（1））【第 49 回】

Keyword 【小児科特例の算定例】

診療時間が 8:00 ～ 19:00（土曜日は 8:00 ～ 15:00）の医療機関では、平日 18:00 ～（土曜日は 12:00 ～）は夜間（時間外の点数）で算定して OK。

A002 外来診療料とは

詳細は早見表 P.2 で確認しましょう。

①同日他科外来診療料……再診料と同じ

②乳幼児加算（6歳未満）……再診料と同じ

③時間外等加算……再診料と同じ

④その他……外来診療料では、電話再診料、外来管理加算は別に算定できません。

【外来診療料に包括され別に算定できない処置・検査があります】

外来診療料早見表（一般病床 200 床以上の再診） 早見表 P.2

	時間内	時間外	休日	深夜	時間外特例	同日2科目
6歳以上	※1 76	76+65	76+190	76+420	76+180	複外診 38のみ ※1
6歳未満	114 （※1 76+38）	76+135	76+260	76+590	76+250	
情報通信機器を用いた場合㊞					75	
他院へ文書で紹介を行う旨申し出したのにもかかわらず受診している患者					56	28のみ
妥結率 50%以下の場合					56	28のみ

6歳未満の時間内の場合、年齢加算（38点）を所定点数に加算する。
時間外等加算：時間外 +65（135）、休日 +190（260）、深夜 +420（590） ※（　　）は6歳未満の加算点数

【※1 次の①～③に該当する医療機関で、他の病院（一般病床数 200 床未満に限る）または、診療所に対し文書で紹介を行う旨の申し出をしたのにもかかわらず受診した場合は、外来診療料は 76 点ではなく 56 点、同日他科外来診療料は 38 点（2科目）ではなく、28 点で算定する】

ココでた!!

①特定機能病院、地域医療支援病院及び紹介受診重点医療機関であって、初診の患者に占める他の病院または診療所に対して文書による紹介があるものの割合等が低いもの

②許可病床数が 400 床以上の病院〔（特定機能病院、地域医療支援病院及び、紹介受診重点医療機関を除く）であって、初診の患者に占める他の病院または診療所からの文書による紹介があるものの割合等が低いもの〕において、外来診療料を算定する場合

③許可病床 200 床以上の病院で、医療用医薬品の取引価格の妥結率が9月末で 50% 以下の病院の外来診療料を算定する場合

外来診療料の加算項目

医療情報取得加算㊞3月に1回	3	＋2点
	4	＋1点
看護師等遠隔診療補助加算㊞		＋50点

1 解き方　事例1

手順①～⑤に従って「⑪初診料」「⑫再診料」の算定のしかたとレセプトの書き方を練習してみましょう。

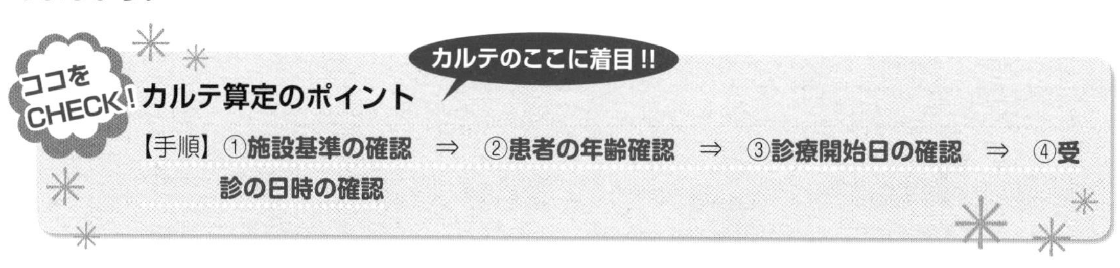

手順①　施設基準を確認する
○施設の概要等：無床診療所、標榜科（内科・外科・整形外科）
○届出等の状況：明細書発行体制加算、ニコチン依存症管理料、検体検査管理加算（Ⅰ）
○診療時間：月曜日～金曜日（土曜日）　9時～17時（13時）、日曜・祝日　休診
【第37・39回出題、外来の施設基準と同じ】

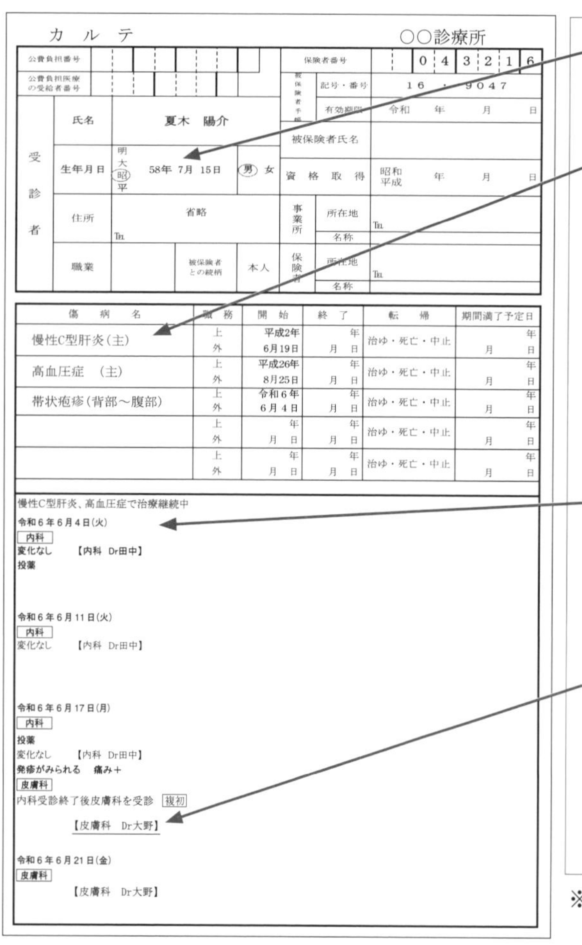
カルテ　○○診療所

公費負担者番号		保険者番号	0 4 3 2 1 6
公費負担医療の受給者番号		被保険者手帳 記号・番号	16 ・ 9047
		有効期限	令和　年　月　日
受診者 氏名	夏木　陽介	被保険者氏名	
生年月日	明大昭平 58年 7月 15日　男・女	資格取得	昭和平成　年　月　日
住所	省略　℡	事業所 所在地	℡
		名称	
職業	被保険者との続柄　本人	保険者 所在地	℡
		名称	

傷病名	職務	開始	終了	転帰	期間満了予定日
慢性C型肝炎（主）	上・外	平成2年6月19日	年　月　日	治ゆ・死亡・中止	年　月　日
高血圧症　（主）	上・外	平成26年8月25日	年　月　日	治ゆ・死亡・中止	年　月　日
帯状疱疹（背部～腹部）	上・外	令和6年6月4日	年　月　日	治ゆ・死亡・中止	年　月　日
	上・外	年　月　日	年　月　日	治ゆ・死亡・中止	年　月　日
	上・外	年　月　日	年　月　日	治ゆ・死亡・中止	年　月　日

慢性C型肝炎、高血圧症で治療継続中
令和6年6月4日(火)
内科
変化なし　【内科 Dr田中】
投薬

令和6年6月11日(火)
内科
変化なし　【内科 Dr田中】

令和6年6月17日(月)
内科
投薬
変化なし　【内科 Dr田中】
発疹がみられる　痛み＋
皮膚科
内科受診終了後皮膚科を受診　複初
【皮膚科　Dr大野】

令和6年6月21日(金)
皮膚科
【皮膚科　Dr大野】

手順②　年齢を確認する
○患者は、昭和58年7月15日生まれ⇒6歳以上

手順③　症状を確認する
○「傷病名」の欄と「開始」と「終了」、「転帰」の欄を確認する
⇒（1）傷病　平成2年6月19日～現在も治療中
（2）傷病　平成26年8月25日～現在も治療中
（3）傷病　令和6年6月4日～現在も治療中

手順④　診療日を確認する
○今回算定範囲の最初の診療日時の記載を確認する
⇒令和6年6月4日
診療継続中の診察は⇒再診
※診療継続中は、新たな傷病の診察を行っても初診料はとれませんが、同一医療機関において同一日に他科で初診を受けた場合、2つ目の診療の初診に限り同日他科初診料 複初 **146点**が算定できる。

※同日他科初診料 複初 は、受診の順番が先に初診か再診かにかかわらず算定できます。

診療所の場合、施設基準に明細書発行体制加算とあったら、再診料に＋1点するのを忘れないようにしましょう。再診料は76点になります。

手順⑤　診療内容を確認・算定する

【6/4（火）】内科（継続受診）
再診料 75 点＋明細書発行体制等加算 1 点　　外来管理加算　＋ 52 点

【6/11（火）】内科（継続受診）
再診料 75 点＋明細書発行体制等加算 1 点　　外来管理加算　＋ 52 点

【6/17（月）】内科（継続受診）
再診料 75 点＋明細書発行体制等加算 1 点　　外来管理加算　＋ 52 点
皮膚科（初診）⇒ 複初 146 点

※継続治療中の内科と皮膚科（初めて）を同一日に受診しているので、同日他科初診料として 複初 146 点が算定できる。

【6/21（金）】皮膚科（継続受診）…（処置料なし）
再診料 75 点＋明細書発行体制等加算 1 点　　外来管理加算　＋ 52 点

会計欄

	⑪	⑫			合計点数	患者一部負担金（円）
月日	初診	再診	明細書	外来管理		
6/4		75	1	52	128	380
6/11		75	1	52	128	380
6/17	146	75	1	52	274	820
6/21		75	1	52	128	380

※患者の一部負担は 3 割。患者一部負担金は、合計点数× 3（1 円単位は四捨五入）で計算できる

〈6 月 4 日の患者一部負担金はいくらになるか計算してみよう〉

1 点＝ 10 円なので 128 点＝ 1280 円、3 割負担を計算します。
それを簡単に計算する方法：本日の合計点数× 3 ＝窓口徴収金額…128 × 3 ＝ 384 → 380 円（1 円単位は四捨五入）

レセプト

⑪初　診	時間外・休日・深夜　1回　146点		公費分点数	⑪	複初　（皮膚科）	146 × 1
⑫再診	再　　診	76× 4 回　304		⑫	再診、明	76 × 4
	外来管理加算	52× 4 回　208				
	時 間 外	×回				
	休　　日	×回				
	深　　夜	×回				

明細書発行体制等加算は、再診料に 1 点加えて記載する。

【摘要欄】＊同一日に他科で初診を受けた場合は、複初 と記載し、診療科名と点数を記載する
＊明細書発行体制等加算が算定できる診療所は 明 と記載する

事例 1 は過去出題された外来レセプトの設定要件です。

2 解き方　事例2

手順①　施設基準を確認する

○施設の概要等：無床診療所、標榜科（内科・外科・整形外科）

○届出等の状況：明細書発行体制等加算、生活習慣病管理加算、ニコチン依存症管理料、検体検査管理加算（Ⅰ）

○診療時間：月曜日～土曜日　9：00～17：00、日曜・祝日　休診

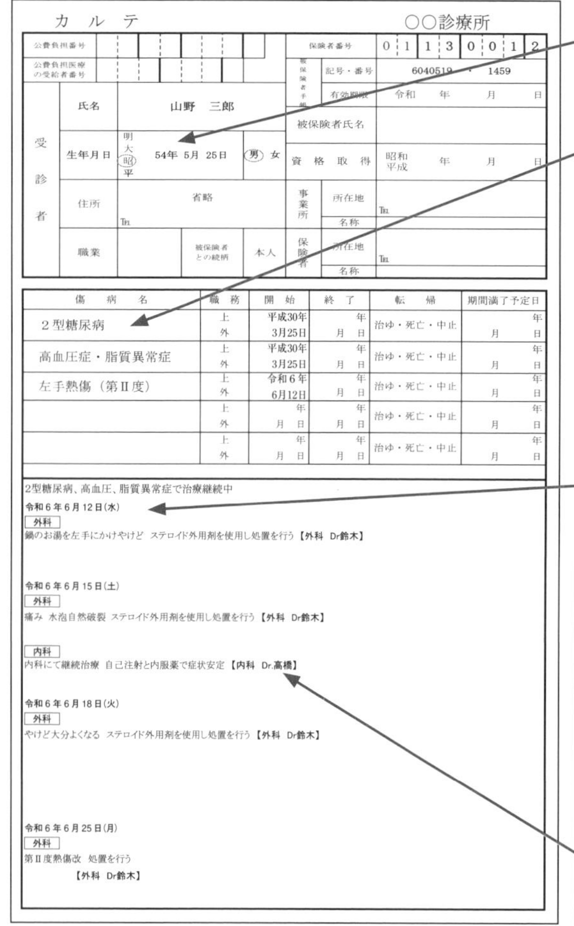

カルテ　　○○診療所

公費負担番号		保険者番号	0 1 1 3 0 0 1 2
公費負担医療の受給者番号		被保険者手帳 記号・番号	6040519・1459
		有効期限	令和　年　月　日
受診者 氏名	山野　三郎	被保険者氏名	
生年月日	明・大・(昭)・平 54年 5月 25日　(男)・女	資格取得	昭和・平成　年　月　日
住所	省略 TEL	事業所 所在地	TEL
		事業所 名称	
職業	被保険者との続柄 本人	保険者 所在地	TEL
		保険者 名称	

傷病名	職務	開始	終了	転帰	期間満了予定日
2型糖尿病	上・外	平成30年3月25日	年 月 日	治ゆ・死亡・中止	年 月 日
高血圧症・脂質異常症	上・外	平成30年3月25日	年 月 日	治ゆ・死亡・中止	年 月 日
左手熱傷（第Ⅱ度）	上・外	令和6年6月12日	年 月 日	治ゆ・死亡・中止	年 月 日
	上・外	年 月 日	年 月 日	治ゆ・死亡・中止	年 月 日
	上・外	年 月 日	年 月 日	治ゆ・死亡・中止	年 月 日

2型糖尿病、高血圧、脂質異常症で治療継続中

令和6年6月12日(水)
外科
鍋のお湯を左手にかけやけど　ステロイド外用剤を使用し処置を行う【外科　Dr鈴木】

令和6年6月15日(土)
外科
痛み　水泡自然破裂　ステロイド外用剤を使用し処置を行う【外科　Dr鈴木】

内科
内科にて継続治療　自己注射と内服薬で症状安定【内科　Dr.高橋】

令和6年6月18日(火)
外科
やけど大分よくなる　ステロイド外用剤を使用し処置を行う【外科　Dr鈴木】

令和6年6月25日(月)
外科
第Ⅱ度熱傷改　処置を行う
【外科　Dr鈴木】

手順②　年齢を確認する

○患者は、昭和54年5月25日生まれ⇒6歳以上

手順③　症状を確認する

○「傷病名」の欄と「開始日」と「終了」、「転帰」の欄を確認する

⇒（1）傷病　平成30年3月25日～現在も治療中

（2）傷病　平成30年3月25日～現在も治療中

（3）傷病　令和6年6月12日～現在も治療中

手順④　診療日を確認する

○今回算定範囲の最初の診療日時の記載を確認する。

⇒令和6年6月12日

診療継続中の診察は⇒再診

※15日は、外科を受診した後、糖尿病等の診療継続治療で、内科を受診しています。同一医療機関内で同一日に他科で再診を受けた場合は、2つ目の診療に限り、同日他科再診料 複再 **38点**が算定できます。

6月15日は、外科を受診した他に、内科でも診療を受けていることに注目しましょう。

事例2は過去出題された外来レセプトの設定要件を改変したものです。

診療所の場合、施設基準に明細書発行体制加算とあったら、再診料に＋1点するのを忘れないようにしましょう。再診料は76点になります。

手順⑤　診療内容を確認・算定する

【6/12（水)】外科（継続受診）…（処置あり）

再診料 75 点＋明細書発行体制加算 1 点（外来管理加算…処置を行っているため算定できない）

【6/15(土)】外科（継続受診）…（処置あり）

再診料 75 点＋明細書発行体制等加算 1 点(外来管理加算…処置を行っているため算定できない)

内科(継続治療)　⇒ 複再 ＋38点

＊外科（継続治療中）の後、内科（継続治療中）の受診。同日に複数科の再診を受けた場合は、2つ目の診療科に限り、再診料として 複再 38点のみが算定できます。

【6/18（火)】外科（継続受診）…（処置あり）

再診料 75 点＋明細書発行体制等加算 1 点(外来管理加算…処置を行っているため算定できない)

【6/25（月)】外科（継続受診）…（処置あり）

再診料 75 点＋明細書発行体制等加算 1 点(外来管理加算…処置を行っているため算定できない)

会計欄

	⑫			合計点数	患者一部負担金
月日	再診	明細書	外来管理		
6/12	75	1	−	76	230
6/15	75・38	1	−	114	340
6/18	75	1	−	76	230
6/25	75	1	−	76	230

※患者の一部負担は3割。患者一部負担金は、合計点数×3（端数は四捨五入）

レセプト

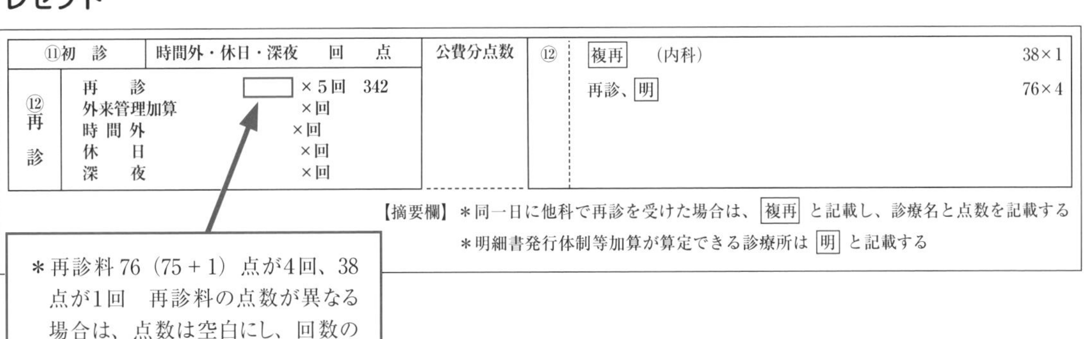

⑪初　診	時間外・休日・深夜　回　点	公費分点数
⑫再診	再　診　［　］×5回　342 外来管理加算　×回 時間外　×回 休　日　×回 深　夜　×回	

⑫		
	複再　（内科）	38×1
	再診、明	76×4

【摘要欄】＊同一日に他科で再診を受けた場合は、複再 と記載し、診療名と点数を記載する

＊明細書発行体制等加算が算定できる診療所は 明 と記載する

＊再診料76（75＋1）点が4回、38点が1回　再診料の点数が異なる場合は、点数は空白にし、回数のみ書きます。合計点数は342

同一医療機関で同一日に他の傷病について、別の診療科を再診として受診した場合は、2つの診療科に限り 複再 38点を算定します。この場合、乳幼児加算、時間外等の加算など他の注加算は併せて算定できません。

⑳入院料　入院基本料・入院基本料等加算

□入院料は、「①入院基本料」＋「②入院基本料等加算」で算定（別冊早見表）
□施設基準を理解し、加算項目を見極める
□入院日数、起算日を確認する

（1）入院料の構成

入院料は、①入院基本料、②入院基本料等加算、③特定入院料から構成されています。

算定する場合は、イ　①**入院基本料**　＋　②**入院基本料等加算**
　　　　　　　　ロ　③**特定入院料**　＋　②**入院基本料等加算**　のいずれかによります。

一般的に、医療事務の入院カルテ算定の場合、「イ」での出題がほとんどです。診療報酬請求事務能力認定試験の過去問題も「イ」で出題されており、その中でも「一般病棟」での出題となっています。本書では、①**入院基本料（一般病棟）**＋②**入院基本料加算（一般病棟）**で算定のしかたを解説していきます。

【入院基本料の種類　①～⑨】
①一般病棟　②療養病棟　③結核病棟　④精神病棟　⑤特定機能病院
⑥専門病院　⑦障害者施設等　⑧有床診療所　⑨有床診療所療養病床

（2）入院料

入院料は、「**1日につき**」の点数です。ここでの1日につきとは、0:00～24:00のことです。たとえば、「10月1日　22：00に入院、10月2日　10：00退院」の場合、わずか12時間の入院でも日付が変われば2日分の入院料を算定します。

（3）入院基本料

入院基本料は、「入院診療計画」「院内感染防止対策」「医療安全管理体制」「褥瘡対策」「栄養管理体制（診療所は除く）」の施設基準が満たされていなければ算定できません。

＊管理栄養士の離職、長期欠勤により基準が満たされなくなった場合、届出した場合に限り、届出月を含む3ヵ月は従来の入院基本料が算定できる。

医療事務資格試験では、特記がない限りすべてその条件を満たしている前提で算定します。

Keyword **【入院基本料】**
入院患者が快適な環境（寝具類等を含む）で療養するための基本的な入院医療の体制を評価するもの。

（4）外泊期間中の入院料について

入院中の患者を外泊させる場合は、入院基本料の基本点数のみの **15%**が入院料となります。

外泊の入院料（1日）＝入院基本料の基本点数× 0.15（小数点以下は四捨五入）

※精神及び行動の障害の治療目的で外泊させた場合は 30%（ただし条件あり）。

【一般病棟入院基本料と一般病棟入院基本料等加算について】

入院基本料は一般病棟、療養病棟、結核病棟など、「**病棟**」によって点数が異なります。また、入院基本料等加算の項目も病棟によって限定されています。診療報酬請求事務能力認定試験等で出題される「一般病棟」の入院基本料の算定方法と、入院基本料等加算（A200 ～ A253）のうち、「一般病棟」で算定可能な加算項目だけをピックアップしてみると、スピーディーに算定できます。さらに、これまでに出題された医療機関の届出等の状況をチェックすれば、比較的楽に⑳入院料の算定ができます。

⑳入院料（1日につき）＝①入院基本料＋②入院基本料等加算

A100 一般病棟入院基本料（早見表 P.4）

	平均在院日数	看護配置	看護師比率	基本点数	算定点数（基本点数＋初期加算）			外泊1日につき	レセ
					14日以内	15～30日以内	30日超		
1　急性期一般入院基本料				初期加算	＋450	＋192	－	基本点数×15%	
急性期一般入院料1	16日以内	7:1以上	70%以上	1688	2138	1880	1688	253	急一般1
急性期一般入院料2	21日以内	10:1以上		1644	2094	1836	1644	247	急一般2
急性期一般入院料3				1569	2019	1761	1569	235	急一般3
急性期一般入院料4				1462	1912	1654	1462	219	急一般4
急性期一般入院料5				1451	1901	1643	1451	218	急一般5
急性期一般入院料6				1404	1854	1596	1404	211	急一般6
2　急性期一般入院基本料				初期加算	＋450	＋192	－		
地域一般入院料1	24日以内	13:1以上	70%以上	1176	1626	1368	1176	176	地一般1
地域一般入院料2				1170	1620	1362	1170	176	地一般2
地域一般入院料3	60日以内	15:1以上	40%以上	1003	1453	1195	1003	150	地一般3
特別入院基本料				初期加算	＋300	＋155	－		
特別入院基本料	上記以外	15：1未満	40%未満	612	912	767	612	92	一般特別

注加算・減算		レセ	注加算・減算		レセ
月平均夜勤時間超過減算（基準不適合）	－15/100	夜減	救急・在宅等支援病床初期加算	＋150	病初
夜勤時間特別入院基本料（基準不適合）	70/100	＊1	特定時間帯集中の退院日の入院基本料	92/100	午前減
夜間看護体制特定日減算	－5/100	＊2	特定日集中の入院日・退院日の入院基本料	92/100	土日減
重症児（者）受入れ連携加算	＋2000	重受連			

＊1：一般夜特　＊2：一般夜看特定減

Keyword **【初期加算】**

入院期間に応じて【14 日以内は＋ 450 点（特別入院は＋ 300 点）、15 日以上 30 日以内は＋ 192 点（特別入院は＋ 155 点）】を加算する。

【表の見方】

前ページの表は、何を意味し、試験ではどのように使えばよいのか、急性期一般入院料１を算定する医療機関の場合を例にあげ、解説していきましょう。

例）急性期一般入院料１

１日あたりの入院料は **1688 点**です。

しかし入院の初期は、患者の状態に対して**目の離せない期間**でもあります。そこで、

- **入院から 14 日間**は初期加算として **450 点**加算し、この期間の入院基本料は１日あたり **2138 点**となります。
- 入院 **15 日目**から **30 日目**までの期間は、加算は **192 点**となり、入院基本料は１日あたり **1880 点**となります。
- 入院してから **30 日を過ぎる**と**初期加算がなくなります。**

したがってカルテ算定をする場合は、**入院開始の年月日を確認**し、算定範囲はどの期間になるのかをチェックすることが必要となります。

A200 ～ 一般病棟入院基本料等加算（早見表 P.5）

当該医療機関の「届出の状況」をみて、該当する項目を加算します。

ココをCHECK！ **カルテ算定のポイント**　カルテのここに着目!!

【手順】①**施設基準を確認**　⇒　②**入院日数（算定期間は何日目か）を確認**　⇒　③**早見表で急性期一般入院基本料を確認**　⇒④**入院基本料等加算**（「入院初日のみ加算」「毎日加算」等）を確認

1 解き方　事例１

試験問題の施設基準は、下記のような提示の仕方がされます。

手順①　施設基準を確認する

○施設の概要等：急性期一般入院料１　425 床

○標榜科（内科・小児科・外科・整形外科・脳神経外科・産婦人科・眼科・耳鼻咽喉科・皮膚科・泌尿器科・麻酔科・放射線科）

○届出等の状況：**看護設置７：１、看護師比率 70%以上、**
臨床研修病院入院診療加算（協力型）、診療録管理体制加算３、医師事務作業補助体制加算１（50 対１）、療養環境加算、医療安全対策加算１

Keyword **【入院日数の数え方】**

（例）入院期間 4/13 ～ 4/29　入院日数 17 日（29 － 13 ＋ 1=17）になる。もちろん指折り数えても OK。初日 13 日も忘れずにカウントする。

入院時食事療養（Ⅰ）、食堂加算、**薬剤管理指導料**、**検体検査管理加算（Ⅱ）**、**画像診断管理加算 2**、マルチスライス CT（64 列以上）、**麻酔管理料（Ⅰ）**

○医師、薬剤師および職員の状況：医師の数は医療法を満たしているが、標準を超えてはいない。薬剤師数及び看護職員（看護師及び准看護師）数は医療法標準を満たしており、常勤の管理栄養士も配置している

○診療時間：月曜日～土曜日　9：00～17：00、日曜・祝日　休診

○所在地：東京都文京区（1 級地）

○入院期間：令和 6 年 6 月 17 日～6 月 21 日の場合

手順②　入院日数（算定期間は何日目か）を確認する

★入院日数、外泊の有無は、カルテで各自確認する。

⇒ **例）6/17（月）～6/21（金）　5 日間**

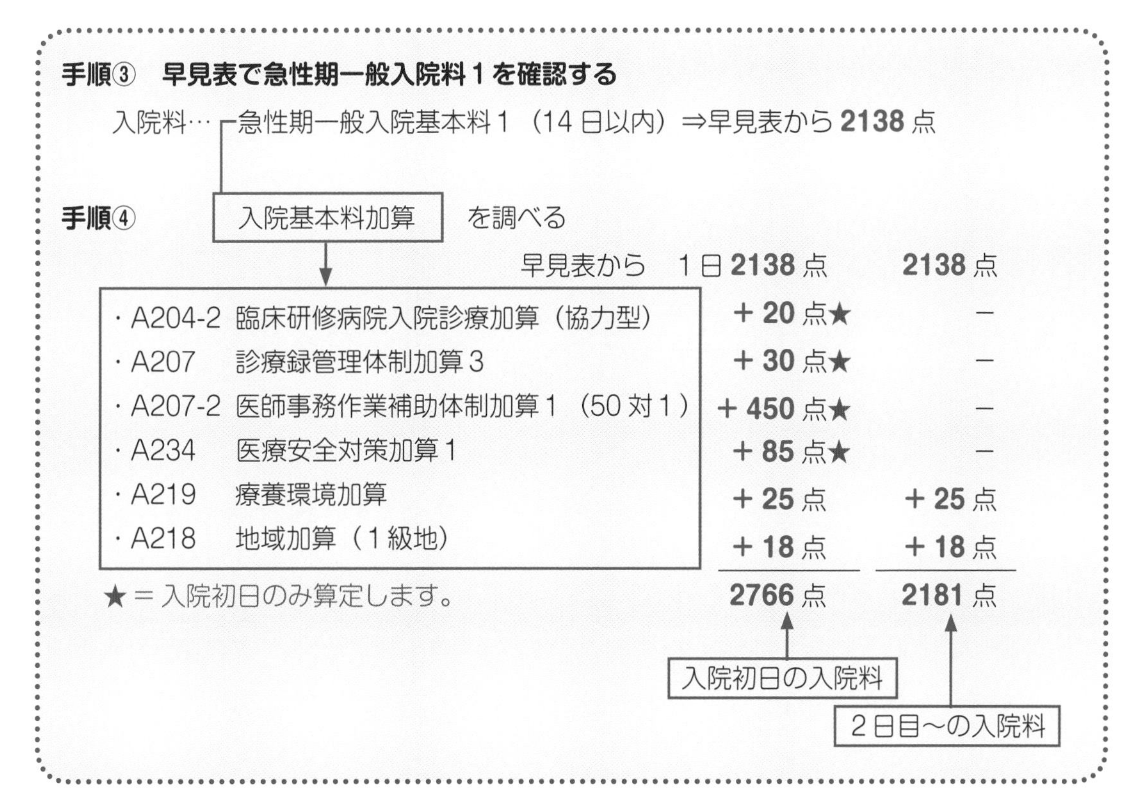

5 日間入院

入院料　**2766 点× 1 日 ＝2766** 点　…（6/17）

　　　　2181 点× 4 日 ＝8724 点　…（6/18～6/21）

Keyword **【臨床研修病院入院診療加算】**

臨床研修病院には「基幹型」40 点と「協力型」20 点があり、研修医が実際に臨床研修を行っている場合に算定できる。

レセプトの書き方

病院・診療所の該当する方を○で囲む

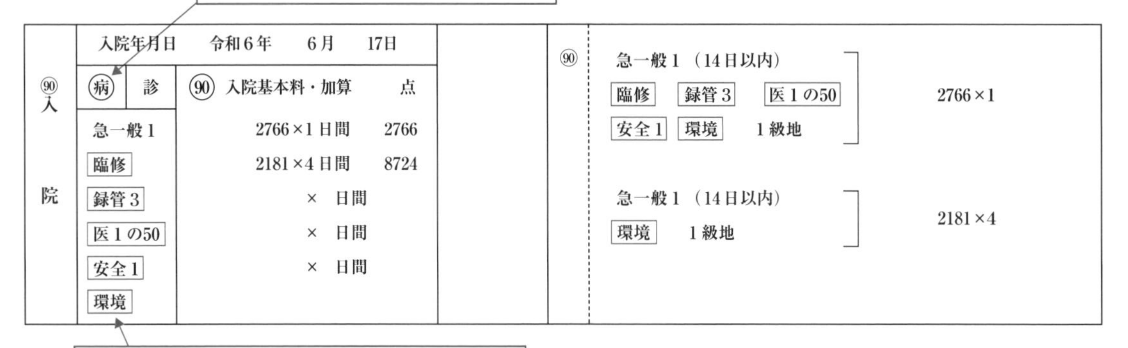

種別欄に略称を書く(地域加算の略称は書かない)

2 解き方　事例2

手順①　施設基準を確認する

○施設の概要等：地域一般入院料1　520床

○標榜科（内科・小児科・外科・呼吸器外科・整形外科・産婦人科・眼科・耳鼻咽喉科・皮膚科・泌尿器科・脳神経外科・精神科・麻酔科・放射線科）

○届出状況：**地域一般入院料1**、総合入院体制加算3、診療録管理体制加算3、医師事務作業補助体制加算2（75対1）、感染防止対策2、療養環境加算、医療安全対策加算2
入院時食事療養（Ⅰ）、食堂加算、**薬剤管理指導料、検体検査管理加算（Ⅱ）**
画像診断管理加算2、マルチスライスCT（64列以上）、**麻酔管理料（Ⅰ）**

○医師、薬剤師および職員の状況：医師の数は医療法を満たしているが、標準を超えてはいない
薬剤師数及び看護職員（看護師及び准看護師）数は医療法標準を満たしており、常勤の管理栄養士も配置している

○診療時間：月曜日～土曜日　9：00～17：00、日曜・祝日　休診

○所在地：大阪府大阪市（2級地）

○入院期間：令和6年6月17日～6月21日の場合

手順②　入院日数（算定期間は何日目か）を確認する

★入院日数、外泊の有無は、カルテで各自確認する。

⇒　例）**6/17（月）～6/21（金）　5日間**

事例2は過去出題された入院レセプトの設定要件を改変したものです。

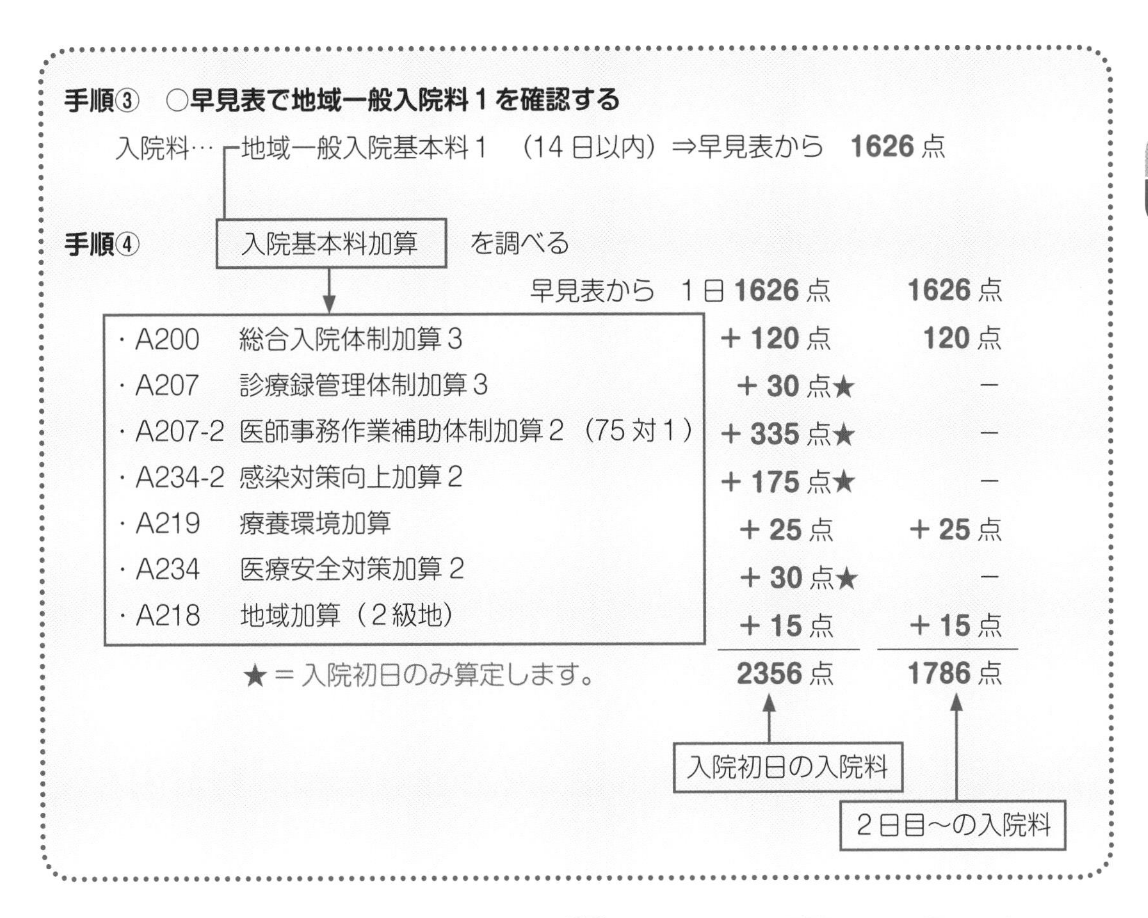
手順③　○早見表で地域一般入院料１を確認する

入院料…　地域一般入院基本料１　（14 日以内）⇒早見表から　**1626** 点

手順④　入院基本料加算　を調べる

		早見表から　1 日 **1626** 点	**1626** 点
・A200	総合入院体制加算３	**＋ 120** 点	**120** 点
・A207	診療録管理体制加算３	**＋ 30** 点★	－
・A207-2	医師事務作業補助体制加算２（75 対１）	**＋ 335** 点★	－
・A234-2	感染対策向上加算２	**＋ 175** 点★	－
・A219	療養環境加算	**＋ 25** 点	**＋ 25** 点
・A234	医療安全対策加算２	**＋ 30** 点★	－
・A218	地域加算（２級地）	**＋ 15** 点	**＋ 15** 点
	★＝入院初日のみ算定します。	**2356** 点	**1786** 点
		↑ 入院初日の入院料	↑ ２日目～の入院料

5 日間入院

入院料　**2356 点**× **1 日** ＝**2356** 点…（6/17）

　　　　1786 点× **4 日** ＝**7144** 点…（6/18 ～ 6/21）

診療録管理体制加算には「1」140 点、「2」100 点、「3」30 点があります。１名以上の専任の診療記録管理者がおり、診療情報提供、診療記録の保管や中央病歴管理室等の整備や疾病統計、退院時の要約作成等、一定の条件を満たしている場合に算定できます。

レセプトの書き方

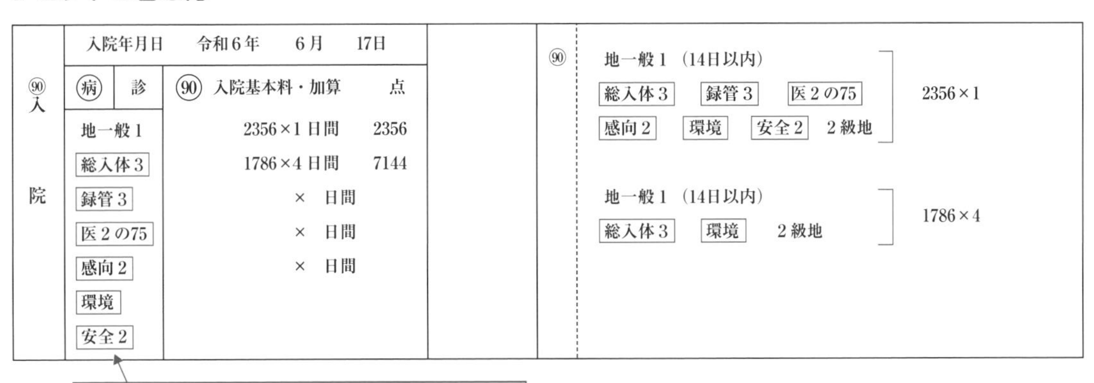

⑨⓪入院	入院年月日　令和６年　６月　17日		⑨⓪	地一般１（14日以内） 総入体３　録管３　医２の75 感向２　環境　安全２　２級地	2356×1
	㊒病　診	⑨⓪ 入院基本料・加算　点		地一般１（14日以内） 総入体３　環境　２級地	1786×4
	地一般１ 総入体３ 録管３ 医２の75 感向２ 環境 安全２	2356×1 日間　2356 1786×4 日間　7144 ×　日間 ×　日間 ×　日間			

種別欄に略称を書く（地域加算の略称は書かない）

Keyword【医師事務作業補助体制加算】

医師事務作業補助体制加算には「1」と「2」があり、それぞれに 15 対 1、20 対 1、25 対 1、30 対 1、40 対 1、50 対 1、75 対 1、100 対 1 で区分設定されている。

⑰ 入院時食事療養

- □入院時の食事の費用は、「入院時食事療養費」と「加算」から算定する
- □食堂加算や特別食（治療食）加算の算定対象か確認する
- □食事療養費に対する患者の自己負担金額は、所得区分によって異なる。一般は1食460円（1日3食を限度）

（1） 入院時食事療養と標準負担額

食事の必要性を鑑み、1994年から患者負担の標準負担額制度が導入されました。食事は、在宅か入院かにかかわらず、必要なものであるため、食事にかかる標準的な家計の食事負担額として保険制度を使用せず患者負担としたものです。

入院時の1食あたりの患者の自己負担【一食につき、1日3食を限度】 早見表P.13

A	下記のB・C・Dのいずれにも該当しない患者		490円
B	C・Dのいずれにも該当しない指定難病患者または小児慢性特定疾病児童等 2015年4月1日以前から2016年4月1日まで継続して精神病床に入院していた一般所得区分の患者〔要件有り〕		280円
C	低所得者（70歳未満） 低所得者Ⅱ（70歳以上）	過去1年間の入院期間が90日以内	230円
		過去1年間の入院期間が90日超	180円
D	低所得者Ⅰ（70歳以上）		110円

（2）入院時食事療養とは

入院時食事療養には「Ⅰ」と「Ⅱ」があります。

「**Ⅰ**」は**1食あたり670円**〔流動食のみ（市販のもの）の場合は605円〕で、「**Ⅱ**」は**536円**（同490円）です。算定は1日3食が限度です。

「Ⅱ」には加算はありません。したがって、**536円×患者が食した数＝入院時食事療養費**です。

「Ⅰ」には、「特別食加算」と「食堂加算」の2つの加算があります。届出状況で加算の対象かを確認しましょう。

- 「**特別食加算**」は、1食につき**76円**。治療上の特別食を提供した場合に加算するもので、金額に食（回）数を乗じて算定します。

> Keyword 【入院日数】
> 23:30に緊急入院した患者が、AM10:00に退院した場合の入院料は、2日分を算定する。

●「**食堂加算**」は1日につき **50 円**。患者が食堂を利用するか否かにかかわらず、1日あたりで算定します。ただし、治療の必要上、1日3食「禁食」となった場合は、「食堂加算」は算定できないので注意しましょう。

入院時食事療養費一覧　早見表 P.12　ココでた!!

Ⅰ	1	「2」以外	670 円	加算	食堂加算（1日につき）50 円 特別食加算（1食につき）76 円
	2	流動食のみ（市販のもの）	605 円		
Ⅱ	1	「2」以外	536 円		
	2	流動食のみ（市販のもの）	490 円		

ココをCHECK!

カルテ算定のポイント　カルテのここに着目!!

【手順】①届出状況の入院時食事療養（Ⅰ）または（Ⅱ）、食堂加算の有無を確認　⇒ **②カルテから入院期間中の食数を確認**　⇒　**③カルテから特別食（治療食）の提供の有無を確認**　⇒　**④患者の負担額を計算する**

1 解き方

次の条件で入院時食事療養を算定してみましょう。

例）届出状況：入院時食事療養（Ⅰ）の場合
食堂加算

手順①　カルテから入院期間中の食事の提供数を確認する（6/17 ～ 6/21）

※禁食はカウントに入れない

6／17	2食
6／18	禁食
6／19	禁食
6／20	1食
6／21	3食

合計　**6食**

Keyword【食堂加算】
診療所や食堂での食事提供を行う体制に対する評価加算であるため、療養病棟や食堂設置が要件である精神療養病棟入院料等を算定する場合は加算できない。

手順②　届出状況にある入院時食事療養の（Ⅰ）・（Ⅱ）を確認する

○入院時食事療養……（Ⅰ）１食あたり　**670 円**

○食堂加算……あり。１日あたり**＋ 50 円**……（治療上、食事の提供がない場合は算定不可）
※本人が食堂を利用するか否かは問わない

手順③　入院期間中の食事に特別食の提供があったか、カルテから確認する

特別食の提供……なし

手順④　食堂加算は算定できるのか、届出状況から確認する

１日あたり **50 円**× **3 日**（6 ／ 17、6 ／ 20、6 ／ 21）

手順⑤　患者の食事負担額を計算する（一般）

１食あたり **490 円**× **6 食**＝ **2,940 円**

5 日間の入院期間中の食事の提供状況

入院時食事療養（Ⅰ）	**670 円**× **6 回（食）**
食堂加算	**50 円**× **3 日**……禁食日はカウントしない。
患者の自己負担額	**490 円**× **6 回（食）**＝ **2,940 円**

レセプトの書き方は
以下にあります。

レセプトの書き方

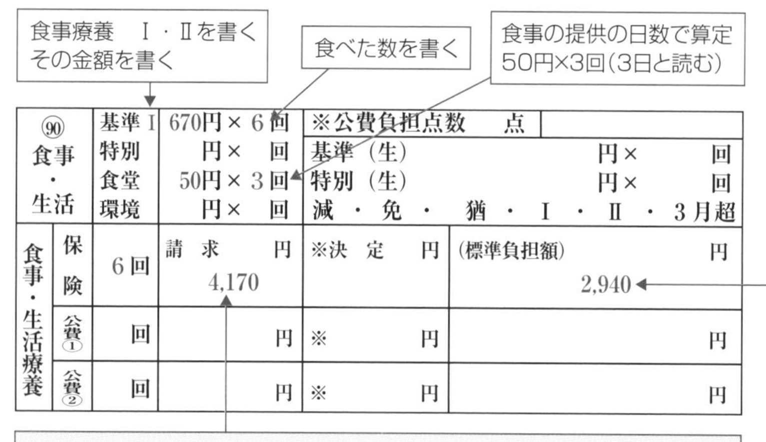

2 解き方

次の条件で入院時食事療養を算定してみましょう。

Keyword【患者の食事の標準負担額】

標準負担額は保険の種別（健康保険、国民健康保険、後期高齢者医療制度）や特別食加算・食堂加算などの食事療養費の加算の有無にかかわらず、１食につき一般は 2024 年 6 月から 490 円になった。

例）届出状況：入院時食事療養（Ⅰ） 食堂加算 特別食加算	の場合

手順①　カルテから入院期間中の食事の提供数を確認する（6/17 ～ 6/21）

※禁食はカウントに入れない

6／17	2食
6／18	禁食
6／19	1食
6／20	3食
6／21	3食

合計　**9食**

手順②　届出状況にある入院時食事療養の（Ⅰ）・（Ⅱ）を確認する

○入院時食事療養費……（Ⅰ）1食あたり　**670円**

手順③　入院期間中の食事に特別食の提供があったか確認する

特別食の提供……糖尿食（9食）　1食あたり　**76円**

手順④　食堂加算は算定できるのか、届出状況から確認する

1日あたり **50円**× **4日**（6／17、6／19、6／20、6／21）

手順⑤　患者の食事負担額を計算する（一般）

1食あたり **490円**× **9食**= **4,410円**

5日間入院期間中の食事の提供状況

入院時食事療養（Ⅰ）	**670円**× **9回（食）**
特別食加算	**76円**× **9回（食）**
食堂加算	**50円**× **4日**……禁食日はカウントしない。
患者の自己負担額	**490円**× **9回（食）**＝ **4,410円**

レセプトの書き方

<table>
<tr><td rowspan="4">⑨⑦
食事
・
生活</td><td>基準Ⅰ</td><td>670円×9回</td><td colspan="2">※公費負担点数　点</td><td></td></tr>
<tr><td>特別</td><td>76円×9回</td><td colspan="3">基準（生）　円×　回</td></tr>
<tr><td>食堂</td><td>50円×4回</td><td colspan="3">特別（生）　円×　回</td></tr>
<tr><td>環境</td><td>円×　回</td><td colspan="3">減・免・猶・Ⅰ・Ⅱ・3月超</td></tr>
<tr><td rowspan="3">食事・生活療養</td><td>保険</td><td>9回</td><td>請求　円
6,914</td><td>※決定　円</td><td>（標準負担額）　円
4,410</td></tr>
<tr><td>公費①</td><td>回</td><td>円</td><td>※　円</td><td>円</td></tr>
<tr><td>公費②</td><td>回</td><td>円</td><td>※　円</td><td>円</td></tr>
</table>

患者自己負担を書く
460円×9回=4,410円

(670円×9回=6030円)＋(76円×9回=684円)＋(50点×4回=200円）の計算結果を書く

特別食加算の対象となる治療食

腎臓食 ココでた!!	心臓疾患、妊娠高血圧症候群等に対しての減塩食〔総量（1 日量）6.0g 未満〕療法は腎臓食に準じて算定する（高血圧症に対して減塩食事療法を行う場合は認められない）
肝臓食 ココでた!!	肝庇護食、肝炎食、肝硬変食、閉鎖性黄疸食（胆石症及び胆嚢炎による閉鎖性黄疸の場合も含む）等をいう
糖尿食	――――
胃潰瘍食	単なる流動食は除く。十二指腸潰瘍の場合も胃潰瘍食として扱う
貧血食 ココでた!!	血中ヘモグロビン濃度が 10g/dL 以下であり、その原因が鉄分の欠乏に由来する患者
膵臓食	――――
脂質異常症食	空腹時定常状態における LDL- コレステロール値が 140mg/dL 以上である者、または HDL- コレステロール値が 40mg/dL 未満である者、もしくは中性脂肪値が 150mg/dL 以上である者、高度肥満症（肥満度が +70%以上または BMI が 35 以上）に対する食事療法
痛風食	――――
てんかん食	グルコーストランスポーター 1 欠損症またはミトコンドリア脳筋症の患者に対して、治療食として当該食事を提供した場合
先天性代謝異常食	フェニールケトン尿症、楓糖尿症、ホモシスチン尿症、ガラクトース血症
治療乳	乳児栄養障害（離乳を終わらない者の栄養障害）に対する酸乳、バター穀粉乳のように直接医療機関において調製する治療乳のこと。治療乳既製品（プレミルク等）や添加含水炭素の選定使用等には加算できない
低残渣食 ココでた!!	クローン病、潰瘍性大腸炎等により腸管の機能が低下している患者に対する低残渣食
特別な場合の検査食（潜血食）	潜血症、大腸 X 線検査・大腸内視鏡検査のために特に残渣の少ない調理済食品を使用した場合（外来患者に提供した場合は保険給付の対象外）
無菌食	入院環境に係る無菌治療室管理加算を算定している患者に提供した場合
経管栄養食	J120 鼻腔栄養を算定する場合で、流動食（市販されているものを除く）が特別食の算定要件を満たしているときは、特別食の加算をしてもよい。経管栄養であっても特別食加算の対象となる食事を提供した場合

※単なる軽食、流動食、または人工栄養のための調乳、離乳食、幼児食、高血圧症に対する減塩食事療法などは対象とならない。

Q クローン病、潰瘍性大腸炎等により腸管の機能が低下している患者に対する低残渣食については、特別食として取り扱うことができる。

➡ ○ そのとおり（告示②入院時食事療養費・入院時生活療養費「入院時食事療養費に係る食事療養費及び入院時生活療養費に係る生活療養の実施上の留意事項について」の保医発通知 3特別食加算（7））

要・点・確・認！
一問一答テスト
次の問いに○か×で答えなさい

初診料

【問1】
日曜日および祝日、12/29～翌年1/3は、初診料および再診料の休日加算の対象となる休日である。

【問2】
午前中に小児科を初診で受診した患児の母親が、午後にその患児の薬のみを取りに来た場合、午前中の診療については初診料を算定し、午後については再診料を算定する。

【問3】
診療開始が午前8時とされている診療所で、午前7時30分から受付を開始した場合は、午前8時までの受付患者については、「夜間・早朝加算」を算定できる。

【問4】
自費で産科に入院中の患者が眼科の疾患で眼科を受診した場合は、眼科において初診料又は再診料（外来診療料を含む）を算定できる。

【問5】
小児科を標榜する診療所において、診療時間内の午後7時に3歳の幼児の初診を行った場合は、夜間・早朝等加算として、初診料の所定点数に50点を加算できる。

解答＆解説

【答 1】○ **そのとおり** 日曜日および「国民の祝日に関する法律　第3条」に規定する休日。なお、12/29～1/3は休日扱い。

【答 2】× 往診、診察等の後に薬剤のみを取りに来た場合、再診料は算定できない。

【答 3】× 診療開始が午前8時以降であることを前提に受付しているので、加算の対象ではない。

【答 4】× 医療法に規定する病床に入院している期間中にあっては、その理由にかかわらず、再診料（外来診療料を含む）は算定できない。診療を受けた診療科以外で、入院の原因となった病床以外の傷病であっても同様に算定できない。

【答 5】× 小児科を標榜する保険医療機関にあっては、夜間において6歳未満の乳幼児に対して初診を行った場合は、所定点数に200点（小児科の特例）を加算する。

再診料

【問6】
内科で糖尿病の診察を受けた後、同時に同一保険医療機関の眼科で糖尿病性網膜症の診察を受けた場合、眼科で２つ目の再診料は算定できない。

外来診療料

【問7】
診療所の再診において、基本診療料に含まれる処置を行い、使用した薬剤の費用を処置の薬剤料として算定した場合には、外来管理加算は算定できない。

入院料加算

【問8】
同一保険医療機関内での別の病棟に移動した日の入院料は、移動先の病棟の入院科を算定する。

【問9】
入院の際に関係職種が共同して入院診療計画を算定し、入院日から起算して３日以内に当該患者に文書を交付し説明しなければ、入院基本料等は算定できない。

入院時食事療養

【問10】
入院時食事療養に係る食事療養の額は、食事の回数に関係なく１日当たりで定められている。

解答＆解説

【答 6】○ **そのとおり** 関連のある疾病のため、２科目の再診料は算定できない。

【答 7】× 基本診療料に含まれる処置について、それらを実施した際に使用した薬剤の費用を算定した場合においても、外来管理加算は算定できる。

【答 8】○ **そのとおり。**

【答 9】× 入院日から起算して７日以内に文書による説明を行うことが条件である。

【答 10】× 入院時食事療養に係る食事療養の額は、１食につき定められている。なお、１日について３食を限度として算定する。

第3章

特掲診療料

特掲診療料とは、「医学管理等」「在宅医療」「投薬」「注射」「処置」「手術・輸血、麻酔・神経ブロック」「検査・病理診断」「画像診断」「処方箋料・リハビリテーション、精神科専門療法、放射線治療」などで算定します。レセプトを作成する際に必要になりますので、それぞれの算定の仕方などをしっかり理解しておきましょう。

⑬ 医学管理等（B000～B015）

□医学管理等は、B000 ～ B015 の項目で構成される
□他の指導管理と重複して算定できないものや算定回数の限度があるため、算定要件をしっかり確認する
□薬剤料や特定保険医療材料料等の加算はない

指導管理

療養上必要な指導管理とは、直接患者（その家族）と向き合って、患者の食事、栄養、睡眠、休養、運動、入浴、酒、たばこ、刺激物の嗜好品など、患者が療養生活を送る上での管理をいいます。

したがって、**電話**での指導管理やカウンセリングは**算定できません**。

医学管理

診療報酬点数表の基本構成は 14 区分（A ～ O）になっており、基本料を A で表し、特掲診療料は B ～ O で表しています。特掲診療料の B には、医学管理等の点数が示されています。

B000 ～ B015 のそれぞれの医学管理等には、算定できる対象疾患が決められています。医学管理等の項目はたくさんあっても、1 患者に行われる医学管理は限られたものになります。

医学管理等の留意点

①算定上の制限

算定開始日や算定回数に制限があります。

②重複算定の可否

複数の医学管理を行った場合、「それぞれ算定できるもの」「重複算定できないもの」があり、その判別が必要です。

③医学管理と在宅医療

医学管理の算定時に、別に「**在宅医療**」も併せて行っている場合は、それぞれ算定できるか否かの確認が必要です。

※医師が直接行うものである、特定疾患療養管理料、ウイルス疾患指導料、てんかん指導料等については、同一月に複数の医学管理料の併算定はできない。
※医師以外（コ・メディカル）が行うもの（栄養指導、在宅療養指導など）は、併算定ができる。

Keyword【点数表の構成】
点数表は「基本診療料」と「特掲診療料」からなり、一般的にはこの 2 つを算定する。「基本診療料」については初診料、再診料（外来診療料）、入院基本料、入院基本料等加算などがある。詳しくは第 2 章参照。

意見書と診断書

医学管理等には、上記以外にも患者が健康保険法に定める現金給付を受けるための、医師の「意見書」（B012 傷病手当金意見書交付料）や「診断書」（B013 療養費同意書交付料）などもこの区分に含まれています。

早見表 P.18 ～には、医学管理等の一覧表を掲載し、主たる算定要件や算定回数を掲載していますのでご活用ください。

試験情報

診療報酬請求事務能力認定試験の出題頻度のランキング第３位は医学管理等です。

医学管理等の中でも、B000 特定疾患療養管理料、B001「2」特定薬剤治療管理料、B001「3」悪性腫瘍特異物質治療管理料、B001「4」小児特定疾患カウンセリング料、B001「9」「10」「11」（外来・入院・集団）栄養食事指導料、B001「16」喘息治療管理料、B001-3 生活習慣病管理料、B011-3 薬剤情報提供料などの**算定要件に関する出題**が多く見られます。入院カルテでは、B001-4 手術前医学管理料や B001-5 手術後医学管理料も出題されています。

医学管理等の通則

通則 1	医学管理等の費用は、第１節の各区分の所定点数により算定する。	
通則 2	医学管理等に当たって、厚生労働大臣が定める特定保険医療材料を使用した場合は、第１節の点数＋第３節「特定保険医療材料」の所定点数を合算した点数により算定する。	
	第１節 医学管理等	B000 ～ B015
	第３節 特定保険医療材料	B200 ・材料価格÷ 10＝□点（小数点以下、四捨五入） ・特定保険医療材料の材料価格は、別に厚生労働大臣が定める。
通則 3	外来感染対策向上加算 ㊎(月１回) ６点 医感	・施設適合の届出（診療所のみ）で下記の医学管理料を算定する場合に月１回に限り**外来感染対策向上加算**として **6 点**を加算する。 B001-2 小児科外来診療料、B001-2-7 外来リハビリテーション診療料、B001-2-8 外来放射線照射診療料、B001-2-9 地域包括診療料、B001-2-10 認知症地域包括診療料、B001-2-11 小児かかりつけ診療料、B001-2-12 外来腫瘍化学療法診療料、B006 救急救命管理、B007-2 退院後訪問指導料 ・A000 初診料、A001 再診料の外来管理加算、I012 精神科訪問看護・指導料の外来感染対策向上加算を算定した月は、別に算定できない。
	発熱患者等対応加算 (月１回) ＋20	・発熱その他感染症の疑いのある患者に対して適切な感染防止対策を講じた上で行った場合に月１回限り **20 点**をさらに所定点数に加算する。
通則 5	サーベイランス強化加算（月１回）１点 医サ	・感染防止対策に資する情報を提供する体制の施設適合の届出医療機関で A000 初診料、A001 再診料を行う際「外来感染対策向上加算」を算定した場合は、**サーベイランス強化加算**として、月１回に限り **1 点**をさらに所定点数に加算する。
通則 6	抗菌薬適正使用体制加算 ㊎(月１回) ５点 医抗菌適	・抗菌薬使用状況につき、施設基準適合の届出医療機関において、**抗菌薬適正使用体制加算**として、月１回に限り **5 点**をさらに所定点数に加算する。

Keyword 【特掲診療料】
「医学管理等」をはじめ「投薬」、「注射」、「検査」など個々の診療行為ごとの点数と算定要件が定められている。

B000 特定疾患療養管理料　早見表 P.19　Check

区分	項目			点数	略称	外	入	算定要件
B000	特定疾患療養管理料（月２回限度）Check	診療所		225 (196)	特 情特	○	×	・厚生労働大臣が定めた疾患を主病とする患者が対象 ・(　　　)は情報通信機器を用いた場合（届）の点数 ・初診または退院の日から１ヵ月以内は算定不可 例）初診 3/10 →初回算定可能日 4/10（ただし 4/10 が休日の場合は 4/9 に算定）
		病院	許可病床数 100 床未満	147 (128)				
			許可病床数 100 床以上 200 床未満	87 (76)				

特定疾患療養管理料は、別に厚生労働大臣が定める特定疾患を主病とする患者に対して、治療計画に基づき、服薬、運動、栄養等の療養上の管理を行った場合に、月２回に限り算定します。

特定疾患療養管理料の点数は、医療機関の許可病床数によって異なります。この「許可病床数」は、一般病床に限るものではありません。許可病床数 200 床以上の病院においては算定できません。

ココでた!!

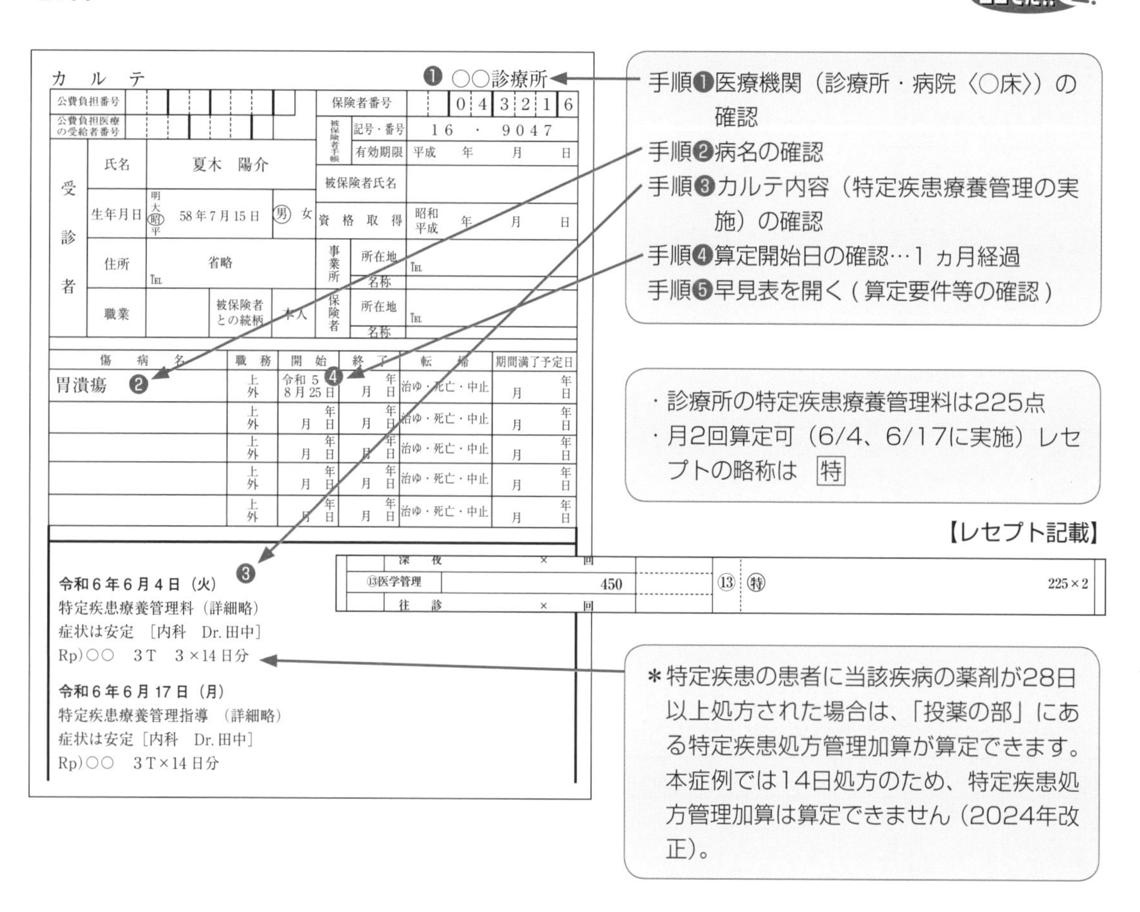
カルテ　❶ ○○診療所
保険者番号 0 4 3 2 1 6
記号・番号 16 ・ 9047
受診者　氏名 夏木　陽介
生年月日 昭 58年7月15日 男
住所 省略
傷病名 胃潰瘍 ❷　開始 令和５ 8月25日 ❹
❸
令和６年６月４日（火）
特定疾患療養管理料（詳細略）
症状は安定 ［内科 Dr. 田中］
Rp)○○ 3T 3×14日分
令和６年６月17日（月）
特定疾患療養管理指導（詳細略）
症状は安定［内科 Dr. 田中］
Rp)○○ 3T×14日分

Keyword【特定疾患療養管理料】
特定疾患療養管理料の病床数は「許可病床数」をいい、一般病床に限るものではない。

B001「2」特定薬剤治療管理料 &B011-3 薬剤情報提供料　早見表 P.19、39

区　分	項　　目		点　数	略称	外	入	算定要件
B001「2」	イ．特定薬剤治療管理料１（月１回限度）	月１回限度	470	薬１	○	○	・疾患名、血中濃度測定薬剤名と初回算定年月をチェック（下線部分はレセプトに記載する） ・B-V算定不可 ※4月目以降の算定は早見表P.20、21を参照
		免疫抑制剤加算	＋2740				
		バイコマイシン投与管理加算	＋530				
		特定薬剤治療管理に係る薬剤の投与加算	＋280				
		複数免疫抑制剤の投与管理加算	＋250				
		エベロリムス投与管理加算	＋250				
	ロ．特定薬剤治療管理料２	サリドマイド製剤	100	薬２			

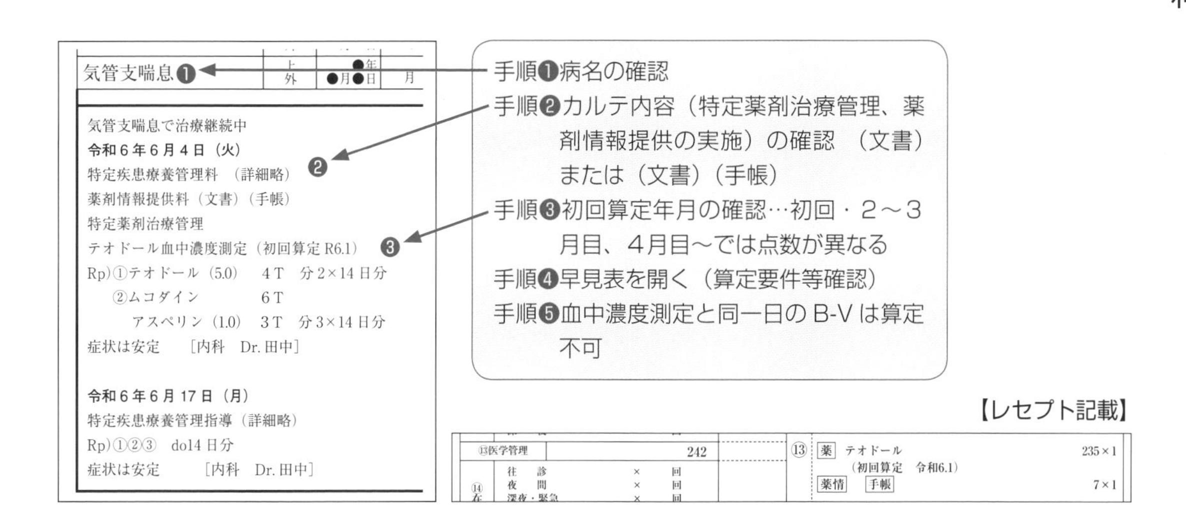
気管支喘息❶　上／外　●年●月●日　月

気管支喘息で治療継続中
令和６年６月４日（火）
特定疾患療養管理料　（詳細略）❷
薬剤情報提供料（文書）（手帳）
特定薬剤治療管理
テオドール血中濃度測定（初回算定 R6.1）❸
Rp）①テオドール（5.0）　4Ｔ　分2×14日分
　②ムコダイン　　　6Ｔ
　　アスペリン（1.0）　3Ｔ　分3×14日分
症状は安定　［内科　Dr. 田中］

令和６年６月17日（月）
特定疾患療養管理指導（詳細略）
Rp）①②③　do14日分
症状は安定　［内科　Dr. 田中］

【レセプト記載】

⑬医学管理　242
⑭在　往診　×　回　夜間　×　回　深夜・緊急　×　回

⑬ 薬　テオドール　235×1
　（初回算定　令和6.1）
薬情　手帳　7×1

B001「3」悪性腫瘍特異物質治療管理料　早見表 P.21

区分	項目			点数	略称	外	入	算定要件
B001「3」	悪性腫瘍特異物質治療管理料（月１回限度）	イ．尿中BTAに係るもの		220	悪	○	○	・疾患名を確認（悪性腫瘍と診断された患者） ・同一患者にイ・ロ(D009腫瘍マーカー)を行った場合はロの所定点数のみ算定 ・B-V、判 生Ⅱ は算定不可※1 ※早見表P.22を参照
		ロ・その他	１項目	360				
			２項目以上	400				
			初回月　加算	＋150				

悪性腫瘍特異物質治療管理料は、悪性腫瘍と確定診断された患者に対して、定期的に腫瘍マーカー検査の数値を見て治療管理するもので、検査が目的ではありません。したがって、悪性腫瘍の患者の治療管理のために行った腫瘍マーカー検査料は、⑬悪性腫瘍特異物質治療管理料に含まれます。

つまり、悪性腫瘍特異物質治療管理料は、**悪性腫瘍であるとすでに確定診断された患者**について、腫瘍マーカー検査を行い、計画的な治療管理を行った場合に、月１回に限り算定できます。

略称は悪です。 ココでた!!

悪を算定した場合は、 **腫瘍マーカー検査・B-V・ 判生Ⅱ** は**算定できません**。 病名が「**〇〇悪性腫瘍の疑い**」となっていれば、**⑥⓪ の腫瘍マーカー検査で算定**します。その場合、**腫瘍マーカー検査料、B-V、判生Ⅱ**が**算定できます**。

※１　また、悪以外の検査を行った場合は 判生Ⅱ は算定できる。

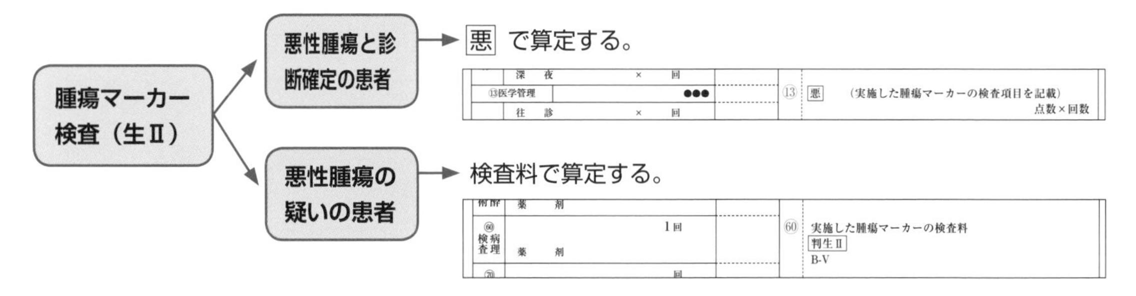

B001「4」小児特定疾患カウンセリング料　早見表 P.22、23

区分	項目		点数	略称	外	入	算定要件
B001 「4」	小児特定疾患カウンセリング料 （月２回、２年限度） （月１回、２年～４年限度）	イ．医師による場合 ⑴ 初回 ⑵初回カウンセリング日後１年以内の期間 ①月の１回目 ②月の２回目 ⑶初回カウンセリング日から２年以内の期間 ①月の１回目 ②月の２回目 ⑷初回カウンセリング日から４年以内の期間	 **800** **(696)** **600** **(522)** **500** **(435)** **500** **(435)** **400** **(348)** **400** **(348)**	小児特定	○	×	・年齢確認（15歳未満が算定対象） ・疾患名を確認（神経性障害、ストレス関連障害）など、対象疾病に注意 （　）内は情報通信機器を使用した場合の点数 ※早見表P.22を参照 ・B000 特 、I002通院・在宅精神療法、I004心身医学療法との併算定不可
		ロ．公認心理師による場合	**200**				

B001「9」「10」「11」（外来・入院・集団）栄養食事指導料　早見表 P.24、25

区分	項目		点数	略称	外	入	算定要件
B001「9」	外来栄養食事指導料（月１回、初回月２回）	イ．外来栄養食事指導料１			○	×	・外栄初対・情1、2のイ、ロの（1）初回は概ね30分以上（2）2回目以降は概ね20分以上の指導を行った場合に算定する ・集栄は15人以下に対し、1回の指導時間は40分超の指導 外来・入院患者を混在して指導してもよい ・外栄初対・情1、2または入栄と集栄を同一日に行った場合、併せて算定できる ※早見表P.23を参照 ・「10」で、退院後の栄養食事管理について関連施設の医師又は管理栄養士と共有した場合、入院中1回に限り栄養情報提供加算50点 ・栄養情報提供加算50点を算定した場合はB005退院時共同指導料２は別に算定できない
		⑴ 初回 ①対面で行った場合	260	外栄初対1			
		②情報通信機器を用いた場合	235	外栄初情1			
		⑵ ２回目以降 ①対面で行った場合	200	外栄2対1			
		②情報通信機器を用いた場合（月１回）	180	外栄2情1			
		ロ．外来栄養食事指導料２					
		⑴ 初回 ①対面で行った場合	250	外栄初対2			
		②情報通信機器を用いた場合	225	外栄初情2			
		⑵ ２回目以降 ①対面で行った場合	190	外栄2対2			
		②情報通信機器を用いた場合	170	外栄2情2			
	〈加算〉	専門管理栄養士指導加算 届 （月1回）	+260	外栄専			
「10」	入院栄養食事指導料（週１回、入院中２回程度）	イ （入院中２回）、特別食を要する入院患者に当院の管理栄養士（非常勤可)が栄養指導		入栄１	×	○	
		⑴ 初回	260				
		⑵ ２回目以降	200				
		ロ （入院中２回）、診療所の入院患者に管理栄養士が栄養指導		入栄２			
		⑴ 初回	250				
		⑵ ２回目以降	190				
「11」	集団栄養食事指導料	（月１回、入院患者は入院中２回限度）	80	集栄	○	○	

B001-3 生活習慣病管理料　早見表 P.31

区分	項目		点数	略称	外	入	算定要件
B001－3	生活習慣病管理料（月１回限度） ※血糖自己測定値指導加算（年１回）	イ．脂質異常症が主病	610	生1脂	○	×	・診療所と許可病床数200床未満の病院で算定する ・初診日の属する月は算定不可 ・医学管理等、検査・注射の費用を含む
		ロ．高血圧症が主病	660	生1高			
		ハ．糖尿病が主病	760	生1糖			
		※血糖自己測定	+500				
	外来データ提出加算 届		+50	外デ			

＊生活習慣病管理料は、服薬、運動、休養、栄養、喫煙及び飲酒等の生活習慣に関する総合的な治療管理を行う旨、患者に療養計画書で丁寧に説明を行い、患者の同意を得るとともに、当該計画書に患者の署名を受けた場合に算定できるもの。

＊糖尿病の患者については血糖値及び HbA1c の値を、高血圧症の患者については血圧の値を必ず記載することになっている。

B001-4 手術前医学管理料　早見表 P.32

区分	項目	点数	略称	外	入	算定要件
B001－4	手術前医学管理料(月1回のみ)	**1192**	手前	○	○	・L002硬膜外麻酔、L004脊椎麻酔、L008マスク又は気管内挿管による閉鎖循環式全身麻酔で行う手術前1週間の検査・画像診断を包括算定するもの ・手前を算定した同一月に行ったD208心電図検査は90/100で算定する ・画像診断のフィルムは別に算定できる ※〈表1〉を参照

手術前医学管理料とは、疾病名を問わず、麻酔（硬膜外麻酔・脊椎麻酔・全身麻酔）によって手術を行った患者の**手術前**に行った**検査**や**画像診断**（手術前日を起算日として1週間前からの実施に限る）について実施項目をそれぞれ算定するのではなく、包括して「手術前医学管理料1192点」で算定するものです。ただし包括される検査・画像診断の項目について2回以上行った場合は、2回目以降のものは別に算定できます。また手術後医学管理料とは、手術後に行われた**検査**を包括して「手術後医学管理料（病院の場合1188点）（診療所の場合1056点）」として算定するものです。ポイントは**麻酔の手技料**です。ココでた!!

〈表1〉

	B001-4 手術前医学管理料	B001-5　手術後医学管理料
点数	1192点	病院 1188点　診療所 1056点
算定の可否	外来○、入院○	外来×、入院○
1 略称	手前	手後
2 算定要件	手術日の1週間前に下記「5」の内容を実施	入院日から10日以内に下記「4」で手術を実施
3 算定回（日）数	1日（手術当日の実施も可）	3日間（手術の翌日から起算）
4 算定対象の麻酔	L002硬膜外麻酔、L004脊椎麻酔、L008マスクまたは気管内挿管による閉鎖循環式全身麻酔	L008マスクまたは気管内挿管による閉鎖循環式全身麻酔
5 包括される項目	【検査・判断料、画像診断】一部対象外あり	【検査・判断料】一部対象外あり
6 留意事項	・手前を算定した同一月に実施したD208心電図は90/100で算定 ・画像診断のフィルム料は算定できる	・同一月に手前を算定している場合、算定する3日間の手後の点数は、95/100で算定する ココでた!!

〔症例研究〕

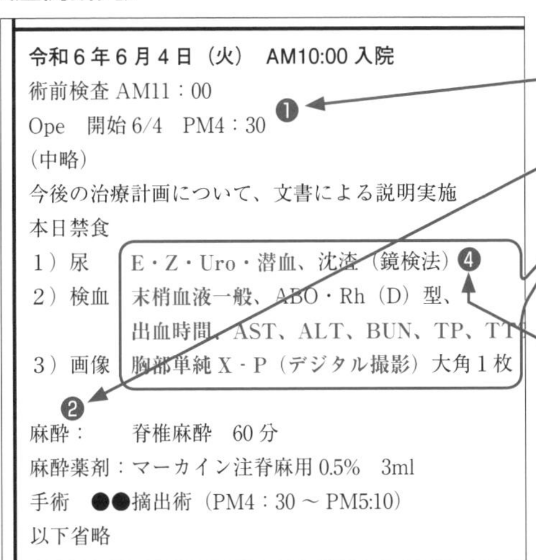

令和６年６月４日（火） AM10:00 入院
術前検査 AM11：00
Ope 開始 6/4 PM4：30 ❶
（中略）
今後の治療計画について、文書による説明実施
本日禁食
1）尿 E・Z・Uro・潜血、沈渣（鏡検法）❹
2）検血 末梢血液一般、ABO・Rh（D）型、出血時間、AST、ALT、BUN、TP、TT
3）画像 胸部単純X-P（デジタル撮影）大角1枚
❷
麻酔： 脊椎麻酔 60分
麻酔薬剤：マーカイン注脊麻用 0.5% 3ml
手術 ●●摘出術（PM4：30〜PM5:10）
以下省略

手順❶検査・画像の実施日の確認（手術日の1週間前から当日までの間）
手順❷ 手前 の算定対象の麻酔か確認（硬膜外麻酔・脊椎麻酔・閉麻）
手順❸ 手前 の包括項目（検査・画像）のピックアップをする（カルテの赤字の部分）
・手術当日に行った場合も 手前 は算定できる
手順❹包括項目は早見表（P.32）で確認する
・画像診断のフィルムは別に算定できる
・包括項目に含まれないものだけをレセプトに記載する

【レセプト記載例】

手術前医学管理料を算定したケース

	深　夜	× 回			
⑬医学管理		1192	⑬	手前	1192×1
	往　診	× 回			

手術後医学管理料を算定した場合や、手術前医学管理料との併施の場合のレセプト⑬は下記のように記載します。

手術後医学管理料を３日間算定したケース（入院患者）

	深　夜	× 回			
⑬医学管理		3564	⑬	手後	1188×3
	往　診	× 回			

同一月に手術前医学管理料と手術後医学管理料（３日間）を算定したケース（入院患者）

	深　夜	× 回			
⑬医学管理		4579	⑬	手前 手後	1192×1 1129×3
⑭在	往　診	× 回			
	夜　間	× 回			
	深夜・緊急	× 回			

同一月に 手前 を算定した場合は、算定する３日間の 手後 の点数は所定点数の 95％で算定する。
1188 × 95％ =1129

Q 第１回目の難病外来指導管理料は、初診料を算定した初診の日又は当該保険医療機関から退院した日からそれぞれ起算して１ヵ月を経過した日以降に算定する。
➡ ○ そのとおり

Q 薬剤管理指導料について、保険医療機関の薬剤師が当該保険医療機関の医師の同意を得て薬剤管理指導記録に基づき直接服薬指導等を行った場合は、月１回に限り所定点数を算定できる。
➡ × 月１回ではなく週１回に限り所定点数を算定できる。

⑭ 在宅医療(C000～C121)

□在宅医療は20項目の「在宅患者診療・指導料（C000～C014)」と33項目の「在宅療養指導管理料（C100～C121)」から構成されている

□同一月にC100～C121を同一患者に対して、併せて算定できないものがある

在宅医療とは

在宅医療とは、病状が安定している患者が、入院することなく自宅で医師の診察や指導・管理を受けながら、療養することをいいます。

したがって在宅療養の算定対象は外来患者になります。ただし、入院患者が退院後の在宅療養に備えて、一時的に外泊する場合、その在宅での療養に関する指導や管理は「C100 退院前在宅療養指導管理料」で算定するため、これは入院患者にも適用（退院日に算定する）されます。

1 在宅医療を支援する医療機関について

①在宅療養支援診療所（在支診）

在宅療養支援診療所は、「**24時間往診が可能な体制の確保**」により高齢者が在宅で最期まで療養が受けられることを目的に設けられたものです。

在支診は施設基準適合診療所として届出が必要です。在支診の点数は高いのですが、24時間連絡受付の医師・看護師・准看護師をあらかじめ指定し、その連絡先を文書で提供しなければならないことや、別の医療機関や訪問看護ステーションとの連携により、患家の求めに応じ、往診担当医師および訪問看護の担当者の氏名・連絡先・担当日等、24時間体制であるため、患家に文書で提供するなどの要件があります。

②在宅療養支援病院（在支病）

在宅療養支援病院（在支病）は、許可病床数が200床未満の病院であり、または本病院を中心に半径4km圏内に診療所がない場合に、在支診の代行として、緊急時の連絡体制および24時間往診が可能な体制を確保している病院をいいます。

在支診と同様に患家には担当スタッフの氏名や連絡先など文書で提供します。また、在宅医療にかかわる担当の常勤医師が3名以上配置されていること、往診を担当する医師は当該保険医療機関の当直体制を担う医師とは別のものであることなど、基準があります。

③在宅療養後方支援病院

在宅療養後方支援病院は、2014 年診療報酬改定時に、在宅療養を行う患者の「**後方受入**」を担当する病院として新設されたものです。

要件は、①許可病床数が 200 床以上の病院であること、②在宅医療を提供している医療機関と連携していること、③入院希望患者の診療が 24 時間可能な体制を確保していることをあらかじめ説明し、入院希望患者が届け出た文書は、連携医療機関と患者に交付すること、④入院希望患者が緊急入院できるよう、常に病床を確保していること、⑤連携医療機関との間で、3 月に 1 回以上患者の診療情報の交換をしていること、などの体制が必要です。

在宅医療には、「在宅患者診療・指導料（C000 ～ C015）」と「在宅療養指導管理料（C100 ～ C121）」があります。以下、出題頻度の高い項目についてそれぞれポイントを解説します。

通則	項目	略称	点数	内容
通則 1	在宅医療の費用は、第1節在宅患者診療・指導料、第2節在宅療養指導管理料の各区分の所定点数により算定する。			
通則 2	在宅療養指導管理に当たって患者に薬剤を使用した場合は、第 3 節薬剤料を合算した点数により算定する。			
通則 3	在宅療養指導管理に当たって、特定保健医療材料を支給した場合には前号に加えて第 4 節特定保険医療材料料の所定点数を合算した点数により算定する。			
通則 5	外来感染対策向上加算 ㊞(診療所のみ)(月 1 回)	在感	6点	・届出診療所で下記を算定した場合は、外来感染対策向上加算として、月 1 回に限り 6 点を所定点数に加算する。 C001　在宅患者訪問診療料（Ⅰ） C001-2　在宅患者訪問診療料（Ⅱ） C005　在宅患者訪問看護・指導料 C005-1-2　同一建物居住者訪問看護・指導料 C005-2　在宅患者訪問点滴注射管理指導料 C006　在宅患者訪問リハビリテーション指導管理料 C008　在宅患者訪問薬剤管理指導料 C009　在宅患者訪問栄養食事指導料 C011　在宅患者緊急時等カンファレンス料
	発熱患者等対応加算	在熱対	20	
通則 6	連携強化加算（月 1 回）㊞	在連	3点	・前号に規定する外来感染対策向上加算を算定した場合は、連携強化加算として、月 1 回に限り 3 点をさらに所定点数に加算する。
通則 7	サーベイランス強化加算(月 1回)㊞	在サ	1点	・通則 5 に規定する外来感染対策向上加算を算定した場合は、サーベイランス強化加算として、月 1 回に限り 1 点をさらに所定点数に加算する。
通則 8	抗菌薬適正使用体制加算㊞(月1回限)	在抗菌適	5点	施設基準適合の届出医療機関において第 5 号に規定する外来感染対策向上加算を算定した場合は、抗菌薬適正使用体制加算として月 1 回に限り 5 点をさらに所定点数に加算する。

2 在宅患者診療・指導料（C000 ～ C015）について

①在宅患者診療・指導 ココでた!!

在宅患者診療・指導とは、医療機関のスタッフ（医師、保健師、助産師、看護師、准看護師、理学療法士、作業療法士、言語聴覚士、薬剤師、管理栄養士等）が、患者の自宅に行き、診療・指導を行うものです。

②診察実日数

「診察」ができるのは医師のみですから、医師以外のスタッフが行った日は、診療実日数にはカウントされません。患家へ行く交通費は、患家が実費負担します（徒歩・自転車・スクーターを除く）。

③算定

23 項目の在宅患者診療・指導料がありますが、**同一日**に**同一患者に併せて算定できないもの**があります。以下に記載しましょう。

C000	往診料
C001	在宅患者訪問診療料（Ⅰ）
C001-2	在宅患者訪問診療料（Ⅱ）
C005	在宅患者訪問看護・指導料
C005-1-2	同一建物居住者訪問看護・指導料
C006	在宅患者訪問リハビリテーション指導管理料
C008	在宅患者訪問薬剤管理指導料
C009	在宅患者訪問栄養食事指導料
I012	精神科訪問看護・指導料

※「特別の関係」にある医療機関においては算定できない。ただし、在宅患者訪問診療等の後の病状急変による往診を行った場合の往診料は算定できる。

≪ C000　往診料≫

往診料とは、患者の求めに応じて、医師が患家に出向き診療を行った場合に、医療機関から患家を往復する「手間賃」と考えます。したがって、**往診料**の他に、「**診察料**」（初診料・再診料・外来診療料）も同時に算定します。

定期的、計画的に患家に赴いて診療を行う場合は、C001 在宅患者訪問診療料で算定します(P.123)。 ココでた!!

往診の時間区分けは、「時間外」ではなく「夜間」で区分けをしています。

診療時間（9：00 ～ 18：00）（内円）と往診（外円）の算定区分の違い　早見表 P.41

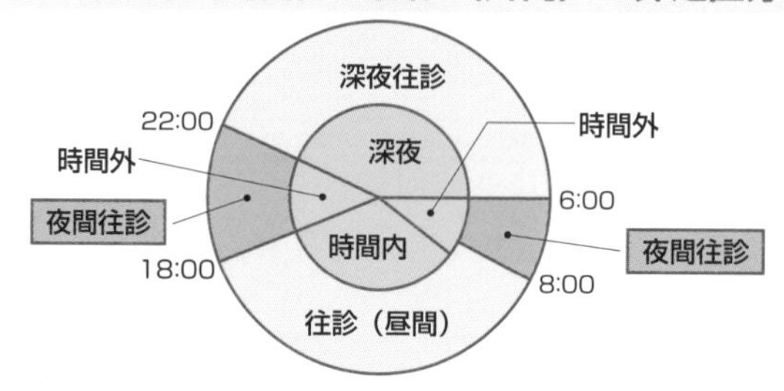

Keyword【夜間の往診料】

「夜間（深夜を除く）」の対象となる時間が 2014 年改正により「18:00 から翌日 8:00 まで」に変更された。

C000 往診料（1時間）	厚生労働大臣が定める患者				
	「イ」診療従事の時間帯で往診を行う 在支診・在支病		「ロ」イ以外の在支診・在支病の往診	「ハ」イ・ロ以外の医療機関の往診料	「ニ」厚生労働大臣が定める患者以外の患者
	有　床	無　床			
昼間	720	720	720	720	**720**
緊急 注1	1570（720＋850）	1470（720＋750）	1370（720＋650）	1045（720＋325）	**1045**（720＋325）
夜間 注2 休日	2420（720＋1700）	2220（720＋1500）	2020（720＋1300）	1370（720＋650）	**1125**（720＋405）
深夜 注3	3420（720＋2700）	3220（720＋2500）	3020（720＋2300）	2020（720＋1300）	**1205**（720＋485）

[加算]
＊在宅緩和ケア充実診療所・病院加算 届（イ～ハの場合）　＋100
＊在宅療養実績加算1 届　＋75、在宅療養実績加算2 届　＋50
＊患家診療時間外加算（1時間を超えた場合には30分ごとに）　＋100

＊在宅ターミナルケア加算（有料老人ホーム等に入居する患者、それ以外の患者）

（1）機能強化型在支診・在支病		（2）在支診・在支病［（1）を除く］	（3）その他［（1）、（2）を除く］	・在宅緩和ケア充実診療所・病院加算 届　＋1000 ・在宅療養実績加算1 届　＋750 ・在宅療養実績加算2 届　＋500 ・酸素療法加算　＋2000
有床	無床			
＋6500	＋5500	＋4500	＋3500	

＊看取り加算（上記、在宅ターミナルケア加算を算定する場合のみ）届　＋3000
＊死亡診断加算（看取り加算との併算定不可）　＋200
＊往診時医療情報連携加算　＋200
＊介護保険施設等連携往診加算 届　＋200

＊在支診（在宅支援診療所）・在支病（在宅療養支援病院）とは、在宅で療養している患者が自宅で最期を迎えることを支援している診療所や病院
＊在支診や在支病には施設基準がある（P.118）
＊在宅で死亡した場合、死亡日に往診を行い、死亡診断を行った場合に200点を算定
※早見表P.41

※注1　**緊急**の場合とは、具体的には**急性心筋梗塞、脳血管障害、急性腹症等**が予想される場合をいい、患者やその看護にあたっている者からの訴えにより、速やかに往診しなければならないと判断した場合をいいます。

※注2　夜間の時間帯とは18時～翌日8時（深夜を除く）をいいます。なお、往診では「時間外」の考えではなく「夜間」という区分で行っています。休日とは、日曜日および国民の祝日に関する法律第3条に規定する休日をいいます。1/2、1/3ならびに12/29～12/31は休日として扱います。

※注3　深夜の時間帯とは22：00～翌日6：00をいいます。

往診の際、**同一患家の中で2人以上を診療した場合**は、2人目以降の患者については**往診料を算定せず**、「**診察料**」（初診料・再診料・外来診療料）を算定します。2人目以降の各患者に要した時間が1時間を超えた場合は、その旨レセプトに記載した上で、**患家診療時間加算として「30分ごとに＋100点」**（表参照）が算定できます（C001在宅患者訪問診療料も同様）。

患家との距離が16kmを超えた場合や海路による場合、絶対に往診が必要という根拠がなく患家の希望によるものは、保険診療として算定は認められないことから、患者負担とします。

ココをCHECK! **カルテ算定のポイント**

カルテのここに着目!!

【手順】〔設定：一般病院〕
①医療機関 （C000 表中「イ」「ロ」「ハ」「ニ」）の確認 ⇒ ②往診時間の確認 ⇒③算定する診察料（初診・再診）の確認

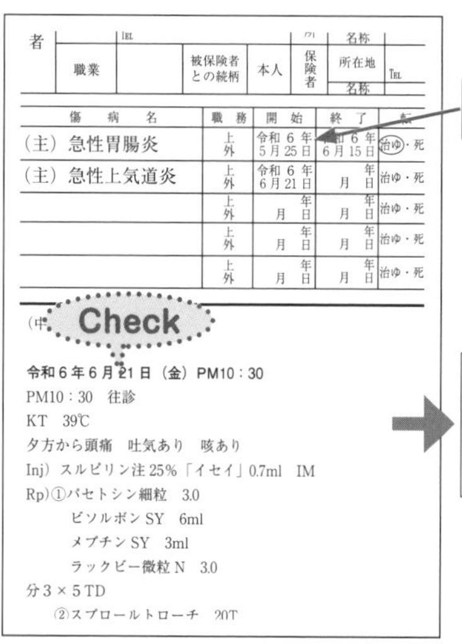

傷病名	職務	開始	終了	転帰
(主) 急性胃腸炎	上外	令和6年5月25日	令和6年6月15日	治ゆ・死
(主) 急性上気道炎	上外	令和6年6月21日	年 月 日	治ゆ・死

Check

令和6年6月21日（金）PM10：30
PM10：30　往診
KT　39℃
夕方から頭痛　吐気あり　咳あり
Inj）スルピリン注25%「イセイ」0.7ml　IM
Rp)①バセトシン細粒　3.0
　ビソルボンSY　6ml
　メプチンSY　3ml
　ラックビー微粒N　3.0
分3×5TD
　②スプロールトローチ　20T

【レセプトの書き方】

⑪初診　時間外・休日・深夜　1回 768点　公費分点数

・急性胃腸炎が6/15に治癒しているため、6/21の往診は初診料が算定できる。
・深夜の初診料（6歳以上）771点が別途算定できる。

⑭在宅		
往診	×	回
夜間	×	回
深夜・緊急	1×	2020回
在宅患者訪問診療	×	回
その他	×	回
薬剤	×	回

⑭ 往診「ハ」（深夜往診加算）　2020×1

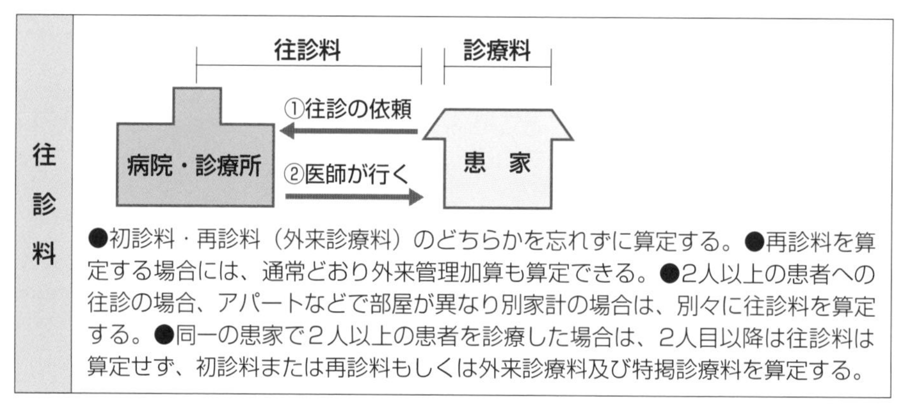

往診料

●初診料・再診料（外来診療料）のどちらかを忘れずに算定する。●再診料を算定する場合には、通常どおり外来管理加算も算定できる。●2人以上の患者への往診の場合、アパートなどで部屋が異なり別家計の場合は、別々に往診料を算定する。●同一の患家で2人以上の患者を診療した場合は、2人目以降は往診料は算定せず、初診料または再診料もしくは外来診療料及び特掲診療料を算定する。

≪ C001　在宅患者訪問診療料≫

往診は臨時的であるのに対し、**定期的・計画的**に患家を訪問し診療を行う場合は、**C001 在宅患者訪問診療料**（早見表 P.42）で算定します。

Keyword【休日の往診料】
2016年改正により、休日の往診に対する評価が新設され、「夜間」と同様に算定できることになった。

【C001　在宅患者訪問診療料】（1日につき、原則、週3回限度）

区分		項　目	点数	略称	
C001	Ⅰ	1. 在宅患者訪問診療料1 イ　同一建物居住者以外の場合	888	(Ⅰ)1 在宅	・同一建物居住者でも、1人に対してのみ訪問診療した場合は、「1」を算定する。 ・訪問診療を行った場合は、再診料、外来診療料、往診料は算定しない。 ココでた!! ・「通則5」外来感染対策向上加算、「通則6」連携強化加算、「通則7」サーベイランス強化加算の対象。
		ロ　同一建物居住者の場合	213	(Ⅰ)1 同一	
		2. 在宅患者訪問診療料2 イ　同一建物居住者以外の場合	884	(Ⅰ)2 在宅	
		ロ　同一建物居住者	187	(Ⅰ)2 同一	
	Ⅱ	イ　在宅時医学総合管理料または施設入居時等医学総合管理料の算定要件を満たす医療機関	150		
		ロ　在宅時医学総合管理料、施設入居時等医学総合管理料または、在宅がん医療総合診療料の算定要件を満たす医療機関からの紹介患者	150		
	〈注加算〉 乳幼児加算〔6歳未満（1日につき）〕		＋400	乳	
	患家診療時間加算		＋100		1時間を超え、30分またはその端数を増すごとに加算。
	在宅ターミナルケア加算	イ　有料老人ホーム等に入居する患者以外の患者 （1）在支診・在支病（機能強化型） ①有床の場合 ②無床の場合 （2）在支診・在支病〔上記（1）を除く〕 （3）（1）、（2）以外	 ＋6500 ＋5500 ＋4500 ＋3500	(Ⅰ) 夕在	・ターミナルケアとは、死期が近づいている患者の精神的な不安や肉体的な痛みなどを和らげる医療で、終末期医療ともいう（患者の死亡日および死亡前日14日以内に2回以上の往診または訪問診療が行われていることが算定条件）。 ・「イ」は (Ⅰ)夕在 ・「ロ」は (Ⅰ)夕施
		ロ　有料老人ホーム等に入居する患者 （1）の医療機関 ①有床の場合 ②無床の場合 （2）の医療機関 （3）の医療機関	 ＋6500 ＋5500 ＋4500 ＋3500	(Ⅰ) 夕施	
	在宅緩和ケア充実診療所・病院加算 届		＋1000		
	在宅療養実績加算1 届 在宅療養実績加算2 届		＋750 ＋500		
	酸素療法加算		＋2000	夕酸	がん患者に対して酸素療法を行った場合、所定点数にさらに2000点加算。
		看取り加算（死亡診断加算との併算定不可）	＋3000	看取	死亡日に往診または訪問診療をして患家で患者の最期の看取った場合。 ＊看取り加算を算定した場合は死亡診断加算は併算定できない。
		死亡診断加算	＋200		死亡日に往診または訪問診療をして死亡診断を行った場合。

Q 在宅寝たきり患者処置指導管理料について、皮膚科特定疾患指導管理料を算定している患者は、算定できない。

➡ ○　そのとおり

3 在宅療養指導管理料（C100 ～ C121）について

①在宅療養指導管理

在宅療養指導管理とは、在宅患者に対して、療養上の指導に合わせてその治療に必要な衛生材料や保険医療材料を支給し、医師がその患者の医学管理を十分に行い、在宅での療養の方法や注意点などに関する指導・管理を行うものです。

したがって、必要な薬剤や材料を支給（貸与）した場合は、「**在宅療養指導管理材料加算**」や「**特定保険医療材料料**」などを加算します。

②在宅療養指導管理料

在宅療養指導管理料は、特に規定する場合を除き、同一月に同一患者に月 1 回算定します。2 つ以上の指導管理を行った場合は、主たる在宅療養指導管理料で算定します。その際、算定しなかった在宅療養指導管理で使用した「**在宅療養指導管理材料加算**」「**薬剤**」「**特定保険医療材料料**」の費用は算定できます。

③同一月の場合

同一月に在宅療養指導管理料 **C100 ～ C121** と**併算定できないもの**があります。

↓

B000 特定疾患療養管理料
B001「1」ウイルス疾患指導料
B001「4」小児特定疾患カウンセリング料
B001「5」小児科療養指導料
B001「6」てんかん指導料
B001「7」難病外来指導管理料（＊）
B001「8」皮膚科特定疾患指導管理料
B001「17」慢性疼痛疾患管理料
B001「18」小児悪性腫瘍患者指導管理料
B001「21」耳鼻咽喉科特定疾患指導管理料
I004　心身医学療法

＊ B001「7」難病外来指導管理料と C101 在宅自己注射指導管理料「2」は併算定可。

≪ C101　在宅自己注射指導管理料≫

在宅自己注射指導管理とは、厚生労働大臣が定める注射薬を患者自身が在宅で自己注射している場合に、医師が指導や管理を行うことです。必要な薬剤や材料の支給が必要になります。在宅自己注射指導管理料は、**「1」複雑なもの**と**「2」1 以外**に分かれ、それぞれ在宅自己注射指導管理料が設定されています。なお、「1」の複雑なものとは、C152 間歇注入シリンジポンプを用いて在宅自己注射を行っている患者に診療を行ったうえでポンプの状態、投与量等について、確認・調製等を行った場合に算定します。

過去問題の出題傾向は C101 在宅自己注射指導管理料 注 、C150 血糖自己測定器加算（3 月に 3 回）注糖 、C151 注入器加算 入 、注射薬剤がカルテに記載されている場合が多いです。

早見表 P.51

Keyword **【在宅自己注射指導管理料を算定している患者の外来受診時の注射の手技料】**
当該管理料を算定している患者の外来受診時に当該在宅自己注射指導管理料にかかわる G000 皮内、皮下及び筋肉内注射、G001 静脈内注射の費用、当該薬剤は算定できない（当該指導管理に係る薬剤以外の薬剤については算定できる）。

投薬（F000～F500）

- □「院内処方」と「院外処方」とは何かを理解する
- □薬剤の計算は五捨五超入で計算。計算方法を覚える
- □外来患者の投薬料は、処方料、調剤料（調基）、薬剤料で構成される
- □入院患者の投薬料は、調剤料（調基）、薬剤料で構成される（処方料は入院料に含まれる）

投薬

投薬とは、病気やケガの治療のために、調剤済みの薬を患者に与える行為をいいます。投薬は１剤で足りるものは１剤で、必要と認められた場合に２剤以上を投与します。

投薬する際には、患者の症状、年齢、体重等も考慮しながら、最も適した薬剤を選び出さなければなりません。その選び出す技術料が処方料となります。

処方には医療機関内で薬も受け取れる「**院内処方**」と保険調剤薬局で薬を受け取る「**院外処方**」があります。院内処方の場合は「処方料」で算定し、院外処方の場合は「処方箋料」で算定します。医薬分業によって実務的には院外処方が増えています。

診療報酬請求事務能力認定試験の過去問題では、**入院カルテ**は**院内処方**で、**外来カルテ**は**院外処方**での出題がほとんどです。

院内処方の場合は、外来患者の投薬は**①薬剤料**だけ計算するのではなく、必ず**②処方料**が発生し、処方に従って調剤する**③調剤料**が発生します。ただし、外来患者に治療目的ではなく、うがい薬のみを処方した場合は、【①薬剤料②処方料③調剤料（調基）】は算定できません。

院外処方の場合は院内で薬剤を調剤したり、患者さんに薬を渡したりしないので調剤薬局に出す「**処方箋料**」のみを算定します。

このあと、①②③について詳しく解説していきます。

Keyword【院外処方】
院外処方箋の使用期間は交付の日を含めて４日以内。有効期間が過ぎてしまった処方箋は使用できない。

1 処方料（処方箋料）と特定疾患処方管理加算について

患者が院内で薬を受け取るのが**院内処方**で、この場合は「**処方料**」で算定します。処方料が算定できるのは外来患者のみです。**入院患者**は**入院基本料**に含まれていて処方料は**算定できません。**

処方料は３歳以上が **42 点**、３歳未満が **45 点**（42 点＋３点）です。ただし処方されたものの中で、内服薬の種類が７種類以上ある場合や、３種類以上の抗不安薬等がある場合は別に定められた点数によって算定します（早見表参照）。

患者が院外の保険調剤薬局で薬を受け取る**院外処方**の場合は「**処方箋料**」で算定します。詳しくは P177 で説明します。

厚生労働大臣が定めた「特定疾患」を主病とする外来患者に、その疾患に対する薬剤の投与日数が **28** 日以上処方された場合には、処方料（処方箋料）の加算として特定疾患処方管理加算 特処 **56 点**が初診時から算定できます（2024 年改正）。

2 調剤料と調剤技術基本料（調基）について

調剤料は、薬剤を調合する技術料です。外来患者と入院患者では点数が異なります。

外来患者の調剤料は、「**1 処方につき**」で算定します。処方された中に、**内用薬**（内服・屯服・浸煎薬）があれば **11 点**、**外用薬**があれば **8 点**、**どちらも処方**されていれば **11 点**と **8 点**が算定できます。外来において、２つ以上の診療科で異なる医師が処方した場合は、それぞれの処方につき調剤料を算定します。

入院患者の調剤料は、「**1 日につき**」で算定します。内用薬・外用薬は問わず、薬が処方されれば、**1 日 7 点**を算定します。ただし当月分の日数のみ算定します。

10／28 〈入院患者〉 Rp） ○○ 7 日分	→	**10/28 に○○の薬が 7 日分投与された場合の調剤料の算定のしかた** (10/28・)(10/29・)(10/30・)(10/31・) 11/1・11/2・11/3 （7 日分） 10 月分のレセプトは、7 点×(4 日) =28 点で請求します

調剤技術基本料（調基）とは、医療機関に薬剤師が常勤している場合に算定できます。正確には、薬剤師の管理下で調剤を行った場合に算定します。外来患者と入院患者では点数が異なります。1 患者につき、月 1 回、**外来患者**の調基は **14 点**で、**入院患者**の調基は **42 点**です。

ココでた!!

3 麻毒加算について（②処方料・③調剤技術基本料（調基）に対する）

処方された薬の中に、「**麻薬**」「**向精神薬**」「**覚せい剤原料**」「**毒薬**」の薬剤が投与された場合は、種類やその数問わず外来患者は **1 処方につき**麻毒加算として（調剤の技術料 1 点＋処方の技術料 1 点）の **2 点**が算定できます。外来レセプトの「㉖ 麻毒の欄」に回数と点数をまとめて計上します。

入院患者は 1 日につき麻毒加算として **1 点**算定できます（入院には処方料がないので、調剤料に対する 1 点のみ）。入院レセプトの「㉖ 麻毒の欄」に日数と点数を計上します。

Keyword 【うがい薬と処方箋料】
外来患者に対し治療目的ではなくうがい薬のみ処方した場合は、処方箋料は算定できない。

ココをCHECK! **カルテ算定のポイント**

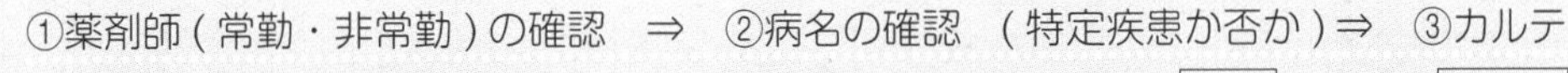

【手順】

①薬剤師(常勤・非常勤)の確認 ⇒ ②病名の確認 (特定疾患か否か)⇒ ③カルテよりRp)薬剤と投与日数の確認 ⇒ ④早見表の確認 ⇒ ⑤ 特処 または 特処2 の算定可否や算定要件、算定回数の確認

4 薬剤料について

薬剤料とは、処方された薬剤の「薬価(円)」を計算式に当てはめて、点数に換算したものをいいます。薬価とは、厚生労働大臣が保険薬(保険診療に使用できる薬)として定めた薬の価格のことです。

薬の種類、価格は「薬価基準」に収載されていて、この価格は消費税も含んだ価格となっています。薬価は2年ごとに厚生労働省で見直され、決められています。

薬価基準表(抜粋)

品名	会社名	規格・単位	薬価	備考
ソメリン細粒1%	アルフレッサファーマ	1% 1g	向 19.70	睡眠導入剤
ソメリン錠5mg		5mg 1錠	向 13.40	
ソメリン錠10mg		10mg 1錠	向 17.90	

品名:薬品名を示す
会社名:会社名
規格・単位:1g、1錠、1カプセルの中に含まれる有効成分の量を示す
薬価:その規格の価格 1g(1錠)あたりの価格
備考:薬効

向…向精神薬　生…生物学的製剤　麻…麻薬　劇…劇薬　毒…毒薬
Aq…注射用水の価格を加算できるもの　覚…覚せい剤原料　局…日本薬局方収載品目

カルテに記載される主な略称

飲み方(服用時点の略称)	
分け3、3×	1日3回に分けて服用
分3× v.d.E	1日3回に分けて食前に服用
分3× n.d.E	1日3回に分けて食後に服用
分3× z.d.E	1日3回に分けて食間に服用
6st ×4	6時間ごとに1日4回
5TD	5日分
2P、2包	2パック(包)2回分…屯服薬

薬の剤形の表示記号

C、Cap	カプセル
T、Tab、錠	タブレット(錠剤)
S、Syr	シロップ
g	散剤(顆粒・粉末)
ml、mL、cc	液剤
g	塗剤(軟膏、クリーム)
個	座薬等

Keyword 【内服薬の種類】
1剤の薬価が20点以下の場合には、その中に何銘柄の薬剤が入っていても1種類と数える。

投薬の留意点

(1) 投薬の費用について

投薬の費用は【調剤料＋処方料＋薬剤料＋特定保険医療材料料＋調剤技術基本料】の所定点数を合算した点数で算定します。

ただし、処方箋を交付した場合は（院外処方）、【処方箋料】の所定点数のみを算定します。

(2) 投与薬剤について

投薬は内用薬（口から飲み込む薬）と外用薬（塗・貼等）の２つに大別されます。さらに内用薬は内服薬と屯服薬（臨時）に分けられます。保険診療では、原則、厚生労働大臣が定めた薬剤にしか保険請求ができません。したがって、臨床試験用医薬品は医療保険上の給付対象となる薬剤ではないので算定できません（保険請求はできない）。ただし、処方料や調剤料は技術料として算定できるので、保険請求が認められています。

(3) ビタミン剤の算定について

ビタミン剤が薬剤として算定できるのは、医師が**疾患の特性により投与の必要性を認める場合**、つまり疾患名で必要性が判断できる場合です。その他には、当該ビタミン剤の投与が有効と判断し適正に投与された場合も算定できます。ただし、その旨レセプトに記載しなければ算定できません。注射も同様です。

(4) うがい薬、貼付剤の投与について

外来患者にうがい薬のみを投薬した場合、1 処方につき 63 枚を超えて貼付剤を投薬した場合（医師が必要性の判断をした場合を除く）は、F000 調剤料、F100 処方料、F200 薬剤、F400 処方箋料及び F500 調剤技術基本料は算定しません。

(5) 投薬時の薬剤容器について

原則、患者への貸与です。患者が希望する場合には、患者にその実費負担を求めて容器を交付できますが、容器返還時に容器本体部分が再使用できるものについて患者に実費を返還しなければなりません。

(6) 入院患者の投薬日数について

別に規定する場合を除き、入院実日数を超えて投薬を算定することができます。退院時の投薬については、服用の日の如何にかかわらず入院患者に対する投薬として扱います。

(7) 同一医療機関の複数科の各医師が処方を行った場合

複数の診療料を標榜する保険医療機関において、内科と皮膚科など２つ以上の診療科で異なる医師が処方した場合は、**それぞれの処方につき**、処方料または処方箋料が算定できます。

(8) 内服薬の多剤投与の薬剤料減額について

外来患者に対し、１処方に７種類以上の内服薬を投与（２週間以内の臨時投与等は除く）した場合は、薬剤点数は 90/100 で算定します（90/100 の算定対象は臨時投与の内服薬の薬剤も含める）。屯服薬・外用薬は該当しません。

【種類とは】

①錠剤、カプセルは 1 銘柄（品目）ごとに 1 種類と数える。

②散剤、顆粒剤、液剤は 1 銘柄（品目）ごとに 1 種類とする。ただし、これを混合にした場合は併せて 1 種類と数える。

③ 1 剤の薬価が 20 点以下の場合は、複数銘柄にかかわらず 1 種類、1 剤の薬価が 21 点以上の場合は、銘柄（品目）の数が種類になる。

(9) 院内処方と院外処方について

処方には、患者が院内で薬を受け取る院内処方と、調剤薬局で薬を受け取る院外処方があります。院外処方の場合は薬剤料や調剤料は算定せず処方箋料を算定します。原則として、同一の患者に対し、同一診療日に、一部の薬剤を院内において投薬し、他の薬剤を院外処方により投薬することは認められません。

(10) 処方箋料の算定について ココでた!!

処方箋料（院外処方）を算定する際、同一医療機関が**一連の診療**に基づいて、同時に、同一の患者に 2 枚以上の処方箋を交付した場合は、**1 回**として算定します。なお、処方箋の使用期間は交付の日を含めて4日以内（長期の旅行等、特殊な事情があると認められた場合を除く）です。

投薬料一覧表（院内処方） 早見表 P.52

【院内処方の早見表】		外　来		入院	備　考
調剤料	外来（1 処方につき） 入院（1 日につき）	内服・屯服	外用		入院は、外泊期間中と入院実日数を超えた部分は算定不可
		11	8	7	
処方料（1処方につき）	1. 3 種類以上の**抗不安薬等**がある	**3 歳以上**	**3 歳未満**	－	3 歳未満は＋ 3 点 ㊟ 3 種類以上の抗不安薬・睡眠薬、4 種類以上の抗うつ薬・抗精神病薬（臨時を除く）が対象
		18	21		
	2. 内服薬が 7 種類以上ある（「1」以外）	29	32		
	3. その他（「1」「2」以外の場合）	42	45		
	向精神薬調整連携加算（月 1 回） 向調達	（一処方につき）＋ 12		－	・向精神薬多剤投与、「2」の患者に対し、規程の減量をさせた場合に算定できる
	特定疾患処方管理加算 特処 月 1 回	＋ 56（一処方につき）		－	・診療所・200 床未満の病院 ・初診時から算定可 ・特処 は特定疾患に対する薬剤を 1 回に 28 日以上処方した場合に算定できる
	抗悪性腫瘍剤処方管理加算 抗悪 月 1 回 ㊢	＋ 70		－	・治療開始にあたり、投薬の必要性・危険性を文書で説明の上処方した場合

	外来後発医薬品使用体制加算１ 外後使１ ㊞届 外来後発医薬品使用体制加算２ 外後使２ 届 外来後発医薬品使用体制加算３ 外後使３ 届	＋８ ＋７ ＋５	−	・院内処方を行っている届出診療所では外来後発医薬品使用体制加算が１処方につき算定できる
麻毒加算	麻薬・向精神薬・覚せい剤原料・毒薬の処方	＋２	＋１	外来（調剤＋１、処方＋１）・入院（調剤＋１）
調　基	月１回	14	42	常勤薬剤師の管理下
院内製剤加算	院	——	＋10	・調剤を院内製剤の上、行った場合に加算する ・入院は院内製剤時 〔併せて算定できないもの〕 B008 薬管１ 薬管２、C008 訪問薬剤
薬剤料	P.131 〜内服薬・屯服薬・外用薬の算定のしかた参照			薬剤計算は五捨五超入

カルテの読み方と薬剤計算のしかた

カルテの投薬の記載例

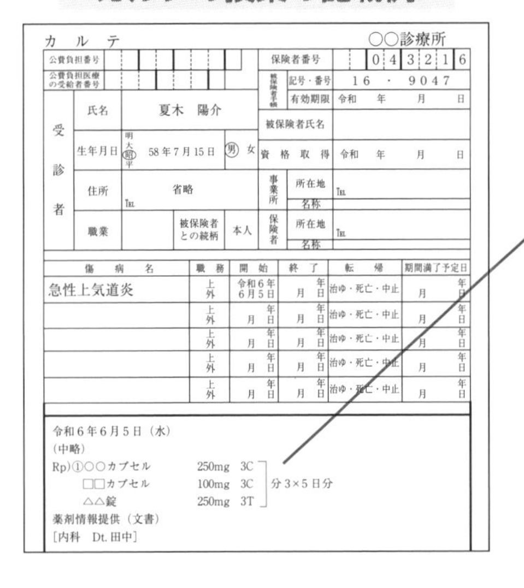
カルテ　○○診療所

公費負担者番号 ／ 保険者番号 0 4 3 2 1 6

公費負担医療の受給者番号 ／ 被保険者手帳 記号・番号 16 ・ 9047 ／ 有効期限 令和 年 月 日

受診者 氏名 夏木 陽介 ／ 被保険者氏名

生年月日 明大昭平 58年7月15日 男 女 ／ 資格取得 令和 年 月 日

住所 省略 Tel ／ 事業所 所在地 Tel 名称

職業 ／ 被保険者との続柄 本人 ／ 保険者 所在地 Tel 名称

傷病名	職務	開始	終了	転帰	期間満了予定日
急性上気道炎	上外	令和6年6月5日	年月日	治ゆ・死亡・中止	年月日
	上外	年月日	年月日	治ゆ・死亡・中止	年月日
	上外	年月日	年月日	治ゆ・死亡・中止	年月日
	上外	年月日	年月日	治ゆ・死亡・中止	年月日
	上外	年月日	年月日	治ゆ・死亡・中止	年月日

令和6年6月5日（水）
（中略）
Rp）①○○カプセル　250mg　3C
　　□□カプセル　100mg　3C　分3×5日分
　　△△錠　250mg　3T
薬剤情報提供（文書）
［内科　Dt.田中］

記載内容の例
Rp）
①○○カプセル　250mg　3C
　□□カプセル　100mg　3C
　△△錠　250mg　3T
　（分３×n.d.E）×5TD

記載内容の読み方

薬品名○○ mg とは、有効成分の含有量のことで、薬の中にその成分として含まれている量を示しています。

- Rp）…処方します（Recipe）
- ①…処方する薬は次の３つです。（1 剤）
  ○○カプセル 250mg　を　３カプセル
  □□カプセル　100mg　を　３カプセル
  △△錠　250mg　を　３錠
- 飲み方は１日３回に分けて毎食後（朝・昼・晩）に服用、です。（分３×n.d.E）
- 投与日数は、薬を５日分出す、です。（５TD）

Keyword【内服薬の「１剤」】
服用回数、服用時点、服用方法、かつ処方日数も同じ薬は、種類数にかかわらず、まとめて１剤と数える。薬が１種類（１銘柄）や複数（複数銘柄）でも１剤と数えるときもある。ただし固形剤と液剤、薬の性質上まとめられない場合などは別剤。

薬剤の金額を点数化する方法（五捨五超入）

薬剤の金額を点数にするには、下記の計算式を利用し、端数処理をします。

合計金額÷ 10= 点数 ……小数点以下の処理のしかたを覚えましょう。

≪算定例 1 ≫

薬剤の合計金額が755円の場合

手順① 金額を点数にする……755円÷10=75.5

手順② 小数点以下を処理する

・小数点以下だけを見る……75 .5 ← .50 まで⇒切り捨て

手順③ 75.5は ⇒ **75点**となる

ZOOM UP!
75 .5 ←ココだけ見る

≪算定例 2 ≫

薬剤の合計金額が755.3円の場合

手順① 合計金額を点数にする……755.3円÷10=75.53

手順② 小数点以下を処理する

・小数点以下だけを見る……75 .53 ← .50 を超えた場合⇒繰り上げ

手順③ 75.53は ⇒ **76点**となる

ZOOM UP!
75 .53 ←ココだけ見る

薬剤価格を計算する基本単位

	単　　位		
内用薬	内服薬・浸煎薬	1 剤 1 日分	点数×○日分
	屯服薬	1 回分	点数×○回分
外用薬	外用薬	1 調剤	点数× 1

※ **1 剤**とは、服用方法が同じで、服用時点（タイミング）および服用回数が同じであるものをいう。

※服用時点や服用回数が同じでも、処方日数が異なる場合は別剤。

※**外用薬**は全量（総量）の金額を計算して点数にするため、表記は必ず点数×1になる。

内服薬の算定のしかた

内用薬とは、ぬるま湯や水で口からゴクンと飲み込む薬です。内用薬には**内服薬**と**屯服薬**があります。

内服薬は **1 日の服用量**、**1 日の服用回数**、**服用時点**（タイミング）、**投与日数**など、**指示のある**もので、継続的に服用するものをいいます。

カルテには○×○ TD、分○×○日分などで記載されます。

Keyword 【内用薬】

内用薬は、内服薬と屯服薬のことで、口から飲み込む薬。

内服薬

カルテの内容

Rp）A錠500　500mg　6錠
　　セルベックスカプセル　50mg　3C　（分3 × n.d.E）× 5TD

↑1日の量　↑1日3回（食後に）服用　↑投与日数

※ Rp）とは、「処方」するの意味です。レシピ（Recipe）の略語

●読み方のポイント

この2つの薬剤を1日3回、毎食後に1剤として同時に服用します。

薬は5日分の処方です、と読みます。1日3回に分け、5日分。飲み方の指示の記載があるので内服薬と判断します。

薬価

本来は薬価基準で探します。

A錠500　500mg　　1錠の価格　¥215.5
セルベックスカプセル　　50mg　　1Cの価格　¥9.60

●計算のポイント

服用時点が同一の薬剤ですから、この2つで1剤となります。

●計算手順

①2つの薬剤の合計金額を出します。

A錠500　500mg 6錠の価格　⇒　6錠×¥215.5＝¥1293.0
セルベックスカプセル　50mg 3カプセルの価格　⇒　3C×¥9.6＝¥28.8
合計金額¥**1321.8**

②金額を点数化します（金額÷10＝点数）。

¥1321.8÷10＝**132.18**点

③小数点以下を五捨五超入します。

132.18（.18なので切り捨て）⇒**132**点になります。

④5日分のため　**132×5**となります。この状態が最終です。

金額を合算

【内服薬の会計欄】

院内処方・常勤薬剤師管理下（45歳外来患者・初診の場合）
P.129投薬料一覧表から選びます。

初診料	調剤料	処方料	調　基	薬剤料（内服）	合計点数	窓口徴収（円）
291	11	42	14	132×5	1018	3,050

※患者負担は3割　1018点× 3=3054⇒3,050円
※1点=10円、1018点=10,180円なので、その3割が3,050円。

［窓口徴収額の出し方］
合計点数に患者負担割合の数字をかける（端数は四捨五入）

Keyword【内服薬と屯服薬の違い】
内服薬は服用時点や回数、服用日数が決められ定期的に服用するもの。屯服薬はその症状に伴って臨時的に服用するもの。

ZOOM UP!

カルテには内服薬はこう書かれる!!

Rp) ① A薬　6T ┐
　　　 B薬　3C ┘ 分3（n.d.E）×5TD

内服薬の印です

屯服薬の算定のしかた

屯服薬

屯服薬は、1日2回程度を限度として、臨時的に投与するものをいい、1日の服用回数が2回以上で、かつ服用に時間的、量的に一定の方針がある場合は、内服薬となります。屯服薬は症状に応じて臨時的服用を目的として投与されるものをいいます。ココでた!!

カルテの内容

Rp）オステラック錠100　2錠　3回分

2錠 ↑ 1回の服用量　3回分 ↑ 投与回数

屯服薬の表記のしかたは、○回分の他に、○P、○包などが用いられます。

●読み方のポイント

この錠剤は1回に2錠服用し、3回分処方されている、と読みます。○回分の記載で屯服薬と判断します。

薬価

オステラック錠100　100mg　1錠の価格　¥11.20

●計算のポイント

内服薬の計算と全く同じ計算手順です。

●計算手順

①薬剤の金額を出します。

オステラック錠100　100㎎2錠の価格　⇒　2錠×¥11.20=¥22.40

②金額を点数化します（金額÷10=点数）。

¥22.40÷10=**2.24**点

③小数点以下を五捨五超入します。2.24（.24なので切り捨て）⇒**2**点になります。

④3回分のため　**2×3**。この状態が最終です。

Keyword【屯服薬のカルテ記載】

○回分、○包、○P　と記載された処方は一般的に屯服薬。

【屯服薬の会計欄】

院内処方・常勤薬剤師管理下（30 歳外来患者・初診の場合）

P.129 投薬料一覧から選びます。

初診料	調剤料	処方料	調　基	薬剤料(内服)	合計点数	窓口徴収(円)
291	11	42	14	2×3	364	1,090

患者負担は 3 割　364 点× 3=1,092 ⇒ 1,090 円（端数は四捨五入）

屯服薬は発作時、疼痛時などの際にその必要に応じて**臨時**に服用するものなので、カルテには○回分、○ P、○包などと記載されます。

カルテには屯服薬はこう書かれる !!

Rp）①　A 薬　3T　3（回分）　ココに注目

屯服薬のカルテ表示です

外用薬の算定のしかた

外用薬

カルテの内容

Rp）コンベック軟膏 5％　5g 3本

↑

総量は 15g

●読み方のポイント

この軟膏は 1 本が 5g で 3 本投与します、と読みます。

軟膏ですから外用薬と判断できます。薬価は「外用薬」の区分に記載されています。

薬価

コンベック軟膏 5％　1g の価格　¥14.30

●計算のポイント

外用薬は 1 調剤分、つまり**全量で計算**します。全量は 5g × 3 本＝ 15g です。

Keyword【トローチ】

トローチは外用薬。口に入れるが飲み込まず、口の中で溶かして咽頭に薬効を塗りつけていると考えると理解しやすい。外用薬は全量で計画するので、トローチ 1 日 6 錠 3 日分の処方は 18 錠を 1 剤として算定する。

●計算手順

①全量×金額を計算し、金額を出します。

コンベック軟膏5％　5g 3本分（15 g）の価格　⇒　15g ×¥14.30 =¥214.5

②金額を点数化します（金額÷ 10 =点数）。

¥214.5 ÷ 10 = **21.45** 点

③小数点以下を五捨五超入します。

21.45 ⇒ **21** 点になります。

④1調剤のため、**21 × 1**。この状態が最終です。

【外用薬の会計欄】

院内処方・常勤薬剤師管理下（2歳外来患者・初診の場合）

P.129 投薬料一覧表から選びます。

初診料	調剤料	処方料	調　基	薬剤料（外用）	合計点数	窓口徴収（円）
366	8	45	14	21×1	454	910

患者負担は2割　454点× 2=908 ⇒ 910円（1円単位は四捨五入）

外用薬は皮膚、粘膜、目、耳、鼻、呼吸器などの**体の表面**に用いる薬をいいます。カルテには点眼剤・軟膏・湿布薬など記載された薬剤名で判断できます。また、薬剤は薬価基準の「外用薬」のページに収載されています。

カルテには外用薬はこう書かれる !!

Rp)　①　A軟膏　5 g　3本

ココに注目　**外用薬は名称でも判断できる**

薬剤料

- 保険診療で使用される薬剤は、厚生労働省の認可を受けた薬価基準に収載された医薬品に限られます。
- 薬剤基準および特定保険医療材料は、2年ごとに再評価されます。その後、「診療報酬の算定方法の一部改正に伴う実施上の留意事項について（保医発）」も発生します。

【医薬分業】

医療機関（保険医）は診察・治療等の医療行為に専念し、調剤薬局（保険薬剤師）は処方箋に基づいて調剤行為を行い、連携して業務を分担させるしくみ。

㉚ 注射(G000～G020)

□注射料は、注射の手技料と薬剤料で算定するが、外来・入院によって、算定できない注射の手技料がある
□複数手技で注射を行う場合、併せて算定できないものがある
□薬剤の計算は五捨五超入で計算。計算方法は投薬と同じ

注射

注射とは、速やかに薬効を必要とする場合、患者の皮下や筋肉内、血管内等に注射したときに「注射料（注射の手技料)」として算定します。

注射の代表的な手技料には、**皮内、皮下及び筋肉内注射**、**静脈内注射**、**点滴注射**があります。

① G000 皮内、皮下及び筋肉内注射

I M、**SC** で表記されます。注射料は **25 点**です。注射 **1 回ごと**に算定します。**外来患者のみ算定**します。入院患者には薬剤料のみを算定します。入院患者に 1 日に行った IM で使用した薬剤の金額をすべて合計して、薬剤料のみ算定します。

② G001 静脈内注射

IV で表記されます。注射料は **6 歳以上 37 点**、**6 歳未満 89 点**（37 点＋年齢加算 52 点）です。注射 **1 回ごと**に算定します。**外来患者のみ算定**します。入院患者には薬剤料のみを算定します。入院患者に 1 日に行った IV で使用した薬剤の金額をすべて合計して、薬剤料のみ算定します。

③ G004 点滴注射

DIV で表記されます。1 日 1 回のみ算定できます。注射料は、**6 歳以上**は「**500ml**」を基準に、**6 歳未満**は **100ml** を基準にして手技料を算定します。したがって、まず①患者の年齢を確認しましょう。次に② 1 日に行った点滴のすべての量を合計して「○ ml」したのか確認し、早見表から点滴注射の点数を選びましょう。

外来患者の場合、**6 歳以上は**「500ml 以上:**102** 点」「500ml 未満:**53** 点」、**6 歳未満**は「100ml 以上:**153** 点（105+ 年齢加算 48)」「100ml 未満:**101** 点（53+ 年齢加算 48)」で算定します。

入院患者の場合、1 日の点滴量が 500ml 未満（6 歳未満は 100ml 未満）の場合は注射の手技料は算定できません。薬剤料のみ算定します。

Keyword 【カルテに書かれる注射表記】

カルテ表記は、①皮内、皮下及び筋肉内注射は IM、im、筋注②静脈内注射は IV、iv、静注③点滴注射は DIV、点滴。

代表的な注射のまとめ　早見表 P.54

項　目			外来	入院	備　考
① G000 皮内、皮下及び筋肉内注射 IM			25		入院は1日に実施したすべてのIMの注射薬剤を合計。薬剤料のみ算定する
② G001　静脈内注射 IV		6歳以上	37		入院は上記同様IVの薬剤料のみ算定する。6歳未満の手技料は＋52点
		6歳未満	89（37＋52）		
③ G004 点滴注射 DIV	6歳以上	500ml以上	102	102	入院は上記同様、1日に実施したすべての点滴の薬剤量を合計。合計量によって点数を判断する。6歳未満の手技料は＋48点
		500ml未満	53		
	6歳未満	100ml以上	153（105＋48）	153	
		100ml未満	101（53＋48）		

注射料の加算

注射料の加算には、**年齢加算**（6歳未満に静脈内注射や点滴注射などを実施）、**麻薬加算**＋5点（麻薬の薬剤を扱う技術料）、**生物学的製剤注射加算**＋15点（肺炎球菌ワクチンや沈降破傷風トキソイドなどの実施時）、**精密持続点滴注射加算**＋80点（自動輸液ポンプを用いて実施）、などがあります。

また、施設基準に係るものとして、外来化学療法加算、無菌製剤処理料があります。

注射料の加算についての詳細は、早見表で確認しましょう。算定要件となっている施設基準等について要点をまとめました。

1 外来化学療法加算

施設基準適合の届出医療機関において、関節リウマチ等の外来患者に対し、治療開始にあたり注射の必要性、危険性を文書で説明し、同意を得た上で外来化学療法を行った場合に算定します。この場合、同一月にC101在宅自己注射指導管理料は算定できません。担当者の配置や経験年数等により外来化学療法加算は「1」「2」に分類され、また、外来患者の年齢が15歳未満と15歳以上によって点数が異なります。

Keyword【レセプト会計欄の注射区分】
レセプト会計欄は、IMは㉛、IV㉜、それ以外はすべて㉝その他に記載する。

【外来化学療法加算】　早見表 P.54

項　目	レセプト略称	点　数		備　考
		⑴15歳未満	⑵15歳以上	
イ. 外来化学療法加算１ ㊞届 （1日につき）	化１	＋670	＋450	化学療法経験５年以上の専任の常勤医師・常勤看護師・常勤薬剤師の配置。院内委員会承認の治療内容を用いることなど
ロ. 外来化学療法加算２ 届 （1日につき）	化２	＋640	＋370	化学療法の経験を有する専任の看護師・専任の常勤薬剤師の配置など
バイオ後続品導入初期加算	バイオ	＋150		「通則６」を算定した患者であって、当該患者に対し、バイオ後続品に係る説明を行い使用した場合に初回の使用日の属する月から起算して３月を限度

2 無菌製剤処理料

注射薬剤を詰めるにあたり、細菌や異物の混入を防ぐこと、注射の薬詰めをする者の健康被害を防ぐことを目的としたものです。無菌製剤処理料は「１」「２」に分けられており、別に厚生労働大臣が定める患者に対して注射を行う際に、必要があって無菌製剤処理を行った場合に「１日につき」で算定します。主な算定要件は下表のとおりです。

【無菌製剤処理料】　早見表 P.55

項　目	G020　無菌製剤処理料「1」		G020　無菌製剤処理料「2」
点数 （1日につき）	イ	閉鎖式接続器具を使用した場合 菌１器具 180点	菌２（菌１以外のもの）40点
	ロ	イ　以外の場合　菌１　45点	
対象患者と対象となる注射	・悪性腫瘍に対して用いる薬剤(細胞毒性を有する)が注射される患者 ・G000皮内皮下及び筋肉内注射 ・G002動脈注射、G003抗悪性腫瘍剤局所持続注入、G003-3肝動脈塞栓を伴う抗悪性腫瘍剤肝動脈内注入、G004点滴注射、G009脳脊髄腔注射		・動脈注射、点滴注射が実施される入院患者で、①～③または④が行われるもの ①A224無菌治療室管理加算を算定する患者 ②A220HIV感染者療養環境特別加算を算定する患者 ③①または②に準ずる患者 ④G005中心静脈注射、G006植込型カテーテルによる中心静脈注射が行われる患者
施設基準 （1.2共通）	＊病院・診療所で算定可①2名以上の常勤薬剤師がいること、②無菌製剤処理専用室（5㎡以上）があること、③無菌製剤処理用無菌室、クリーンベンチまたは安全キャビネットを具備していること		

Keyword **【麻薬加算】**
注射は麻薬を使用した場合のみ算定する（投薬にあった向精神薬、覚せい剤原料、毒薬は対象ではない）。

注射の留意点

(1) 加算について

麻薬注射加算5点や生物学的製剤加算15点は手技料に対する加算のため、手技料が算定できない場合は、これらの**加算もできません**。

(2) 同一日に行われる注射の手技について

G001 静脈内注射 **IV**・G004 点滴注射 **DIV**・G005 中心静脈注射 **IVH**、G006 植込型カテーテルによる中心静脈注射のうち、2つ以上を行った場合は、主たるものひとつのみを算定します。

(3) ビタミン剤の算定について

ビタミン剤が薬剤として算定できるのは、投薬と同様、医師が**疾患の特性により投与の必要性を認める場合**（疾患名で必要性が判断できるもの）です。その他には、当該ビタミン剤の投与が有効と判断し適正に投与された場合はその旨レセプトに記載しなければ算定できません。

(4) 注射薬剤の容器がアンプル管（A）とバイアル瓶（V）による算定について

アンプル管は一度開封すると**保存できません**。したがって、1/2本しか使用しなかった（残量は廃棄）場合でも、薬剤料は**1本分の金額で計算**します。アンプル管はカルテ上「**管**」「**A**」などで表記されます。

バイアル瓶はキャップが生ゴムのため**保存できます**。したがって、必要量のみ吸い上げて使用することができるので、薬剤料は使用量の金額で計算します。バイアル瓶はカルテ上「**瓶**」「**バイアル**」「**V**」などで表記されます。

(5) 手術当日の手術に関連して行う注射の手技料について

手術当日は、術前･術中･術後を問わず、手技料は算定できません。ただし薬剤料は算定できます。

(6) 注射用水 Aq を加える注射薬の算定について

注射薬には①液体になっているもの、②粉末等で使用時に液体にして使用するものがあります。①の場合がほとんどですが、②のように保存期間中の化学変化を防止するために使用時に液体にして使用する注射薬剤もあります。この時に使用する溶解液が注射用水 Aq です。

注射薬剤に「溶解液付き」となっているもの以外は、注射用水 Aq の金額も合算しなければなりません。例外として、同時に溶解に適した注射薬が使用されていればそれを注射用水 Aq の代わりに使用することがあります。

※②の容器はキャップが生ゴムのため、短期間であれば使用できることから、薬剤計算は使用量で算定する。

【注射の手技料】
入院患者や手術当日の手術に関連する注射の手技料が算定できない場合は、生物学的製剤加算、精密持続点滴注射加算、麻毒加算も算定できない（薬剤料のみ算定する）。

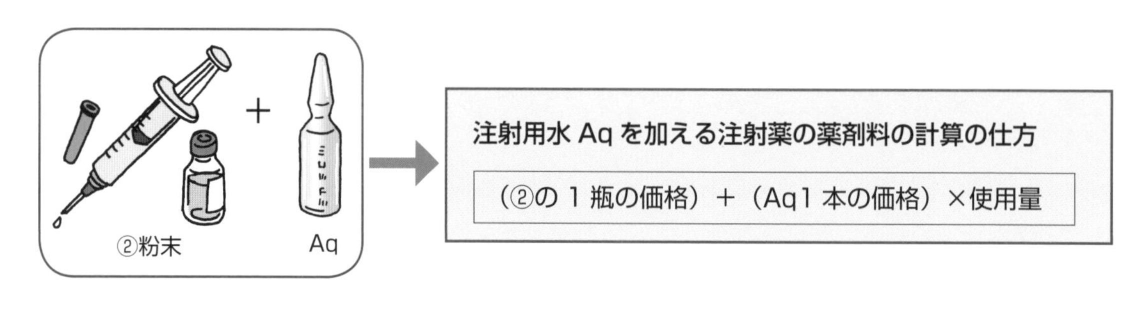

カルテの読み方と注射の計算のしかた

早見表を見ながら算定してみましょう。

カルテ問題で出題頻度の高い注射料について、外来の場合・入院の場合のそれぞれの算定のしかたやレセプト記載のしかたを確認し、２つの違いを確認してみましょう。

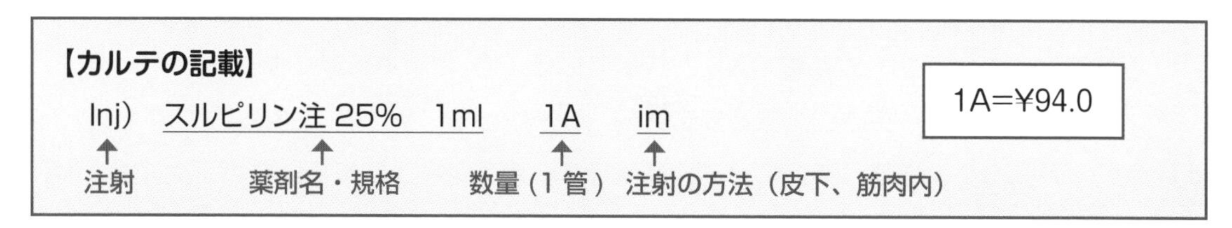

㉛・㉜ の場合は、摘要欄には手技料の記載不要

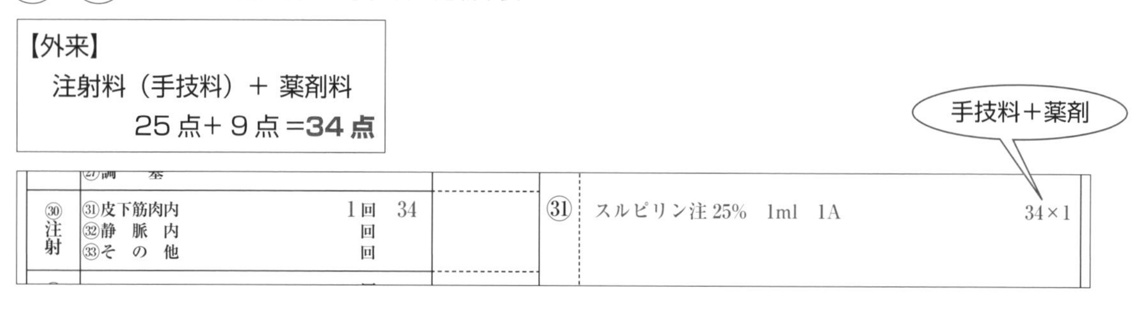
【外来】
注射料（手技料）＋ 薬剤料
25 点＋ 9 点 =**34 点**

㉚注射				
㉛皮下筋肉内	1 回	34	㉛ スルピリン注 25%　1ml　1A	34×1
㉜静脈内	回			
㉝その他	回			

【入院】im は算定できない
薬剤料のみ
9 点 =**9 点**

㉚注射				
㉛皮下筋肉内	1 回	9	㉛ スルピリン注 25%　1ml　1A	9×1
㉜静脈内	回			
㉝その他	回			

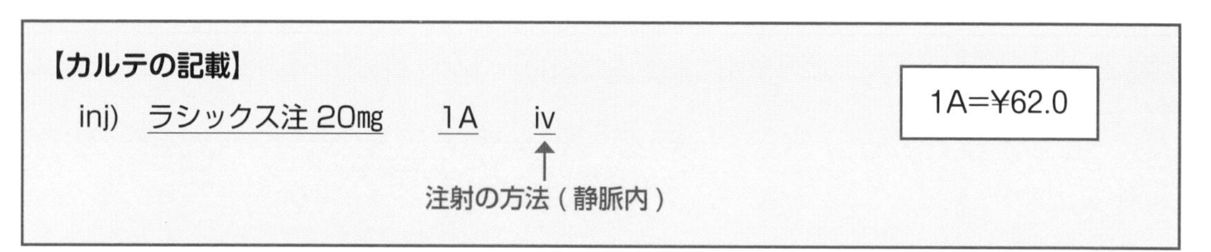

Keyword【「㎎」と「ml」】
点滴注射など、薬剤の量で手技料が決まる場合 ml や cc の部分を確認する。㎎は薬効（薬の効き目）なので量を求めるときは、㎎は使わない。

【外来】

注射料（手技料）＋薬剤料

37 点＋ 6 点 =**43 点**

	㉖麻　毒　回 ㉗調　基			
㉚ 注 射	㉛皮下筋肉内　回 ㉜静　脈　1 回　43 ㉝そ の 他　回		㉛	ラシックス注 20 ㎎　1A　43×1
㊵	回			

【入院】IV は算定できない

薬剤料のみ

6 点 =**6 点**

	㉗調　基			
㉚ 注 射	㉛皮下筋肉内　回 ㉜静　脈　内　1 回 6 ㉝そ の 他　回		㉛	ラシックス注 20 ㎎　1A　6×1
㊵	回			

【カルテの記載】

inj)　ラクテック注　500ml　1 袋　DIV

　　プリンペラン注射液 10㎎ 0.5%2ml　2 A

注射の方法　（点滴）

1 袋 =¥231.0

1 A =¥　58.0

●薬剤料の計算

ラクテック注　500ml 1 袋　¥231.0 × 1 = ¥231.0

プリンペラン注射液 10mg1 A　¥　58.0 × 2 = ¥116.0

合計　¥347.0

¥347.0 ÷ 10 = 34.7　→ 35（五捨五超入）

㉝ の場合は手技料を記載

【外来】

注射料（手技料）

…500ml 以上は 102 点で算定する

早見表 P.54 から注射薬剤の量 500ml 以上の点数を選びます。

手技料上段に、薬剤別記

	㉖麻　毒　回 ㉗調　基			
㉚ 注 射	㉛皮下筋肉内　回 ㉜静　脈　内　回 ㉝そ の 他　2 回　137		㉝	点滴注射　102×1 ラクテック注　500 ml　1 袋 プリンペラン注射液 10 ㎎　2 A　35×1
㊵	回			

【入院】

注射料（手技料）

…500ml 以上は 102 点で算定する

	㉗調　　基			
㉚注射	㉛皮下筋肉内　回 ㉜静　脈　内　回 ㉝そ　の　他　2 回137		㉝	点滴注射　102×1 ラクテック注　500 ml　1 袋 プリンペラン注射液 10 mg　2 A　37×1
㊵	回			

●注射手技料は早見表 P.54 を参照します。500ml 以上⇒ 102 点

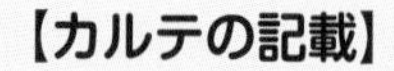

【カルテの記載】

inj)　ラクトリンゲル S 注 250ml　1 袋
　　　プリンペラン注射液　10mg　2 A　］DIV ↑ 注射の方法 (点滴)

1 袋 =¥207.0
1 A =¥　58.0

●薬剤料の計算

ラクトリンゲル S 注　250ml 1 袋　¥207.0 × 1 = ¥207.0
プリンペラン注射液　10ml 1 A　¥　58.0 × 2 = ¥116.0
合計　¥323

¥323 ÷ 10 = 32.3　→　32（五捨五超入）

【外来】

注射料（手技料）

…500ml 未満は 53 点で算定する

	㉗調　　基			
㉚注射	㉛皮下筋肉内　回 ㉜静　脈　内　回 ㉝そ　の　他　2 回　85		㉝	点滴注射　53×1 ラクトリンゲル S 注 250 ml　1 袋 プリンペラン注射液　10 mg　2 A　32×1
㊵	回			

入院は、500ml に満たない場合は手技料は算定不可。

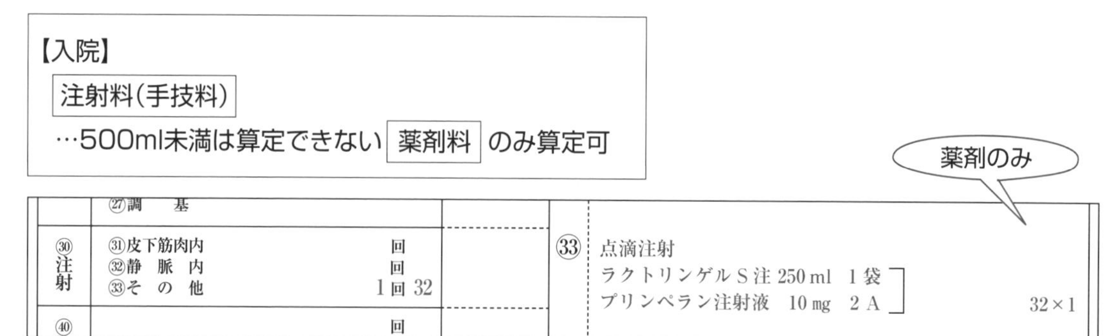

【入院】

注射料(手技料)

…500ml未満は算定できない 薬剤料 のみ算定可

	㉗調　　基			
㉚注射	㉛皮下筋肉内　回 ㉜静　脈　内　回 ㉝そ　の　他　1 回 32		㉝	点滴注射 ラクトリンゲル S 注 250 ml　1 袋 プリンペラン注射液　10 mg　2 A　32×1
㊵	回			

㊵ 処置(J000～J129-4)

□対称器官の場合、片側ずつ算定できるもの・片側両側に行っても同じ点数のものがあるので、早見表で確認する
□処置で使用する薬剤はすべて比例計算（1回の処置で実際に使用した薬剤量の合計金額）で算定。ただしレセプト請求できるのは薬剤点が2点以上

処置

処置とは、手術以外の手当てのことです。処置の算定は「**1日につき**」で算定します。1日とは0：00～24：00をいいます。したがって23：15～翌日2：15（3時間）の処置であっても、翌日にまたがった場合は、処置料は**2日分**算定します。ただし、時間加算は**初日にのみ**算定します。処置料は、「一般処置」「救急処置」「皮膚科処置」「泌尿器科処置」「産婦人科処置」「眼科処置」「耳鼻咽喉科処置」「整形外科的処置」「栄養処置」「ギプス」に分類されています。該当する処置がどの領域にあるか見当が難しい場合は、索引のついた点数表を使用すると便利です。

処置の留意点

(1) 算定できない処置

下記は基本診療料に含まれ、処置料が算定できない処置です。その際に使用した薬剤・特定保険医療材料料は算定できます。

浣腸・注腸・導尿（尿道拡張を要しないもの）・尿道洗浄・吸入・100㎠未満の第1度熱傷の熱傷処置、100㎠未満の皮膚科軟膏処置・洗眼・点眼・点耳・鼻洗浄等

(2) 2種類以上の処置を同一日に行った場合、下記の処置を同一日に行った場合は、主たる点数のみで算定

J018 喀痰吸引、J018-2 内視鏡下気管支分泌物吸引、J018-3 干渉低周波去痰器による喀痰排出、J026 間歇的陽圧吸入法（IPPB）、J026-2 鼻マスク式補助換気法、J026-3 体外式陰圧人工呼吸器治療、J026-4 ハイフローセラピー、J027 高気圧酸素治療、J028 インキュベーター、J045 人工呼吸、(J045) 持続陽圧呼吸法、(J045) 間歇的強制呼吸法、J050 気管内洗浄（気管支ファイバースコピーを使用した場合を含む）、J114 ネブライザー、J115 超音波ネブライザー

なお、　　　と同一日に行ったJ024 酸素吸入、J024-2 突発性難聴に対する酸素療法、J025 酸素テントの費用は、それぞれの所定点数に含まれ、別に算定できません。

(3) 対称器官の処置料について

処置の手技料に（片側）又は（1肢につき）の規定があるものは、左右それぞれ算定できます。特に規定されていないものは片側、両側とも同じ点数です。

J116 関節穿刺（片側）……規定あり（左右それぞれ算定できる） J089 睫毛抜去……特に規定なし（上下左右に行っても1回として算定する）

(4) 手術当日に行った処置料の算定不可について

手術当日に手術に関連して行われた処置料(ギプスを除く)は算定できません。ただし、その際、使用した薬剤料･特定保険医療材料料は算定できます。レセプトは ㊵ 処置区分に記載します。

(5) 腰部、胸部又は頸部の固定帯加算（J119-2 と J200）について

J119-2 腰部又は胸部固定帯固定は1日につき**35点**です。腰痛症の患者に対して腰部固定帯で固定した場合、または骨折非観血的整復術等の手術を必要としない肋骨骨折等の患者に対して、胸部固定帯で胸部を固定する処置の技術料です。したがって、その際使用したコルセットなどの固定帯（医療機器）の費用として、J200 腰部、胸部又は頸部固定帯加算**＋170点**を併せて算定します。

(6) J119-2 腰部または胸部固定帯固定と関連処置の算定の仕方

J119-2 腰部または胸部固定帯固定は腰痛症の患者に対して腰部固定帯で腰部を固定した場合または骨折非観血的整復術等の手術を必要としない肋骨骨折等の患者に対して、胸部固定帯で胸部を固定した場合に1日につき所定点数を算定します。

同一患者に同一日に、腰部または胸部固定帯固定に併せてJ119 消炎鎮痛等処置、J119-3 低出力レーザー照射、J119-4 肛門処置を行った場合は、主たるものにより算定します。

(7) J119 消炎鎮痛等処置（1日につき）について

消炎鎮痛等処置の方法は3つあります。

①マッサージ等の手技による療法（あんま、マッサージ及び指圧）**35点**

② 器具等による療法（電気療法、赤外線治療、熱気浴、ホットパック、超音波療法、マイクロレーダー等）**35点**

③湿布処置【診療所・外来患者のみ】（外用薬・湿布）**35点**

注1）同一患者に同一日に、「1」から「3」を併せて行った場合でも、主たる療法の所定点数のみで算定する。

注2）「3」湿布処置は、診療所の外来患者に対し、半肢の大部または頭部、頸部及び顔面の大部以上にわたる範囲の湿布処置が行われた場合に算定できる。それ以外の狭い範囲の湿布は基本診療料に含まれ算定できない。

注3）C109 在宅寝たきり患者処置指導管理料を算定している患者に行った消炎鎮痛等処置

Keyword【処置の範囲】

処置の範囲とは包帯等で被覆すべき創傷面の広さ、または軟膏処置を行うべき広さをいい、異なる部位の処置面積もすべて合算した広さで算定する。

の費用は算定できない。

(8) 酸素吸入の処置料を行った場合について

J024 酸素吸入を行った場合は、1日につき**65点**の処置料が算定できます。この時に使用した酸素代もレセプトに請求します。酸素の1ℓあたりの金額は、ボンベ等によっても異なります。また、酸素代は次の手順で計算します。以下、酸素の金額を表にまとめました。

酸素の価格表(1ℓあたり)		離島等以外の地域の医療機関の場合	離島等にある医療機関の場合
液体酸素	定置式液化酸素貯槽(CE)	0.19円/ℓ	0.29円/ℓ
	可搬式液化酸素容器(LGC)	0.32円/ℓ	0.47円/ℓ
酸素ボンベ	大型ボンベ	0.42円/ℓ	0.63円/ℓ
	小型ボンベ	2.36円/ℓ	3.15円/ℓ
備　考	＊この価格を上限として、購入価格がこれを下回る場合は、購入価格により算定する ＊離島等における特別な事情の場合であって、購入単価が上記の単価を上回る場合は、購入価格により算定する		

【酸素の計算手順】

手順① 価格×使用ℓ×1.3=A円←ここで1回目の端数処理を行う。端数は**四捨五入**

手順② A円÷10=酸素の点数←ここで2回目の端数処理を行う。端数は**四捨五入**

算定練習

酸素吸入、酸素315ℓ(大型ボンベ)の算定例

J024 酸素吸入　65点で算定します。

酸素代　大型ボンベは1ℓ=0.42円

計算式

手順① 0.42円×315ℓ×1.3=171.99

171.99円→**172円**(1回目の端数処理)

手順② 172円÷10=17.2点→**17点**(2回目の端数処理)

レセプトにはこのように計算式を記載しなければなりません

㊵処置	2回 82		㊵	酸素吸入	65×1
	薬　剤			酸素(大型ボンベ)	17×1
				(0.42円×315ℓ×1.3)÷10	

(9) 年齢加算について

処置には通則による年齢加算の設定はありません。一部の処置には年齢加算が発生するものがありますが、その場合は、それぞれの処置料に「注」として設定されています。

Keyword【酸素計算式の1.3】
酸素の計算式に使用する1.3とは補正率のこと。酸素の容積は購入時と使用時で気温や気圧によって異なり目減りするため、容積差等を勘案の上、補正率が設定されている。

(10) 時間外・休日・深夜加算について

外来患者に対して、緊急のため、診療時間以外に処置を行い、当該処置の**所定点数が 150 点以上**であった場合は、**所定点数＋「注」**に対して**時間外・休日・深夜加算**が算定できます。時間外等加算には施設基準によって「時間外等加算１」と「時間外等加算２」の２つがあります。イ.「時間外等加算１」は、施設基準適合医療機関（届出）で処置の所定点数が 1,000 点以上の場合に算定します。ロ.「時間外等加算２」は、処置の所定点数が 150 点以上の場合に算定します（届出不要)。

なお、「注の加算」以外にも、「プラスチックギプス加算」「ギプスに係る乳幼児加算」がある場合は、所定点数に加算した点数で計算します。

それぞれについて、主な算定要件を表にまとめました。

<table>
<tr><td rowspan="3">イ
※１
㊞届</td><td colspan="4">届出医療機関において①「所定点数」＋②「注の加算」が 1000 点以上の場合 届</td></tr>
<tr><td>時間外の場合</td><td>外</td><td>（①＋②）× 0.8</td><td rowspan="2">外 は外来患者と引き続き入院の患者のみ</td></tr>
<tr><td>休日・深夜の場合</td><td>休　深</td><td>（①＋②）× 1.6</td></tr>
<tr><td rowspan="3">ロ</td><td colspan="4">①「所定点数」＋②「注の加算」が 150 点以上の場合 （「イ」を除く）届出不要</td></tr>
<tr><td>時間外の場合</td><td>外</td><td>（①＋②）× 0.4</td><td rowspan="2">端数は四捨五入</td></tr>
<tr><td>休日・深夜の場合</td><td>休　深</td><td>（①＋②）× 0.8</td></tr>
</table>

※１　下記の施設基準のうち①および②～⑤のいずれかを満たしている医療機関が算定できる。要届出。

〔施設基準〕

①処置の休日加算１、時間外等加算１および深夜加算１が算定できる診療科の届出をしていること

②第三次救急医療機関、小児救急医療拠点病院、総合周産期母子医療センター設置の医療機関

③災害拠点病院、へき地医療拠点病院または地域医療支援病院

④医療資源の少ない指定地域に所在する医療機関　　⑤年間の緊急入院者数が 200 名以上の病院

⑥全身麻酔による手術件数が 800 件以上の病院

⑦医師１人当たりの当直回数制限（手術前日の当直が年間４日以内かつ２日以上連続の当直が年間４日以内）

※時間外等加算２（届出不要）は、処置点数が 150 点以上で、上記以外の場合に算定する。

【処置料の計算手順】 ※１回に使用した薬剤（実際の使用量で計算）の金額をすべて合計し点数化したとき２点以上のみ請求する。

手順①　点数一覧表から処置料を探す。　手順②　「注加算」があるか確認する。

手順③　「時間の加算」が算定できるか確認する。(①「所定点数」＋②「注加算」) が 150 点以上のときのみ、時間外等の加算を算定する（「イ」または「ロ」)。

処置料 ＝ 手順①＋手順②＋手順③

処置の薬剤は２点以上からレセプトに記載する。

算定練習

5/5 休日　10:30 ～右大腿部熱傷処置（700㎠）実施の算定例

J001 熱傷処置「3」500㎠以上 3000㎠未満　337 点で算定します。

計算式

337 点＋（337 × 0.8）=**607 点**

↑

休日加算

	㉝その他	回		⑩	熱傷処置「3」（右大腿部）休 （初回処置日５月５日）	607×1
⑩処置		1回 607				
	薬剤					
㊿		回				

・時間外等の加算を行ったときは、略称を書く⇒（休日→ 休）

・熱傷処置の場合は、初回処置の月日を書く⇒（初回処置日５月５日）

（11）衛生材料等の費用について

処置に当たって通常使用される包帯（頭部・頸部・躯幹等固定用伸縮性包帯を含む）、ガーゼ等の衛生材料、患者の衣類及び保険医療材料の費用は、処置の所定点数に含まれ、別に算定できません。

なお、処置に用いる衛生材料を患者に持参させ、又は処方箋により投与するなど患者の自己負担とすることは認められません。 ココでた!!

（12）特定保険医療材料料について

厚生労働大臣が定める保険医療材料があります。算定は**保険医療材料の価格÷ 10= 点数（端数は四捨五入）**です。端数処理は**薬剤料のみ五捨五超入**ですが、**それ以外はすべて四捨五入**になります。

診療報酬請求事務能力認定試験等の試験では、カルテに使われている薬剤の価格（薬価基準）や材料の価格（材料価格基準）は提示されています。

（13）耳鼻咽喉科乳幼児処置加算について（1 日につき 60 点）

耳鼻咽喉科を標榜する医療機関の当該科の医師が J095 ～ J115-2 までの処置を 6 歳未満に行った場合、1 日につき 60 点を所定点数に加算します。

この場合、J113 耳垢栓塞除去に規定する乳幼児加算は算定できません。

（14）耳鼻咽喉科小児抗菌薬適正使用支援加算について（月 1 回に限り 60 点）

施設基準を満たす医療機関で、急性気道感染症、急性中耳炎、または急性副鼻腔炎により受診した 6 歳未満の乳幼児に対し、J095 ～ J115-2 までの処置を行った場合で、診察の結果、抗菌薬投与の必要性が認められず、抗菌薬を使用しない者に対して、療養上必要な指導及び当該処置の結果の説明を行い、文書で説明内容を提供した場合、月 1 回に限り 60 点を所定点数に加算します。なお、インフルエンザの患者またはその疑いのある患者については算定できません。

Keyword【熱傷処置】

熱傷には「電撃傷・薬傷・凍傷」が含まれる。熱傷処置で算定するのは初回処置から 2 ヵ月間のみ。以降は J000 創傷処置で算定する。

処置が入ったカルテ

（外来より入院へ）
令和６年６月12日（水） AM10：30 入院

中略

中心静脈注射

酸素吸入 AM11：00～13：00（2時間）
酸素（大型ボンベ 1 ℓ＝¥0.42） 4 ℓ／分
気管内挿管
気管内チューブ（1）カフ上部吸引機能あり（1本＝¥2,610）
キシロカインゼリー 10ml

令和６年６月13日（木）

容態急変
AM3:00 非開胸的心マッサージ開始
AM3:30 非開胸的心マッサージ終了

以下省略

処置が入ったレセプト

診療報酬明細書
（医科入院）

都道府県番号　医療機関コード

令和 6 年 6 月分

1 医科　①社・国　2 公費　3 後期　4 退職　①単独　2 2併　3 3併　①本人　3 六入　5 家入　7 高入－　9 高入 7

保険者番号　0 1 2 6 0 0 1 7　給付割合 10 9 8 7（ ）

公費負担者番号①　公費負担医療の受給者番号①
公費負担者番号②　公費負担医療の受給者番号②

被保険者証・被保険者手帳等の記号・番号　○○○・○○○

氏名	冬木　夏子	特記事項
	1男 ②女　1明 2大 ③昭 4平　55・12・14 生	
職務上の事由	1 職務上　2 下船後3月以内　3 通勤災害	

保険医療機関の所在地及び名称

（　　床）

傷病名	診療開始日	転帰	治療実日数
（1）呼吸不全	（1）令和6年 6月 12日	治ゆ　死亡　中止	保険 2日
（2）	（2）年 月 日		公費① 日
（3）	（3）年 月 日		公費② 日

区分		回・点	公費分点数
⑪初診	時間外・休日・深夜	回 点	
⑬医学管理			
⑭在宅			
⑳投薬	㉑内服 薬剤	単位	
	㉒屯服 薬剤	単位	
	㉓外用 薬剤	単位	
	㉔調剤	× 日	
	㉖麻毒	日	
	㉗調基		
㉚注射	㉛皮下筋肉内	回	
	㉜静脈内	回	
	㉝その他	回	
㊵処置		5回 1102	
	薬剤	6	
㊿手術麻酔		回	
	薬剤		
60 検査病理		回	
	薬剤		
70 画像診断		回	
	薬剤		

㊵	点数
酸素吸入	65×1
酸素（大型ボンベ）（0.41円×480 ℓ ×1.3）÷10	26×1
救命のための気管内挿管	500×1
キシロカインゼリー2% 10mL	6×1
気管内チューブ（カフあり・カフ上部吸引機能あり）1本2,610円	261×1
非開胸的心マッサージ 30分	250×1

【処置の解説】6/12

酸素吸入……J024 （1日につき） **65点**

酸素代……酸素の使用量を確認する（1分間に4 ℓ 使用）

- ●2時間（120分）の酸素使用量の計算式→ 使用量は4 ℓ × 120分＝ 480 ℓ
- ●酸素代金を計算（大型ボンベ 1 ℓ ＝0.42円）

計算式 （0.42円× 480 ℓ × 1.3）＝262.08円→ 262円（端数四捨五入）
262円÷ 10＝26.2点→ **26点**（端数四捨五入）

気管内挿管……J044 **500点**

薬剤……キシロカインゼリー 2% 10ml（キシロカインゼリー 2% 1ml 6.3）＝¥63.00 ÷ 10 → **6点**（端数五捨五入）

保険医療材料……027 気管内チューブ（カフあり・カフ上部吸引機能あり）（1本 2,610円） → **261点**

【処置の解説】10/13

非開胸的心マッサージ……J046「1」30分まで **250点**

Keyword【処置で使用される包帯やガーゼ】
処置で通常使用される包帯・ガーゼ等の衛生材料、患者の衣類などに関するものは、所定点数に含まれ別に算定できない。

(50) 手術（K000～K915）・輸血（K920～K939-5）、麻酔（L000～L010）・神経ブロック（L100 ～ L105）

学習のポイント！

- □手術・輸血・麻酔・神経ブロックは、いずれも(50)区分に記載
- □手術時には麻酔がほとんど使用されている
- □手術や麻酔で使用した薬剤料は２点以上から算定できる
- □手術当日に算定できないものを覚える

手術とは

手術とは、治療の目的で患部に対しメスなどの医療器具を用いて、**切開・切除・摘出・縫合等**を行うものです。**対称器官の手術点**は、特に規定する場合を除き、**片側のみ**の点数です。ただし、その手術点数に「**両側**」と記載されている場合は、片側・両側にかかわらず、その点数で算定します。ココでた!!

また、同一手術野〔一つの切開部（同一皮切）から手術を行える範囲のこと〕・病巣につき、**複数の手術**を施したときは、基本的には**主**（点数の高い方）のみを手術料とします。ただし、厚生労働大臣が定めた**【主・従】**の関係にある手術を**同時**に行った場合は、主の手術料に従の手術（１つに限る）の半分を加えて算定します。ココでた!!

計算式にすると、**主の手術点数＋（従の手術点数× 0.5）**となります。

多くの手術がありますが、どの医療機関でもすべての手術には対応できないため、通則で施設基準や年間実績件数・医師の経験年数など、適合医療機関として届け出ている医療機関のみで算定できる手術もあります。

麻酔も、同一の目的のために**複数の麻酔を施した場合**は、基本的には**主**（点数の高い方）のみで算定します。ただし、**L 008 閉鎖循環式全身麻酔とその他の麻酔を併施した場合**は、その限りではないので注意してください。

（例） L 008 閉鎖循環式全身麻酔とＬ 002 硬膜外麻酔の併施の場合

※ L008 の正式名称は「マスク又は気管内挿管による閉鎖循環式全身麻酔」だが、カルテ記載

Keyword **【主の点数の高い方】**

この場合の点数とは、「所定点数＋（注加算）」の合計点数をいい、当該複数手術の中で一番点数の高い手術が「主」となる。

上は、「閉鎖循環式全身麻酔」あるいは「閉麻」「全麻」などの記載も見られる。

手術等を行うために麻酔をした場合は「**麻酔料**」で算定し、手術等のためではなく痛みの治療のために単独で麻酔をした場合は「**神経ブロック料**」で算定します。

手術は麻酔を用いて行う場合がほとんどです。本書では、実務的にかつ読者の負担も軽減されるように、手術・麻酔を連動させた算定手順を作成しました。また輸血に関しても算定手順を作成し、この手順に従って点数が算定できるようにしています。

手術・麻酔の留意点

(1) 手術料および麻酔料に記載されていないものについて

実施される手術や麻酔が点数表に載っていない特殊なものの場合は、準用通知により、掲載しているうちの最も近似する手術・麻酔の所定点数により算定します（手術：通則3）（麻酔：通則5）。

また、簡単な局所麻酔（**表面麻酔·浸潤麻酔·簡単な伝達麻酔**）は基本診療料に含まれるため、**算定できません**。この場合、使用した薬剤のみを算定します。

(2) 手術当日に算定できない項目について ココでた!!

手術当日に、手術（自己血貯血を除く）に関連して行われた次の技術料や費用は、**手術料に含まれ別に算定することができません**（当日の術前・術中・術後にかかわらず算定不可）。

①処置の手技料（ギプスを除く）、②注射の手技料、③外皮用殺菌剤の費用、④内視鏡を用いた手術を行う場合、これと同時に行う内視鏡検査の費用、⑤診断穿刺・検体採取の費用、⑥手術に通常用いるチューブ・縫合糸（特殊縫合糸を含む）等の費用、⑦衛生材料（ガーゼ·脱脂綿·絆創膏）等の費用、⑧患者の衣類費用、⑨手術に要した15円以下（2点未満）の薬剤の費用。

※手術の際に実施した画像診断および検査は、フィルム料のみ算定できる。

(3) 年齢加算について

生後28日未満の子どもを「新生児」といいます。手術や麻酔（神経ブロック）を行うにあたり、患者が小さな子どもであるほど注意をはらわなくてはなりません。したがって、低体重児、新生児、乳幼児、幼児に区分し、それぞれの年齢や体重等によって、所定点数に年齢加算しています。

例えば、低体重児（手術時の体重が1500 g未満）の場合、所定点数（「注」も含む）の400/100が年齢加算です。つまり手術点数の**4倍**の点数が年齢分としてプラスされるのです。

次に年齢区分による加算分を示し、その年齢ごとに手術料の計算の仕方を挙げます。

Keyword【年齢加算、時間外等加算の範囲】

年齢加算や時間外等加算の範囲は、手術の「所定点数＋（注加算）」の合計点数に対してのみ加算する（創外固定器、自動吻合器、自動縫合器等の手術医療機器等加算は「注加算」に含めないこと）。

手 術

- 低体重児（手術時の体重が1500g未満）の年齢加算は、400/100 通則7
  - ⇒ 未満 手術料＝**所定点数＋所定点数× 4**
- 新生児（生後28日未満）の年齢加算は300/100
  - ⇒ 新 手術料＝**所定点数＋所定点数× 3**
- 3歳未満の年齢加算は100/100（K618除く） 通則8
  - ⇒ 乳幼 手術料＝**所定点数＋所定点数× 1**
- 6歳未満の年齢加算は50/100（K618除く） ⇒ 幼 手術料＝**所定点数＋所定点数× 0.5**

麻酔・神経ブロック

- 未熟児 未（出生時体重2500 g未満で出生後90日以内）
- 新生児 新（生後28日未満）の年齢加算は200/100

 ⇒ 未、新 麻酔料＝**所定点数＋所定点数× 2**

- 28日目から1歳未満の年齢加算は50/100 ⇒ 乳 麻酔料＝**所定点数＋所定点数× 0.5**
- 1歳以上3歳未満の年齢加算は20/100 ⇒ 幼 麻酔料＝**所定点数＋所定点数× 0.2**

(4) 時間外等の加算について

緊急のため診療時間外に手術を行った場合は、処置と同様に時間外等の加算が算定できます（K 914からK 917-5を除く）。時間外等の加算は、手術の開始時間（執刀した時間＝メスを入れた時間）をもって行います。また、麻酔にも時間外等の加算ができます。

〔時間外等の加算点数の計算式〕

		手術		麻酔
	略称	イ．時間外等加算1（届）（施設基準・算定要件あり）	ロ．時間外等加算2（イ．以外）	
時間外	外	80/100→ ×0.8	40/100→ ×0.4	40/100→ ×0.4
休日	休	160/100→ ×1.6	80/100→ ×0.8	80/100→ ×0.8
深夜	深	160/100→ ×1.6	80/100→ ×0.8	80/100→ ×0.8
時間外特例加算		80/100→ ×0.8	40/100→ ×0.4	40/100→ ×0.4
備考		外来：①初再診、外来診療料で時間外等加算（外・休・深）を算定した患者に引き続き手術を行った場合 ②受診後8時間以内に時間外等に手術を開始した場合に算定する	外来：①初再診、外来診療料で時間外等加算（外・休・深）を算定した患者に引き続き手術を行った場合	時間外：①外来のみ（引き続き入院した患者にも算定可）休日･深夜：外来患者、入院患者に算定できる
		入院：休日･深夜のみ算定。ただし、上記①②で入院の手続き後に手術を開始した場合は時間外加算が算定できる（通知より）	入院：算定できない。ただし、上記①で入院の手続き後に手術を開始した場合は、時間外・休日・深夜加算が算定できる（通知より）	

Keyword **【真皮縫合加算】**

皮膚の「真皮」部分を縫合閉鎖することで縫目の傷跡が目立たなくなることから、露出部に対して行われる。

≪例 1 ≫　2 歳児に K 250 角膜切開術（990 点）を行った場合の手術料

所定点数　乳幼児加算

990　＋　（990 × 1）＝ 1980 点　手術料は **1980 点**

≪例 2 ≫　5 歳児に K 250 角膜切開術（990 点）を行った場合の手術料

所定点数　幼児加算

990　＋　（990 × 0.5）＝ 1485 点　手術料は **1485 点**

≪例 3 ≫大人（35 歳）の外来患者に、診療時間外に、両眼に K222 結膜下異物除去術（470 点）を行った場合〈時間外等加算 2〉

所定点数　　時間外加算

470　＋　（470 × 0.4）＝ 658 点

※左右に手術を行っているので、それぞれに算定できる。

≪例 4 ≫　2 歳児に K 000-2 小児創傷処理「6」（560 点）、真皮縫合「注」460 点を行った場合【時間外等加算 2 の医療機関】

所定点数　　　乳幼児加算　　　休日加算 2

（560 ＋ 460）＋（1020 × 1）　＋（1020 × 0.8）＝ 2856 点　　手術料は **2856 点**

↑真皮縫合加算

「手術料」「麻酔料」の算定のしかたは、次ページの算定手順①〜④にしたがって計算してください。

Keyword【真皮縫合加算の露出部】

頭部・頸部・上肢の肘関節以下、下肢の膝関節以下のこと〔手掌、指、眼瞼の真皮縫合加算は認められない〕(H24.8.9 事務連絡)。

手術・麻酔の一連の算定手順書

【手術料】を算定します。

手順① 点数表から手術の所定点数を探す。　① ＿＿点

手順② 点数表の「注」加算が発生しているか確認する。　② ＿＿点

手順③ 年齢加算があるか確認する。

- ・低体重児の場合 [未満] ……（①+②）×4
- ・新生児の場合 [新] ……（①+②）×3
- ・３歳未満の場合 [乳幼] ……（①+②）×1
- ・６歳未満の場合 [幼] ……（①+②）×0.5

※端数は四捨五入　③ ＿＿点

手順④ 時間外等加算があるか確認する。「時間外等加算２」の場合

- ・時間外の場合 [外] ……（①+②）×0.4
- ・休日の場合 [休] ……（①+②）×0.8
- ・深夜の場合 [深] ……（①+②）×0.8

※端数は四捨五入　④ ＿＿点

手術料＝①+②+③+④

Ⅱ-1

次に麻酔料と麻酔薬剤を算定しましょう。

【麻酔料】を算定します。

手順① 点数表から麻酔の所定点数を探す。　① ＿＿点

手順② 点数表の「注」加算が発生しているか確認する。　② ＿＿点

< L008は別途算定>

手順③ 年齢加算があるか確認する。

- ・未熟児の場合 [未] ……（①+②）×2
- ・新生児の場合 [新] ……（①+②）×2
- ・１歳未満の場合 [乳] ……（①+②）×0.5
- ・３歳未満の場合 [幼] ……（①+②）×0.2

※端数は四捨五入　③ ＿＿点

手順④ 時間外等加算があるか確認する。

- ・時間外の場合 [外] ……（①+②）×0.4
- ・休日の場合 [休] ……（①+②）×0.8
- ・深夜の場合 [深] ……（①+②）×0.8

※端数は四捨五入　④ ＿＿点

麻酔料＝①+②+③+④

Ⅱ-2

【麻酔の薬剤】を算定します。

手順① 前投与・前投薬の記載を確認する。これも麻酔薬剤に合算する。

手順② 麻酔で使用している薬剤に上記①の薬剤を加えた金額を出す。[金額÷10＝麻酔薬剤点]

手順③ 術中に酸素を施した場合は、酸素の計算をし、計算式を併せて明記する。(50) に書く。

≪例 5 ≫ 10/1　2 歳児に K 718 虫垂切除術「1」(6740 点）を L 004 脊椎麻酔（850 点）(30 分）で行った場合【時間外等加算 2 の医療機関】

●手術料算定　所定点数　　乳幼 加算
6740　＋　(6740 × 1)　＝ 13480 点　　手術料は **13480 点**

●麻酔料算定　所定点数　　幼 加算
850　＋　(850 × 0.2)　＝ 1020 点　　麻酔料は **1020 点**

レセプト

皿	薬　　剤				
⑤⑩ 手術麻酔	2 回 14500 薬　　剤		⑤⑩	虫垂切除術「1」(1 日) 乳幼 脊椎麻酔（30 分）(1 日) 幼	13480 × 1 1020 × 1
⑥⑩	回				

≪例 6 ≫ 5/5　休日に 2 歳児に K 718 虫垂切除術「1」(6740 点）を L 004 脊椎麻酔（850 点）(30 分）で行った場合【時間外等加算 2 の医療機関】

●手術料算定　所定点数　乳幼 加算　　休 加算
6740　＋（6740 × 1）　＋（6740 × 0.8）＝ 18872 点　　手術料は **18872 点**

●麻酔料算定　所定点数　幼 加算　　休 加算
850　＋　(850 × 0.2)　＋（850 × 0.8）＝ 1700 点　　麻酔料は **1700 点**

レセプト

皿	薬　　剤				
⑤⑩ 手術麻酔	2 回 20572 薬　　剤		⑤⑩	虫垂切除術「1」(5 日) 乳幼 休 脊椎麻酔（30 分）(5 日) 幼 休	18872 × 1 1700 × 1
⑥⑩	回				

(5) 薬剤料のレセプト請求について

手術で使用した薬剤の合計金額、麻酔で使用した薬剤の合計金額、それぞれ薬剤点数が **2 点以上**であればレセプト請求ができます（⑳ 投薬および ㉚ 注射の薬剤は 1 点から算定できるが、それ以外の区分では 2 点以上から算定する)。

(6) 指の算定について

指の手術について、通則 14 に係る通知で、「第 1 指から第 5 指までのそれぞれを同一手術野として取り扱う手術」により、1 指ごとに算定する手術と、指 5 本に対する手術があります。

Keyword【手術時の薬剤請求】
手術に際し使用した薬剤の合計金額を点数化し、2 点以上の場合のみレセプトに記載する。外皮用殺菌剤〈イソジン液・ヒビテン液等〉の消毒薬は算定しない。

1本ずつ算定する手術（所定点数×指本数）
K 028，K 033「1」，K 034，K 035，K 037，K 038，K 039「1」，K 040「1」，K 040-2，K 045「3」，K 046「3」，K 046-2「3」，K 048「4」，K 049「3」，K 052「3」，K 054「3」，K 056「3」，K 057「3」，K 058「3」，K 060「3」，K 060-3「3」，K 061「3」，K 063「3」，K 065「3」，K 065-2「3」，K 066「3」，K 066-2「3」，K 066-3「3」，K 066-4「3」，K 067「3」，K 067-2「3」，K 070「1」，K 072「3」，K 073「3」，K 073-2「3」，K 074「3」，K 074-2「3」，K 075「3」，K 076「3」，K 076-2「3」，K 077「3」，K 079「3」，K 079-2「3」，K 080「3」，K 081「3」，K 082「3」，K 082-2「3」，K 082-3「3」，K 085「3」，K 086「1」，K 087「1」，K 088「2」，K 089，K 090，K 091，K 099，K 100，K 101，K 102，K 103，K 182「1」，K 182-2「1」，K 182-3「1」，K 193「1」，K 610「4」
複数本でも1回として算定する手術（所定点数×1）
上記以外の指の手術

＊同じ指に異なる手術を同時にした場合は、点数の高いもののみで算定する。
＊K 028、K 034、K 035 は関節鏡下によるものを含む。
＊K 101 合指症手術は、各指間のそれぞれを同一手術野とする。

(7) 手術医療機器等加算について

自動吻合機器や自動縫合器等の医療機器を使用した場合に、手術医療機器等加算が算定できる手術があります。すべての手術に加算できるものではありません。

(8) 輸血の算定のしかたについて

輸血は手術を行う時に多量に血液を必要とする場合や、手術を伴わない患者でも、病状によって必要な場合に血液を体内に注入することをいいます。したがって、輸血は外来・入院問わず単独でも算定できます。輸血の種類には、**自家採血輸血**、**保存血輸血**、**自己血貯血**、**自己血輸血**、**希釈式自己血輸血**、**交換輸血**があります。

輸血は、献血などによる他者の血液を輸血する**保存血輸血**によるものが多く見られます。しかし輸血は危険性も伴うので、輸血料は、医師が患者（その家族）に対して、**輸血の必要性や危険性など**について**文書で説明**し、**患者側の署名・押印**があった場合に算定できます（緊急事態の場合は事後でも可）。この説明は、患者に対して一連の輸血（概ね1週間）につき1回、文書で行うものです。

輸血は200ml ごとに点数が加算されますが、輸血1回目とされる最初の200ml の点数が高くなっているのは、この説明料が含まれたものと考えるとスッキリ理解できます。本書では保存血輸血による輸血料の算定方法を説明します。

輸血料の算定手順を作成しました。

次の手順①～⑦にしたがって、輸血料を計算してみましょう。

輸血料には、**時間外・休日・深夜の加算はありません。**

I

輸血料（保存血輸血の場合）の算定手順書　早見表 P.69

【輸血料】を算定します。

手順①　保存血輸血の輸血量を確認する。

ml	200	400	600	800	1000	1200	1400	1600	1800	2000
1回目	450点	800	1150	1500	1850	2200	2550	2900	3250	3600
2回目	350点	700	1050	1400	1750	2100	2450	2800	3150	3500

①＿＿＿＿点

手順②　血液交叉試験（クロスマッチ）は何回行ったか確認する（1回＋30点）。　②＿＿＿＿点

手順③　間接クームスは何回行ったか確認する（1回＋47点）。　③＿＿＿＿点

手順④　血液型（ABO・Rh方式）検査を実施したか確認する（＋54点）。　④＿＿＿＿点

手順⑤　不規則抗体検査を実施したか確認する（月1回＋197点一般）。　⑤＿＿＿＿点

手順⑥　年齢加算（6歳未満）があるか確認する（＋26点）。　⑥＿＿＿＿点

手順⑦　その他の加算があるか確認する。あった場合は算定する。　⑦＿＿＿＿点

HLA型クラスⅠ（A,B,C）検査（一連につき1000点）
HLA型クラスⅡ（DR,DQ,DP）検査（一連につき1400点）
血小板洗浄術加算（580点）
※コンピュータクロスマッチ（1回30点）で行った場合、
手順②③は算定できない。

輸血料
①＋②＋③＋④＋⑤＋⑥＋⑦

血液代を計算しましょう。

【血液代】を算定します。

手順①　使用した血液を確認し、薬価基準で価格を確認する。

手順②　血液の金額を出し、点数化する。金額÷10＝血液の点数（端数は五捨五超入）

※輸血時に補液の注入を併せて行った場合の補液薬剤は㉝に記載する。

特定保険医療材料料があれば計算しましょう。

【特定保険医療材料料】を算定します。

手順①　輸血用血液フィルター
【微小凝集塊除去用2,500円、赤血球製剤用白血球除去用2,850円、血小板製剤白血球除去用3,340円】

手順②　金額を点数化する。金額÷10＝特定保険医療材料料の点数（端数は四捨五入）

輸血管理料を算定しましょう。

〔輸血管理料の算定対象〕
①赤血球濃厚液（浮遊液を含む）、血小板濃厚液、自己血の輸血
②新鮮凍結血漿、アルブミン製剤の輸注

【輸血管理料】を算定します。

手順①　出題カルテの届出状況を確認する。

輸血管理料Ⅰ……輸管Ⅰ　220点（加算：輸血適正使用加算＋120点）
輸血管理料Ⅱ……輸管Ⅱ　110点（加算：輸血適正使用加算＋60点）

≪例≫　届出状況　輸血管理料Ⅰ

カルテ内容

保存血輸血800ml　実施

使用血液：人全血液-LR「日赤」
400ml献血由来２袋
(400ml　1袋=16,700円)

・血液型検査（ABO・Rh型）
・血液交叉試験２回
・間接クームス２回
・不規則抗体検査実施

P.156 ⒾⅡⅢⅣ に従って点数を入れてみましょう。

Ⓘ **手順①**　800ml なので　1500 点
手順②　血液交叉試験２回　30 点×２回　60 点
手順③　間接クームス２回　47 点×２回　94 点
手順④　血液型（ABO・Rh 型）　54 点
手順⑤　不規則抗体検査実施　197 点
手順⑥　年齢加算　－
手順⑦　その他加算　－

輸血料＝①～⑦の合計　1905 点

Ⅱ　血液代　人全血液－LR「日赤」400ml　２袋
16,700 円×２袋 =33,400 円
↓
33,400 円÷ 10= **3340 点**

Ⅲ　なし

Ⅳ　なし

人全血液ーLR「日赤」400mℓ献血由来1袋16,700円です。試験時は、薬価基準（抜粋）が添付されています。人全血液は、輸血管理料算定の対象ではありません。

レセプトの書き方見本

置	薬　剤			
⑤⑩ 手術・麻酔	1 回1905		⑤⑩ 保存血輸血　800ml 血液交叉試験・間接クームス各２回 血液型検査（ABO、Rh 型） 不規則抗体検査	1905×1
	薬　剤　3340		人全血液 - LR「日赤」400ml　２袋	3340×1
⑥⑩ 検査・病理	回			
	薬　剤			
⑦⑩	回			

※輸血を行った場合は、回数、点数、その他必要事項を記載する。６歳未満に対し、自己血貯血を行った場合は摘要欄に患者の体重を、自己血輸血を行った場合は患者の体重と輸血量を記載する。ココでた!!

⑥⓪ 検査（D000～D419）・病理診断（N000～N007）

- □検査には検体検査と生体検査がある
- □検体検査の算定は、検査実施料・判断料・検体採取料で構成されている
- □生体検査の算定は、検査実施料・判断料で構成されている
- □病理診断の算定は、病理標本作製料・病理診断または判断料で構成されている

検査とは

検査とは、患者の治療を行うに当たって、まず病態を把握するために、尿や血液、組織の一部を採取し測定して明らかにする**検体検査**と、身体に直接装置を用いて身体そのものの機能を検査する**生体検査**があります。病気の治療方法の決定や治療効果の確認などに役立てることを目的に行われるものです。

また、**病理診断**は、体の病変部の細胞や組織を顕微鏡で観察し診断するものです。

したがって、検査（D000～）と病理診断（N000～）の分野は非常に関連性があることから、本書では、実務的にかつ読者の負担も軽減されるように、検査・病理診断を連動させて解説します。

前述のように、検査を大別すると検体検査、生体検査に分けられます。検査の種類は分量がありますが、理解したいのは、**患者に行う検査項目はやみくもに行われるものではないということです。**

過去問題を見てもわかるように、一般的に**行われる検査**（**セットメニュー**）があります。

したがって、**その検査は何か、どこに書かれているのか、算定する時の留意点は何か**（例：複数月に1回のみとされている検査をしたときのレセプトの書き方等）などのポイントを知ることで、受験者の負担はグ～ンと軽減するはずです。そしてそれが受験対策にもつながります。ココでた!!

1 検体検査

患者の体から採取した「**尿・糞便・血液など**」の検査材料（検体）について調べるものです。

検査実施料は６つの領域に区分されており、実施した検査はその領域のどこかにあると考えたとき、「尿・糞便等検査」～「微生物学的検査」の中を気長に探せば見つかる、という気持ちで始めましょう。ほどなく頻繁に出てくる検査はどの領域に入っているか覚えてしまうことでしょうし、点数表を使って探せばすぐに見つかります。

算定の基本型は①**検査料**＋②**判断料** 判 ＋③**採取料**です。

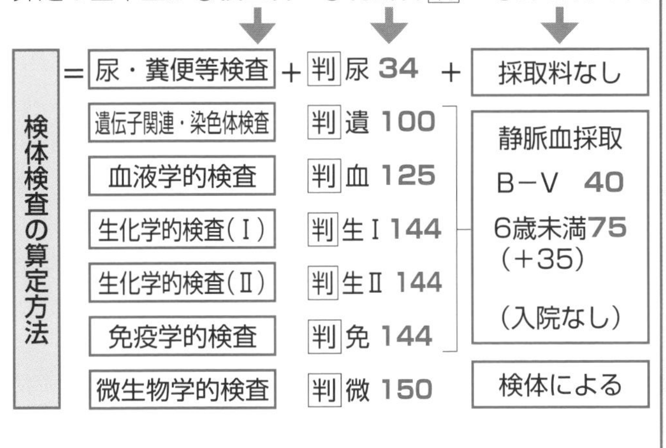

算定の仕方

カルテ **HBs 抗体定性**を算定する場合

手順①

検査がどの領域に入っているか探します。

免疫学的検査 D013「2」32 点

手順②

免疫学的検査の判断料は免で算定します。

判免　144 点

手順③

特記がなければ、静脈血液で調べます。

検体は血液　採取料　B-V　40 点

【レセプト記載時の検体表記について】

検体検査で調べる材料のことを「検体」といいます。どの検体でそれを調べたのかが分かるように、レセプトには検査名の前に、対象となる検体（略称）を書きます。

右の表記は、頻度の高い検体とその略称です。→

尿「U」　便「F」　血「B」

レセプト記載例

B-HBs 抗体定性	32 × 1
B-V	40 × 1
判免	144 × 1

検体検査の留意点

(1) 尿糞便検査の判断料について

尿糞便等検査のうち、D000 尿中一般物質定性半定量検査（略称：**U- 検**または**尿一般**）は、判断料は**算定できません**。したがって、①**検査料 26 点のみ**を算定します。

(2) 同時算定が不可の検査について

複数の検査を行う場合、検査間において、「いずれか一方のみ」または「主たる項目のみ」とされている検査の組み合わせのものがあるので、点数表の備考欄もよく確認しましょう。

(3) 時間外緊急院内検査加算（ 緊検 ）について

緊急の**外来患者**（引き続き入院の場合も算定可）に対して、**時間外・休日・深夜**に、自院に具備された検査器具等を用いて**検体検査を行った場合**に **200 点**が算定できます。

レセプトには次のように記入します。入院となった場合は（引き続き入院）と明記します。

術酔	薬　　剤		⑥⓪	
⑥⓪ 検病 査理	5回 629 薬　　剤		緊検（開始日時）（引き続き入院） B - 末梢血液一般 B - T - Bil……AST、ALT（8項目） B - V 判 血、生Ⅰ	200×1 21×1 99×1 40×1 269×1
⑦⓪ 画診 像断	回 薬　　剤			

(4) 外来迅速検体検査加算（ 外迅検 ）について

外来患者（引き続き入院の場合も算定可）に対し厚生労働大臣の定める検体検査を、原則**院内で実施**し、**実施したすべての検体検査**について検査実施の日に検査結果を説明した上で、文書で提供しこれに基づく診療が行われた場合は、**1項目あたり10点**〔1日につき5項目（上限）〕が加算できます。外来迅速検体検査に該当する検査項目は、早見表で確認してください。

⑥⓪ 検病 査理	回 薬　　剤		⑥⓪ 外迅検

ただし、同日内に結果の出ない検査が1項目でも含まれていれば、算定はできません。また、上記「時間外緊急院内検査加算 緊検 」と同時には算定できません。

(5) 検体検査管理加算（Ⅰ）～（Ⅳ） について

施設基準適合の医療機関であり、検体検査管理を行うのに十分な体制が整備されていることが必要です。 検管Ⅲ ・ 検管Ⅳ は、いずれも院内で検査を実施している病院・診療所でなければなりません。院内での検査は 検管Ⅰ ・ 検管Ⅱ は、業者委託も可ですが、 検管Ⅲ ・ 検管Ⅳ は、業者委託は不可であるなど、施設基準があります。

検体検査管理加算Ⅰ… 検管Ⅰ 外来患者・入院患者に対し、月1回**＋40点**加算。
検体検査管理加算Ⅱ… 検管Ⅱ 入院患者に対し、月1回**＋100点**加算。
検体検査管理加算Ⅲ… 検管Ⅲ 入院患者に対し、月1回**＋300点**加算。
検体検査管理加算Ⅳ… 検管Ⅳ 入院患者に対し、月1回**＋500点**加算。
国際標準検査管理加算… 国標 検管Ⅱ ～ 検管Ⅳ を算定した場合に**＋40点**加算。

● 検管Ⅰ ～ 検管Ⅳ のレセプト記載について

例）検体検査管理加算Ⅰが算定できる医療機関のレセプト記載例

術酔	薬　　剤		⑥⓪	
⑥⓪ 検病 査理	5回 624 薬　　剤		U - 検、沈（鏡検法） B - 末梢血液一般、像（鏡検法）、HbAlc B - TP、ALP、TG、Amy、AST、ALT B - V 判 尿、血、生Ⅰ、検管Ⅰ	53×1 95×1 93×1 40×1 343×1
⑦⓪ 画診 像断	回 薬　　剤			

摘要欄の検査 ⑥⓪ で、 判 の行に 検管Ⅰ と略称をつけ加えます。点数も合算させます。

2 生体検査

患者の体そのものの機能を検査します。生体検査は、**呼吸循環機能検査等**、**超音波検査等**＊、**監視装置による諸検査**、**脳波検査等**＊、**神経・筋検査**＊、**耳鼻咽喉科学的検査**＊、**眼科学的検査**＊、**皮膚科学的検査**、**臨床心理・神経心理検査**、**負荷試験等**＊、**ラジオアイソトープを用いた諸検査**＊、**内視鏡検査**＊に分類されています。

生体検査は、身体そのものの機能を検査するものです。検体検査のように細胞や組織を採取して調べるものではないので、採取料は発生しません。内視鏡検査で異物が確認された場合などは、一部組織を採取して調べることはありますが、生体検査は、**検査実施料**＋**判断料**が基本型となります。また、負荷検査の場合や検査の苦痛を和らげる場合に**薬剤等**を使用することもあります。

検体検査の算定と異なる点は、検査を実施した際、①判断料が算定できる検査・できない検査があること、②外来管理加算が算定できる検査・できない検査（上記のうち＊印の検査）があること、③検査には年齢加算が発生すること、④同一月に同じ検査を２回以上行った場合、２回目以降も同じ点数で算定するもの・２回目以降は90％の点数で算定するものがあること、です。

以下、それぞれについて説明します。

算定の基本型は①**検査実施料**＋②**判断料** 判 です。

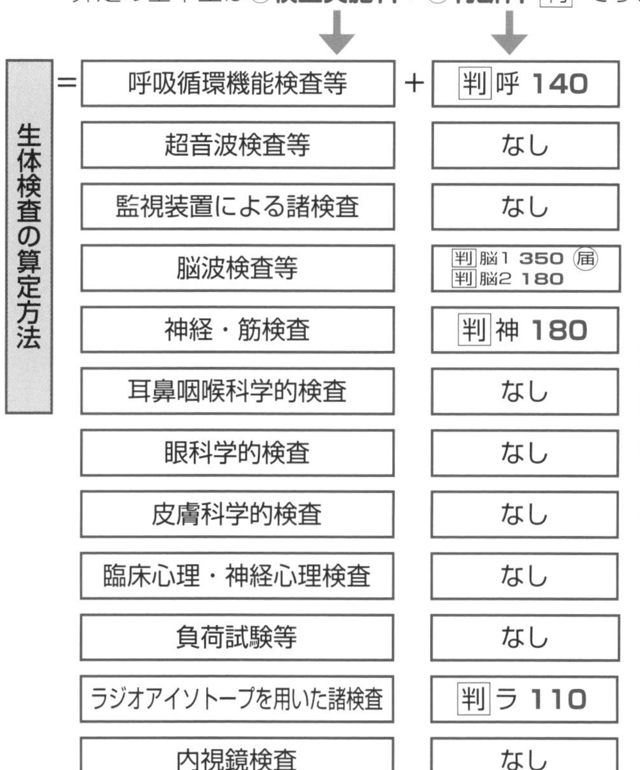

ECG12（心電図12誘導）を算定する場合

算定の仕方

手順①

検査がどの領域に入っているか探します。

※検査名は略称で記載されていることもあるので、主なものは覚えておく。

呼吸循環機能検査等D208「1」130点

手順②

判断料が算定できるか確認します。

D208「1」の判断料 は**算定不可。**

判断料算定のポイント

D208は**実施料130点のみ算定**となります。

※生体検査には判断料が算定できるものとできないものがある。

Keyword【検査時の薬剤料及び特定保険医療材料料について】

検体検査・生体検査問わず、検査で使用した薬剤点が２点以上の場合のみレセプト請求する。特定保険医療材料料は点数の小数点以下を四捨五入してレセプト請求する。

生体検査の留意点

(1) 時間外等の実施について

検体検査は、時間外緊急院内検査加算 [緊検] が算定できましたが、**生体検査には [緊検] はありません。** [緊検] は診療時間以外の時間に院内に具備されている器具を用いて検体検査を行った場合に算定できるものです。間違いやすいので注意しましょう。

(2) 判断料の算定について

検体検査は判断料を算定できましたが、生体検査には、**判断料が算定できるものとできないもの**があります。

(3) 頻度の高い生体検査項目

頻度の高い検査の区分番号・生体検査名・点数(一部抜粋)

検査	区分番号・生体検査名・点数
呼吸循環機能検査等	D200「1」肺気量分画測定 90 点 D208「1」ECG_{12} 130 点、ECG_{12} [減]
超音波検査等 UCG	D215「2」断層撮影法(心臓超音波検査を除く)ロ. その他の場合 ⑴胸腹部 530 点、断層撮影法(胸腹部)[減]
監視装置による諸検査	D220 呼吸心拍監視 1 時間につき 50 点 D223 経皮的動脈血酸素飽和度測定 1 日につき 35 点

(4) 外来管理加算の算定について

検体検査は外来管理加算が算定できましたが、生体検査には外来管理加算が算定できない検査があります。

前述で＊印の検査領域の検査を実施した場合は、外来管理加算は算定できません。

(5) 90% で算定する検査について

同一月内に同じ検査を 2 回以上行った場合、2 回目以降の検査点数を所定点数の 90% で算定しなければならないものがあります。2 回目以降は**所定点数× 90%** が検査の実施点数になります。

例) D208「1」ECG_{12} を 3 回実施した。所定点数は 130 点。2 回目以降の点数 =**130 × 90%=117**

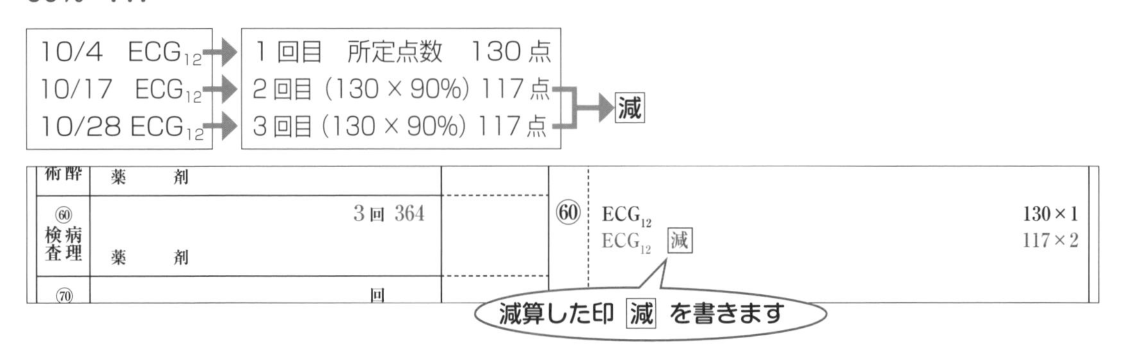

Keyword 【90% で算定する生体検査の計算】

月の 1 回目の検査点数は(所定点数+「注加算」)で算定。

同月 2 回目〜の検査点数は(所定点数+「注加算」)× 90% で算定する。

(6) 年齢加算について（通則 1.2）

生体検査には、特に規定したものを除いて、一律に年齢加算を算定します。

6 歳以上は所定点数で算定します。3 歳以上 6 歳未満の幼児に実施した検査は所定点数の 40/100（所定点数× 1.4)、生後 28 日目～ 3 歳未満の乳幼児は 70/100（所定点数× 1.7)、生後 28 日未満の新生児は 100/100（所定点数× 2）が年齢加算として算定できます。ただし、次のイ～ヲは年齢加算の対象外となります。

この年齢加算を所定点数に加算します。所定点数とは「**注**」加算を含んだ点数です。

以下、計算しやすいように、一覧表にまとめました。

区　分	年齢範囲	加算	略称	年齢別の生体検査点数の出し方
	6 歳以上	0	なし	所定点数 …（所定点数 +「注」加算）
幼　児	3 歳～ 5 歳	40%	幼	所定点数× 1.4　端数は四捨五入
乳幼児	生後 28 日目～ 2 歳	70%	乳幼	所定点数× 1.7　端数は四捨五入
新生児	生後 27 日目まで	100%	新	所定点数× 2　端数は四捨五入

例）D208　ECG_{12} を 4 歳児に行った場合。4 歳児の検査点数は 130 × 1.4=**182**

⑥⓪ 検査 病理	1回 182 薬　剤		⑥⓪	ECG_{12} 幼　182×1

[年齢加算の対象外となる検査]

イ. 呼吸機能検査等判断料

ロ. 心臓カテーテル法による諸検査

ハ. 心電図検査の注に掲げるもの

ニ. 負荷心電図検査の注 1 に掲げるもの

ホ. 呼吸心拍監視、新生児心拍・呼吸監視、カルジオスコープ（ハートスコープ)、カルジオタコスコープ

ヘ. 経皮的血液ガス分圧測定、血液ガス連続測定

ト. 経皮的酸素ガス分圧測定

チ. 深部体温計による深部体温測定

リ. 全額部、胸部、手掌部または足底部体表面体温測定による末梢循環不全状態観察

ヌ. 脳波検査の注 2 に掲げるもの

ル. 脳波検査判断料

ヲ. 神経・筋検査判断料

3 病理診断・判断料

病理診断は、患者の病変部の組織や細胞などを顕微鏡で観察し診断するものです。近年はその採取にあたり、患者の苦痛や負担をできるだけ少なくする技法を用いて実施されます。

「生体検査」にある「**内視鏡検査**」は内腔を観察できる検査ですが、先端にCCD（超小型ビデオカメラ)を付けた管(電子スコープ)を胃や腸に挿入すると、テレビモニターで病変部の形状、出血状態等が直接確認できます。この内視鏡の先端には対物レンズやノズル、鉗子口、ライトガイドの機能があり、必要に応じて開腹することなく組織採取ができます。内視鏡の先端の直径は5mm程度なので、患者の負担も軽減されます。特にがんの診断や治療には欠かせないものとなっています。

病理診断は、採取された組織を標本し顕微鏡で観察するもので、その対象はいろいろなものがあります。

病理診断には、**病理組織**と**細胞診**に分けており、その他として免疫染色（免疫抗体法）があります。

●病理診断・判断料について

N006 病理診断料		病理診断を専ら担当する医師が診断を行った場合に算定する。		
1	組織診断料（月1回）	判 組診	**520点**	N000病理組織標本作製、N001電子顕微鏡病理組織標本作製、N002免疫染色（免疫抗体法）病理組織標本作製、N003術中迅速病理組織標本作製の組織標本の診断を行った場合、診断の別または回数にかかわらず、月1回に限り算定する（他院で作成された場合の診断も含む)。 ＊N000病理組織標本作製、N002免疫染色（免疫抗体法）病理組織標本のデジタル病理画像を含む。 ＊他院で作成された標本を診断した場合は、N000～N004の病理標本作製料は算定できない。
2	細胞診断料（月1回）	判 細診	**200点**	N003-2迅速細胞診、N004細胞診の2により作製された標本に基づく診断を行った場合、これらの診断の別または回数にかかわらず、月1回に限り算定する（他院で作成された場合の診断も含む)。
〈注加算〉病理診断を専ら担当する常勤医師が病理診断を行い、その結果を文書で報告した場合には、区分に従い次に掲げる点数を所定点数に加算する。				
イ	病理診断管理加算1 ㊞ 病管Ⅰ	（1）組織診断を行った場合 120点 （2）細胞診断を行った場合 60点		
ロ	病理診断管理加算2 ㊞ 病管Ⅱ	（1）組織診断を行った場合 320点 （2）細胞診断を行った場合 160点		

Keyword 【内視鏡検査から病理診断へ】

「内視鏡検査」によって胃や腸の内腔を観察後、異物があった場合など、先端の小さな鉗子等を使って組織を採取することができる。この組織を顕微鏡で観察し組織細胞の良性・悪性を判断する病理検査につなげることができる。

悪性腫瘍病理組織標本加算	150 点	N000 病理組織標本作製の 1 または N002 免疫染色（免疫抗体法）病理組織標本に基づく診断を行った場合加算する。
N007 病理判断料　判　病判	130 点	行われた病理標本作製の種類又は回数にかかわらず、月 1 回に限り算定する。 ＊ N006 病理診断料を算定した場合には、算定しない。

病理診断の留意点

(1) 病理組織の算定について

病変部分の組織（細胞のかたまり）を、手術や内視鏡により採取（D 414 内視鏡下生検法）し、標本作製し、顕微鏡で観察します。

例えば悪性腫瘍の手術などでは、手術中に組織の状態を確認し、その診断結果によっては手術の進め方が異なってくることもあります。このようにまさに**術中**に迅速に組織を切片し行われるものが**N003 術中迅速病理組織標本作製（T-M/OP または病理組織迅速）1990 点（1 手術につき）**。再確認のため**手術終了後**や内視鏡下生検法で採取した組織を標本作製し行う場合は**N000 病理組織標本作製（T-M または病理組織）**「1．組織切片によるもの（1 臓器※につき）」及び「2．セルブロック法によるもの（1 部位につき）」で **860 点**で算定します。

手術の途中で N003 術中迅速病理組織標本作製を行い、摘出した臓器について、術後に再確認のため精密な N000 病理組織標本作製を行った場合は、N000 病理組織標本作製の所定点数が算定できます。※ 1 臓器とは、早見表 P.106（N000 算定要件）を参照。ココでた!!

(2) 細胞診の算定について

組織から得られた細胞を顕微鏡で観察します。細胞レベルですので、尿、喀痰、腹水、胸水、粘液、その他分泌物や剥離細胞などが対象となります。これらは、**N 004 細胞診**で算定します。さらに「**1．婦人科材料等によるもの**」**150 点**、「**2．穿刺吸引細胞診、体腔洗浄等によるもの**」**190 点**に分けられて算定します。「1」の婦人科材料が液状化している場合は、固定保存液に回収した液体から標本を作製するため、**婦人科材料等液状化検体細胞診加算 +45 点**が算定できます。

(3) 他院で行われた標本診断について

別の保険医療機関で作製した組織標本または標本に基づく診断を行った場合に、これらの診断の別または回数にかかわらず、月 1 回に限り、組織診断料または細胞診断料が算定できます。

(4) 内視鏡検査で組織採取したものを病理診断した場合の算定について

個別に学んだ内容を、ここでは実務的な流れで考えてみましょう。

診療報酬請求事務能力認定試験でのカルテ内容を見ると治療の流れにそって書かれています。したがって連動させて理解していると算定が楽にできます。

次ページのカルテ内容は、患者に胃の内視鏡検査を行ったところ、異物がみつかり、その組織を内視鏡下生検法で採取して、病理専門医が病態を明らかにするため、病理組織標本を作製し、病理診断を行った、というストーリーです。算定してみましょう。

【カルテ内容の解説】

内視鏡検査〔胃ファイバースコピー〕(粘膜点墨法) **D308 EF−胃 1140点、「注加算」墨 ＋60点**

内視鏡下生検法（1臓器）**D414 内視鏡下生検法 310点**

病理組織標本作製（1臓器）**N000 病理組織標本作製 T−M 860点**

使用薬剤は「○○ 1A、キシロカインゼリー○ g、○○」

診断は病理専門医による。「**N006「1」 病理診断料 判 組診 520点**」

レセプト

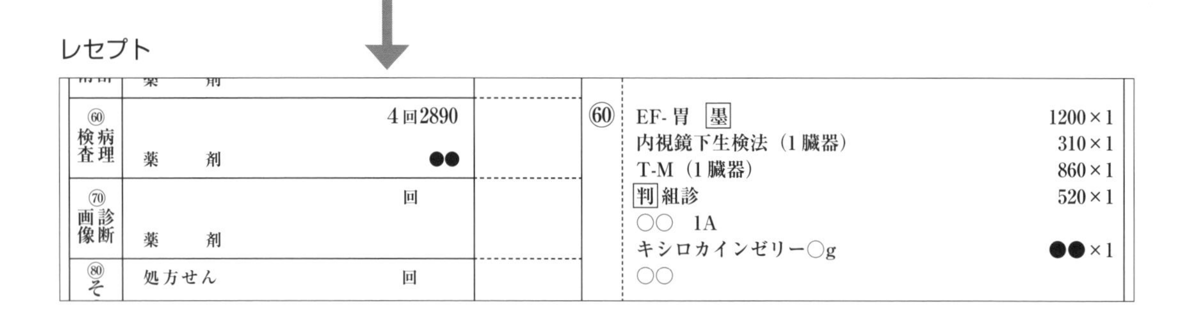

			⑥⓪		
⑥⓪ 検査 病理	4回2890			EF-胃 墨	1200×1
	薬 剤	●●		内視鏡下生検法（1臓器）	310×1
⑦⓪ 画像 診断	回			T-M（1臓器）	860×1
	薬 剤			判 組診	520×1
⑧⓪ そ	処方せん 回			○○ 1A	
				キシロカインゼリー○g	●●×1
				○○	

内視鏡検査の部位

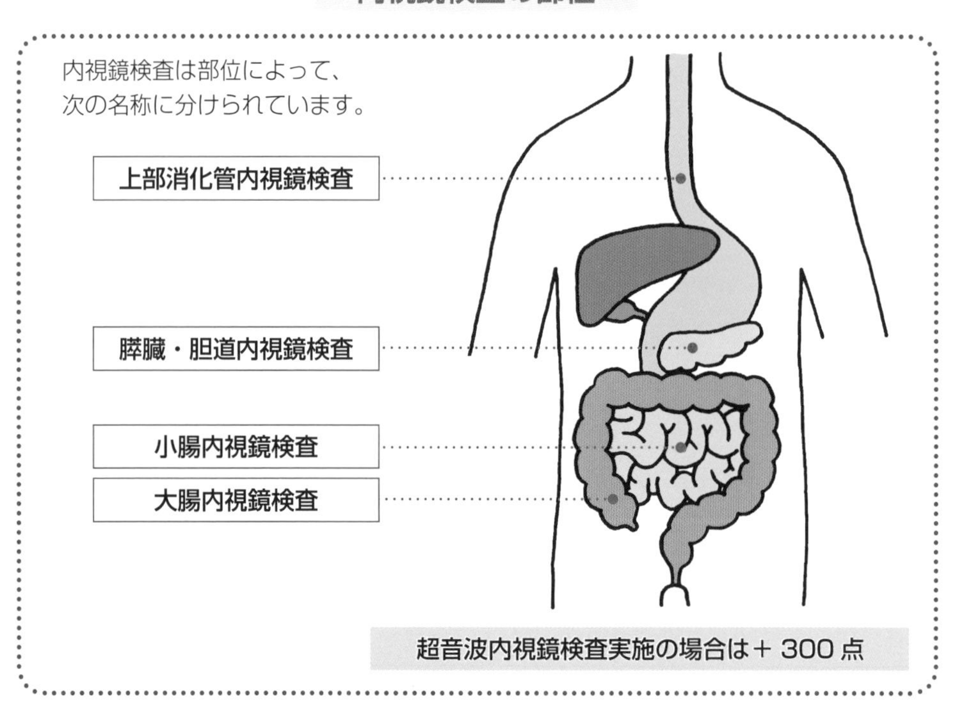

Q 電子顕微鏡病理組織標本作製の算定対象となる場合には、心筋症に対する心筋生検であって、電子顕微鏡による病理診断のための病理組織標本を作製した場合が含まれる。

➡ ○ そのとおり

Keyword 【超音波内視鏡検査】

超音波検査はエコー装置を使って体表から行う場合と内視鏡を使って消化管の内腔から行う場合がある。超音波内視鏡では、病巣の深達度や表面には見えない粘膜下の腫瘍なども調べることができる。

70 画像診断（E 000～E 203）

□画像診断（レントゲン）は、撮影料・写真診断料・フィルム料から構成されている
□画像診断は、1．単純撮影、2．造影剤使用の撮影、3．特殊撮影、4.CT・MRI、5．核医学診断がある

画像診断とは

画像診断とは、エックス線の持つ透過作用、蛍光作用、写真作用の性質を利用して、患者の身体の内部を画像として映し出し、病状の診断に役立てているものです。一般的に画像診断をレントゲンと呼んでいますが、これはドイツの物理学者ウィルヘルム・コンラッド・レントゲン氏によってエックス線が発見されたことによるものです。レントゲン撮影ができるのは、「**医師**」「**歯科医師**」「**診療放射線技師**」のみです。

レントゲンの算定は実に簡単で、我々が旅行などで写真を撮り（①撮影料）、できあがった写真を見る（②写真診断料）、それに使用するフィルムを購入する（③フィルム料）の流れと全く同じことです。

つまり、画像診断＝①**撮影料**＋②**写真診断料**＋③**フィルム料**で算定できます。

撮影料と写真診断料の点数は、撮影方法ごとに決まっているので、何枚撮影したか（シャッター回数）がわかれば、早見表からその回数の点数を選ぶだけです（**①＋②を計算済み**）。そして、それにフィルム点数を加えればよいのです。

≪計算根拠≫　例：単純撮影（アナログ）の場合　早見表 P.100

フィルム枚数	①撮影料＋②写真診断料＝合計点　計算根拠（端数は四捨五入）		合計点数
1枚目	①	60	145
	②	85	
2枚目	①	60＋（60×0.5）×1　＝　90	218
	②	85＋（85×0.5）×1　＝　127.5　→　128	
3枚目	①	60＋（60×0.5）×2　＝　120	290
	②	85＋（85×0.5）×2　＝　170	

Keyword **【フィルムと画像記録用フィルム】**
フィルムはアナログ撮影時に使用する。画像記録用フィルムはデジタル撮影時に使用する。
ただし、電子画像管理加算 電画 を算定する場合はフィルム料は算定できない（フィルムへのプリントアウトを行った場合であっても算定不可）。

4枚目	①	60＋（60×0.5）×3 ＝ 150	363
	②	85＋（85×0.5）×3 ＝ 212.5 → 213	
5枚目	①	60＋（60×0.5）×4 ＝ 180	435
	②	85＋（85×0.5）×4 ＝ 255	

①（撮影料）は年齢により、点数が異なります。所定点数（6歳以上）に次の計算をします。

年齢加算

6歳未満……（100分の30）→所定点数×1.3

3歳未満……（100分の50）→所定点数×1.5

新生児……（100分の80）→所定点数×1.8

画像診断の留意点

(1) 時間外緊急院内画像診断加算（ 緊画 ）について

外来患者（引き続き入院の患者も含む）に対して、緊急のため、診療時間外に自院の機器を用いて撮影および写真診断を行った場合は、**時間外緊急院内画像診断加算＋110点**（略称：緊画 ）が、算定できます。レセプトには、開始の日時を記載し、引き続き入院した患者にはその旨を記載します。

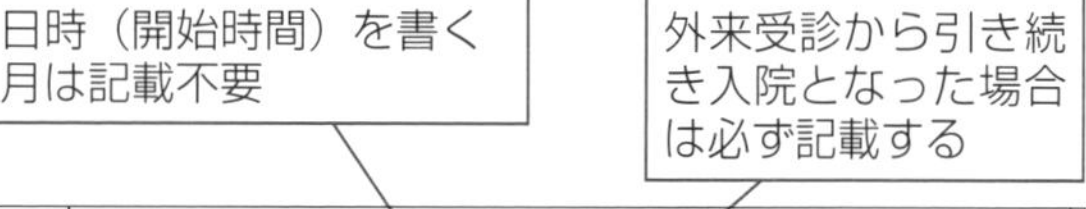

レセプト記載例（10月16日 21：20）

	薬 剤		
⑦⓪ 画像診断	2回 267 薬 剤	⑦⓪	緊画 （16日 PM9:20～）（引き続き入院） 110×1 胸部単純 X-P（アナログ撮影）（大角 ×1枚） 157×1
⑧⓪	処方せん 回		

(2) 画像診断管理加算1・2について

厚生労働大臣の定める適合医療機関として届出がある場合は、画像診断管理加算1または2が算定できます。

画像診断管理加算1の届出医療機関では、E001写真診断 写画1、E004基本的エックス線診断料 基画1 、E102核医学診断 核画1 、E203コンピューター断層診断 コ画1 を行った場合は、**月1回**、**+70点**が**それぞれ**算定できます。

画像診断管理加算2の届出医療機関は、上記「1」の届出も行っているものとして、E001写真診断料、E004基本的エックス線診断料を行った場合は、画像診断管理加算1の**+70点**を、E102核医学診断 核画2、E203コンピューター断層診断 コ画2 を行った場合は、画像診断管理加算2の**+175点**を**月1回それぞれ**算定できます。

レセプトには略称を ⑦⓪ に記載します。

画像診断管理加算3の届出医療機関（救急救命センターを有している病院）は、上記「1」の届出も行っているものとして、E001写真診断料、E004基本的エックス線診断料を行った場合は、画像診断管理加算1の**+70点**を、E102核医学診断 核画3 、E203コンピューター断層診断 コ画3 を行った場合は、画像診断管理加算3の**+ 235点**を**月1回それぞれ**算定できます。

画像診断管理加算 4 の届出医療機関（特定機能病院）は、上記「1」の届出も行っているものとして、E001 写真診断料、E004 基本的エックス線診断料を行った場合は、画像診断管理加算 1 の **+70 点**を、E102 核医学診断 [核画 4]、E203 コンピューター断層診断 [コ画 4] を行った場合は、画像診断管理加算 4 の**+ 340 点**を**月 1 回それぞれ**算定できます。

同一診断において画像診断管理加算 1、2、3、4 は併用算定できません。

届　　出	E001　X-P	E004　基工	E102　核医学	E203　CT・MRI
画像診断管理加算 1	[写画 1] +70 点	[基画 1] +70 点	[核画 1] +70 点	[コ画 1] +70 点
画像診断管理加算 2	[写画 1] +70 点	[基画 1] +70 点	[核画 2] +175 点	[コ画 2] +175 点
画像診断管理加算 3	[写画 1] +70 点	[基画 1] +70 点	[核画 3] +235 点	[コ画 3] +235 点
画像診断管理加算 4	[写画 1] +70 点	[基画 1] +70 点	[核画 4] +340 点	[コ画 4] +340 点

●放射線科標榜で、画像診断を専ら担当している常勤医師が実施しその結果を文書により報告する場合
●カルテ算定時は、【届出等の状況】にある。ここで画像診断管理加算「1」「2」を確認
●同一診断にて、「1」か「4」のいずれかで算定する（「2」以上の届出があれば「1」も算定可）
● E001、E004、E102、E203 を行った場合に、それぞれに対して月 1 回に限り算定ができる

レセプト記載例　画像診断管理加算 2 の医療機関の場合

⑦⓪ 画像診断	5 回 1882 薬　　剤	⑦⓪	腹部単純 X-P（アナログ撮影）（半切 2 枚）　242×1 [写画 1]　70×1 腹部 MRI「3」 画像記録用フィルム半切 2 枚　945×1 コンピュータ断層診断　450×1 [コ画 2]　175×1
⑧⓪ その他	処方せん　　回 薬　　剤		

フィルムの枚数でシャッター回数が 2 回とわかります。

シャッター回数 2 回の腹部単純 X-P（アナログ撮影）の撮影料と写真診断料の点数は **218 点**

使用したフィルムの点数は　（半切 2 枚）**24 点**

画像診断管理加算 2 で実施された X-P は [写画 1] **+ 70 点**を算定する。

腹部 MRI「3」一連につき　**900 点**
画像記録用フィルム（半切 2 枚）　**45 点**
── 合計 **945 点**

コンピューター断層診断は月 1 回　**450 点**

画像診断管理加算 2 で実施された MRI は [コ画 2] **+175 点**を算定する。

(3) 電子画像管理加算（[電画]）について

画像を電子媒体に保存して管理した場合に、一連の撮影について加算できます。同一部位につき、同時に 2 種類以上の撮影方法を使用した場合は、主たる撮影（点数の高い方）のみ算定します。またフィルムのプリントアウトを行った場合にも算定できます。この場合のフィルム料は算定できません。電子画像管理加算を算定する場合は、フィルム料は発生しません。フィルム料の代わりに [電画] を算定すると考えるとわかりやすいでしょう。

Keyword【単純撮影の「その他」の部位】
指骨・四肢。簡単にいうと手・足の部位のことですが、肩関節や股関節などの付け根部分は体幹に含まれる。

電子画像管理加算（電画）の点数

単純撮影の場合　＋57点	乳房撮影　＋54点	電画 を算定した場合は、フィルム料の算定はありません。
造影剤使用の撮影　＋66点	CT・MRI　＋120点	
特殊撮影　＋58点	核医学　＋120点	

⑳ 画像診断	3回 1645	⑳ 腹部MRI「3」 電画　1020×1
薬　剤		コンピューター断層診断　450×1
⑳ その他 処方せん	回	コ画2　175×1

腹部MRI「3」　一連につき　**900点**
電子画像管理加算2で実施されたMRIの 電画 **+120点**
→ 合計 **1020点**

コンピューター断層診断は月1回　**450点**

画像診断管理加算2で実施されたMRIは コ画2 **+175点**

(4) 他院撮影のフィルムを診断した場合について

他の医療機関で撮影したフィルムの診断料は下表のとおりです。

単純撮影	頭部・体幹	85点	●**フィルム枚数にかかわらず**、撮影部位、撮影方法別に*診断料を1回算定する *撮影方法別に、とは……単純撮影、特殊撮影、造影剤使用の撮影、乳房撮影別に算定する。アナログ・デジタル撮影の別は問わない
	その他	43点	
特殊撮影		96点	
造影剤使用の撮影		72点	
乳房撮影		306点	
コンピューター断層撮影		450点	初診時に限りコンピューター断層診断料を算定

例）他院撮影のフィルムの診断を行った。

胃の造影剤使用の撮影フィルム3枚、胃の特殊撮影（スポット）のフィルム3枚の診断を行った場合

↑ **72点**　↑ **96点**　＝　**168点**

レセプト記載例

⑳ 画像診断	1回 168	⑳ 他医撮影 X-P診断（胃造影・スポット）　168×1
薬　剤		
⑳ 処方せん	回	

(5) 対称（両側）器官の撮影の算定について

①左右疾患の場合、それぞれ算定します。

フィルムの枚数でシャッター回数１回とわかります。

シャッター回数１回の右耳（頭部）単純 X-P（アナログ撮影）の

撮影料と写真診断料の合計は　**145 点**
使用フィルム料は　（六ツ切１枚）　**5 点**
合計　**150 点**

レセプト記載例

⑦⓪ 画像診断	2 回 300 薬　剤		⑦⓪ 右耳単純 X-P（アナログ撮影）（六 × 1）　150× 1 左耳単純 X-P（アナログ撮影）（六 × 1）　150× 1
⑧⓪	処方せん　回		

②片側のみ疾患（比較のために両方撮影）につき、まとめて算定します（レセプトにはコメントを入れる）。

フィルムの枚数は２枚なので、シャッター回数は２回です。

シャッター回数２回の耳（頭部）単純 X-P（アナログ撮影）の

撮影料と写真診断料の合計は　**218 点**
使用フィルム料は　（六ツ切２枚）　**10 点**
合計　**228 点**

レセプト記載例

⑦⓪ 画像診断	1 回 228 薬　剤		⑦⓪ 両単純 X-P（アナログ撮影）（六 × 2）　228× 1 （健・患の比較のため）
⑧⓪	処方せん　回		

(6) 方向（R）と分画について

「方向」とは、**撮影する向き**のことです。

撮影回数の出し方は、**フィルムの枚数**と**シャッター回数**を比べて**大きい方の数**が撮影回数となります。

「分画」とは、**1 枚のフィルムを指示の数に分けて撮影**することです。

撮影回数の出し方は、**フィルムの枚数**×分画＝**撮影回数（シャッター回数）**となります。

(7) 撮影料に対する年齢加算について

患者が乳幼児の場合は、撮影料に対する加算が算定できます。

- 新生児（生後 28 日未満）の場合は、80/100 加算→撮影料＝所定点数＋（所定点数× 0.8）
- 3 歳未満（生後 28 日目～ 3 歳未満）の場合は、50/100 加算→撮影料＝所定点数＋（所定点数× 0.5）
- 3 歳以上 6 歳未満の場合は、30/100 加算→撮影料＝所定点数＋（所定点数× 0.3）

(8) フィルム料に対する年齢加算について

6 歳未満の乳幼児に対して、**胸部・腹部**の撮影の場合のみ、**フィルム料の価格を 1.1 倍**にします。

出題カルテの患者が 6 歳未満であった場合、画像診断は胸部または腹部の出題頻度が高くなる（フィルム料は 1.1 倍する）。

ZOOM UP!

試験に頻出の単純撮影

画像診断の中で、実務上の頻度・資格試験で出題頻度が高いのは、**単純撮影**です。また、**造影剤使用の撮影**（特殊撮影併用）や **CT・MRI** についても出題されています。以下、これらを中心に解説します。

1 薬剤がない⇒「単純撮影」

早見表 P.100 ～を見ながら算定します。

カルテ　頭部　単純 X-P（デジタル撮影）（四× 2）　大人

撮影部位　撮影方法　フイルム規格と枚数

≪読み取り方≫

頭部をレントゲン撮影する。方法は**単純撮影（デジタル撮影）**で行う。使用するフィルムは**四ツ切サイズを 2 枚**用いる。

手順①　撮影方法を確認する。→　単純撮影（デジタル）

手順②　部位を確認する。→　頭部

手順③　シャッター回数を確認する　→　**2 回**（四ツ切サイズのフィルムが 2 枚ある）

手順④　使用フィルムを確認する。　→　四ツ切フィルムが 2 枚

画像診断の表 A（デジタルの点数をチェックする）（**①撮影料＋②写真診断料**）から、シャッター回数 2 回の点数を探す。

230 点

表 B-2（画像記録用のフィルムをチェックする）**フィルム料**から、該当するフィルムの点数を探す。

27 点

合計 **257 点**

	薬　　剤		
⑦⓪ 画像診断	1 回 257 薬　　剤	⑦⓪	頭部単純 X-P（デジタル撮影）画像記録用フィルム（四 × 2）　257 × 1
⑧⓪	処方せん　　回		

＊ **6 歳未満**に対し、撮影部位が**胸部・腹部**の場合のみ、**フィルム料の価格を 1.1 倍**にする。

＊デジタル撮影の場合は画像記録用フィルムで算定する。

Keyword 【画像診断のシャッター回数】

フィルム枚数分がシャッター回数であるが、方向（R）や分画が発生した場合はシャッター回数を確認する。また、「一連につき」の場合はシャッター回数にかかわらず当該点数を算定する。

2 薬剤がある⇒「造影剤使用の撮影」（特殊撮影併用）

早見表 P.101 〜を見ながら算定します。

カルテ　胃造影（アナログ撮影）
X-D, X-P（四× 4）・（六× 2）
SP（四× 2）
造影剤：バリトップ 120　●● ml
バロス発泡顆粒　● g
ブスコパン注 20㎎　1A

≪読み取り方≫

薬剤（造影剤）を使って**胃**のレントゲン撮影を行う。

まず**胃透視（X-D）**を行い、**撮影（アナログ）**を行い、フィルムは四ツ切4枚と六ツ切2枚を使用する。（X-D は 110 点）

また、特殊撮影の**スポット（SP）**も行う。その際使用したフィルムは四ツ切2枚。

造影剤として、左の３剤の薬剤を使用した。

手順①　撮影方法を確認する。→　造影剤使用の撮影（アナログ）

手順②　部位を確認する。→　胃

手順③　透視診断（X-D）を確認する。→　実施すれば **110 点**（早見表 P.103）

手順④　造影剤使用の撮影（X-P）のシャッター回数を確認する。→　**6 回**（四ツ切 4 枚・六ツ切 2 枚）

手順⑤　使用フィルムを確認する。→　四ツ切 4 枚 (24.8 点) ＋六ツ切 2 枚 (9.6 点) ＝ **34 点**（早見表 P.101）

手順⑥　特殊撮影の併用があるか確認する。→　スポット（SP）あり。併用あれば **308 点**（アナログ）（撮影料 260 点＋診断料 45 点＝ 308 点）（早見表 P.101）

手順⑦　特殊撮影で使用したフィルムを確認する。→　四ツ切 2 枚（12.4 点）＝ **12 点**（早見表 P.101）

手順⑧　造影剤注入手技料が発生しているか確認する。→　**記載なし**

合計	手順①＋手順②＋	手順③＋	手順④＋	手順⑤＋	手順⑥＋	手順⑦＋	手順⑧	＝画像診断料
造影剤使用の撮影		**110**	**648**	**34**(24.8 + 9.6)	**308**	**12**(12.4)	**なし**	**1112**

X-D の記載があれば算定可

5 回以上は上限点数で（早見表 P.101）

枚数にかかわらず（一連）

＊消化管は X-D が算定できる

手順⑨　使用薬剤の金額を合計する。

バリトップ 120　●● ml　○○円
バロス発泡顆粒　● g　○○円
ブスコパン注 20㎎　1A　○○円
合計 938 円（仮）

薬剤　938 円÷ 10=93.8 → 94 点　（端数は五捨五超入）

Keyword【特殊撮影の種類】

特殊撮影には、スポット（SP: 集中撮影）、トモグラフィ（TOMO: 断層撮影）、キモグラフィ（動態撮影）、ポリゾグラフィ（重複撮影）、ステレオ（立体撮影）がある。

レセプト

区分	項目	点数		摘要	点数×回数
	薬剤				
⑳画像診断	1回 1112 薬剤 94		⑳	胃造影（アナログ撮影）（四×2） X-D,X-P（四×4・六×2） SP（四×2）	1112×1
⑳その他	処方せん 回 薬剤			バリトップ120 ●●ml バロス発泡顆粒 ●g ブスコパン注20mg 1A	94×1
保	請求 点	※決定 点		一部負担金額 円	

●他の撮影と同時に行った（併用）場合の特殊撮影料は、一連につき（シャッター回数にかかわらず）、アナログの場合（6歳以上）は308点、デジタルの場合は318点です（早見表P.101）。

●他の撮影がなく特殊撮影のみ（単独）の場合は、アナログ356点、デジタル366点です。

3「CT・MRIの撮影」

早見表P.105～を見ながら算定します。

> カルテ　胸腹部CT　1回目　（64列以上マルチスライス型）　電子画像管理
>
> （撮影部位・撮影方法）
>
> 造影剤：イオパミロン注300シリンジ61.24%100ml　1筒（4,075円）
>
> 届出：画像診断管理加算2
>
> 患者：45歳

手順①　撮影方法を確認する。→　CT　1回目

手順②　使用機器を確認する。→　64列以上マルチスライス型　→「イ」(2)

手順③　年齢を確認し撮影料を確認する。→　**1000点**

手順④　使用フィルムまたは 電画 を確認する。→　電子画像管理 電画 **120点**

手順⑤　造影剤使用加算を確認する。→　CTは **+500点**

合計　（手順①＋手順②）＋手順③＋手順④＋手順⑤　＝画像診断料〔**1620点**〕

手順③：1,000　手順④：120　手順⑤：500

枚数にかかわらず（一連）

電子画像管理（P.169）

手順⑥　コンピューター断層診断（月1回）。→　**450点**

手順⑦　使用薬剤の金額を合計する。→　**407点**

手順⑧　届出基準の加算。→　画像診断管理加算2 コ画2 **+175点**

特殊撮影(併用時)の点数について　早見表P.100

特殊撮影を他の撮影と併用した場合の撮影料＋写真診断料の合計点数は
アナログ撮影の場合〔6歳以上308点、6歳未満386点、3歳未満438点、新生児516点〕、
デジタル撮影の場合〔6歳以上318点、6歳未満399点、3歳未満453点、新生児534点〕
(一連につき枚数にかかわらず)。

レセプト

⑦⓪ 画像診断		3回 2245	⑦⓪	胸腹部CT「イ」64列以上マルチスライス型 [電画] 造影剤使用加算　1620×1
	薬　剤	407		コンピューター断層診断　450×1
⑧⓪ その他	処方せん	回		イオパミロン注300シリンジ61.24%100ml 1筒　407×1
	薬　剤			[コ画2]　175×1

カルテ [胸腹部CTとMRIを同一月に実施した場合の算定　大人40歳]
11月12日　胸腹部CT(64列以上マルチスライス型)「イ」(2)　電子画像管理
造影剤：イオパミロン注300シリンジ61.24%100ml　1筒　4,075円
11月25日　胸腹部MRI(3テスラ以上の機器)「1」(2)　電子画像管理
造影剤：ガドビスト静注1.0mol/L　シリンジ10ml　1筒　8,136円
届出・画像診断管理加算2

11/12 **手順①**　撮影方法を確認する。→　CT　1回目
手順②　使用機器を確認する。→　64列以上マルチスライス型「イ」(2)
手順③　年齢を確認し撮影料を確認する。→　1000点
手順④　使用フィルムを確認する。→　電子画像管理 [電画]　120点
手順⑤　造影剤使用加算を確認する。→　造影剤使用加算　500点

合計　(手順①＋手順②)＋手順③＋手順④＋手順⑤＝画像診断料　1620点
(手順③ 1000、手順④ 120、手順⑤ 500)

手順⑥　コンピューター断層診断(月1回)。→　450点
手順⑦　使用薬剤の金額を点数にする。(¥4,075÷10＝407.5)→　407点
手順⑧　届出基準の加算。→　画像診断管理加算2 [コ画2]　(月1回)+175点

11/25 **手順①**　撮影方法を確認する。→　MRI

手順②　使用機器を確認する。→　3 テスラ以上の機器「1」(2)

手順③　年齢を確認し撮影料を確認する。

(CT と MRI は同類の考え方をするため、当月すでにいずれかを行っている場合は、11/25 の MRI は 2 回目と考えます)

2 回目の計算方法　所定点数× 0.8　⇒　1600 点× 0.8=1280 点

手順④　使用フィルムを確認する。→　電子画像管理 電画 120 点

手順⑤　造影剤使用加算を確認する。→　造影剤使用加算　+250 点

合計　(手順①+手順②) +手順③+手順④+手順⑤＝画像診断料　1650 点 手順③ 1280　手順④ 120　手順⑤ 250

手順⑥　コンピューター断層診断 (月 1 回)。→ (11/12 算定済み)

手順⑦　使用薬剤の金額を点数にする。(¥8,136 ÷ 10 = 813.6) →　814 点

手順⑧　届出基準の加算。→　画像診断管理加算 2 コ画 2 (11/12 に算定済み)

レセプト

	薬　剤				
⑹検病査理	回 薬　剤				
⑺画診像断	4 回 3895 薬　剤　1221		⑺	胸腹部 CT (64 列以上マルチスライス型) 電画 造影剤使用加算　(12 日) コンピューター断層診断 イオパミロン注 300 シリンジ 61.24%100ml 1 筒 コ画 2	1620×1 450×1 407×1 175×1
				胸腹部 MRI (3 テスラ以上の機器) 電画 造影剤使用加算　(25 日) ガドビスト静注1.0mol/L　シリンジ10ml　1筒	1650×1 814×1
⑻その他	処方せん　回 薬　剤				
保	請求　点	※決定　点	一部負担金額　円		

Q 画像診断に当たって使用される患者の衣類の費用は、患者から実費を徴収することができる。

➡　×　画像診断に当たって使用される患者の衣類の費用は所定点数に含まれる。(画像診断「通則」保医発通知、「画像診断に当たって通常使用される患者の衣類の費用」)

Keyword【CT・MRI (2 回目以降)】

同一月に行った 2 回目以降は CT・MRI 問わず所定点数の 100 分の 80 で算定する (所定点数× 0.8)。

※注加算は含まず計算する。

⑧⓪ 処方箋料（F400）・リハビリテーション（H000 ～ H008）、精神科専門療法（I000 ～ I016）、放射線治療（M000 ～ M005）

□本区分のレセプトの記載は ⑧⓪ 「その他」に記載する
□リハビリテーションは疾患別リハビリテーションと個別リハビリテーションに大別される
□精神科専門療法は身体療法、精神療法、生活療法、薬物療法に大別される

処方箋料

別冊早見表の処方箋料（P.53）を参照してください。

レセプト区分 ⑧⓪ の出題は、実技試験では、外来の**処方箋料**が最も多く、その他の出題は、学科試験に多く見られます。

処方箋料については、第 3 章の投薬（P.129）でもふれましたが、院外処方を行う医療機関で算定できるもので、患者が保険調剤薬局に持参する処方箋の交付料を指しています。

処方箋料は、**同一医療機関で処方箋交付 1 回につき算定**できます。ただし、同一医療機関の複数の診療科で**異なる医師が処方箋を交付した場合は、それぞれに算定**します。

処方箋の交付に関し、患者に対して特定の保険薬局で調剤を受けるべき旨の指示などは規則により行うことはできません。 ココでた!!

また、医学管理等の B000 特定疾患療養管理料の対象患者に当該薬剤を 28 日以上処方した処方箋料には、特定疾患処方管理加算 特処 を加算します。

院外処方では薬の調合もしないので、算定できるものは、**処方箋料**、**特処**（その他加算）のみです。

診療報酬請求事務能力認定試験でもこの部分が外来レセプトで出題されています。
診療報酬請求事務能力認定試験の外来カルテのほとんどが院外処方のケースです。処方箋料はレセプト ⑧⓪ で算定し、②⓪ 投薬区分は使用しません。

処方箋料の留意点

1．①紹介率50％未満または逆紹介率30％未満の特定機能病院、一般病床200床以上の地域医療支援病院・紹介受診重点医療機関。

②紹介率40％未満または逆紹介率20％未満の許可病床数が400床以上のすべての病院（①を除く）で、1処方につき30日以上の投薬を行った場合は、F400処方箋料の点数は、所定点数の40％で算定する 。

※ただしリフィル処方箋を交付する場合で、1回の使用による投与期間が29日以内のものを除く

2．外来患者に対して、治療目的ではなく「うがい薬」のみ処方した場合は、処方箋料は算定できない。

3．処方箋の使用期間は、交付の日を含めて4日以内（長期旅行等・特殊な事情があると認められた場合を除く）。

4. 一般名処方加算について

厚生労働大臣が定める施設基準を満たす医療機関において薬剤の一般名称を記載した処方箋を交付した場合に、交付1回につきいずれかの加算ができる

①一般名処方加算1　＋10 [一般1] ……交付した処方箋に含まれている医薬品のうち、後発医薬品が存在する**すべての医薬品**が一般名処方されている場合に算定できる。

②一般名処方加算2　＋8 [一般2] ……交付した処方箋に一般名処方された医薬品が**1つでも含まれていれば**算定できる。

カルテ記載

院外処方の無床診療所 患者疾患名：胃潰瘍（主）（発症　平成22年7月25日　特定疾患）　45歳 10月3日にレバミヒド錠100㎎3T　分3（朝食後）×30日　＊レバミヒド錠（一般名称）

【解説】

1．処方箋料＋②一般名処方加算

①処方箋料は「3」60点で算定……「1」「2」に該当しない場合は「3」で算定する。

②レバミヒド錠100㎎は一般名のため＋8点……薬価基準において、「薬剤の一般的名称」に該当する。（一部の医薬品が一般名処方の場合は一般名処方加算2 [一般2] 8点加算、すべての医薬品が一般名処方の場合は一般名処方加算1 [一般1] 10点加算）

※レセプトには、下記のように略称を記載し、合計点数68（60+8）を書く

外来カルテは一般名処方加算の出題頻度が高い。初めに薬価基準抜粋を確認し、内用薬欄の一般名の薬剤があるか確認しよう。処方箋に1品目でも一般名の処方があれば算定できる。

2. 特定疾患処方管理加算

胃潰瘍は厚生労働大臣の定めた特定疾患。特定疾患の患者の場合、処方箋料の他に 特処2 が加算できる。

※レバミピド錠 100㎎（胃潰瘍の薬）が **28 日以上**処方されているので特定疾患処方管理加算は、 特処 で算定する。+56 点

レセプト

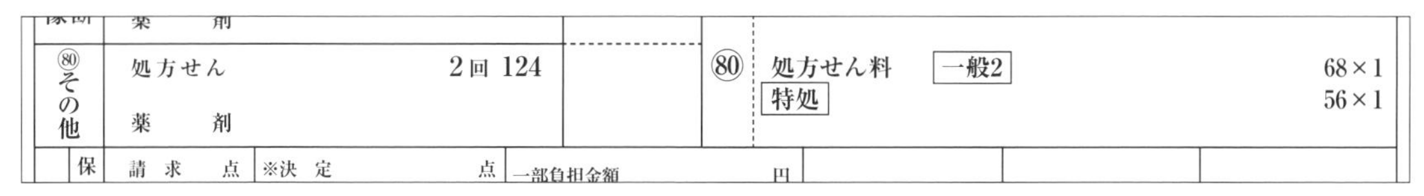

⑧⓪その他	処方せん	2回 124	⑧⓪	処方せん料 一般2	68×1
	薬　剤			特処	56×1
保	請求　点	※決定　点	一部負担金額　円		

院外処方の基本カルテ

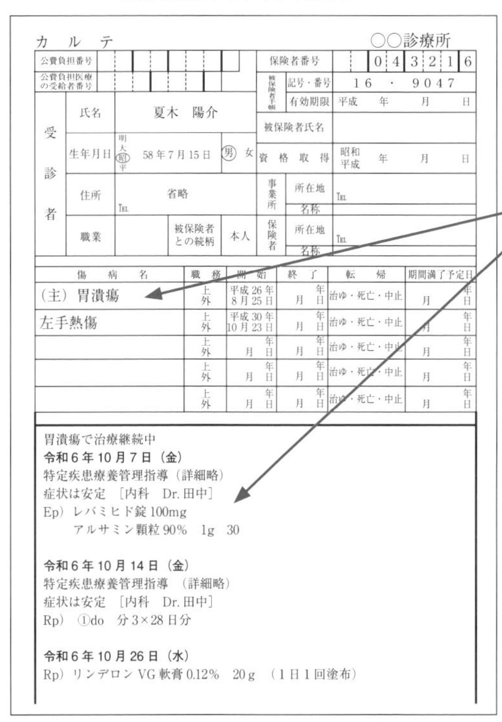

カルテ　○○診療所

公費負担番号		保険者番号	0 4 3 2 1 6
公費負担医療の受給者番号		被保険者証・被保険者手帳 記号・番号	16 ・ 9047
		有効期限	平成　年　月　日
受診者 氏名	夏木　陽介	被保険者氏名	
生年月日	昭 58年7月15日 男	資格取得	昭和・平成　年　月　日
住所	省略 ℡	事業所 所在地 / 名称	℡
職業	被保険者との続柄 本人	保険者 所在地 / 名称	℡

傷病名	職務	開始	終了	転帰	期間満了予定日
（主）胃潰瘍	上・外	平成26年8月25日	年 月 日	治ゆ・死亡・中止	年 月 日
左手熱傷	上・外	平成30年10月23日	年 月 日	治ゆ・死亡・中止	年 月 日
	上・外	年 月 日	年 月 日	治ゆ・死亡・中止	年 月 日
	上・外	年 月 日	年 月 日	治ゆ・死亡・中止	年 月 日
	上・外	年 月 日	年 月 日	治ゆ・死亡・中止	年 月 日

胃潰瘍で治療継続中

令和6年10月7日（金）

特定疾患療養管理指導（詳細略）

症状は安定　［内科　Dr.田中］

Ep）レバミピド錠 100mg

　　アルサミン顆粒 90%　1g　30

令和6年10月14日（金）

特定疾患療養管理指導　（詳細略）

症状は安定　［内科　Dr.田中］

Rp）①do　分3×28日分

令和6年10月26日（水）

Rp）リンデロン VG 軟膏 0.12%　20g　（1日1回塗布）

手順❶院外処方・院内処方、薬剤師（常勤・非常勤）の確認

手順❷病名の確認（特定疾患か否か）

手順❸ Rp）の投与薬剤と投与日数の確認

手順❹薬剤名の確認（一般名処方加算の対象か否か）

手順❺早見表を開く（算定要件等の確認）

※特定疾患の患者。**投与日数**に着目する。

※ 10/7、10/14 薬剤はすべて後発医薬品で一般名処方

※ 10/26 薬剤は先発医薬品

※ Rp）の記載があるが、「院外処方」の場合、患者には薬ではなく保険調剤薬局に持参する「処方箋」を渡す。そのため、⑳区分は使用しない。カルテの Rp)の部分は、⑧⓪ 区分の**処方箋料**で算定する。

＊胃潰瘍を主病とする特定疾患の患者への処方のため、併せて特定疾患処方管理加算を算定します。投与日数が **28 日**であるため、+**56 点**を算定します。

【施設】無床診療所、 標榜科（内科）、 院外処方

【届出】明細書発行体制等加算

【診療時間】月〜土　9 時〜 17 時

　休診日（日・祝日）

このカルテは外来の「院外処方」による算定の基本です。算定の基本が理解できれば、カルテに検査や画像診断などの特掲診療がたくさん記載されていても、その部分は通常どおりに算定すればよいので、難しく考える必要はありません。
これまで診療報酬請求事務能力認定試験の外来カルテは院外処方での出題がみられます。基本型をここでマスターしましょう!!

【 特処 と湿布薬】

特処 は、薬剤の種類を問わず算定できるため、湿布薬のみでも算定できる (月 2 回)。

院外処方の会計欄のつくり方

	⑫	⑫	⑬	⑳	⑳		
	再診	外管	特	処方箋料	特処	合計点	窓口徴収
10/7	76	52	+225	68		421	1,260
10/14	76	52	+225	68	+56	477	1,430
10/26	76	52		60		188	560

【10月7日】

診察料

継続治療のため「再診」を算定します。

●診察料を算定します……再診料 **76点** 再診料75点＋明細書発行体制等加算1点

※明細書発行体制等加算 A001「注11」

●外来管理加算を算定します……**+52点** A001 再診料「注8」の外来加算算定条件を満たしている

医学管理

●特定疾患療養管理料を算定します…… 特 **225点**

胃潰瘍は特定疾患療養管理料の対象疾患である。対象患者に対して B000 特定疾患療養管理を行っている。
診療所の場合225点

その他（処方箋料）

処方箋料 **68点** 処方箋料「3」60点＋一般名処方加算1 8点

レバミヒド錠（一般的名称）が処方されています。

●一般名処方加算……+8点 F400「注7」を算定します。

院外処方のため調剤した薬を患者には渡しません。代わりに処方箋を渡します。院外処方の場合、レセプト⑳は使用しません。⑳の「その他」を使用します。

7日の合計点数は421点。
自己負担割合は3割のため、421点× 3 = 1263 ⇒ 1,260円となります（端数は四捨五入）。

【10月14日】 前回の診療内容と同様です。

診察料

●診察料を算定します……再診料 **76点** 内科で再診料75点＋明細書発行体制等加算1点

Keyword **【患者による処方箋の紛失】**
患者自身の過失で処方箋を紛失した場合、再交付にかかる費用は患者負担となる。

●外来管理加算を算定します……**+52 点** A001 再診料「注 8」の外来加算算定条件を満たしている

医学管理

●特定疾患療養管理料を算定します…… 特 **225 点**（月 2 回まで算定可）

その他（処方箋料）

処方箋料 **68 点** 処方箋料「3」60 点＋一般名処方加算 8 点

レバミヒド錠（一般的名称）が処方されています。

●一般名処方加算 1……8 点 F400「注 7」を算定します。

●特定疾患処方管理加算…… 特処 **+56 点**

F400「注 4」を算定する （早見表　P.53）

特定疾患に対する薬剤を、1 回の投与日数 28 日の処方を行っている場合は、特処 +56 点をします。

14 日の合計点数は 447 点。窓口徴収金額は 1,430 円となります。

【10 月 26 日】

診察料

●診察料を算定します……再診料 **76 点** 皮膚科で再診料 75 点＋明細書発行体制等加算 1 点

●外来管理加算を算定します……**+52 点** A001 再診料「注 8」の外来加算算定条件を満たしている

その他（処方箋料）

処方箋料 **60 点**

リンデロン VG 軟膏は先発医薬品で一般名処方加算の対象ではありません。

26日の合計点数は188点×3＝564円⇒560円となります（端数は四捨五入）。

院外処方のレセプト　手書き用

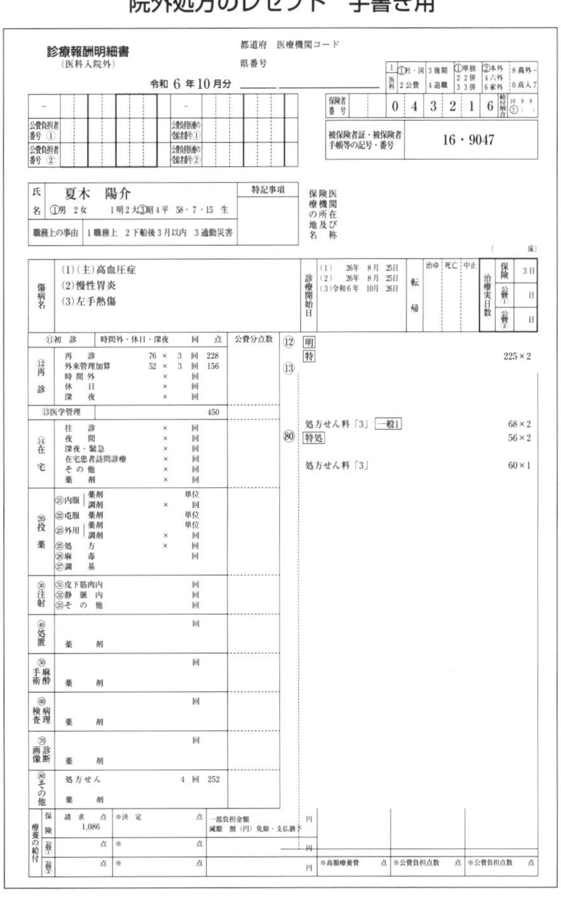

診療報酬明細書
（医科入院外）
都道府県番号　医療機関コード
令和 6 年 10 月分
1 医科　①社・国　3 後期　①単独　②本外　8 高外一
2 公費　4 退職　2 2併　3 3併　4 六外　6 家外　0 高入7
保険者番号　0 4 3 2 1 6
給付割合　10 9 8 ⑦（ ）
公費負担者番号①　公費負担医療の受給者番号①
公費負担者番号②　公費負担医療の受給者番号②
被保険者証・被保険者手帳等の記号・番号　16・9047
氏名　夏木　陽介
①男　2 女　1 明 2 大 ③昭 4 平　58・7・15 生
職務上の事由　1 職務上　2 下船後 3 月以内　3 通勤災害
特記事項
保険医療機関の所在地及び名称
（　床）
傷病名
(1)（主）高血圧症
(2) 慢性胃炎
(3) 左手熱傷
診療開始日
(1) 26年 8月 25日
(2) 26年 8月 25日
(3) 令和6年 10月 26日
転帰　治ゆ　死亡　中止
診療実日数　保険 3 日　公費① 日　公費② 日

区分	項目		回	点
⑪初診	時間外・休日・深夜		回	点
⑫再診	再診	76 × 3	回	228
	外来管理加算	52 × 3	回	156
	時間外	×	回	
	休日	×	回	
	深夜	×	回	
⑬医学管理				450
⑭在宅	往診	×	回	
	夜間	×	回	
	深夜・緊急	×	回	
	在宅患者訪問診療	×	回	
	その他	×	回	
	薬剤	×	回	
⑳投薬	㉑内服 薬剤		単位	
	㉑内服 調剤	×	回	
	㉒屯服 薬剤		単位	
	㉓外用 薬剤		単位	
	㉓外用 調剤	×	回	
	㉕処方	×	回	
	㉖麻毒		回	
	㉗調基			
㉚注射	㉛皮下筋肉内		回	
	㉜静脈内		回	
	㉝その他		回	
㊵処置			回	
	薬剤			
㊿手術麻酔			回	
	薬剤			
⑥⓪検査病理			回	
	薬剤			
⑦⓪画像診断			回	
	薬剤			
⑧⓪その他	処方せん		4 回	252
	薬剤			

公費分点数

⑫ 明
特　225×2
⑬
処方せん料「3」 一般1　68×2
⑧⓪ 特処　56×2
処方せん料「3」　60×1

療養の給付　保険　請求 点 1,086　※決定 点　一部負担金額 円　減額 割（円）免除・支払猶予
公費①　点　※ 点　円
公費②　点　※ 点　円
※高額療養費 点　※公費負担点数 点　※公費負担点数 点

リハビリテーション料

リハビリテーションの留意点

リハビリテーションは、身体機能の回復を目標に、日常生活における基本的動作能力、応用的動作能力、社会的適応能力、言語聴覚能力の回復を図るための治療です。この治療を４つの疾患別に捉えたリハビリテーションが、**疾患別リハビリテーション**、その他のリハビリテーションが**個別リハビリテーション**です。

●疾患別リハビリテーション…別に厚生労働大臣が定めた患者（H000 心大血管疾患等、H001 脳血管疾患等、H001-2 廃用症候群、H002 運動器、H003 呼吸器疾患で機能訓練を要する患者）に対して、最も適切な区分１つに限り算定する。**20 分以上**の個別療法（これを **1 単位**という）として訓練した場合にのみ算定できます。20 分（1 単位）に満たない場合は算定できません。**1 日**の上限は **1 患者 6 単位**で、最も適当な区分 1 つにより算定します。ただし厚生労働大臣が定めた患者で下記の**①～③の患者は 1 日 9 単位**が算定できます。また早期リハビリテーション加算や初期加算＊も算定できます。

●リハビリテーションの実施に当たっては、すべての患者の技能訓練の内容の要点及び実施時刻（開始時刻と終了時刻）の記録を診療録等へ記載します。ココでた!!

①回復期リハビリテーション病棟入院料を算定する患者
②脳血管疾患等の患者のうちで、発症後 60 日以内の患者
③入院中の患者で、早期歩行・ADL の自立等を目的に **H000 心大血管疾患リハビリテーション料（Ⅰ）・H001 脳血管疾患等リハビリテーション料（Ⅰ）・H001-2　廃用症候群リハビリテーション料・H002 運動器疾患リハビリテーション料（Ⅰ）・H003 呼吸器リハビリテーション料（Ⅰ）**を算定する者

＊早期リハビリテーション加算 早リ加 …入院中の患者は発症、手術もしくは急性増悪から**7日目**または**治療開始日のいずれか早いもの**から起算して **30 日の間**に限り、**1 単位につき 25 点**が加算できる。

＊初期加算 初期 …入院中の患者は発症、手術もしくは急性増悪から７日または**治療開始日のいずれか早いもの**から起算して **14 日の間**に限り、さらに **1 単位につき 45 点**が加算できる（届出医療機関）。

＊急性期リハビリテーション加算 急リ加 …入院中の患者は発症、手術もしくは急性増悪から７日または**治療開始日のいずれか早いもの**から起算して 14 日の間に限り、さらに **1 単位につき 50 点**が加算できる。

＊リハビリテーションデータ提出加算…施設基準適合届出の医療機関で当該医療機関の診療報酬の請求状況、診療内容に関するデータを継続して厚労省に提出している場合、入院以外の患者に対しリハビリテーションを行った場合、月 1 回 50 点が算定できる。

Keyword【リハビリテーションの開始時】
リハビリテーションの開始時には「リハビリテーション実施計画」の作成が必要。開始時及びその後 3 ヵ月に 1 回以上患者への説明とカルテにその要点を記載することが必要である。

リハビリテーションの算定手順

手順①　施設基準の適合医療機関（Ⅰ）～（Ⅲ）の確認をする。

手順②　患者の疾患が、各種疾患別リハビリテーションの算定対象の疾患であるか確認する。

手順③　標準的算定日数（上限日数）を確認する。

手順④　リハビリ実施時間　20 分 1 単位で、1 日何単位実施したか確認する。

手順⑤　レセプト記載要領を確認する。「摘要」欄には**実施日数**を記載する。

- H000、H003 の算定時は、レセプトに対象となる疾患名と治療開始日を記載する。
- H001、H001-2、H002、H006 難病患者リハビリテーション料の算定時は、疾患名・発症月日、手術月日または急性増悪した月日または最初に診断された月日を記載する。ココでた!!

カルテ記載

患者疾患名：右靭帯断裂　（発症 7 月 28 日）（手術日 7 月 28 日） 運動器リハビリテーション料 1　（Ⅰ）イ. 理学療法士による場合　初期加算の適合医療機関（届出） 運動器リハビリテーション開始　7月 31 日（45 分）実施した場合

【解説】

＊運動器リハビリテーション（Ⅰ）で算定する。20 分以上が 1 単位のため、45 分実施は 2 単位となる。

運動器リハビリテーション料（Ⅰ）　185 点× 2 単位＝ **370 点**

開始から 14 日間は……　早リ加　25 点× 2 単位＝ **+50 点**

初期　45 点× 2 単位＝ **+90 点**

レセプト

区分					摘要	
⑦⓪ 画像診断	薬　剤	回		⑧⓪	運動器リハビリテーション（Ⅰ）（2 単位）	370×1
					早リ加　（2 単位）	50×1
⑧⓪ その他	処方せん	3 回　510			初期　（2 単位）	90×1
	薬　剤				実施日数：1 日　疾患名：右靭帯断裂 手術月日：7 月 28 日	

疾患別リハビリテーションの個別療法は 20 分以上が算定対象です。
45 分→ 2 単位（25 分は 1 単位の範囲内）
15 分→算定不可
〔1 単位（20 分）に満たない場合は基本診療料に含まれる〕

精神科専門療法

精神科専門療法の留意点

1．精神科専門療法とは、精神障害者に対して、社会生活機能回復のために、精神科の専門医が対話や作業などを通して行う治療のことです。
2．I003 標準型精神分析療法、I003-2 認知療法・認知行動療法、I004 心身医学療法を除き、精神科標榜の保険医療機関でのみ算定できます。
3．外来患者の再診時に精神科専門療法を行った場合は、外来管理加算は算定できません。
4．同一保険医療機関で、I008-2 精神科ショート・ケア、I009 精神科デイ・ケア、I010 精神科ナイト・ケア、I010-2 精神科デイ・ナイト・ケアのいずれかを開始した日から起算して 1 年を超える場合には、1 週間に 5 日を限度として算定します。
5．精神科専門療法は、①身体療法、②精神療法、③生活療法、④薬物療法に分けられます。

①身体療法…人工的に痙攣や昏睡状態にして、その衝撃によって治療を行うこと。
②精神療法…医師と患者によるコミュニケーション（言語・非言語）により、言葉の効果や心理的手法を用い、患者の精神の変容をはかる治療のこと。
③生活療法…作業やレクリエーションなど日常生活における集団行動を通して、自発性や意欲の向上、対人関係の回復をはかること。
④薬物療法…薬剤（精神安定剤、抗うつ剤、睡眠剤、抗てんかん剤など）の投与によって行われる治療のこと。

カルテ記載

外来患者　30 歳
初診 8 月 25 日　心身医学療法 40 分実施……I004「2」「イ」
再診 8 月 28 日　心身医学療法 20 分実施……I004「2」「ロ」

【解説】

＊ I004 心身医学療法は、初診時には 30 分超の実施に限り算定できる。その他は 1 回につきで算定。また、外来患者は、初診日から 4 週間以内は週 2 回を、4 週間超は週 1 回を限度として算定できる。

8 月 25 日初診時は 40 分実施しているので算定可…外来患者の初診時＝ **110 点**
8 月 28 日再診時（週 2 回まで算定できるので可）＝ **80 点**

Keyword **【精神科専門療法で使用した薬剤の請求について】**
1 回の精神科専門療法で使用したすべての薬剤の合計金額を点数化した場合に、2 点以上についてレセプト請求する（1 点以下は算定不可）。

レセプト

投薬	薬剤				
⑧ その他	処方せん 回 190		⑧	心身医学療法（初診 40 分）	110×1
	薬剤			心身医学療法	80×1
保	請求 点	※決定 点	一部負担金額 円		

放射線治療

放射線治療の留意点

1．放射線治療とは、主に悪性腫瘍に各種放射線を照射して治療を行うことをいいます。腫瘍の種類によって照射方法が違いますが、1日5分程度、1～8週間ほぼ毎日照射します。手術や、化学療法を併用しながら行う場合もあります。

2．放射線治療に掲げられていない特殊な放射線治療を行った場合は、最も類似する放射線治療の点数で算定します。

3．M000～M001-3、M002～M004の放射線治療を小児に行った場合は、小児放射線治療加算として次のような年齢加算により算定します。

年齢加算の対象	年齢区分	レセ	加算割合	計算式
M000～M001-3、M002～M004に限り小児放射線治療年齢加算できる	新生児（生後28日未満）	新	80/100	＋（所定点数×0.8）
	3歳未満（生後28日目～2歳）	乳幼	50/100	＋（所定点数×0.5）
	6歳未満（3歳～5歳）	幼児	30/100	＋（所定点数×0.3）
	15歳未満（6歳～14歳）	小児	20/100	＋（所定点数×0.2）

4．放射線治療専任加算 ㊄ ＋330点

〔算定要件〕

放射線治療専任加算ができるのは、放射線治療を専ら担当する常勤の医師（経験5年以上）及び放射線治療を専ら担当する常勤の診療放射線技師（経験5年以上）が、それぞれ1名以上いること。なお、常勤の医師・診療放射線技師は、次の加算に係る兼任であってもよい。

外来放射線治療加算・1回線量増加加算・強度変調放射線治療（IMRT）・画像誘導放射線治療加算・体外照射呼吸性移動対策加算・定位放射線治療・定位放射線治療呼吸性移動対策加算・医療機器安全管理料2・粒子線治療及び画像誘導密封小線源治療加算

また、次の機器、設備を備えていること。

ア 高エネルギー放射線治療装置

イ X線あるいはCTを用いた位置決め装置

ウ 放射線治療計画システム

Keyword 【外来患者に対する放射線治療】

外来患者に対し放射線治療を行った場合は、外来管理加算は算定できない。

5．外来放射線治療加算 ㊞ ＋100点（1日につき1回）

〔算定要件〕

外来放射線治療加算ができるのは、放射線治療を専ら担当する常勤の医師（経験5年以上）及び放射線治療を専ら担当する常勤の診療放射線技師（経験5年以上）が、それぞれ1名以上いること。

また、次の機器、設備を備えていること。

ア　高エネルギー放射線治療装置

イ　X線またはCTを用いた位置決め装置

ウ　放射線治療計画システム

エ　患者が休憩できるベッド等

6．遠隔放射線治療加算 ㊞ +2000（一連の治療につき1回）

〔算定要件〕

放射線を標榜している医療機関で治療を行う必要な体制が整備されていること。また、十分な機器や施設を有していること。放射線治療を専ら担当する常勤の医師（経験5年以上）が配置されており、放射線治療専任の常勤の診療放射線技師（経験5年以上）がそれぞれ1名以上配置されていることなど、施設基準を満たすことが必要となる。

Q 集団コミュニケーション療法の実施に当たっては、医師は定期的な言語聴覚機能能力に係る検査をもとに効果判定を行い、当該集団コミュニケーション療法の実施計画を作成しなければならない。

➡ ○　そのとおり

Q 精神科ナイト・ケアは、精神疾患を有するものの社会生活機能の回復を目的として行うものであり、その開始時間は午後4時以降とし、実施される内容の種類にかかわらず、その実施時間は患者1人当たり1日につき4時間が標準である。

➡ ○　そのとおり

Q 入院集団精神療法は、1回に15人を限度とし、1日につき1時間以上実施した場合に、入院の日から起算して6月に限り週2回を限度として算定できる。

➡ ○　そのとおり

Q 「認知療法・認知行動療法（1日につき)」は、一連の治療につき16回を限度として所定点数を算定できる。

➡ ○　そのとおり

Q 特定疾患処方管理加算は、初診料を算定した初診の日には算定できない。

➡ ×　初診料を算定した初日の日においても算定できる。（F100「注5」「注6」に関する保医発通知「カ」）

Q 視能訓練は、両眼視機能に障害のある患者に対して、その両眼視機能回復のため矯正訓練（斜視視能訓練、弱視視能訓練）を行った場合、1日に2回を限度として算定できる。

➡ ×　両眼視機能に障害のある患者に対して、その両眼視機能回復のための矯正訓練（斜視視能訓練、弱視視能訓練）を行った場合、1日に1回のみ算定する。〔H005に関する保医発通知（1）〕

Q 「医療機器安全管理料2」は、放射線治療機器の保安管理、精度管理等の体制が整えられている保険医療機関において、放射線治療計画を策定する場合（一連につき)、所定点数を算定できる。

➡ ○　そのとおり【第42回】

要・点・確・認！一問一答テスト

医学管理等

【問１】
1/31 に初診料を算定した糖尿病を主病とする患者に対し、2/28 の受診時に特定疾患療養管理料を算定することはできない。

【問２】
小児科療養指導料は、患者又は患者の家族に対して、治療計画に基づき電話により療養上の指導を行った場合においても算定できる。

【問３】
生活習慣病管理料を算定している患者に対しては、少なくとも１月に１回以上の総合的な治療管理が行われなければならない。

【問４】
患者の看護に当たっている者からの訴えにより、脳血管障害を疑って緊急に往診したが、実際には当該疾患でなかった場合には、緊急往診加算は算定できない。

解答＆解説

【答 1】 × 特定疾患療養管理料は初診又は退院の日から１月以内は算定できない。１月以内とは、初診 3/10 ⇒初回算定日 4/10（ただし 4/10 が休日の場合は 4/9)、２月は 28 日が月内最終日。

【答 2】 × 再診が電話等により行われた場合は算定できない。

【答 3】 ○ **そのとおり。**

【答 4】 × 緊急な場合とは脳血管障害等が予想される場合をいう。したがって、脳血管障害を疑って緊急に往診し、実際は当該疾患ではなかった場合も緊急往診加算は算定できる。

投　薬

【問5】

ビタミン剤の薬剤料を算定する場合は、病名により判断できる場合を除き、必要かつ有効と判断した趣旨を具体的に診療報酬明細書に記載しなければならない。

注　射

【問6】

抗悪性腫瘍剤局所持続注入は、皮下植込型カテーテルアクセス等を用いて抗悪性腫瘍剤を動脈内、静脈内又は腹腔内に局所持続注入した場合に算定できる。

【問7】

精密持続点滴注射加算は、緩徐に注入する必要のあるカテコールアミン、βブロッカー等の薬剤を注入した場合に限り算定できる。

【問8】

中心静脈注射用カテーテル挿入時の局所麻酔の手技料は別に算定できないが、使用薬剤の薬剤料は別に算定できる。

処　置

【問9】

再診料に含まれる処置を実施し、処置に使用した薬剤料を算定した場合においても、外来管理加算は算定できる。

【問10】

医師が必要と認め、同一日に人工呼吸と呼吸心拍監視を行った場合は、それぞれの所定点数を算定できる。

解答 & 解説

【答 5】○　**そのとおり。**

【答 6】○　**そのとおり。**

【答 7】×　**1歳未満の乳児に対して精密持続点滴注射を行う場合は、注入する薬剤の種類にかかわらず算定できる。薬剤が限定されているのは、1歳以上の者に対する場合である。**

【答 8】○　**そのとおり。**

【答 9】○　**そのとおり。**

【答10】×　**人工呼吸と同一日に行ったD220 呼吸心拍監視の費用は、J045 人工呼吸の所定点数に含まれる。**

手　術

【問 11】

複数の部位の手術後の創傷処置については、それぞれの部位の処置面積を合算し、その合算した広さに該当する点数により算定する。

【問 12】

麻酔の術中に起こる偶発事故に対する酸素吸入及び人工呼吸の処理料は、マスク又は気管内挿管による閉鎖循環式全身麻酔の場合を除き、別に算定することができる。

輸　血

【問 13】

自家採血輸血、保存血輸血及び6歳以上の患者に対する自己血輸血は、200ｍＬを単位とし、200ｍＬ又はその端数を増すごとに所定点数を算定する。

麻　酔

【問 14】

低体温療法は、心肺蘇生後の患者に対し、直腸温が35℃以下で8時間以上維持した場合に、開始日から3日間に限り算定できる。

検査・病理

【問 15】

脳性Na利尿ペプチド（BNP）を実施した場合は、診療報酬明細書の摘要欄に検査の実施日を記載する。

【答 11】 ○　**そのとおり。**

【答 12】 ○　**そのとおり。**

【答 13】 ○　**そのとおり。**

【答 14】 ×　**低体温療法は、心肺蘇生後の患者に対し、直腸温35℃以下で12時間以上維持した場合に、開始日から3日間に限り算定する。**

【答 15】 ○　**そのとおり。**

【問 16】
患者の希望により、α-フェトプロテイン（AFP）、癌胎児性抗原（CEA）を実施した場合の血液採取の費用は算定できない。

画像診断

【問 17】
エックス線診断料について、食道・胃・十二指腸、血管系（血管及び心臓）、リンパ系及び脳脊髄腔については、それぞれ全体を「同一の部位」として取り扱う。

リハビリテーション

【問 18】
失語症、失認及び失行症、高次脳機能障害の患者は、脳血管疾患等リハビリテーション料の対象とはならない。

精神科専門療法

【問 19】
患者の家族に対する入院精神療法は、家族関係が原因と考えられる統合失調症の患者が当該保険医療機関を退院した後、再度入院した場合においては算定できない。

公定価格（薬価基準・特定医療材料料）

【問 20】
検査に当たって患者に施用する薬剤及び特定保険医療材料料の費用は、検査料に含まれ別に算定できない。

解答 & 解説

【答 16】× 血液採取料は算定できる。

【答 17】○ **そのとおり。**

【答 18】× 脳血管疾患等リハビリテーション料の対象となる患者として、失語症、失認及び失行症、高次脳機能障害の患者が掲げられている。

【答 19】○ **そのとおり。**

【答 20】× 薬剤の費用及び特定医療材料料の費用は別に算定できる。

第４章

レセプトの作成手順

「診療報酬請求事務能力認定試験」で最も重要になるのがレセプトの作成です。

第１章～第３章までで学習した内容を使って、レセプトを仕上げます。外来レセプト、入院レセプト、それぞれ完成できるようになりましょう。

第4章で使用する薬剤一覧

薬価基準抜粋

品　　　名	規格・単位	薬　価
		円　銭
内用薬		
局 レボフロキサシン錠 500mg	500mg 1錠	69.60
(局) ロキソプロフェンナトリウム 60mg 錠	60mg 1錠	9.80
注射薬		
局 アトロピン硫酸塩注射液 0.05% 1mL	0.05% 1mL 1管	95
局 大塚生食注 1L	1L 1袋	356
キシロカイン注ポリアンプ 1% 10mL	1% 10mL 1管	79
局 セフメタゾールナトリウム 点滴静注用バッグ 1g「NP」	1g 1キット (生理食塩液 100mL 付)	811
ソリタ-T3号輸液	500mL 1袋	176
ドルミカム注射液 10mg	10mg 2mL 1管	115
ハルトマンD液	500mL 1袋	214
プロポフォール静注 1% 20mL	200mg 20mL 1管	594
マーカイン注 0.5%	0.5% 10mL 1瓶	188
マーカイン注脊麻用 0.5%高比重	0.5% 4mL 1管	330
外用薬		
局 亜酸化窒素	1g	2.50
グリセリン浣腸液 50% 60mL	50% 60mL 1個	113.10
グリセリン浣腸液 50% 120mL	50% 120mL 1個	166.50
般 (局) セボフルラン吸入麻酔液	1mL	27.20
般 ポビドンヨード消毒液 10%	10% 10mL	13.10
ボラザG軟膏	1g	28.20

材料価格基準抜粋

品名	規格・単位	価格
液体窒素 CE	1L	0.19
膀胱瘻用穿孔針	1本	5,820
ダイレーター・シースなし	1本	2,490
膀胱瘻用カテーテル	1本	3,770
膀胱留置用ディスポーザブルカテーテル・2管一般（Ⅱ）・標準型	1本	561

注　品名欄の般の薬剤は一般名処方医薬品である。

外来レセプトのポイント

POINT 1　届出等の状況　出題者は何を算定させたいのかを理解しましょう

・検体検査管理加算（Ⅰ）…判断料に 検管Ⅰ と併記して40点を加える。

POINT 2　屯服薬・外用薬の１調剤の算定方法を理解しましょう

・F200薬剤の算定は、「屯服薬は１回分、外用薬は１調剤を単位とする」とある。屯服薬は不定期に服用するので１回分を所定点数とする。「外用薬は１調剤」とあり、ボラザG軟膏（2.4g）２本の処方であるため、計算式は「１g 25.60円×4.8g＝122.8円」となり、１調剤12点となる。

POINT 3　再診料算定時の外来管理加算の算定の可否を理解しましょう

・A001「注８」の確認…外来管理加算はどのような条件であれば算定できるのかを把握する。処置、リハビリテーション等を行わず、厚生労働大臣が別に定める検査の種類を確認する（早見表P.2）。

POINT 4　処置薬剤の算定方法を理解しましょう

・J300の薬剤の「注1」に、「薬価が15円以下である場合は算定しない」とあるため、１点以下の薬剤は算定不可となる。

診療報酬請求書（明細書）等の記載の留意点①

実務上では明細書等の記載にあたっては、黒もしくは青色のインクまたはボールペン等を使用する（手書き用）。

問１　次の条件で診療録から診療報酬明細書を作成しなさい。（令和４年10月診療分）

1　施設の概要等：

DPC 対象外の一般病院、一般病床のみ 120 床、標榜診療科：内科、外科、整形外科、脳神経外科、眼科、耳鼻咽喉科、皮膚科、泌尿器科、麻酔科、放射線科、病理診断科

〔届出等の状況〕

（届出ている施設基準等）

急性期一般入院料６、診療録管理体制加算２、ニコチン依存症管理料、薬剤管理指導料、検体検査管理加算（Ⅱ）、画像診断管理加算１、CT 撮影（16 列以上 64 列未満のマルチスライス型の機器）、MRI 撮影（1.5 テスラ以上３テスラ未満の機器）、麻酔管理料（Ⅰ）、病理診断管理加算２

所在地：東京都新宿区（１級地）

2　診療時間：

月曜日～金曜日　9 時 00 分～ 17 時 00 分

土曜日　9 時 00 分～ 12 時 00 分

日曜日、祝日　休診

3　その他：医師、薬剤師等管理職員の状況

医師数、薬剤師数及び看護職員（看護師及び准看護師）数は、医療法標準を満たしており、常勤の薬剤師及び管理栄養士も配置している。

診　療　録

公費負担者番号		保険者番号	0 1 1 3 0 0 1 2
公費負担医療の受給者番号		被保険者証・被保険者手帳 記号・番号	3711246・5（枝番）00
		有効期限	令和　年　月　日

受診者				
氏名	西田　重雄			
生年月日	明・大・(昭)・平・令 55年9月13日	(男)　女		
住所	（省　略） 電話××××局××××番			
職業	会社員	被保険者との続柄	本人	

被保険者氏名		西田　重雄
資格取得		昭和・(平成)・令和 15年　4月　1日
事業所（船舶所有者）	所在地	（省　略） 電話××××局××××番
	名称	（省　略）
保険者	所在地	（省　略） 電話××××局××××番
	名称	全国健康保険協会　東京支部

傷病名	職務	開始	終了	転帰	期間満了予定日
血栓性外痔核（主）	上・外	令和3年8月4日	年月日	治ゆ・死亡・中止	年月日
便秘症（主）	上・外	令和3年8月4日	令和　年月日	治ゆ・死亡・中止	年月日
糖尿病	上・外	令和4年10月19日	令和4年10月27日	治ゆ・死亡・(中止)	年月日
	上・外	年月日	年月日	治ゆ・死亡・中止	年月日
	上・外	年月日	年月日	治ゆ・死亡・中止	年月日
	上・外	年月日	年月日	治ゆ・死亡・中止	年月日

傷病名	労務不能に関する意見 意見書に記入した労務不能期間	意見書交付	入院期間
	自　月　日 至　月　日　日間	年　月　日	自　月　日 至　月　日　日間
	自　月　日 至　月　日　日間	年　月　日	自　月　日 至　月　日　日間
	自　月　日 至　月　日　日間	年　月　日	自　月　日 至　月　日　日間

労務災害又は通勤災害の疑いがある場合は、その旨		

備考		
	公費負担者番号	
	公費負担医療の受給者番号	

（注）この診療録は、試験問題用に作成したものである。

<table>
<tr><th>既往症・原因・主要症状・経過等</th><th>処方・手術・処置等</th></tr>
<tr><td colspan="2">令和３年８月から当科外来で内服薬と軟膏塗布による保存療法を継続中。寛解と再発を繰り返していたが、昨日、飲酒後に冷たいフローリングの上で眠ってしまい、今朝の排便時に肛門部に今までにない程の激痛があるため、本日来院。</td></tr>
<tr><td></td><td>（診療内容を一部省略している）</td></tr>
<tr><td>10/19（水）
・視診により肛門３時の位置に直径３cm の血栓性外痔核を認める。出血はなし。
・慢性的に症状が反復するため、明日の手術施行を前提として、血栓摘出術について説明し、手術の同意書を受領。
・軟膏と鎮痛薬を処方。
・特定健診で空腹時血糖 130mg／dL の指摘があり、HbAlc 検査を実施。（外科　本田）</td><td>10/19
・B-V
・末梢血液一般検査、末梢血液像（自動機械法）、HbAlc, CRP
・生化学：Na, Cl, Ｋ, AST, ALT, ALP, LD, T-cho, T-Bil, TP, Alb（BCP 改良法）BUN, クレアチニン , UA, Glu
・Rp）院内（処方薬剤名称等情報提供、手帳記載）
ボラザＧ軟膏（2.4 ｇ）２本　（１回１本、１日２回朝夕塗布）
ロキソプロフェンナトリウム 60mg 錠１Ｔ（疼痛時服用）×３回分</td></tr>
<tr><td>10/20（木）
・浣腸実施。
・肛門部所見は変化なし。
・術前検査結果は、特に問題なし。
・腰椎麻酔下に血栓摘出術を施行し、手術を予定どおり問題なく終了。
・鎮痛薬を処方。明日受診を指示。
（外科　本田）</td><td>10/20
・術前処置
グリセリン浣腸液 50% 120mL １個
・痔核手術（結紮術、焼灼術、血栓摘出術）
・脊椎麻酔　AM10:00 ～ AM10:20
・マーカイン注脊麻用 0.5%高比重 4mL １Ａ
・Rp）院内（処方薬剤名称等情報提供、手帳記載）
ロキソプロフェンナトリウム 60mg 錠　１Ｔ（疼痛時服用）×３回分</td></tr>
<tr><td>10/21（金）
・術後の経過良好。
・創部の出血なし。　（外科　本田）</td><td>10/21
・術後創傷処置（100cm² 未満）
ポビドンヨード消毒液 10% 10mL</td></tr>
<tr><td>10/27（木）
・痛みは軽快。
・糖尿病の治療は、かかりつけ医療機関での受診を希望のため、診療に関する情報を提供（患者同意）（交付文書写しの添付省略）。
・創部の状況確認のため、次回 11/1（火）に来院予定。　（外科　本田）</td><td>10/27
・術後創傷処置（100cm² 未満）
ポビドンヨード消毒液 10% 10mL
・診療情報提供料（Ⅰ）</td></tr>
</table>

外来カルテ【西田　重雄】

会計欄

区分	⑫		⑬	㉑	㊵	㊿			60		合計点	窓口徴収
月日	再診	外来管理	医学管理	投薬	処置	手術	麻酔	麻酔薬剤	検査	判断	点	円
10月19日	75	52	7	17 調剤 11 調剤外 8 調基 14 処方 42					36 49 16 103	B-V 40 判血 125 免 144 生Ⅰ 144 検管Ⅰ 40	923	2,770
10月20日	75		7	3 調剤 11 処方 42		1,390	850	50			2,426	7,280
10月21日	75				52						127	380
10月27日	75		250		52						377	1,130
合計	300	52	264	148	104	1,390	850	50	204	493	3,855	11,560
						2,290			697			

【10 月 19 日】

診　察

はじめに、カルテの上書きにある傷病名と開始の年月日を確認します。この患者は、令和３年８月から当科外来で内服薬と軟膏塗布による保存療法を継続中で、10 月 19 日、朝の排便時に、肛門部に今までにないほどの激痛があったため受診しました。再来のため再診料を算定します。

●診察料……再診料 **75 点**　A001 再診料

●外来管理加算……**52 点**　A001「注８」

外来管理加算を算定します（検査と処方のみのため）。

医学管理

院内処方時に「薬剤名称等情報提供、手帳記載」とあります。

●薬剤情報提供料及び手帳記載加算……**7 点**　B011-3及び「注2」

薬情 4 点＋ 手帳 3 点

投　薬

●屯服薬（院内処方）

ロキソプロフェンナトリウム 60㎎ 1T（9.80 円）（疼痛時服用）× 3 回分

「疼痛時服用」とあり、屯服の扱いになります。１回分は 15 円以下のため、１回分は１点となります。

１点× ３回分＝ **3 点**

診療報酬請求書（明細書）等の記載の留意点②

明細書等に記載した数字等の修正を行うときは、修正液を使用することなく、誤って記載した数字等を＝（二重）線で抹消の上、正しい数字等を記載する。

●外用薬

ボラザG軟膏（2.4g）2本

外用薬の算定は1調剤ごとに行います。ボラザG軟膏の点数は2.4g × 2本のため4.8gで計算します。

ボラザG軟膏（2.4g）1 g (28.20円) × 4.8g = 135.36円

135.60 ÷ 10 = 13.56 → **14点**（五捨五超入） 14点×1=14点

●調剤料

屯服薬は内服扱いになるので F000「1」イにより**11点** です。

外用薬は F000「1」ロにより**8点** です。

●処方料…**42点** F100「3」

●調剤技術基本料（月1回に限り算定）…**14点** F500「2」

検　査　㊟ 検体検査の算定の仕方　①検査実施料　②判断料　③採取料

検査料を算定します。

● B-V……**40点** D400「1」静脈血採取

● B-末梢血液一般検査……**21点** D005「5」血液形態・機能検査

● B-末梢血液像（自動機械法）……**15点** D005「3」血液形態・機能検査

● B-HbA1c（ヘモグロビンA1c）……**49点** D005「9」血液形能・機能検査

検査判断料 判血 ……**125点** D026「3」血液学的検査判断料

● B-CRP（C反応性蛋白）……**16点** D015「1」血漿蛋白免疫学的検査

検査判断料 判免 ……**144点** D026「6」免疫学的検査判断料

● B-Na、Cl、K、AST、ALT、ALP、LD、T-cho、T-Bil、TP、Alb（BCP改良法）
BUN、クレアチニン、UA、Clu…10項目以上のため**103点** D007「1」血液化学検査

検査判断料 判生Ⅰ **144点** D026「4」生化学的検査（1）判断料

＊ Na、Clは併せて測定しても1項目と数える。

●届出の状況に検体検査管理加算（Ⅱ）があることから、外来の場合はD026検体検査判断料「注4」の「イ」により40点を加算する。

検管Ⅰ **40点** D026「注4」

〈10月19日〉

19日の合計点数は923点

西田重雄さんの自己負担割合は3割のため、

窓口徴収金額は、9,230円× 0.3=2,769円 ➡ 2,770円（1円単位は四捨五入）

【10月20日】

診　察

診察料を算定します。

●診察料……再診料 **75点**　A001 再診料

医学管理

院内処方時に「薬剤名称等情報提供、手帳記載」とあります。

●薬剤情報提供料及び手帳記載加算……**7点**　B011-3及び「注2」

薬情 4点＋ 手帳 3点

投　薬

●屯服薬（院内処方）

ロキソプロフェンナトリウム60mg 1T（9.80円）（疼痛時服用）×3回分

「疼痛時服用」とあり、屯服の扱いになります。1回分は15円以下のため1回分は1点となります。

1点×3回分＝**3点**

●調剤料

屯服薬は内服扱いになるので F000「1」イにより **11点** です。

●処方料……**42点**　F100「3」

手　術

手数料を算定します。

●痔核手術（結紮術、焼灼術、血栓摘出術）……**1,390点**　K743「3」

●脊椎麻酔……**850点**　L004

●薬剤……グリセリン浣腸液50% 120mL 1個（166.50円）
　　　　マーカイン注脊麻用0.5% 高比重4mL 1A（330円）　合計496.50円

496.50÷10＝49.65 ➡ **50点**

〈10月20日〉
20日の合計点数は2,428点
西田重雄さんの自己負担割合は3割のため、
窓口徴収金額は、24,280円×0.3=7,284円 ➡ 7,280円（1円単位は四捨五入）

診療報酬請求書（明細書）等の記載の留意点③

「令和○年○月分」欄は、診療年月を記載する。診療年月の異なる場合は、それぞれの診療年月分について明細書を作成する。

【10月21日】

診　察

診察料を算定します。

●診察料……再診料**75点**　A001 再診料

外来管理加算は処置をしているため算定は不可です。

処　置

●創傷処置（100㎠未満）……**52点**　J000 創傷処置「1」$100cm^2$

※ポビドンヨード消毒液10% 10mLは13.10円で1点以下なので算定できません。

〈10月21日〉
21日の合計点数は127点
西田重雄さんの自己負担割合は3割のため、
窓口徴収金額は、1,270 × 0.3=381円　➡ 380円（1円単位は四捨五入）

【10月27日】

診　察

診察料を算定します。

●診察料……再診料**75点**　A001 再診料

外来管理加算は21日と同様に処置をしているため算定できません。

処　置

●術後創傷処置（$100cm^2$未満）

……　J001 創傷処置（1）

※ポビドンヨード消毒液10% 10mLは21日と同様算定不可です。

医学管理等

●診療情報提供料（1）……**250点**　B009 診療報酬提供料（1）

〈10月27日〉
27日の合計点数は377点
西田重雄さんの自己負担割合は3割のため、
窓口徴収金額は、3,770円× 0.3=1,131円 ➡ 1,130円（1円単位は四捨五入）

診療報酬請求書（明細書）等の記載の留意点④

同一の被保険者等が2以上の傷病について診療を受けた場合においても、1枚の明細書に併せて記載する。

診療報酬明細書
（医科入院外）

都道府県番号　医療機関コード

令和 4 年 10 月分

1 医科	①社・国　2 公費	3 後期　4 退職	①単独　2 2併　3 3併	②本外　4 六外　6 家外	8 高外－　0 高入 7

保険者番号	0 1 1 3 0 0 1 2	給付割合	10 9 8 7（ ）

被保険者証・被保険者手帳等の記号・番号	3711246・5（枝番）00

公費負担者番号①		公費負担医療の受給者番号①	
公費負担者番号②		公費負担医療の受給者番号②	

区分	精神　結核　特例　老人　重点　療養　複合　複療	特記事項
氏名	西田　重雄 ①男　2女　1明　2大　③昭　4平　5令　55・9・13　生	
職務上の事由	1 職務上　2 下船後3月以内　3 通勤災害	

保険医療機関の所在地及び名称
東京都新宿区××××
□□病院

（　床）

傷病名	診療開始日	転帰	診療実日数
（1）血栓性外痔核（主）	（1）令和3年　8月　4日	治ゆ　死亡　中止（3）	保険 4日
（2）便秘症（主）	（2）令和3年　8月　4日		公費① 日
（3）糖尿病	（3）令和4年　10月　19日		公費② 日

区分	項目	点数 × 回数	回	点
⑪初診	時間外・休日・深夜		回	点
⑫再診	再　診	75 × 4	回	300
	外来管理加算	52 × 1	回	52
	時間外	×	回	
	休　日	×	回	
	深　夜	×	回	
⑬医学管理				264
⑭在宅	往　診		回	
	夜　間		回	
	深夜・緊急		回	
	在宅患者訪問診療		回	
	その他			
	薬　剤			
⑳投薬	㉑内服 薬剤		単位	
	㉑内服 調剤	11 × 2	回	22
	㉒屯服 薬剤		6 単位	6
	㉓外用 薬剤		1 単位	14
	㉓外用 調剤	8 × 1	回	8
	㉕処　方	42 × 2	回	84
	㉖麻　毒		回	
	㉗調　基			14
㉚注射	㉛皮下筋肉内		回	
	㉜静脈内		回	
	㉝その他		回	
㊵処置			2 回	104
	薬　剤			
㊿手術麻酔			2 回	2,240
	薬　剤			50
⑥⓪検査病理			6 回	697
	薬　剤			
⑦⓪画像診断			回	
	薬　剤			
⑧⓪その他			回	
	薬　剤			

公費分点数

区分	摘要	点数
⑫	＊再診	75 ×4
⑬	＊薬情，手帳	7 ×2
	＊情Ⅰ（27日）	250 ×1
㉒	＊ロキソプロフェンナトリウム 60mg 1T	1 ×6
㉓	＊ボラザG軟膏（2.4g）2本 （1回1本，1日2回朝夕塗布）	14 ×1
㉕	＊処方料	42 ×2
㊵	＊創傷処置「1」100cm² 未満	52 ×2
㊿	＊痔核手術（結紮術，焼灼術，血栓摘出術）（20日）	1,390 ×1
	＊脊椎麻酔（20日）	850 ×1
	＊グリセリン浣腸液 50% 120mL 1個， マーカイン注脊麻用 0.5% 高比重 4mL 1A	50 ×1
⑥⓪	＊B-V	40 ×1
	＊B-末梢血液一般検査，末梢血液像（自動機械法）	36 ×1
	＊B-HbA1c	49 ×1
	＊B-CRP	16 ×1
	＊B-Na・Cl，K，AST，ALT，ALP，LD，T-cho， T-Bil，TP，Alb（BCP 改良法），BUN， クレアチニン，UA，Glu（10項目以上）	103 ×1
	＊判血，判生Ⅰ，判免，検管Ⅰ	453 ×1

療養の給付	請求 点	※決定 点	一部負担金額 円			
保険	3,855		減額　割（円）免除・支払猶予			
公費①	点	※ 点	円			
公費②	点	※ 点	円	※高額療養費 円	※公費負担点数 点	※公費負担点数 点

入院レセプトのポイント

POINT 1 すでに外来にて算定済みのものがあるケースです。算定の仕方を理解しましょう

・カルテ内容では、10月20日の外来で超音波検査及び術前検査（胸部X-P、心電図、検尿、感染症、肝炎ウィルス等）施行のため、検体検査判断料及び検体検査管理加算を算定済みであることが読み取れる。

POINT 2 届出等の状況：出題者が何を算定させたいのかを理解しましょう

・入院料基本料・入院料加算
入院基本料加算は入院初日のみ、毎日算定できるもの、種別欄に記入するもの、略称の書き方などしっかり確認する。

・薬剤管理指導料
カルテ内に薬剤師から薬学的管理指導が行われた旨の記載があるときに、対象患者に基づいて薬管「1」～「3」が算定できる。(薬管) を算定した場合は、「調基」は算定できない（本カルテの場合は、対象患者を確認すると (薬管2) が算定できる）。

・麻酔管理料Ⅰ
届出等の状況から、手術時の麻酔が「閉鎖循環式全身麻酔」により行われた場合は [麻管Ⅰ] 1,050点を算定する。

・閉鎖循環式全身麻酔・硬膜外麻酔（腰部）併施（砕石位）
「L008」は、「1」～「5」まであり、どの項目に当てはまるかを確認する。複数用いて行われた場合は、麻酔時間の基本となる２時間については、その点数の高い区分の麻酔時間から順に充当する。２時間を超えた場合には「注２」により「麻酔管理時間加算」として30分またはその端数を増すごとに加算点数が算定できる。本症例の場合は、閉鎖循環式全身麻酔9：50～11：30で１時間40分。主たる麻酔は砕石位であり、「5」「ロ」イ以外の場合により算定。２時間以内なので6,000点となる。硬膜外麻酔（腰部）を併施しているのでL008「注4」硬膜外麻酔併施加算の「ロ」腰部400点を加算する。

・閉鎖循環式全身麻酔施行日（29日）に併せて実施された、終末呼気炭酸ガス濃度測定、呼吸心拍監視、経皮的動脈血酸素飽和度測定は所定点数に含まれるため算定できない。

POINT 3 注射薬（アンプル瓶）の残量廃棄した場合の取扱いを理解しましょう

・アンプル入りの注射薬は、一度使用したら残量をあとで使用することはできない。１アンプル全量の薬剤として算定でき、カルテ上では「管」「アンプル」「A」で表わされる。

POINT 4 時間外の検査、入院等の取扱いを理解しましょう

・時間外入院後の膀胱瘻造設術は、入院後の検査等からの手術の開始時間が８時間以内の実施であるため手術の通則12「ロ」（２）により所定点数の100分の40に相当する点数を加算する。

・時間外入院のため、時間外特例医療機関加算としてA002外来診療「８」により180点が算定できる。

・27日は時間外に検査を行っているので検体検査実施料の「通則１」で時間外緊急院内検査加算200点が算定できるが、本加算に係る保医発通知（４）で「検体検査の結果、入院の必要性を認めて引き続き入院となった場合」とあり、すでに入院が決まっていたため算定しない。

診療報酬請求書（明細書）等の記載の留意点⑤

同一月に同一患者につき、入院と外来が継続してある場合には、入院・外来についてそれぞれに個別の明細書を記載する。

問2　次の条件で診療録から診療報酬明細書を作成しなさい。（令和４年10月診療分）

１　施設の概要等：

DPC対象外の一般病院・救急指定病院、一般病床のみ380床

標榜診療科：内科、小児科、外科、整形外科、産婦人科、眼科、耳鼻咽喉科、皮膚科、泌尿器科、脳神経外科、麻酔科、放射線科、病理診断科

〔届出等の状況〕

（届出ている施設基準等）

急性期一般入院科３、診療録管理体制加算１、医師事務作業補助体制加算１（30対１）、急性期看護補助体制加算（25対１）（看護補助者５割以上）、看護職員夜間12対１配置加算２、療養環境加算、医療安全対策加算１、感染対策向上加算１、データ提出加算２、入院時食事療養（Ⅰ）、食堂加算、薬剤管理指導料、画像診断管理加算２、CT撮影（64列以上のマルチスライス型の機器、その他の場合）、MRI撮影（３テスラ以上の機器、その他の場合）、検体検査管理加算（Ⅱ）、麻酔管理料（Ⅰ）

（届出は要さないが施設基準等を満たしている状況）

・臨床研修病院入院診療加算（協力型）

所在地：神奈川県横浜市（２級地）

２　診療時間：

月曜日～金曜日　　９時00分～17時00分
土曜日　　９時00分～12時00分
日曜日、祝日　　休診

３　その他：医師、薬剤師等職員の状況

医師数、薬剤師数及び看護職員（看護師及び准看護師）数は、医療法標準を満たしており、常勤の薬剤師、管理栄養士及び理学療法士も配置している。

診　療　録

公費負担者番号		保険者番号	3 2 1 3 1 9 2 2
公費負担医療の受給者番号		被保険者証・被保険者手帳　記号・番号	6341・552（枝番）02
		被保険者証・被保険者手帳　有効期限	令和 5 年　3月　31 日

受診者				
氏名	小田　健司			
生年月日	明・大・(昭)・平・令　25 年 7 月 29 日	(男)　女		
住所	（省　略） 電話 ×××× 局 ×××× 番			
職業	無職	被保険者との続柄	父	

被保険者氏名		小田　雄三
資格取得		昭和・(平成)・令和　16 年　4月　1日
事業所（船舶所有者）	所在地	（省　略） 電話 ×××× 局 ×××× 番
	名称	（省　略）
保険者	所在地	（省　略） 電話 ×××× 局 ×××× 番
	名称	○○○共済組合

傷病名	職務	開始	終了	転帰	期間満了予定日
前立腺肥大症（主）	上・外	平成 30 年 4 月 9 日	年 月 日	治ゆ・死亡・中止	年 月 日
尿閉（主）	上・外	令和 4 年 10 月 27 日	年 月 日	治ゆ・死亡・中止	年 月 日
	上・外	年 月 日	年 月 日	治ゆ・死亡・中止	年 月 日
	上・外	年 月 日	年 月 日	治ゆ・死亡・中止	年 月 日
	上・外	年 月 日	年 月 日	治ゆ・死亡・中止	年 月 日
	上・外	年 月 日	年 月 日	治ゆ・死亡・中止	年 月 日

傷病名	労務不能に関する意見		入院期間
	意見書に記入した労務不能期間	意見書交付	
	自 月 日 至 月 日　日間	年 月 日	自 月 日 至 月 日　日間
	自 月 日 至 月 日　日間	年 月 日	自 月 日 至 月 日　日間
	自 月 日 至 月 日　日間	年 月 日	自 月 日 至 月 日　日間

労務災害又は通勤災害の疑いがある場合は、その旨		

備考		公費負担者番号	
		公費負担医療の受給者番号	

（注）この診療録は、試験問題用に作成したものである。

既往症・原因・主要症状・経過等	処方・手術・処置等
平成30年4月から当科外来で前立腺肥大症の治療継続中。本年10/20に超音波検査及び術前検査（胸部X-P、心電図、検尿、感染症、肝炎ウイルス検査等）を施行し、手術には特に問題ないと判断。11/7当科に入院のうえ、翌日、経尿道的前立腺切除術施行の予定であったが、本日、強度の排尿困難を訴え、外来受診。	
	（診療内容を一部省略している）
10/27（木）（PM6:40） ・下腹部が緊満。エコーの結果、膀胱内に大量の液体貯留があり、尿閉状態。 ・尿道カテーテル留置を試みるが、尿道閉塞で挿入困難のため、泌尿器科病棟へ緊急入院（PM7:00）の上、膀胱瘻造設。 ・局所麻酔下に恥骨上から膀胱瘻に穿刺留置し、2,300mLの尿を排出。 ・本日の採血結果は、特に問題なし（検査開始PM7:30）。 ・薬剤師から薬学的管理指導を行う。 ・研修医に指導を行う（内容等は記載省略）。 ・夕食から普通食。　（泌尿器科　古谷）	**10/27** ・超音波検査（断層撮影法、胸腹部）（2回目） ・末梢血液一般検査、末梢血液像（自動機械法）、CRP ・生化学：Na, Cl, K, AST, ALT, LD, T-Bil, T-cho, TP, Alb, BUN, クレアチニン, Glu, Amy ・膀胱瘻造設術 膀胱瘻用穿孔針1本 ダイレーター・シースなし1本 膀胱瘻用カテーテル1本 キシロカイン注ポリアンプ1% 10mL 1A ＊外来で検査（血液、生Ⅰ、免疫）施行のため、検体検査判断料、検体検査管理加算を算定済み。 ＊外来で画像診断（単純X-P）施行のため、画像診断管理加算を算定済み。
10/28（金） ・膀胱瘻から尿流出良好。血尿なし。 ・明日、手術施行することとし、入院診療計画書等を本人及び家族に説明し文書を交付、手術の同意書を受領。　（泌尿器科　古谷） ・麻酔科術前回診：特に問題なし。 （麻酔科　小野田）	**10/28**
10/29（土） ・朝食から禁食。 ・浣腸実施 ・手術室へ入室（AM9:30）。 ・L3/4より硬膜外チューブを挿入し、持続硬膜外麻酔を行い、閉鎖循環式全身麻酔下にて生理食塩水で持続灌流しつつ、経尿道的前立腺手術を施行。 ・麻酔科標榜医による麻酔管理のもと、手術を予定どおり問題なく終了。	**10/29** ・術前処置 グリセリン浣腸液50% 60mL 1個 アトロピン硫酸塩注射液0.05% 1mL 1A（筋注） ドルミカム注射液10mg 2mL 1A（1mL使用、残量廃棄）（筋注） ・経尿道的前立腺手術（電解質溶液利用のもの） ・閉鎖循環式全身麻酔、硬膜外麻酔（腰部）

既往症・原因・主要症状・経過等	処方・手術・処置等
・膀胱留置用カテーテルを留置し、膀胱瘻は留置のまま閉鎖。 ・手術室から一般病棟へ帰室（PM10:30）。 ・帰室時、意識清明、バイタルサイン安定。 ・膀胱留置用カテーテルより淡血性尿流出良好。 ・酸素吸入 2L/ 分 ・呼吸心拍監視、経皮的動脈血酸素飽和度測定は、本日 PM4:00 で終了。 ・手術所見及び経過について家族に説明。 （泌尿器科　古谷）	併施 （砕石位）AM9:50 ～ AM11:30 ・間歇的空気圧迫装置使用 ・終末呼気炭酸ガス濃度測定 ・経皮的動脈血酸素飽和度測定 ・呼吸心拍監視 ・液化酸素 CE 450L ・亜酸化窒素 650g セボフルラン吸入麻酔液 60mL プロポフォール静注 1％ 20mL 1A マーカイン注 0.5% 10mL 2V セフメタゾールナトリウム点滴静注用バッグ 1g「NP」（生理食塩液 100mL 付） 2キット ハルトマン D 液 500mL 7袋 大塚生食注 1L 12 袋 ポビドンヨード消毒液 10% 200mL ・膀胱留置用ディスポーザブルカテーテル・2管一般（Ⅱ）・標準型1本 〔帰室後〕 ・持続点滴 ソリタ -T3 号輸液 500mL 2袋 セフメタゾールナトリウム点滴静注用バッグ 1g「NP」（生理食塩液 100mL 付） 2キット ・経皮的動脈血酸素飽和度測定 ・呼吸心拍監視 ・酸素吸入　液化酸素 CE 420L
10/30（日）　術後1日目 ・麻酔後回診：意識清明、バイタルサイン安定。麻酔合併症等、特になし。 （麻酔科　小野田） ・朝から飲水可。 ・膀胱留置用カテーテルより尿流出良好。血尿なし。 ・膀胱瘻穿孔部消毒する。 ・持続点滴は、本日 PM3:00 中止。 ・夕食から普通食。　（泌尿器科　古谷）	**10/30** ・末梢血液一般検査、末梢血液像（自動機械法）、CRP ・生化学（10/27 に同じ） ・胸部単純 X-P 1方向（デジタル、電子画像管理） ・術後創傷処置（100cm^2　未満） ポビドンヨード消毒液 10% 10mL ・持続点滴（10/29 に同じ）　・Rp） レボフロキサシン錠 500mg 1錠 （毎夕食後）×5日分
10/31（月）　術後2日目 ・バイタルサイン安定。 ・血尿ないため、膀胱留置用カテーテル抜去。 （泌尿器科　古谷）	**10/31** ・術後創傷処置（薬剤を含め、10/30 に同じ） ・尿流測定 ・尿沈渣（鏡検法）

入院カルテ【小田　健司】

会計欄

区分	⑬	㉑	㉔	㉝		㊵	㊿			
月日	管理	投薬	調剤	点滴	注射薬剤	処置	手術	手術加算	麻酔	麻酔加算
10月27日	325						3,530	1,412		
10月28日										
10月29日	305				197	10	20,400		6,400	1,050
10月30日		35	14	102	197	52				
10月31日						52				
合計	630	35	14	102	394	114	23,930	1,412	6,400	1,050
				496			32,792			

区分	㊿		(60)		(70)	(90)	合計点	窓口徴収
月日	材料	麻酔薬剤	検査	判断	画像	入院料	点	円
10月27日	1,208	8	36 16 123 477			4,124 180	11,439	
10月28日						2,389	2,389	
10月29日	56	1,206				2,389	32,013	
10月30日			36 16 103		210	2,389	3,154	
10月31日			27 205	34		2,389	2,707	
合計	1,264	1,214	1,039	34	210	13,860	51,702	155,110
	2,478		1,073					

【10月27日】

診　察

はじめに、カルテの上書きにある傷病名と開始の年月日を確認します。これから算定する日付の開始日と同一であれば「即日入院・引き続き入院」として「初診料」が算定できます。本カルテの場合は、平成30年4月から治療継続中であり10月20日に術前検査を施行してから入院移行のため初診料は算定できません。

医学管理

●薬剤管理指導料……**325点**

カルテに「薬剤師から薬学的管理指導を行う」の記載があり、B008薬剤管理指導の「2」に該当する患者に対して行っていることから、325点を算定する。

診療報酬請求書（明細書）等の記載の留意点⑥

入院患者がやむを得ず他院を外来受診した場合は、摘要欄に「他院を受診した理由」「診療科」及び「他　（受診日：○日）」を記載する。

検　査

㊟ 検体検査の算定の仕方　①検査実施料　②判断料

検査料を算定します。

● B- 末梢血液一般検査……**21 点**　D005「5」血液形態、機能検査

● B- 末梢血液像（自動機械法）……**15 点**　D005「3」血液形態、機能検査

● B-CRP（C 反応性蛋白）……**16 点**　D015「1」血漿蛋白免疫学的検査

● B- 生化学的検査（Ⅰ）……**123 点**　D007 血液化学検査

Na、Cl、K、AST、ALT、LD、T-Bil、T-cho、LDL-cho、TP、Alb（BCP 改良法)、BUN、クレアチニン、Glu、Amy（10 項目以上）……**106 点**

※ 10 項目以上なので、D007 血液化学検査「注」ハ、で 106 点を算定し、包括に対する「注」として入院中の患者について算定した場合は、入院時初回加算として、**20 点**を所定点数（106 点）に加算します。

103 点＋ 20 点（入院時初回加算）＝ **123 点**

Na、Clは１項目として数えるD007（血液化学検査）の保医発通知「１」

※外来で検査（血液、生１、免疫）施行のため検体検査判断料、検体検査管理加算は算定済みです。

●超音波検査（断層撮影法）胸腹部 減 ……**477 点**　D215 超音波検査　2　断層撮影法ロの1

カルテには（２回目）とあるので超音波検査等の「通則」により所定点数の 90/100 に相当する点数により算定するとあるので 530 点× 0.9 ＝ 477 点となります。

手　術

手術料を算定します。

●膀胱瘻造設術……**4,942 点**　K805

カルテでは時間外に尿閉状態で来院、尿道閉塞でカテーテル挿入困難で緊急入院（PM7：00）とあり、入院後の検査等から手術の開始時間が 8 時間以内です。手術の「通則 12」ロ（2）の時間外加算を算定します。

3,530 点＋ 3,530 点× 0.4（時間外加算）＝ 4,942 点。

●特定保険医療材料‥‥**1,208 点**

膀胱瘻用穿刺針（5,820 円）１本
ダイレーター・シースなし（2,490 円）１本
膀胱瘻用カテーテル（3,770 円）１本

合計　5,820 円＋ 2,490 円＋ 3,770 円＝ 12,080 円÷ 10 → 1,208 点（四捨五入）

麻　酔

●局所麻酔‥‥麻酔の通則の保医発通知（３）により局所麻酔のみによって行われる場合は、手術料に含まれて算定できず、薬剤料のみの算定となります。

キシロカイン注ポリアンプ１％ 10mL 1A（79 円）‥‥79 円÷ 10 ＝ 7.9　**8 点**（五捨五超入）

入院料

入院料の算定式は、 入院基本料　＋　入院基本料加算　＝　1日の入院料

●急性期一般入院料3……**2,019点**（「A100」急性期入院基本料「ハ」1,569点＋入院初期加算「注3」イ14日以内450点）

●入院基本料等加算……**2,105点**

※入院初日のみの加算項目は、2日目以降には算定できません。届出の状況を見て、該当する項目を加算していきます。

臨修（協力型）（20点） 録管1 （140点） 医1の30 （630点）
急25上 （240点） 看職12夜2 （90点） 環境 （25点） 安全1 （85点）
感向1 （710点） デ提2 （150点） 2級地 （15点）

27日の入院料は**4,124点**(3,019＋2,015=4,124)

●時間外入院……**180点**　A002外来診療料「注8」

【10月28日】

入院料

入院料の算定式は、 入院基本料　＋　入院基本料加算　＝　1日の入院料

※入院初日のみの加算項目は、2日目以降には算定できません。

●急性期一般入院料3（14日以内）……**2,019点**（「A100」基本料**1,569点**＋入院初期加算450点）

●入院基本料加算……**370点**

届出の状況を見て、該当する項目を加算していきます。

急25上 （240点） 看職12夜2 （90点） 環境 （25点） 2級地 （15点）

28日の入院料は**2,389点**(2,019＋370=2,389)

【10月29日】

医学管理

●間歇的空気圧迫装置使用……B001-6肺血栓塞栓症予防管理料 肺予　**305点**

B001-6　肺血栓塞栓症予防管理料　305点
→肺血栓塞栓予防管理料「保医発通知（2）」
肺血栓塞栓症の予防を目的として、弾性ストッキングまたは間歇的空気圧迫装置を用いて計画的な医学管理を行った場合に算定できるとあり、入院中に1回に限り算定できる。

診療報酬請求書（明細書）等の記載の留意点⑦

月の途中で保険者番号または本人・家族等の種別の変更があった場合は、保険者番号ごとにそれぞれ別の明細書を作成する。

注射料（点滴注射）

●点滴注射を行っていますが、手術当日に手術に関連して行われる注射の手技料は算定できないため、1日に使用した点滴注射の薬剤をすべて合算して、薬剤料のみ算定します。

※第10部手術の通則「1」及び「2」を確認します。

●点滴注射の薬剤……**197点**

ソリタT-3号 輸液500mL 2袋（176円×2＝352円）
セフメタゾールナトリウム点滴静注用バッグ1g「NP」2キット
（生理食塩液100mL付）（1キット811円×2=1,622円）

合計金額　1,974円÷10＝197.4→197点（五捨五超入）

手術料

手術料を算定します。

●経尿道的前立腺手術（電解質溶液利用のもの）……**20,400点**　K841「1」

●特定保険医療材料……**56点**

膀胱留置用ディスポーザブルカテーテル2管一般（Ⅱ）標準型（560円）1本

麻酔料

麻酔料を算定します。

●麻酔料……**6,400点**

閉鎖循環式全身麻酔（閉麻）を取り入れた麻酔料の算定方法を覚える。L008閉鎖循環式全身麻酔には、「1」～「5」の方法がある。どのような手術か、麻酔の方法、また、麻酔時間はどのくらいか、患者の手術時の体位等を確認して基本点数を算定する。

閉鎖循環式全身麻酔、硬膜外麻酔（腰部）併施（砕石位）とあり、麻酔は午前9時50分～午前11時30分までで、実施時間は1時間40分の2時間以内です。そのためL008「5」、その他の場合の「ロ」イ以外の場合により6,000点の算定となります。また、硬膜外麻酔（腰部）を併施しているのでL008「注4」「ロ」の腰部400点が加算できます。

麻酔料は**6,000点**＋**400点**＝**6,400点**

●麻酔管理料を算定……**1,050点**

届出の状況に、麻酔管理料Ⅰの設定があるため 麻管1 を算定します。麻酔は閉鎖循環式全身麻酔なので 麻管1 L009（1）「2」は1,050点です。10月28日麻酔前回診、10月30日麻酔後の回診があります（緊急の場合を除き、麻酔前後の診察は、当該麻酔を実施した日以外に行われなければならない）。

●手術中の液化酸素CE 450L（1 L0.19円）を計算……**11点**

0.19円× 450L × 1.3=111.50円（四捨五入）→ 11点

酸素の計算式＝

①購入価格×使用ℓ × 1.3（補正率）=A（端数四捨五入）
② A ÷ 10= 点数 （端数は四捨五入）

●麻酔薬剤料を算定……**1,195点**

グリセリン浣腸液50% 60mL 1個（113.10円）
アトロピン硫酸塩0.05% 1mL 1A（95円）
ドルミカム注射液10mg 2mL 1A（115円）
亜酸化窒素650 g（1 g 2.50円× 650 ＝ 1,625円）
セボフルラン吸入麻酔液60mL（1mL 27.20円× 60mL ＝ 1,632円）
プロポフォール静注1% 20mL 1A（594円）
マーカイン注0.5% 10mL 2V（188円× 2 ＝ 376円）
セフメタゾールナトリウム点滴静注用バッグ1 g「NP」2キット
（生理食塩液100mL付）（1キット811円× 2 ＝ 1,622円）
ハルトマンD液500mL 7袋（1袋214円× 7 ＝ 1,498円）
大塚生食注1L 12袋（1袋356円× 12=4,279円）

合計金額　11,949.10円÷ 10=1,194.91 → 1,195点（五捨五超入）　**1,195点**

※閉鎖循環式全身麻酔施行日に実施した、終末呼気炭酸ガス濃度測定、経皮的動脈血酸素飽和度測定、呼吸心拍監視は、「L008マスク又は気管内挿管による閉鎖循環式全身麻酔」の（注6）及び保医発通知の所定点数に含まれる費用「イ」「エ」にて、所定点数に含まれるため算定はできません。

処　置

●酸素吸入

手術当日に実施しているため、手術の「通則1」の手術当日に、手術に関連して行う処置に該当するため算定できず液化酸素のみの算定になります。

●液化酸素 CE420L（1L 0.19円）

0.19円×420L×1.3（補正率）＝103.74（四捨五入）**10点**

入院料

入院料は28日以降同じです。　29日の入院料は**2,389点**

【10月30日】

投　薬

●薬剤料

レボフロキサシン錠500mg 1錠（1錠69.60円×5日分）

69.60円÷10＝6.96→**7点**（五捨五超入）

7点×5日分＝**35点**

●調剤料

F000調剤料「2」により、1日分につき7点を算定できます。30、31日分なので7点×2日分＝**14点**です。

●調剤技術基本料

F500「1」入院中の患者に投薬を行った場合42点を算定することができますが「注4」で薬剤管理指導料を算定している場合には算定できないとあります。27日に 薬管2 を算定しているため算定はできません。

注射料（点滴注射）

●点滴注射を行っている……**102点**

1日に使用した点滴注射の薬剤をすべて合算して、薬剤の量から手技料の点数を算定します。

500mL以上　102点

●点滴注射の薬剤……**197点**

ソリタT-3号輸液500mL 2袋（1袋176円×2＝352円）
セフメタゾールナトリウム点滴静注用バッグ1g「NP」2キット
（生理食塩液100mℓ付）（1キット811円×2=1,622円）

合計金額　1,974円÷10＝197.4→197点（五捨五超入）

診療報酬請求書（明細書）等の記載の留意点⑧

同月中に保険種別等の変更があった場合には、その変更があった日を診療開始日として記載し、「摘要」欄にその旨を記載する。

処　置

●術後創傷措置‥‥**52点** J000創傷処置1（100cm²未満）

※薬剤ポピドンヨード消毒液10% 10mL（13.10円）は15円以下なので、J300薬剤「注1」により算定できません。

検　査

● B-末梢血液一般検査（2回目）……**21点** D005「5」血液形態、機能検査

● B-末梢血液像（自動機械法）（2回目）……**15点** D005「3」血液形態、機能検査

● B-CRP（C反応性蛋白）（2回目）……**16点** D015「1」血漿蛋白免疫学的検査

● B-生化学的検査（Ⅰ）（2回目）……**103点** D007血液化学検査

Na、Cl、K、AST、ALT、LD、T-Bil、T-cho、LDL-cho、TP、Alb（BCP 改　良　法　）、BUN、クレアチニン、Glu、Amy（10項目以上）……103点

画像診断

●胸部単純X-P1方向（デジタル、電子画像管理）……**210点**

E001写真診断「1」単純撮影「イ」85点

E002撮影「1」単純撮影「ロ」68点

第1節エックス線診断料「通則4」電子画像管理加算「イ」単純撮影の場合 電画 57点

※外来で画像診断（単純X-P）施行のため画像診断管理加算は算定済みです。

胸部単純撮影85点＋68点＋57点＝210点

入院料

入院料は、28日以降、同じです。 30日の入院料は**2,389点**

【10月31日】

処　置

●術後創傷処置……**52点** 30日と同様です。J000創傷処置1（100cm²未満）

検　査

●尿流測定……**205点** D242尿水力学的検査「3」尿流測定

● U-沈査（鏡検法）……**27点** D002尿沈渣(鏡検法)

●検査判断料判尿……**34点** D026「1」尿・糞便等検査判断料

診療報酬請求書（明細書）等の記載の留意点⑨

同一日に初診及び再診（電話等再診を含む）が2回以上行われた場合の実日数は、1日として数える。この場合、その回数を「摘要」欄に再掲する。

入院料

入院料は、28 日以降、同じです。 31 日の入院料は **2,389 点**

入院時食事療養費

10 月 27 日～10 月 31 日

	朝	昼	夕	合計
10 月 27 日			○	1
10 月 28 日	○	○	○	3
10 月 30 日			○	1
10 月 31 日	○	○	○	3

●食数……8 食

●入院時食事療養費（Ⅰ）……670 円× 8 食＝ 5,360 円

食堂加算 50 円× 4 日＝ 200 円

5,360 ＋ 200 ＝ 5,560 円

標準負担額

●食数…8 食

● 1 食の自己負担額……490 円× 8 食＝ 3,920 円

診療報酬請求書（明細書）等の記載の留意点⑩

「点数」欄には、項目名または略称、所定点数、回数及び合計点数を記載する。「×」がない場合や「×」があっても算定した所定点数が複数の場合は所定点数及び回数の記載は省略可。

診療報酬明細書
（医科入院）

令和 4 年 10 月分

都道府県番号　医療機関コード

1 医科	①社・国 2 公費	3 後期 4 退職	①単独 2 2併 3 3併	1 本入 3 六入 5 家入	⑦高入一 9 高入 7

市町村番号		老人医療の受給者番号	
公費負担者番号①		公費負担医療の受給者番号①	
公費負担者番号②		公費負担医療の受給者番号②	

保険者番号　3 2 1 3 1 9 2 2　給付割合 10 9 8 7（ ）

被保険者証・被保険者手帳等の記号・番号　6431・552（枝番）02

区分	精神 結核 特例 老人 重点 療養 複合 複療	特記事項
氏名	小田　健司	区エ
	①男 2女 1明 2大 ③昭 4平 5令 25・7・29 生	
職務上の事由	1職務上 2下船後3月以内 3通勤災害	

保険医療機関の所在地及び名称　神奈川県横浜市×××　○○○病院

傷病名	診療開始日	転帰	治療実日数
（1）前立腺肥大症（主）	（1）平成30年 4月 9日	治ゆ　死亡　中止	保険 5日
（2）尿閉（主）	（2）令和4年 10月 27日		公費① 日
			公費② 日

区分		回	点	公費分点数
⑪初診	時間外・休日・深夜	回	点	
⑬医学管理			630	
⑭在宅				
⑳投薬	㉑内服	5 単位	35	
	㉒屯服	単位		
	㉓外用	単位		
	㉔調剤	2 日	14	
	㉖麻毒	日		
	㉗調基			
㉚注射	㉛皮下筋肉内	回		
	㉜静脈内	回		
	㉝その他	3 回	496	
㊵処置		3 回	114	
	薬剤			
(50)手術麻酔		5 回	32,792	
	薬剤		2,478	
(60)検査病理		10 回	1,073	
	薬剤			
(70)画像診断		1 回	210	
	薬剤			
(80)その他				
	薬剤			

⑬ ＊薬管2（27日）　325×1
＊肺予　305×1

㉑ ＊レボフロキサシン錠 500mg 1錠　7×5

㉝ ＊点滴注射「2」　102×1
＊ソリタ-T3号輸液 500mL 2袋, セフメタゾールナトリウム点滴静注用バッグ 1g「NP」(生理食塩液 100mL 付) 2キット　197×2

㊵ ＊(酸素吸入), 液化酸素 CE 420L (0円19×420L×1.3)÷10　10×1
＊創傷処置1（100cm^{2}未満）　52×2

(50) ＊膀胱瘻造設術 外（27日）　4,942×1
＊キシロカイン注ポリアンプ 1% 10mL 1A　8×1
＊膀胱瘻用穿刺針（5,820円）1本, ダイレーター・シースなし（2,140円）1本, 膀胱瘻用カテーテル（3,770円）1本　1,208×1
＊経尿道的前立腺手術（電解質溶液利用のもの）（29日）　20,400×1
＊膀胱留置用ディスポーザブルカテーテル・2管一般（Ⅱ）・標準型（561円）1本　56×1
＊閉鎖循環式全身麻酔「5」, 硬膜外麻酔（腰部）併施（1時間40分）(29日)　6,400×1
＊液化酸素 CE 450L（0円19×450L×1.3)÷10　11×1

(90)入院　入院年月日　令和4年 10月 27日

病　診	(90)入院基本料・加算	点
急一般3	4,124×1日間	4,124
臨修	2,389×4日間	9,556
録管1	180×1	180
医1の30		
急25上		
看職12夜2		
環境		
安全1	(92)特定入院料・その他	
感向1		
デ提2		

※高額療養費　円　※公費負担点数　点　※公費負担点数　点

(97)食事・生活			
基準Ⅰ	670円×8回	基準（生）	円×　回
特別	円×　回	特別（生）	円×　回
食堂	50円×4日	減・免・猶・Ⅰ・Ⅱ・3月超	
環境	円×　日		

療養の給付	請求 点	※決定 点	負担金額 円 / 減額 割（円）免除・支払猶予
保険	51,702		
公費①	点	※ 点	円
公費②	点	※ 点	円

食事・生活療養	回	請求 円	※決定 円	（標準負担額）円
保険	1回	5,560		3,920
公費①	回	円	※ 円	円
公費②	回	円	※ 円	円

	＊グリセリン浣腸液 50% 60mL 1個, アトロピン硫酸塩注射液 0.05% 1mL 1A, ドルミカム注射液 10mg 2mL 1A, 亜酸化窒素 650g, セボフルラン吸入麻酔液 60mL, プロポフォール静注 1% 20mL 1A, マーカイン注 0.5% 10mL 2V, セフメタゾールナトリウム点滴静注用バッグ 1g「NP」(生理食塩駅 100mL 付)2キット, ハルトマンD液 500mL 7袋, 大塚生食注 1L 12袋	1,195 × 1
	＊麻管Ⅰ	1,050 × 1
⑥⓪	＊超音波検査(断層撮影法)「ロ」(1)胸腹部 減	477 × 1
	＊B-末梢血液一般, 末梢血液像（自動機械法）	36 × 2
	＊B-CRP	16 × 2
	＊B-Na・Cl, K, AST, ALT, LD, T-Bil, T-cho, TP, Alb, BUN, クレアチニン, Glu, Amy（10項目以上）(入院時初回加算)	123 × 1
	＊B-Na・Cl, K, AST, ALT, LD, T-Bil, T-cho, TP, Alb, BUN, クレアチニン, Glu, Amy（10項目以上）	103 × 1
	＊尿量測定	205 × 1
	＊尿沈渣（鏡検法）	27 × 1
	＊判尿	34 × 1
	（＊判血, 判生Ⅰ, 判免, 検管 は外来にて算定済み）	
⑦⓪	＊胸部単純X-P（デジタル）(1方向), 電画 （画像診断管理加算は, 外来にて算定済み）	210 × 1
⑨⓪	＊急一般3（14日以内), 臨修（協力型), 録管1, 医1の30, 急25上, 看職12夜2, 環境, 安全1, 感向1, デ提2, 2級地	4,124 × 1
	＊急一般3（14日以内), 急25上, 看職12夜2, 環境, 2級地	2,389 × 4
	＊時間外加算（外来診療料）	180 × 1

索　引

英数字

あ

あ

い

う

え

お

か

か

き

く

け

こ

さ

た

な

は

ま

や

ら

【参考文献】

青山美智子著　『診療報酬・完全攻略マニュアル 2024-25 年版』医学通信社
社会保険研究所　『薬価基準点数早見表』令和６年４月版

診療報酬明細書
（医科入院外）

都道府 医療機関コード
県番号

令和　年　月分

1 医科	1社・国 2公費	3後期 4退職	1単独 2 2併 3 3併	2本外 4六外 6家外	8高外一 0高入7

保険者番号		給付割合	10 9 8 7（ ）

公費負担者番号①		公費負担医療の受給者番号①	
公費負担者番号②		公費負担医療の受給者番号②	

被保険者証・被保険者手帳等の記号・番号	・

氏名	1男 2女　1明 2大 3昭 4平・令　・　・　生	特記事項
職務上の事由	1職務上 2下船後3月以内 3通勤災害	

保険医療機関の所在地及び名称

（　　床）

傷病名		診療開始日		転帰	治ゆ	死亡	中止	診療実日数	保険 日 / 公費① 日 / 公費② 日

区分	項目			公費分点数
⑪初診	時間外・休日・深夜	回	点	
⑫再診	再診	×	回	
	外来管理加算	×	回	
	時間外	×	回	
	休日	×	回	
	深夜	×	回	
⑬医学管理				
⑭在宅	往診	×	回	
	夜間	×	回	
	深夜・緊急	×	回	
	在宅患者訪問診療	×	回	
	その他	×	回	
	薬剤	×	回	
⑳投薬	㉑内服 薬剤		単位	
	㉑内服 調剤	×	回	
	㉒屯服 薬剤		単位	
	㉓外用 薬剤		単位	
	㉓外用 調剤	×	回	
	㉕処方	×	回	
	㉖麻毒		回	
	㉗調基			
㉚注射	㉛皮下筋肉内		回	
	㉜静脈内		回	
	㉝その他		回	
㊵処置			回	
	薬剤			
㊿手術麻酔			回	
	薬剤			
60検査病理			回	
	薬剤			
70画像診断			回	
	薬剤			
80その他	処方せん		回	
	薬剤			

療養の給付	請求 点	※決定 点	一部負担金額 円 / 減額 割（円）免除・支払猶予			
保険						
公費①	点	※ 点	円			
公費②	点	※ 点	円	※高額療養費 点	※公費負担点数 点	※公費負担点数 点

診療報酬明細書
（医科入院）

都道府県番号　医療機関コード

令和　年　月分

1 医科	1 社・国 2 公費	3 後期 4 退職	1 単独 2 2併 3 3併	1 本入 3 六入 5 家入	7 高入一 9 高入7

保険者番号		給付割合 10 9 8 7（　）

被保険者証・被保険者手帳等の記号・番号	・

公費負担者番号①		公費負担医療の受給者番号①	
公費負担者番号②		公費負担医療の受給者番号②	

区分	精神　結核　療養	特記事項
氏名	1男 2女　1明 2大 3昭 4平・令　・　・　生	
職務上の事由	1 職務上　2 下船後3月以内　3 通勤災害	

保険医療機関の所在地及び名称

傷病名		診療開始日		転帰	治ゆ	死亡	中止	診療実日数	保険　日 公費①　日 公費②　日

区分	内容	公費分点数
⑪初診	時間外・休日・深夜　回　点	
⑬医学管理		
⑭在宅		
⑳投薬	㉑内服　単位 ㉒屯服　単位 ㉓外用　単位 ㉔調剤　日 ㉖麻毒　日 ㉗調基	
㉚注射	㉛皮下筋肉内　回 ㉜静脈内　回 ㉝その他　回	
㊵処置	回 薬剤	
㊿手術麻酔	回 薬剤	
60検査病理	回 薬剤	
70画像診断	回 薬剤	
80その他	薬剤	
90入院	入院年月日　年　月　日 病　診　90入院基本料・加算　点 ×　日間 ×　日間 ×　日間 ×　日間 ×　日間 92特定入院料・その他	

※高額療養費　円	※公費負担点数　点
	※公費負担点数　点
97食事・生活　基準　円×　回	基準（生）　円×　回
特別　円×　回	特別（生）　円×　回
食堂　円×　日	減・免・猶・Ⅰ・Ⅱ・月超
環境　円×　日	

療養の給付	請求　点	※決定　点	負担金額　円 減額　割（円）免除・支払猶予
保険			
公費①	点	※　点	円
公費②	点	※　点	円

食事・生活療養	回	請求　円	※決定　円	（標準負担額）　円
保険	回			
公費①	回	円	※　円	円
公費②	回	円	※　円	円

青山美智子（あおやま　みちこ）
東北福祉大学大学院卒業後、岩手県立大学大学院博士後期課程にて人口減少社会を支える地域包括ケアのあり方に関する研究を行う。仙台青葉学院短期大学教授。衆議院議員私設秘書、一般医療機関勤務を経た後、医療系専門学校で診療報酬請求事務、医事コンピュータならびに医療関連知識の教鞭をとる。その後、短期大学ならびに各専門学校等にて各種の講座や検定対策特別講義を担当する。また、東京都産業労働局の公的機関の講師ならびに試験問題の適正水準を図るため技能照査試験問題等の審査委員も務め、現在、職業訓練指導員として、短期大学において優秀なメディカルスタッフを輩出する。主な著書に『ひとりで学べる調剤報酬事務＆レセプト作例集』（ナツメ社）『ビジュアル速解 診療報酬・完全攻略マニュアル』（医学通信社）などがある。

藤田勝弘（ふじた　かつひろ）
現在、大宮中央総合病院医事課顧問として総括的レセプト業務を行う。併せて、医療ビジネス観光福祉専門学校で教鞭をとる。2000年、立正佼成会附属佼成病院医事課長を経て、総合病院の事務長、日本病院会医事研究会委員長、神奈川県病院協会医事研究会委員長等を歴任する。著書に『新入職員と実習生のための医事現場入門―病院実習マニュアル』（経営書院）、共著書に『Q＆Aでわかる医療事務【実践対応】ハンドブック』（医学通信社）などがある。

本書に関するお問い合わせは、書名・発行日・該当ページを明記の上、下記のいずれかの方法にてお送りください。電話でのお問い合わせはお受けしておりません。
・ナツメ社 webサイトの問い合わせフォーム
https://www.natsume.co.jp/contact
・FAX（03-3291-1305）
・郵送（下記、ナツメ出版企画株式会社宛て）
なお、回答までに日にちをいただく場合があります。正誤のお問い合わせ以外の書籍内容に関する解説・受験指導は、一切行っておりません。あらかじめご了承ください。

2024年版
ひとりで学べる
診療報酬請求事務能力認定試験 テキスト＆問題集

2024年10月4日　初版発行

著　者　青山美智子
　　　　藤田勝弘
発行者　田村正隆

発行所　株式会社ナツメ社
東京都千代田区神田神保町1-52　ナツメ社ビル1F（〒101-0051）
電話　03（3291）1257（代表）　FAX　03（3291）5761
振替　00130-1-58661
制　作　ナツメ出版企画株式会社
東京都千代田区神田神保町1-52　ナツメ社ビル3F（〒101-0051）
電話　03（3295）3921（代表）
印刷所　ラン印刷社

ISBN978-4-8163-7621-4　Printed in Japan

〈定価はカバーに表示してあります〉〈落丁・乱丁本はお取り替えします〉

別冊②

過去10回の出題傾向

模擬試験

（3時間トライアル）

第59回　診療報酬請求事務能力認定試験（医科）に挑戦してみましょう。
なお、本問題の解答は、令和6年4月現在施行されている法律等によっています。解答解説はP21にあります。

過去10回の出題傾向

診療報酬請求事務能力認定試験（医科）の試験において、過去10回で出題された分野は次のとおりです。学習の参考にしてください（※第52回は中止）。

★は出題された分野を示します。

出題頻度は◎8回以上、○5回以上、△1回以上、×直近10回出題なしを表します。

【学科分析】

回数	59	58	57	56	55	54	53	51	50	49	出題頻度
医療保険制度											
医療保険制度の概要											
医療保険制度の特徴											×
保険医療機関の指定期間	★			★	★	★				★	○
保険者の関係					★		★				△
傷病手当金等			★		★						△
任意継続	★	★		★		★				★	○
被保険者の資格取得と喪失		★		★					★		△
後期高齢者に関する問題	★	★	★	★	★	★		★	★	★	◎
就学前の給付率の問題					★				★		△
被扶養者の範囲									★		△
療養の給付に関する問題	★				★		★				△
現金給付に関する問題（高額療食含む）											×
交通事故、労災の問題					★				★		△
医療関係法規											
1. 医療法											
医療法	★	★	★			★	★			★	○
保険医登録・取消し											×
保険医療機関・保険医が受ける厚生労働大臣の指導、登録・取消し	★	★	★	★	★	★				★	○
開設者											×
2. 医療従事者											
医師法		★	★		★						△
保健師助産師看護師法											×
診療放射線技師法											×
臨床工学士法			★			★				★	△
3. 療養担当規則											
一部負担金等について				★		★	★		★	★	○
看護ができる者の規定	★						★				△
資格の確認	★	★						★	★		△
有償・無償の交付			★								△
領収証の無償交付										★	△
書類の保存											×
療養の給付の範囲	★	★		★							△
療養の給付の担当方針											×
特殊療法等の禁止								★			△
診療録の記載・保存について				★		★			★		△
健康保険事業の健全運営											×
特定の保険薬局への誘導			★								△

回数	59	58	57	56	55	54	53	51	50	49	出題頻度
後発医薬品の患者選択の対応											×
入院											×
通知											×
処方箋・院外処方											×
4. 介護保険制度											
被保険者	★		★				★	★		★	○
介護報酬											×
介護給付の認定、種類	★	★		★				★	★		○
資格の喪失											×
介護保険料の納付											×
介護保険と医療保険の関係	★	★		★		★	★			★	○
5. 公費負担医療制度											
公費と医療保険の関係											×
公費と高額療養費の関係											×
障害者総合支援法の自己負担と給付割合											×
公費と自己負担額											×
6. その他											
労災保険、交通事故等											×
通訳料・予約診療等	★	★	★		★	★	★	★	★		◎
基本診療料											
11 初診料	★		★	★	★	★	★	★	★	★	◎
12 再診料	★	★	★	★	★	★	★	★	★	★	◎
12 外来診療料							★	★	★	★	△
13 医学管理	★	★	★	★	★	★	★	★	★	★	◎
14 在宅	★	★	★	★	★	★	★	★	★	★	◎
20 投薬	★	★	★	★	★	★	★	★	★	★	◎
30 注射	★	★	★	★	★	★	★	★	★	★	◎
40 処置	★	★	★	★	★	★	★	★	★	★	◎
40 ギプス								★	★	★	△
50 手術	★	★	★	★	★	★	★	★	★	★	◎
50 輸血						★	★	★	★	★	○
50 麻酔	★	★	★	★	★	★	★	★	★	★	◎
60 検査・病理	★	★	★	★	★	★	★	★	★	★	◎
70 画像診断	★	★	★	★	★	★	★	★	★	★	◎
80 リハビリテーション	★	★	★	★	★	★	★	★	★	★	◎
80 精神科専門療法	★	★	★	★	★	★	★	★	★	★	◎
80 放射線治療	★	★			★	★	★	★	★	★	◎
90 入院料・加算	★	★			★	★	★	★	★	★	◎
97 入院食事療養	★	★			★	★	★	★	★	★	◎
7. 公定価格（薬価基準・特定医療材料料）											
						★	★				△
統計・その他											
					★	★					△

【過去の受験・合格状況】

実施年度	第１回～59回累計	2018		2019		2020		2021		2022		2023	
回　数		48	49	50	51	52	53	54	55	56	57	58	59
受験者数(人)	415,592	3,894	6,119	3,947	5,337		5,378	3,138	4,913	2,313	4,162	2,446	3,659
合格者数(人)	127,275	1,618	1,738	1,374	1,469		2,304	1,117	1,934	655	1,502	905	1,771
合格率(%)	30.6	41.6	28.4	34.9	27.5		42.8	37.5	39.4	28.3	36.1	37.0	48.4

学科試験問題（医科）

問1　次の文章のうち正しいものはどれですか。

（1）健康保険法において、被保険者が療養の給付（保険外併用療法費に係る療養を含む）を受けるため、病院又は診療所に移送されたときは、保険者が必要と認める場合に限り、移送費が支給される。

（2）健康保険の任意継続被保険者は、任意継続被保険者でなくなることを希望する旨を、厚生労働省令で定めるところにより、保険者に申し出た場合において、その申出が受理された日の翌日からその資格を喪失する。

（3）保険医療機関は、1月以上の予告期間を設けて、その指定を辞退することができる。

（4）生活保護法による保護を受けている世帯（その保護を停止されている世帯を除く）に属する者は、75歳以上になっても後期高齢者医療の被保険者とならない。

a（1）、（2）　b（2）、（3）　c（1）、（3）、（4）
d（1）～（4）のすべて　e（4）のみ

問2　次の文章のうち正しいものはどれですか。

（1）保険医療機関は、入院患者の症状が特に重篤である場合に限り、その入院患者に対して、患者の負担により、当該保険医療機関の従業者以外の者による看護を受けさせることができる。

（2）患者の自己利用目的によるレントゲンのコピー代は、セカンド・オピニオンの利用目的の場合であっても、患者から当該費用を徴収することができる。

（3）注射薬は、保険医療機関及び保険医療養担当規則において、厚生労働大臣の定める注射薬に限り患者に投与することができることとされており、その投与量は、症状の経過に応じたものでなければならず、厚生労働大臣が定めるものについては、その投与量は、1回14日分が限度と定められている。

（4）入院期間の考え方について、介護保険適用病床に入院している患者が、急性増悪等により一般病棟での医療が必要となり、同病棟に転棟した場合は、転棟後30日までの間は、新規入院患者と同様に取り扱う。

a（1）、（2）　b（2）、（3）　c（1）、（3）、（4）
d（1）～（4）のすべて　e（4）のみ

問3 次の文章のうち正しいものはどれですか。

（1）診療所に病床を設けようとするとき、又は診療所の病床数、病床の種別その他厚生労働省で定める事項を変更しようとするときは、厚生労働省令で定める場合を除き、厚生労働大臣の許可を受けなければならない。

（2）介護保険における第2号被保険者とは、市町村又は特別区の区域内に住所を有する40歳以上65歳未満の医療保険加入者のことである。

（3）介護保険においては、被保険者の要介護状態に関する保険給付を「介護給付」、被保険者の要支援状態に関する保険給付を「予防給付」という。

（4）病院、診療所又は助産所の開設者が、その病院、診療所又は助産所を休止したときは、20日以内に、都道府県知事に届け出なければならない。

a （1）、（2）　　b （2）、（3）　　c （1）、（3）、（4）

d （1）～（4）のすべて　　e （4）のみ

問4 次の文章のうち正しいものはどれですか。

（1）保険外併用療養費の支給対象となる先進医療実施に当たっては、先進医療ごとに、保険医療機関が別に厚生労働大臣が定める施設基準に適合していることを地方厚生（支）局長に届け出なければならない。

（2）入院時食事療養（Ⅰ）又は入院生活療養（Ⅰ）の届出を行っている保険医療機関においては、医師、管理栄養士又は栄養士による検食が毎食行われ、その所見が検食簿に記入されていなければならない。

（3）特定保険医療材料である緊急時ブラッドアクセス用留置カテーテルは、2週間に1本を限度として算定できる。

（4）特定保険医療材料である血管内手術用カテーテルについて、経皮的脳血管形成術用カテーテルは、頭蓋内血管の経皮的形成術に使用した場合には算定できない。

a （1）、（2）　　b （2）、（3）　　c （1）、（3）、（4）

d （1）～（4）のすべて　　e （4）のみ

問5 次の文章のうち正しいものはどれですか。

（1）基本診療料は、初診、再診及び入院治療の際（特に規定する場合を除く）に原則として必ず算定できるものであり、初診の際に診察だけで終り、検査も注射もしなかった場合においても、初診料の所定点数を算定できる。

（2）同一の保険医が別の保険医療機関において、同一の患者について診療を行った場合は、最初に診療を行った保険医療機関において初診料を算定する。

（3）保険医療機関において出生した新生児に疾病を認め、初診料を算定する場合、当該保険医療機関が表示する診療時間外であれば、時間外加算、休日加算又は深夜加算のいずれかを算定できる。

（4）初診料について、いわゆる夜間開業の保険医療機関において、当該保険医療機関の診療時間又は診療体制が午後10時から午前6時までの間と重複している場合には、当該重複している時間帯における診療については深夜加算を算定できない。

a （1）、（2）　b （2）、（3）　c （1）、（3）、（4）

d （1）～（4）のすべて　e （4）のみ

問6　次の文章のうち正しいものはどれですか。

（1）初診料の機能強化加算は、許可病床数が200床未満の病院又は診療所であって、別に厚生労働大臣が定める施設基準に適合しているものとして地方厚生（支）局長に届け出た保険医療機関において初診を行った場合に算定できる。

（2）再診料の地域包括診療加算について、患者の担当医以外の医師が診療を行った場合には、当該地域包括診療加算は算定できない。

（3）外来診療料の所定点数に包括される処置項目には、超音波ネブライザは含まれない。

（4）初診料及び再診料の外来感染対策向上加算の施設基準の要件のひとつは、専従の院内感染管理者が配置されていることである。

a （1）、（2）　b （2）、（3）　c （1）、（3）、（4）

d （1）～（4）のすべて　e （4）のみ

問7　次の文章のうち正しいものはどれですか。

（1）総合入院加算は、十分な人員配置及び設備等を備え総合的かつ専門的な急性期医療を24時間提供できる体制及び医療従事者の負担の軽減及び処遇の改善に資する体制等を評価した加算であり、入院した日から起算して7日を限度として算定できる。

（2）救急患者として受け入れた患者が、処置室、手術等において死亡した場合は、当該保険医療機関が救急医療を担う施設として確保することとされている専用病床（救急医療管理加算又は救命救急入院料を算定する病床に限る）に入院したものとみなし、入院料等を算定できる。

（3）結核病棟入院基本料について、当該保険医療機関において複数の結核病棟がある場合には、当該病棟全てについて同じ区分の結核病棟入院基本料を算定しなければならない。

（4）療養病棟入院基本料について、診療所に入院していた患者を療養病棟で受け入れた場合、急性期患者支援療養病床初期加算を算定できる。

a （1）、（2）　b （2）、（3）　c （1）、（3）、（4）
d （1）～（4）のすべて　e （4）のみ

問8　次の文章のうち正しいものはどれですか。

（1）認知症ケア加算について、身体的拘束を実施した日は、認知症ケア加算の所定点数の100分の70に相当する点数により算定する。

（2）臨床研修病院入院診療加算の「1基幹型」の施設基準の要件のひとつには、指導医は臨床経験を5年以上有する医師であることである。

（3）短期滞在手術等基本料3は、患者が退院後概ね3日間、1時間以内で当該医療機関に来院可能な距離にいるという要件を満たしていなければ算定できない。

（4）精神科救急急性期医療入院料の算定対象となる患者には、精神作用物質使用による精神及び行動の障害（アルコール依存症にあっては、単なる酩酊状態であるものを除く）を有する者が含まれる。

a （1）、（2）　b （2）、（3）　c （1）、（3）、（4）
d （1）～（4）のすべて　e （4）のみ

問9　次の文章のうち正しいものはどれですか。

（1）臓器移植術を受けた患者であって臓器移植における拒否反応の抑制を目的として免疫抑制剤を投与しているものに対して、投与薬剤の血中濃度を測定し、その結果に基づき当該薬剤の投与量を精密に管理した場合は、月1回に限り特定薬剤治療管理料1を算定できる。

（2）遠隔連携診療料の算定に当たっては、患者に対面診療を行っている保険医療機関の医師が、他の保険医療機関の医師に診療情報の提供を行い、当該医師と連携して診療を行うことについて、あらかじめ患者に説明し同意を得なければならない。

（3）特定疾患治療管理料の「6 てんかん指導料」について、第1回目の当該指導料は、初診料を算定した初診の日又は当該保険医療機関から退院した日からそれぞれ起算して1か月を経過した日以降に算定できる。

（4）退院前訪問指導料は、退院して家庭に復帰する患者が算定の対象であり、特別養護老人ホーム等医師又は看護師等が配置されている施設に入所予定の患者は算定の対象にはならない。

a （1）、（2）　b （2）、（3）　c （1）、（3）、（4）
d （1）～（4）のすべて　e （4）のみ

問10 次の文章のうち正しいものはどれですか。

（1）ウイルス疾患指導料について、HIVの感染者に対して指導を行った場合は、当該指導料の「イ　ウイルス疾患指導料1」を算定する

（2）ニコチン依存症管理料は、入院中の患者以外の患者に対し、「禁煙治療のための標準手順書」に沿って、初回の当該管理料を算定した日から起算して12週間にわたり計4回の禁煙治療を行った場合に算定できる。

（3）救急救命管理料について、救急救命士が行った処置等の費用は、救急救命管理料の所定点数とは別に算定できる。

（4）退院後訪問指導料を算定した場合は、同一の保険医療機関において精神科在宅患者支援管理料は算定できない。

a （1）、（2）　b （2）、（3）　c （1）、（3）、（4）
d （1）～（4）のすべて　e （4）のみ

問11 次の文章のうち正しいものはどれですか。

（1）往診料について、患家における診療時間が1時間を超えた場合は、患家診療時間加算として、30分又はその端数を増すごとに、所定点数に100点を加算できる。

（2）在宅酸素療法指導管理料を算定している患者（入院中の患者を除く）については、喀痰吸引の費用（薬剤及び特定保険医療材料に係る費用を含む）は算定できない。

（3）在宅気管切開患者指導管理料について、当該管理を実施する保険医療機関又は緊急時に入院するための施設においては、レスピレーターを備えなければならない。

（4）在宅寝たきり患者処置指導管理料について、皮膚科特定疾患指導管理料を算定している患者については、当該管理料は算定できない。

a （1）、（2）　b （2）、（3）　c （1）、（3）、（4）
d （1）～（4）のすべて　e （4）のみ

問12 次の文章のうち正しいものはどれですか。

（1）尿沈渣（フローサイトメトリー法）は、外注により検査を行った場合であっても算定できる。

（2）イヌリンクリアランス測定について、検査に伴って行った注射、採血及び検体測定の費用は、当該検査の所定点数に含まれるが、使用した薬剤は別に算定できる。

（3）検体検査判断料は、同一月内において、同一患者に対して、入院及び外来の両方又は入院中に複数の診療科において検体検査を実施した場合においても、同一区分の判断料は、入院・外来又は診療科の別にかかわらず、月１回に限り算定できる。

（4）経皮的酸素ガス分圧測定について、重症下肢血流障害が疑われる患者に対し、虚血肢の切断若しくは血行再建に係る治療方針の決定又は治療効果の判定のために経皮的に血中の PO_2 を測定した場合に、２月に１回に限り算定できる。

a （1）、（2）　b （2）、（3）　c （1）、（3）、（4）
d （1）～（4）のすべて　e （4）のみ

問13 次の文章のうち正しいものはどれですか。

（1）尿中特殊物質定性定量検査のシュウ酸（尿）は、再発性尿路結石症の患者に対して、キャピラリー電気泳動法により行った場合に、原則として１年に１回に限り算定できる。

（2）小児食物アレルギー負荷検査は、問診及び血液検査等から、食物アレルギーが強く疑われる16歳未満の小児に対し、原因抗原の特定、耐性獲得の確認のために、食物負荷試験を実施した場合に、12月に４回を限度として算定できる。

（3）造影剤を使用して磁気共鳴コンピューター断層撮影（MRI撮影）を行った場合は、閉鎖循環式全身麻酔に限り麻酔手技料を別に算定できる。

（4）乳房用ポジトロン断層撮影は、乳房専用のPET装置を用いて、診断用の画像としてポジトロン断層撮影画像を撮影するものであり、画像の方向、スライスの数、撮影の部位数、疾病の種類等にかかわらず、当該断層撮影の所定点数により算定する。

a （1）、（2）　b （2）、（3）　c （1）、（3）、（4）
d （1）～（4）のすべて　e （4）のみ

問14　次の文章のうち正しいものはどれですか。

（1）処方箋料について、一の処方薬について、一般名とカッコ書等で銘柄名が併記されている場合には、一般名処方加算は算定できる。
（2）特定疾患処方管理加算は、初診料を算定した初診の日には算定できない。
（3）精密持続点滴注射加算について、抗悪性腫瘍剤局所持続注入の実施時に精密持続点滴を行った場合には、当該加算は算定できない。
（4）処方料について、複数の診療科を標榜する保険医療機関において、２以上の診療科で、異なる医師が３歳未満の乳幼児に対して処方を行った場合は、それぞれの処方について乳幼児加算を算定できる。

a（1）、(2)　　b（2）、(3)　　c（1）、(3)、(4)
d（1）～（4）のすべて　　e（4）のみ

問15　次の文章のうち正しいものはどれですか。

（1）皮内、皮下及び筋肉内注射は、入院中の患者以外の患者に対して行った場合にのみ算定し、入院中の患者に行った場合は、１日の薬剤料を合算し、薬剤料のみ算定できる。
（2）関節腔内注射について、検査、処置を目的とする穿刺と同時に実施した場合は、当該検査若しくは処置又は関節腔内注射のいずれかの所定点数を算定する。
（3）難病患者リハビリテーション料について、当該リハビリテーションの実施に当たっては、患者の症状等に応じたプログラムの作成、効果の判定等に万全を期することとされ、その実施時間は、患者１人当たり１日につき４時間が標準である。
（4）脳血管疾患等リハビリテーション料について、難聴や人工内耳植込手術等に伴う聴覚・言語機能の障害を有する患者は、当該リハビリテーション料の対象とはならない。

a（1）、(2)　　b（2）、(3)　　c（1）、(3)、(4)
d（1）～（4）のすべて　　e（4）のみ

問16　次の文章のうち正しいものはどれですか。

（1）視能訓練は、両眼視機能に障害のある患者に対して、その両眼視機能回復のための矯正訓練（斜視視能訓練、弱視視能訓練）を行った場合、１日につき２回に限り算定できる。
（2）運動器リハビリテーション料の所定点数には、徒手筋力検査及びその他のリハビリテーションに付随する諸検査が含まれる。

（3）入院精神療法（Ⅰ）を行った週と同一週に行われた入院精神療法（Ⅱ）は別に算定できない。

（4）精神科ナイト・ケアは、精神疾患を有する者の社会生活機能の回復を目的として行うものであり、その開始時間は午後4時以降とし、実施される内容の種類にかかわらず、その実施時間は患者1人当たり1日につき3時間を標準とする。

a （1）、（2）　b （2）、（3）　c （1）、（3）、（4）
d （1）～（4）のすべて　e （4）のみ

問17 次の文章のうち正しいものはどれですか。

（1）認知療法・認知行動療法とは、入院中の患者以外のうつ病等の気分障害、強迫性障害、社交不安症、パニック障害、心的外傷後ストレス障害又は神経性過食症の患者に対して、認知の偏りを修正し、問題解決を手助けすることによって治療することを目的とした精神療法をいう。

（2）脳血管内手術を手術時体重が2,000g未満の児に実施した場合は、当該手術の所定点数の100分の400に相当する点数を加算できる。

（3）通院集団精神療法は、精神科を標榜している保険医療機関において、精神科を担当する医師及び1人以上の精神保健福祉士又は公認心理師等により構成される2人以上の者が行った場合に限り算定できる。

（4）耳鼻咽喉科小児抗菌薬適正使用支援加算は、インフルエンザの患者又はインフルエンザの疑われる患者については、算定できない。

a （1）、（2）　b （2）、（3）　c （1）、（3）、（4）
d （1）～（4）のすべて　e （4）のみ

問18 次の文章のうち正しいものはどれですか。

（1）硬膜外自家血注入は、起立性頭痛を有する患者に係るものであって、関係学会の定める脳脊髄液漏出症診療指針に基づき、脳脊髄液漏出症として「確実」又は「確定」と診断されたものに対して実施した場合に限り算定できる。

（2）酸素吸入について、肺血流増加型先天性心疾患の患者に対して、呼吸循環管理を目的として低濃度酸素吸入を行った場合は、当該処置の所定点数を算定する。

（3）耳処置とは、外耳道入口部から鼓膜面までの処置であり、耳浴及び耳洗浄が含まれており、これらを包括して片側ごとに所定点数を算定できる。

（4）高気圧酸素治療の「2 その他のもの」は、重症の低酸素脳症の患者に対して行う場合には、一連につき30回を限度として算定できる。

a （1）、（2）　b （2）、（3）　c （1）、（3）、（4）
d （1）～（4）のすべて　e （4）のみ

問19　次の文章のうち正しいものはどれですか。

（1）静脈圧迫処置（慢性静脈不全に対するもの）は、弾性着衣又は弾性包帯による圧迫、圧迫下の運動及び患肢のスキンケアによるセルフケア指導を適切に組み合わせて、処置及び指導を行った場合に算定できる。

（2）生体腎移植術を実施する場合の移植者に係る組織適合性試験の費用は、当該移植術の所定点数とは別に算定できる。

（3）角膜移植術について、角膜を採取・保存するために要する費用は、当該手術の所定点数に含まれ、別に算定できない。

（4）瘢痕拘縮形成手術は、単なる拘縮に止まらず運動制限を伴うものに限り算定できる。

a （1）、（2）　b （2）、（3）　c （1）、（3）、（4）
d （1）～（4）のすべて　e （4）のみ

問20　次の文章のうち正しいものはどれですか。

（1）体温維持療法は、重度脳障害患者への治療的低体温の場合は算定できない。

（2）麻酔管理料（Ⅱ）について、主要な麻酔手技を実施する際には、麻酔科標榜医の管理下で行わなければならず、この場合、当該麻酔科標榜医は、麻酔中の患者と同室内にいる必要がある。

（3）放射性同位元素内用療法管理料は、入院・入院外を問わず、患者に対して放射性同位元素内用療法に関する内容について説明・指導した場合に限り算定できる。

（4）密封小線源治療の治療料は、疾病の種類、部位の違い、部位数の多寡にかかわらず、一連として所定点数を算定する。

a （1）、（2）　b （2）、（3）　c （1）、（3）、（4）
d （1）～（4）のすべて　e （4）のみ

実技試験問題（医科）

問 1　次の条件で診療録から診療報酬明細書を作成しなさい。（令和５年10月診療分）

1　施設の概要等：

DPC 対象外の一般病院、一般病床のみ 110 床、標榜診療料：内科、外科、整形外科、脳神経外科、眼科、耳鼻咽喉科、麻酔科、放射線科、リハビリテーション科

〔届出等の状況〕

（届出ている施設基準等）

急性期一般入院料６、診療録管理体制加算２、薬剤管理指導料、検体検査管理加算（Ⅱ）、画像診断管理加算２、CT 撮影（16 列以上 64 列未満のマルチスライス型の機器）、MRI 撮影（1.5 テスラ以上３テスラ未満の機器）、麻酔管理料（Ⅰ）、病理診断管理加算２

（届出は要さないが施設基準を満たしている状況） 医療情報・システム基盤整備体制充実加算（令和５年 12 月 31 日までの特例措置）、一般名処方加算（令和５年 12 月 31 日までの特例措置）

所在地：東京都文京区（１級地）

2　診療時間：

月曜日～金曜日　9 時 00 分～ 17 時 00 分

土曜日　9 時 00 分～ 12 時 00 分

日曜日、祝日　休診

3　その他

オンライン資格確認を導入している、オンライン請求を行っている、医師、薬剤師等職員の状況：医師数、薬剤師数及び看護職員（看護師及び准看護師）数は、医療法標準を満たしており、常勤の薬剤師、管理栄養士及び理学療法士も配置している。

診療録

公費負担者番号		保険者番号		3 2 1 3 1 9 2 2
公費負担医療の受給者番号		被保険者証・被保険者手帳	記号・番号	3177・663（枝番）02
			有効期限	令和　年　月　日
受診者	氏名	秋葉　多恵子	被保険者氏名	秋葉　良彦
	生年月日	明・大・（昭）・平・令 35年5月11日　男・（女）	資格取得	昭和・（平成）・令和 22年 4月 1日
	住所	（省　略） 電話××××局××××番	事業所（船舶所有者） 所在地	（省　略） 電話××××局××××番
			事業所（船舶所有者） 名称	（省　略）
	職業	無職　被保険者との続柄　母	保険者 所在地	（省　略） 電話××××局××××番
			保険者 名称	○○共済組合

傷病名	職務	開始	終了	転帰	期間満了予定日
2型糖尿病（主）	上・外	令和3年8月9日	年　月　日	治ゆ・死亡・中止	年　月　日
頭部挫創（主）	上・外	令和5年10月24日	令和5年10月30日	（治ゆ）・死亡・中止	年　月　日
左前腕部挫創	上・外	令和5年10月24日	令和5年10月30日	（治ゆ）・死亡・中止	年　月　日
	上・外	年　月　日	年　月　日	治ゆ・死亡・中止	年　月　日
	上・外	年　月　日	年　月　日	治ゆ・死亡・中止	年　月　日
	上・外	年　月　日	年　月　日	治ゆ・死亡・中止	年　月　日

傷病名	労務不能に関する意見		入院期間
	意見書に記入した労務不能期間	意見書交付	
	自　月　日 至　月　日　日間	年　月　日	自　月　日 至　月　日　日間
	自　月　日 至　月　日　日間	年　月　日	自　月　日 至　月　日　日間
	自　月　日 至　月　日　日間	年　月　日	自　月　日 至　月　日　日間

労務災害又は通勤災害の疑いがある場合は、その旨		

備考	公費負担者番号	
	公費負担医療の受給者番号	

（注）この診療録は、試験問題用に作成したものである。

既往症・原因・主要症状・経過等	処方・手術・処置等
２型糖尿病で通院治療継続中であり、マイナンバーカードを保険証として利用し、診療情報の取得に同意した患者。	
10/24（火） 内科（AM10：00） ・月１回の当科予約受診 ・BP135/88mmHg、P62/ 分 ・空腹時血糖 95mg/dL、HbAlc（NGSP 値）5.8% ・血糖コントロールは良好。 ・本人に結果を説明し、文書を交付。 ・治療計画に基づき、服薬、運動療法等療養上の指導を行う（管理内容の要点は、記載省略）。 ・次回は 11/21（火）来院予定。 （内科　元木）	（診療内容を一部省略している） **10/24** ・B-V ・末梢血管一般検査、HbAlc ・生化学：Na、Cl、K、AST、ALT、LD、T-Bil、LDL-cho、HDL-cho、TP、Alb（BCP 改良法）、BUN、クレアチニン、Glu、Amy ・Rp）院外 デベルザ錠 20mg　1T （分１毎朝食後）× 28 日分
整形外科（PM6：10） ・自転車で外出中、子供が道路に飛び出し、避けようとして転倒し、左側頭部を強打、左前腕部で体を庇い路面に打ち付け、頭部及び前腕部の疼痛を訴え、本日、当院緊急受診。 ・左側頭部の挫創直径 3cm ・意識清明、瞳孔反射正常、神経学的所見異常なし。 ・頭部及び前腕部 X-P、並びに頭部 CT を施行（撮影開始 PM6：20）。 ・頭部及び前腕部の X-P の結果、頭蓋内病変及び骨の損傷は見られないが、放射線専門医の診断結果を伝えるため、明日の受診を指示。 ・左側頭部挫創に対して清拭し、汚染創をブラッシングのうえ表皮縫合。 ・左前腕部挫傷に対して清拭し、創傷処置。 （整形外科　田中）	・頭部単純 X-P2 方向（デジタル、電子画像管理、時間外緊急院内画像診断実施） ・左前腕部単純 X-P2 方向（デジタル、電子画像管理、時間外緊急院内画像診断実施） ・頭部 CT（16 列以上 64 列未満のマルチスライス型、電子画像管理、時間外緊急院内画像診断実施） ・頭部創傷処理（筋肉、臓器に達しないもの）（直径 3cm） 表皮４針縫合 デブリードマン（局麻下） リドカイン塩酸塩注１％「日新」10mL 1A 大塚生食注 50mL　1V ポビドンヨード外用液 10%　20mL ・左前腕部創傷処置（100cm^2 未満） ・Rp）院内（処方箋薬剤名称等情報提供、手帳記載） ケフラールカプセル 250mg　3C ビオフェルミン R 錠　3T （分３毎食後×５日）
10/25（水） 整形外科 ・左側頭部は止血。 ・所見（放射線科医レポート）：頭部 X-P 及び CT 上、特に異常なし（報告文書の写し添付省略）。 （整形外科　田中）	**10/25** ・左前腕部創傷処置（100cm^2 未満） ポビドンヨード外用液 10%　10mL
10/30（月） 整形外科 ・左側頭部及び左前腕部の疼痛は消失。 ・頭部挫創縫合部は良好にて、本日抜糸。 ・頭部挫創及び左前腕部挫傷は治癒。 （整形外科　田中）	

問２　次の条件で診療録から診療報酬明細書を作成しなさい。（令和５年10月診療分）

１　施設の概要等：

DPC対象外の一般病院・救急指定病院、一般病床のみ350床

標榜診療科：内科、小児科、外科、整形外科、産婦人科、眼科、耳鼻咽喉科、泌尿器科、消化器外科、麻酔科、放射線科、病理診断科

〔届出等の状況〕

（届出ている施設基準等）

急性期一般入院料４、診療録管理体制加算１、医師事務作業補助体制加算１（30対１）、急性期看護補助体制加算（25対１）（看護補助者５割以上）、療養環境加算、医療安全対策加算１、感染対策向上加算１、データ提出加算２、入院時食事療養（Ⅰ）、食堂加算、薬剤管理指導料、検体検査管理加算（Ⅱ）、画像診断管理加算２、CT撮影（64列以上のマルチスライス型の機器、その他の場合）、MRI撮影（３テスラ以上の機器、その他の場合）、麻酔管理料（Ⅰ）、病理診断管理加算１

（届出は要さないが施設基準等を満たしている状況）

臨床研修病院入院診療加算（協力型）、手術の「通則５」及び「通則６」に該当する手術

所在地：東京都文京区（１級地）

２　診療時間：

月曜日～金曜日　　９時00分～17時00分

土曜日　　９時00分～12時00分

日曜日、祝日　　休診

３　その他

オンライン資格確認を導入している、オンライン請求を行っている、医師、薬剤師等職員の状況：医師数、薬剤師数及び看護職員（看護師及び准看護師）数は、医療法標準を満たしており、常勤の薬剤、管理栄養士及び理学療法士も配置している。

診療録

公費負担者番号		保険者番号	0 6 1 3 9 8 9 3
公費負担医療の受給者番号		被保険者証・被保険者手帳 記号・番号	593・4631（枝番）00
		被保険者証・被保険者手帳 有効期限	令和 8 年 3 月 31 日

受診者					
氏名	菊池　雄介			被保険者氏名	菊池　雄介
生年月日	明・大・㊐昭・平・令 42年8月3日	㊚男・女		資格取得	㊐昭和・平成・令和 60年 4月 1日
住所	（省　略）電話 ××××局××××番			事業所（船舶所有者） 所在地	（省　略）電話 ××××局××××番
				事業所（船舶所有者） 名称	（省　略）
職業	会社員	被保険者との続柄	本人	保険者 所在地	（省　略）電話 ××××局××××番
				保険者 名称	○○○健康保険

傷病名	職務	開始	終了	転帰	期間満了予定日
肝細胞癌（主）	上・外	令和5年10月3日	年 月 日	治ゆ・死亡・中止	年 月 日
肝硬変（主）	上・外	令和5年10月3日	年 月 日	治ゆ・死亡・中止	年 月 日
	上・外	年 月 日	年 月 日	治ゆ・死亡・中止	年 月 日
	上・外	年 月 日	年 月 日	治ゆ・死亡・中止	年 月 日
	上・外	年 月 日	年 月 日	治ゆ・死亡・中止	年 月 日
	上・外	年 月 日	年 月 日	治ゆ・死亡・中止	年 月 日

傷病名	労務不能に関する意見			入院期間
	意見書に記入した労務不能期間		意見書交付	
	自 月 日 至 月 日	日間	年 月 日	自 月 日 至 月 日 日間
	自 月 日 至 月 日	日間	年 月 日	自 月 日 至 月 日 日間
	自 月 日 至 月 日	日間	年 月 日	自 月 日 至 月 日 日間

労務災害又は通勤災害の疑いがある場合は、その旨		

備考	公費負担者番号	
	公費負担医療の受給者番号	

（注）この診療録は、試験問題用に作成したものである。

<table>
<tr><th>既往症・原因・主要症状・経過等</th><th>処方・手術・処置等</th></tr>
<tr><td colspan="2">M 病院にて非ウイルス性肝硬変の経過観察中、超音波検査で肝に腫瘍が認められ、10/3 に当科外来を紹介受診。腹部 CT 検査及び生検の結果、直径 2cm 及び 2.5cm の肝癌を認め、他臓器への転移なし。10/16 外来で、胸部単純 X-P、心電図検査、血液学的検査、生化学的検査（I）及び（Ⅱ）、感染症免疫学的検査、肝炎ウイルス関連検査等の術前検査を施行。</td></tr>
<tr><td>
10/26（木）
・肝悪性腫瘍ラジオ波焼灼療法（腹腔鏡によるもの）目的に、本日入院（AM10：30）。
・バイタルサイン：BP125/64mmHg、P63/分
・入院診療計画書等を本人及び家族に説明し文書を交付の上、手術同意書を受領。
・薬剤師から薬学的管理指導を行う。
・研修医に指導を行う（内容等は記載省略）。
・昼食から肝臓食。
（消化器外科　高橋 / 薬剤師 大友）
・麻酔科術前回診：特に問題なし。
（麻酔科 石田）

10/27（金）
・朝食から禁食。
・浣腸実施。
・手術室へ入室（AM9：45）。
・麻酔科標榜医による麻酔管理のもと、手術を予定どおり問題なく終了。
・術後、病理組織標本を提出。
・創部ドレーンを留置し、淡血性廃液あり。
・胸部・腹部 X-P 検査、特に問題なし。
・手術室から一般病棟へ帰室（PM0：00）。
・帰室時、意識清明、バイタルサイン安定。
・手術所見及び経過について家族に説明。
（消化器外科 高橋）</td><td>（診療内容を一部省略している）

10/26
・末梢血液一般検査、末梢血液像（自動機械法）、CRP
・生化学：Na、Cl、K、AST、ALT、LD、T-Bil、T-cho、TP、Alb（BCP 改良法）、BUN、クレアチニン、Glu、Amy、アンモニア
＊外来で検査〔血液、生（Ⅰ）、生（Ⅱ）、免疫〕施行のため、検体検査判断料、検体検査管理加算を算定済み。
＊外来で画像診断（単純 X-P）施行のため、画像診断管理加算を算定済み。

10/27
・術前処置
グリセリン浣腸液 50%60mL 1 個
弾性ストッキング使用
・肝悪性腫瘍ラジオ波焼灼療法（2cm を超えるもの、腹腔鏡によるもの）
超音波凝固切開装置使用
・閉鎖循環式全身麻酔（仰臥位）AM10：00 ～ AM11：15
・呼吸心拍監視
・経皮的動脈血酸素飽和度測定
・液化酸素 CE 230L
・セファメジンα点滴用キット 1g1 キット（生理食塩液 100mL 付）
セボフルラン吸入麻酔液 30mL
プロポフォール静注 1% 20mL 1A
フェンタニル注射液 0.1mg「テルモ」2A
アルチバ静注用 2mg 1V
大塚生食注 20mL 1A
エスラックス静注 50mg/5.0mL 1V
ブリディオン静注 200mg 1V
ラクトリンゲル液〝フソー〟500mL 1 袋
・吸引留置カテーテル・受動吸引型・フィルム・チューブドレーン・チューブ型 1 本</td></tr>
</table>

既往症・原因・主要症状・経過等	処方・手術・処置等
	・膀胱留置用ディスポーザブルカテーテル・2管 一般（Ⅱ）・標準型１本 ・病理組織標本作製（１臓器） ＊病理診断料は、次月施行のため算定しない。 〔帰室後〕 ・持続点滴 YD ソリタ -T3 号輸液 500mL 2 袋 セファメジンα点滴用キット 1g1 キット （生理食塩液 100mL 付） ・呼吸心拍監視（12h） ・経皮的動脈血酸素飽和度測定（12h） ・酸素吸入 液化酸素 CE 1,300L ・胸部単純 X-P1 方向（２回目）（デジタル、電子画像管理） ・腹部単純 X-P1 方向（１回目）（デジタル、電子画像管理）
10/28（土） 術後１日目 ・麻酔後回診：意識清明、バイタルサイン安定。麻酔合併症等、特になし。（麻酔科　石田） ・朝から飲水可。 ・酸素吸入、呼吸心拍監視、経皮的動脈血酸素飽和度測定は、本日 PM1：00 で終了。 ・尿道カテーテルは、本日 PM1：30 抜去。 ・持続点滴は、本日 PM3：00 中止。 ・夕食から肝臓食。（消化器外科　高橋）	**10/28** ・末梢血液一般検査、末梢血液像（自動機械法）、CRP ・生化学：Na、Cl、K、AST、ALT、LD、T-Bil、T-cho、TP、Alb（BCP 改良法）、BUN、クレアチニン、Glu、Amy ・呼吸心拍監視（13h） ・経皮的動脈血酸素飽和度測定（13h） ・酸素吸入 液化酸素 CE 1,400L ・ドレーン法（持続的吸引を行うもの） ・持続点滴 YD ソリタ -T3 号輸液 500mL 2 袋
10/29（日） 術後２日目 ・バイタルサイン安定。 ・創部ドレーン淡血性廃液少量。 （消化器外科　高橋）	**10/29** ・ドレーン法（特続的吸引を行うもの）
10/30（月） 術後３日目 ・バイタルサイン安定。 ・創部ドレーン淡血性廃液少量。 （消化器外科　高橋）	**10/30** ・ドレーン法（持続的吸引を行うもの）
10/31（火） 術後４日目 ・バイタルサイン安定。 ・創部ドレーン抜去（PM0：00）。 （消化器外科　高橋）	**10/31** ・ドレーン法（持続的吸引を行うもの）

薬価基準抜粋

	品名	規格・単位	薬価
			円 銭
内用薬			
局	ケフラールカプセル 250mg	250mg 1カプセル	54.70
	デベルザ錠 20mg	20mg 1錠	164.10
	ビオフェルミンR錠	1錠	5.90
注射薬			
	アルチバ静注用 2mg	2mg 1瓶	1,759
	エスラック静注 50mg/5.0mL	50mg 5mL 1瓶	513
㊆	大塚生食注	50mL 1瓶	141
局	大塚生食注	20mL 1管	62
	セファメジンα点滴用キット 1g	1g1キット (生理食塩液 100mL 付)	772
	フェンタニル注射液 0.1mg「テルモ」	0.005% 2mL 1管	242
	ブリディオン静注 200mg	200mg 2mL 1管	9,000
	プロポフォール静注 1%20mL	200mg 20mL 1管	594
	ラクトリンゲル液“フソー”	500mL 1袋	231
局	リドカイン塩酸塩注1%「日進」	1% 10mL 1管	80
	YDソリタ-T3号輸液	500mL 1袋	176
外用薬			
	グリセリン浣腸液 50%	50% 60mL 1個	113.10
般	(局) セボフラン吸入麻酔液	1mL	27.20
般	ポピドンヨード外用液 10%	10% 10mL	13.10

材料価格基準抜粋

品名	規格・単位	価格
液化酸素 CE	1L	0.19
吸引留置カテーテル・受動吸引型・フィルム・チューブドレーン・チューブ型	1本	897
膀胱留置用ディスポーザブルカテーテル・2管一般(Ⅱ)・標準型	1本	561

注 品名欄の 般 の薬剤は一般名処方医薬品である。

模擬試験（3時間トライアル） 令和５年12月実施

第59回　解答

問1	問2	問3	問4	問5	問6	問7	問8	問9	問10
c	e	b	a	d	a	b	e	d	e
問11	問12	問13	問14	問15	問16	問17	問18	問19	問20
d	b	c	e	a	b	c	a	c	d

問1 正解 c	(1)	○	そのとおり。〔健康保険法第97条〕
	(2)	×	その申し出が受理された日の属する月の末日が到来したときの翌日から資格を喪失する。〔健康保険法第38条第1項第7号〕
	(3)	○	そのとおり。〔健康保険第79条第1項〕
	(4)	○	そのとおり。〔高齢者の医療の確保に関する法律第51条第1項第1号〕
問2 正解 e	(1)	×	いかなる場合も患者の負担により、看護を受けさせてはならない。〔保険医療機関及び保険医療養担当規則第11条の2第1項〕
	(2)	×	徴収することができない。〔「療養の給付と直接関係ないサービス等の取扱い」問3〕
	(3)	×	1回14日分、30日分または90日分を限度とする。〔「保険医療機関及び保険医療養担当規則」第20条「2」〕
	(4)	○	そのとおり。〔告示 7 医療保険と介護保険の給付調整、第2療養保険適用及び介護保険適用の病床を有する保険医療機関に係る留意事項の3入院期間、平均在院日数の考え方（1）〕
問3 正解 b	(1)	×	都道府県知事の許可を受ける。〔医療法第7条第3項〕
	(2)	○	そのとおり。〔介護保険法第9条第1項第2号〕
	(3)	○	そのとおり。〔介護保険法第18条〕
	(4)	×	10日以内に届け出る。〔医療法第8条の2第2項〕

問4 正解 a	(1)	○	そのとおり。〔告示[8]療担規則及び薬担規則並びに療担基準に基づき厚生労働大臣が定める掲示事項等の第２の１先進医療に関する基準（２)〕
	(2)	○	そのとおり。〔告示[2]入院時食事療養費・入院時生活療養費「入院時食事療養費に係る食事療養及び入院時生活療養費に係る生活療養の実施上の留意事項」２入院時食事療養又は入院時生活療養（１）②〕
	(3)	×	１週間に１本を限度として算定する。〔告示[1]材料価格基準、別票Ⅱ「042 緊急時ブラッドアクセス用留置カテーテル」緊急時ブラッドアクセス用留置カテーテルの算定〕
	(4)	×	算定できる。〔告示[1]材料価格基準（心脈管系材料）133 血管内手術用カテーテルの保医発通知ア〕
問5 正解 d	(1)	○	そのとおり。〔A000「初診料算定の原則」に関する保医発通知（１)〕
	(2)	○	そのとおり。〔A 000 の「初診料算定の原則」に関する保医発通知（１))
	(3)	○	そのとおり。〔A000 の「時間外加算の特例」の事務連絡〕
	(4)	○	そのとおり。〔深夜加算にする保医発通知（イ)〕
問6 正解 a	(1)	○	そのとおり。〔A000「注 10」機能強化加算「ア」〕
	(2)	○	そのとおり。〔A001「注 12」に関する事務連絡問６〕
	(3)	×	超音波ネブライザが含まれる〔A002「注６」レ〕
	(4)	×	専任の院内感染管理者が配置されていること。〔告示[3]基本診療料の施設基準等、第３ 初・再診料の施設基準等３の３医科初診料及び医科再診料の外来感染対策向上加算の施設基準（１)〕
問7 正解 b	(1)	×	14 日を限度として加算する。〔A200「注」〕
	(2)	○	そのとおり。〔A205 に関する保医発通知「救急患者として受け入れた患者が、処置室・手術室に於いて死亡した場合」〕
	(3)	○	そのとおり。〔A101「注６」に関する保医発通知（６)〕
	(4)	×	診療所からの転院患者は対象とならない。〔A101「注６」に関する保医発通知（９）ア〕
問8 正解 e	(1)	×	所定点数の 100 分の 40 に相当する点により算定。〔A247「注２」〕
	(2)	×	指導医は臨床経験７年以上有する医師。〔告示[3]「基本診療の施設基準等」第８の６臨床研修病院入院診療加算の施設基準に関する保医発通知（１）ア〕
	(3)	×	短期滞在手術等基本料の算定要件は問題文中表記の通りであるが、〈短期滞在手術基本料３を除く〉となっている為算定できない。〔A400 に関する保医発通知（１）エ〕
	(4)	○	そのとおり。〔A311 に関する保医発通知（７）イ〕

問9 正解 d	(1)	○	そのとおり〔B001「2」「注1」に関する保医発通知「1」ア（ハ)〕
	(2)	○	そのとおり〔B005-11 に関する保医発通知（3)〕
	(3)	○	そのとおり。〔B001「6」に関する保医発通知（2)〕
	(4)	○	そのとおり。〔B007 に関する保医発通知（3)〕
問10 正解 e	(1)	×	〔「ロ　ウイルス疾患指導料2」を算定する。（B001「注1」及び保医発通知（3）〕
	(2)	×	5回の禁煙治療を行った場合に算定する。〔B001-3-2 に関する保医発通知(1)〕
	(3)	×	所定点数に含まれ別に算定できない。(B006 に関する保医発通知「2」)
	(4)	○	そのとおり。〔B007-2 に関する保医発通知（6）〕
問11 正解 d	(1)	○	そのとおり。〔C000「注2」〕
	(2)	○	そのとおり。〔C103 に関する保医発通知（8)〕
	(3)	○	そのとおり。〔C112 に関する保医発通知（2）イ〕
	(4)	○	そのとおり。〔C109「注2」〕
問12 正解 b	(1)	×	当該保険医療機関内で検査を行った場合に算定する。〔D002-2「注2」〕
	(2)	○	そのとおり。〔D286-2 に関する保医発通知（1)〕
	(3)	○	そのとおり。〔D026 に関する保医発通知（4)〕
	(4)	×	3月に1回に限り算定する。(D222-2 に関する保医発通知)
問13 正解 c	(1)	○	そのとおり。〔D001「18」に関する保医発通知〕
	(2)	×	12月に3回を限度として算定する。〔D291-2 に関する保医発通知（1)〕
	(3)	○	そのとおり。〔E202「注3」及び保医発通知（7)〕
	(4)	○	そのとおり。〔E101-5 に関する保医発通知（1)〕
問14 正解 e	(1)	×	算定できない。〔F400 に関する事務連絡、一般名処方加算の問3〕
	(2)	×	初診料を算定した初診の日においても算定可。〔F100「注5」「注6」に関する保医発通知（9）カ〕
	(3)	×	精密持続点滴注射加算の算定ができる。〔注射の「通則4」に関する保医発通知（3)〕
	(4)	○	そのとおり。〔F100 に関する保医発通知（8)〕

問	番号	正誤	解説
問15 正解 a	(1)	○	そのとおり。〔G000に関する保医発通知（1）〕
	(2)	○	そのとおり。〔G010に関する保医発通知〕
	(3)	×	1日につき6時間を標準とする。〔H006に関する保医発通知（3）〕
	(4)	×	対象となる。〔告示[4]「特掲診療料の施設基準等」別表第9の5脳血管疾患等リハビリテーション料の対象患者6〕
問16 正解 b	(1)	×	1日につき1回のみ算定。〔H005に関する保医発通知（1）〕
	(2)	○	そのとおり。〔H002に関する保医発通知（3）〕
	(3)	○	そのとおり。〔I001に関する保医発通知（9）〕
	(4)	×	1日につき4時間を標準とする。〔I010に関する保医発通知（1）〕
問17 正解 c	(1)	○	そのとおり。〔I003-2に関する保医発通知（1）〕
	(2)	×	1500g未満の児に実施した場合。〔手術の部「通則7」〕
	(3)	○	そのとおり。〔I006に関する保医発通知（2）〕
	(4)	○	そのとおり。〔処置の部「通則8」に関する保医発通知〕
問18 正解 a	(1)	○	そのとおり。〔J007-2に関する保医発通知〕
	(2)	○	そのとおり。〔J024に関する保医発通知（3）〕
	(3)	×	一側、両側の区別なく所定点数を算定する。〔J095に関する保医発通知（1）〕
	(4)	×	一連につき10回を限度として算定できる。〔J027に関する保医発通知（2）〕
問19 正解 c	(1)	○	そのとおり。〔J001-10に関する保医発通知（3）〕
	(2)	×	所定点数に含まれる。〔K780-2「注2」〕
	(3)	○	そのとおり。〔K259に関する保医発通知（1）〕
	(4)	○	そのとおり。〔K010に関する保医発通知（1）〕
問20 正解 d	(1)	○	そのとおり。〔L008-2に関する保医発通知（2）〕
	(2)	○	そのとおり。〔L010に関する保医発通知（3）〕
	(3)	○	そのとおり。〔M000-2に関する保医発通知（2）〕
	(4)	○	そのとおり。〔M004に関する保医発通知（1）〕

診療報酬明細書
（医科入院外）

令和 5 年10月分

都道府県番号　医療機関コード

1 医科	①社・国 2公費	3後期 4退職	①単独 2 2併 3 3併	2本外 4六外 ⑥家外	8高外一 0高入7

保険者番号：3 2 1 3 1 9 2 2　給付割合 10 9 8 7（ ）

公費負担者番号①　　公費負担医療の受給者番号①
公費負担者番号②　　公費負担医療の受給者番号②

被保険者証・被保険者手帳等の記号・番号：3177・663（枝番）02

区分　精神　結核　特例　老人　重点　療養　複合　複療　　特記事項

氏名：秋葉　多恵子
1男 ②女 1明 2大 ③昭 4平 5令 35・5・11 生

職務上の事由　1職務上　2下船後3月以内　3通勤災害

保険医療機関の所在地及び名称：東京都文京区×××　□□病院

（110床）

傷病名	診療開始日	転帰
（1）2型糖尿病（主）	（1）令和3年 8月 9日	
（2）頭部挫創（主）	（2）令和5年 10月 24日	治ゆ（2）
（3）左前腕部挫創	（3）令和5年 10月 24日	（3）

死亡　中止

診療実日数：保険 3日　公費① 日　公費② 日

区分	項目	内容	点数
⑪初診	時間外・休日・深夜	回	146点
⑫再診	再診	75 × 3 回	225
	外来管理加算	52 × 1 回	52
	時間外	× 回	
	休日	× 回	
	深夜	× 回	
⑬医学管理			7
⑭在宅	往診	回	
	夜間	回	
	深夜・緊急	回	
	在宅患者訪問診療	回	
	その他		
	薬剤		
⑳投薬	㉑内服 薬剤	5単位	90
	㉑内服 調剤	11 × 1 回	11
	㉒屯服 薬剤	単位	
	㉓外用 薬剤	単位	
	㉓外用 調剤	× 回	
	㉕処方	42 × 1 回	42
	㉖麻毒	回	
	㉗調基		
㉚注射	㉛皮下筋肉内	回	
	㉜静脈内	回	
	㉝その他	回	
㊵処置		2 回	104
	薬剤		
㊿手術麻酔		1 回	882
	薬剤		22
⑥⓪検査病理		5 回	572
	薬剤		
⑦⓪画像診断		6 回	2,341
	薬剤		
⑧⓪その他		1 回	60
	薬剤		

公費分点数

区分	摘要	点数×回数
⑫	＊複初 整形外科	146 ×1
	＊再診	75 ×3
⑬	＊薬情，手帳	7 ×1
㉑	＊ケフラールカプセル250mg3C ビオフェルミンR錠3T	18 ×5
㊵	＊創傷処置「1」	52 ×2
㊿	＊創傷処置（頭部）「4」 デブリードマン（24日）外	882 ×1
	＊リドカイン塩酸塩注1%「日新」10mL 1A 大塚生食注50 mL 1V	22 ×1
⑥⓪	＊B-V	40 ×1
	＊B-末梢血液一般検査, HbAlc	70 ×1
	＊B-Na・Cl,K,AST,ALT,LD,T-Bill,LDL-cho, HDL-cho,TP,Alb（BCP改良法）,BUN, クレアチニン,Glu,Amy（10項目以上）	103 ×1
	＊外迅速（5項目）	50 ×1
	＊判血，判生Ⅰ，検管Ⅰ	309 ×1
⑦⓪	＊頭部単純X-P（デジタル）（2方向），電画 緊画（24日,PM6：20）	397 ×1
	＊左前腕部単純X-P（デジタル）（2方向），電画	224 ×1
	＊写画1	70 ×1
	＊頭部CT（16列以上64列未満のマルチスライス型）， 電画	1,020 ×1
	＊コンピューター断層診断	450 ×1
	＊コ画2	180 ×1
⑧⓪	＊処方箋料「3」	60 ×1

療養の給付	請求 点	※決定 点	一部負担金額 円
保険	4,554		減額 割（円）免除・支払猶予
公費①	点	※ 点	円
公費②	点	※ 点	円

※高額療養費 円　※公費負担点数 点　※公費負担点数 点

診療報酬明細書
（医科入院）

都道府 医療機関コード
県番号

令和 5 年 10 月分

1 医科	①社・国 2 公費	3 後期 4 退職	①単独 2 2併 3 3併	①本入 3 六入 5 家入	7 高入一 9 高入 7

市町村番号		老人医療の受給者番号	
公費負担者番号①		公費負担医療の受給者番号①	
公費負担者番号②		公費負担医療の受給者番号②	

保険者番号	0	6	1	3	9	8	9	3	給付割合 10 9 8 7 ( )

被保険者証・被保険者手帳等の記号・番号　593・4631（枝番）00

区分	精神 結核 特例 老人 重点 療養 複合 複療	特記事項
氏名	菊池　雄介	
	①男 2女 1明 2大 ③昭 4平 5令 42・8・23 生	
職務上の事由	1 職務上 2 下船後 3 月以内 3 通勤災害	

保険医療機関の所在地及び名称　東京都文京区××××　○○○病院

傷病名	診療開始日	転帰	治療実日数
（1）肝細胞癌（主）	（1）令和5年 10月 3日	治ゆ 死亡 中止	保険 6日
（2）肝硬変（主）	（2）令和5年 10月 3日		公費① 日 / 公費② 日

区分		回数等	点数	公費分点数
⑪初診	時間外・休日・深夜	回	点	
⑬医学管理			630	
⑭在宅				
⑳投薬	㉑内服	単位		
	㉒屯服	単位		
	㉓外用	単位		
	㉔調剤	日		
	㉖麻毒	日		
	㉗調基			
㉚注射	㉛皮下筋肉内	回		
	㉜静脈内	回		
	㉝その他	3 回	249	
㊵処置		7 回	332	
	薬剤			
㊿手術麻酔		5 回	33,926	
	薬剤		1,580	
⑥⓪検査病理		10 回	1,425	
	薬剤			
⑦⓪画像診断		2 回	420	
	薬剤			
⑧⓪その他	薬剤			

⑬
＊薬管2（26日）　325×1
＊肺予　305×1

㉝
＊点滴注射「2」　102×1
＊YD ソリタ-T3号輸液500mL 2袋，
セファメジンα点滴用キット1g 1キット
（生理食塩液100 mL 付）　112×1
＊YD ソリタ-T3号輸液500mL 2袋　35×1

㊵
＊（酸素吸入）液化酸素CE1,300L
（0円19×1,300L×1.3）÷10　32×1
＊酸素吸入　65×1
＊液化酸素CE1,400L
（0円19×1,400L×1.3）÷10　35×1
＊ドレーン法「1」（持続吸引を行うもの）　50×4

㊿
＊肝悪性腫瘍ラジオ波焼灼療法「2」
2cm を超えるもの
「イ」腹腔鏡によるもの（27日）　23,260×1
＊超音波凝固切開装置等加算　3,000×1
＊閉鎖循環式全身麻酔「4」の「ロ」
（腹腔鏡，仰臥位）（75分）（27日）　6,610×1
＊液化酸素CE230L（0円19×230L×1.3）　6×1
＊麻管Ⅰ　1,050×1

⑨⓪入院

入院年月日　令和5年　10月　26日

病 診	⑨⓪入院基本料・加算	点
急一般4	3,930×1日間	3,930
臨修		
録管1	2,195×5日間	10,975
医1の30	×	
急25上		
環境		
安全1		
感向1	⑨②特定入院料・その他	
デ提2		

※高額療養費 円	※公費負担点数 点
	※公費負担点数 点

⑨⑦食事・生活			
基準Ⅰ	670円×12回	基準（生）	円× 回
特別	76円×12回	特別（生）	円× 回
食堂	50円×5日	減・免・猶・Ⅰ・Ⅱ・3月超	
環境	円× 日		

療養の給付	請求 点	※決定 点	負担金額 円 / 減額 割（円）免除・支払猶予
保険	53,467		
公費①	点	※ 点	円
公費②	点	※ 点	円

食事・生活療養	回数	請求 円	※決定 円	（標準負担額）円
保険	12回	9,202		5,880
公費①	回	円	※ 円	円
公費②	回	円	※ 円	円

	＊グリセリン浣腸液50%60 mL 1個, セファメジンα点滴用キット1g 1キット （生理食塩液100 mL付） セボフルラン吸入麻酔液30 mL, プロポフォール静注1% 20 mL 1A フェンタニル注射液0.1mg「テルモ」2A, アルチバ静注用2mg 1V 大塚生食注20 mL 1A エスラックス静注50mg/5.0 mL 1V ブリディオン静注200mg 1V ラクトリンゲル液"フソー"500 mL 1袋	1434 ×1
	＊吸引留置カテーテル・受動吸引型・フィルム・チューブドレーン・チューブ型（897円）1本,膀胱留置用ディスポーザブルカテーテル・2管一般（Ⅱ）・標準型（561円）1本	146 ×1
⑥⓪	＊B-末梢血液一般,末梢血液像（自動機械法）	36 ×2
	＊B-CRP	16 ×2
	＊B-Na・Cl,K,AST,ALT,LD, T-Bill,T-cho, TP,Alb（BCP改良法）,BUN, クレアチニン,Glu,Amy（10項目以上） （入院時初回加算）	123 ×1
	＊B-アンモニア	50 ×1
	＊病理組織標本作製（組織切片によるもの）（1臓器）	860 ×1
	＊B-Na・Cl,K,AST,ALT,LD,T-Bill,T-cho, TP,Alb（BCP改良法）,BUN, クレアチニン,Glu,Amy（10項目以上）	103 ×1
	＊呼吸心拍監視「2」の「イ」（3時間超）（算定開始月日：28日）	150 ×1
	＊経皮的動脈血酸素飽和度測定	35 ×1
	（＊判血,判生Ⅰ,判生Ⅱ,判免,検管は外来にて算定済み）	
⑦⓪	胸部単純X-P（デジタル）（1方向）,電画	210 ×1
	腹部単純X-P（デジタル）（1方向）,電画	210 ×1
	（画像診断管理加算は外来で算定済み）	
⑨⓪	＊急一般4（14日以内）,臨修（協力型）,録管1,医1の30,急25上,環境,安全1,感向1,デ提2,1級地	3,930 ×1
	＊急一般4（14日以内）,急25上,環境,1級地	2,195 ×5

外来レセプトのポイント

POINT 1 届出等の状況：出題者が何を算定させたいのかを理解しましょう

・検体検査管理加算（2）…外来の場合は判断料に 検管Ⅰ と併記して40点を加える。

・薬剤情報提供料…入院中の患者以外に対して、処方した名称、用法、効能、効果、副作用及び相互作用に関する情報を文書により提供した場合に、月１回４点算定できる。また、処方した薬剤の名称を当該患者の求めに応じて、患者の薬剤服用歴を経時的に記録する手帳に記載した場合には、手帳記載加算として３点を所定点数に加算できる。

POINT 2 同一日複数診療科（複初）受信時の算定方法を理解しましょう

・A000「注５」で、傷病により１つ目の診療科を受診したのと同一日に、他の傷病について別の診療科を初診として受診した場合は、２つ目の診療科に限り146点を算定できる。この事例の場合は時間外に受診しているため、「注５」のただし書の規定により「注７」時間外加算は算定できない。

POINT 3 再診時の外来管理加算の算定可否及び外来迅速検体検査加算の算定を理解しましょう

・Ａ001再診料の算定時には、外来管理加算の算定条件「注８」を理解し把握することが必要である。

・厚生労働大臣の定める検体検査を実施し、その日のうちに説明と文書による情報提供を行い、当該検査に基づく治療が開始されれば、 外迅検 が１日あたり５項目を上限にそれぞれ10点が算定できる。

POINT 4 特定疾患療養管理料の対象疾患を把握しましょう

・令和６年の改正により特定疾患の対象疾病から、脂質異常症、高血圧症、糖尿病が削除されたことを認識しておくこと。

外来カルテ【秋葉　多恵子】

会計欄

区分	⑪	⑫	⑫	⑬	㉑	㉝	㉝	㊵	㊿	㊿	㊿	㊿
月日	初診	再診	外来管理	医学管理	内服	点滴	注射薬剤	処置	手術	手術加算	麻酔	麻酔加算
10月24日	146	75		7	内服 90 調剤 11 処方 42			52	630	252		
10月25日		75							52			
10月30日		75	52									
合計	146	225	52	7	143	0	0	104	630	252	0	0
						0			882			

区分	⑩	⑩	⑳	⑳	⑰	⑰	⑩	合計点	窓口徴収
月日	材料	麻酔薬剤	検査	判断	画像	加算	その他	点	円
10月24日		22	21 49 103	B-V 40 外迅速 50 判血 125 生Ⅰ 144 検管Ⅰ 40	397 224 1020 450		60	4,050	12,150
10月25日						250		377	1,130
10月30日								127	380
合計	0	22	173	399	2,091	250	60	4,554	13,660
	22		572						

【10月24日】

診 察

はじめに、カルテの上書きにある傷病名と開始の年月日を確認します。この患者は、2型糖尿病の治療のため令和3年より内科に通院中でした。令和5年10月24日に受診して帰宅後、再度自転車で外出中に子供の飛び出しを避けようとして転倒しました。その際に左側頭部を強打し、左前腕部で体をかばい路面に打ち付けたため疼痛を訴え、午後6時10分に整形外科（初診）に同日緊急受診しました。そのため、再診料と初診料（複初）を算定します。

●診察料……初診料 **146点** 複初 A000「注5」

再診料 **75点** A001 再診料

●外来管理加算……手術をしているため算定できません。

医学管理

院内処方時に「薬剤名称等情報提供、手帳記載」とあります。

●薬剤情報提供料及び手帳記載加算……**7点** B011-3及び「注2」

薬情 4点＋ 手帳 3点

投 薬

●内服薬（院内処方）

ケフラールカプセル250mg 3c（54.7円×3＝164.10円）

ビオフェルミンR錠3錠（5.9円×3=17.70円）

181.80÷10=18.18→**18**点（五捨五超入）

18点×5日分＝**90点**

●調剤料

内服扱は F000「1」イ により **11点**です。

●処方料……**42点** F100「3」

●調剤技術基本料（月1回に限り算定）

同一月内に処方箋の交付がある場合には、調剤技術基本料は算定できません。

検　査

㊟ 検体検査の算定の仕方　①検査実施料　②判断料　③採取料

検査料を算定します。

●B-V……**40 点**　D400「1」静脈血採取

●B- 末梢血液一般検査……**21 点**　D005「5」血液形態・機能検査

●B-HbA1c（ヘモグロビン A1c）……**49 点**　D005「9」血液形能・機能検査

検査判断料　判血　……**125 点**　D026「3」血液学的検査判断料

●B-Na、Cl、K、AST、ALT、ＬＤ、T-Bil、LDL-cho、HDL-cho、TP、Alb（BCP 改良法）、BUN、ｸﾚｱﾁﾆﾝ、ＵＡ、Clu、Amy……10 項目以上のため **103 点**

D007「1」血液化学検査

検査判断料　判生Ⅰ　**144 点**　D026「3」生化学的検査（1）判断料

＊ Na、Cl は併せて測定しても 1 項目と数える。

●外来迅速検体検査加算外迅速（5 項目）……**50 点**　検体検査実施料「通則 3」

※厚生労働大臣の定める検体検査を実施し、その日のうちに結果を説明、文書による情報提供、これに基づく治療が開始されれば、外迅速が 1 日あたり 5 項目を上限にそれぞれ 10 点算定できる。

カルテの内容から算定可　5 項目× 10 点 =50 点

●届出の状況に検体検査管理加算（Ⅱ）があることから外来の場合は D026 検体検査判断料「注 4」の「イ」により 40 点を加算する。

検管Ⅰ　**40 点**　D026「注 4」

処　置

●左前腕部創傷処置（100cm² 未満）……**52 点**　J001 創傷処置「1」

手　術

手数料を算定します。

●頭部創傷処理（筋肉、臓器に達しないもの）（直径 5 ㎝未満）……500 点

K000 創傷処理「4」

デブリードマン……100 点　K000「注 3」

時間外に実施したため、500 ＋ 100 ＝ 630 点＋ 630 × 0.4=**882 点**

※手術の「通則 12」により時間外加算を算定します。届出の記載がないので時間外加算 2 により所定点数の 100 分の 40 に相当する点数を加算します。

●局所麻酔……簡単な局所麻酔は、麻酔の通則「6」にて算定できません。

●薬剤……リドカイン塩酸塩注 1%「日新」10 m L 1A（80 円）
大塚生食注 50mL　1V（141 円）
合計 221 円

221 ÷ 10 = 22.1 → **22 点**（五捨五超入）

※ポピドンヨード外用液 10%20mL は、外皮用殺菌剤に該当し手術の「通則 2」に該当するため算定できない。

画像診断

●頭部単純 X-P2 方向（デジタル、電子画像管理）……**397 点**

E001 写真診断「1」単純撮影「イ」85 点＋ 85 × 0.5=127.5 → 128 点（四捨五入）

E002 撮影「1」単純撮影「ロ」デジタル撮影 68 点＋ 68 × 0.5=102 点

エックス線診断料「通則 4」電子画像管理加算「イ」 電画 57 点

時間外緊急院内画像診断加算「画像診断の通則 3」 緊画 110 点（24 日、午後 6 時 20 分）

※撮影開始が 24 日の午後 6 時 20 分に実施されているので、時間外緊急院内画像診断加算が算定できる。

●左前腕部単純 X-P2 方向（デジタル、電子画像管理）……**224 点**

E001 写真診断「1」単純撮影「イ」43 点＋ 43 × 0.5=64.5 → 65 点

E002 撮影「1」単純撮影「ロ」デジタル撮影 68 点＋ 68 × 0.5=102 点

エックス線診断料「通則 4」電子画像管理加算「イ」 電画 57 点

●頭部 CT（16 列以上 64 列未満のマルチスライス型、電子画像管理）……**1,020 点**

E200 コンピューター断層撮影「1」

CT 撮影「ロ」16 列以上 64 列未満のマルチスライス型の械器による場合→ 900 点

コンピューター断層撮影診断料「通則 3」電子画像管理加算 電画 → 120 点

● E203 コンピューター断層診断……**450 点**

その他

●院外処方箋……**60 点**

〈10 月 24 日〉

24 日の合計点数は 4,050 点

秋葉多恵子さんの自己負担割合は 3 割のため、

徴収金額は、40,500 円× 0.3=12,150 円➡ 12,150 円（1 円単位は四捨五入）

【10月25日】

診　察

診察料を算定します。

●診察料……再診料 **75点** A001 再診料

外来管理加算は24日と同様に処置を実施しているため算定できません。

処　置

●左前腕部創傷処置（100cm² 未満）……**52点** J001 創傷処置「1」

※ポピドンヨード外用液10% 10mL は13.10円で、1点以下なので算定できません。

画像診断

カルテ経過欄での「放射線科医レポート」より算定します。

●頭部X‐Pの所見は画像診断「通則4」画像診断管理加算1 写画1 ……**70点**

●頭部CT撮影所見は画像診断「通則5」画像診断管理加算2 コ画2 ……**180点**

〈10月25日〉
25日の合計点数は377点
秋葉多恵子さんの自己負担割合は3割のため、
窓口消臭金額は、3,770 × 0.3=1,131円➡ 1,130円（1円単位は四捨五入）

【10月30日】

診　察

診察料を算定します。

●診察料……再診料 **75点** A001 再診料

●外来管理加算……**52点** A001「注8」

〈10月30日〉
30日の合計点数は127点
秋葉多恵子さんの自己負担割合は3割のため、
窓口徴収金額は、1,270 × 0.3=381円➡ 380円（1円単位は四捨五入）

入院レセプトのポイント

POINT 1 **すでに外来にて算定済みのものがあるケースです。算定の仕方を理解しましょう**

・カルテ内容では、10月16日の外来で術前検査（胸部X-P心電図、検尿、感染症、肝炎ウイルス等）施行のため、検体検査判断料及び検体検査管理加算を算定済みであることが読み取れる。

POINT 2 **届出等の状況：出題者が何を算定させたいのかを理解しましょう**

・入院料基本料・入院料加算
入院基本料加算は入院初日のみ、毎日算定できるもの、種別欄に記入するもの、略称の書き方などをしっかり確認する。

・薬剤管理指導料
カルテ内に薬剤師から薬学的管理指導が行われた旨の記載があるときに、対象患者に基づいて薬管「1」～「3」が算定できる。（薬管）を算定した場合は、「調基」は算定できない（本カルテの場合は、対象患者を確認すると（薬管2）が算定できる）。

・麻酔管理料Ⅰ
届出等の状況から、手術時の麻酔が「閉鎖循環式全身麻酔」により行われた場合は［麻管Ⅰ］1,050点を算定する。

・閉鎖循環式全身麻酔（腹腔鏡を用いた手術、仰臥位）
「L008」は「1」～「5」まであり、どの項目に当てはまるかを確認する。複数用いて行われた場合は、麻酔時間の基本となる２時間については、その点数の高い区分の麻酔時間から順に充当する。２時間を超えた場合には「注２」により「麻酔管理時間加算」として30分またはその端数を増すごとに加算点数が算定できる。本症例の場合は、閉鎖循環式全身麻酔10：00～11：15で１時間15分。腹腔鏡を用いた手術のため、「4」「ロ」イ以外の場合により算定。２時間以内なので6,610点となる。

・閉鎖循環式全身麻酔施行日（27日）に併せて実施された、呼吸心拍監視、経皮的動脈血酸素飽和度測定は所定点数に含まれるため算定できない。

POINT 3 **特別食の算定を理解しましょう**

・特別食とは、疾病治療の直接手段として医師の発行する食事箋に基づき提供された適切な栄養量及び内容の食事で、肝臓食、腎臓食、糖尿食、胃潰瘍食、膵臓食等がある。

POINT 2 **検査で算定できる条件やレセプト記載等をしっかり確認しましょう**

・「D223」経皮的動脈血酸素飽和度測定の条件を把握する。
・「D220」呼吸心拍監視が算定できる場合に、レセプトの開始日の記載を確認する。
・「N000」病理組織標本作成時に病理診断料を算定しない理由をカルテの記載から理解する。

入院カルテ【菊池　雄介】

会計欄

区分	11	13	14	21	24	33	33	40	50	50	50	50
月日	初診	管理	在宅	内服	調剤	点滴	注射薬剤	処置	手術	手術加算	麻酔	麻酔加算
10月26日		325										
10月27日		305					112	32				
10月28日						102	35	150	23,260	3,000	6,616	1,050
10月29日								50				
10月30日								50				
10月31日								50				
合計	0	630	0	0	0	102	147	332	23,260	3,000	6,616	1,050
						249			33,926			

区分	50	50	60	60	70	80	90	合計点	窓口徴収
月日	材料	麻酔薬剤	検査	判断	画像	リハ	入院料	点	円
10月26日			36 16 123 50				3,930	4,480	
10月27日			860		420		2,195	3,924	
10月28日	146	1,434	52 103 150 35				2,195	38,328	
10月29日							2,195	2,245	
10月30日							2,195	2,245	
10月31日							2,195	2,245	
合計	146	1,434	1,425	0	420	0	14,905	53,467	160,400
	1,580		1,425						

【10月26日】

診　察

はじめに、カルテの上書きにある傷病名と開始の年月日を確認します。本カルテの場合は、M病院にて超音波検査で肝臓に腫瘍が認められた後、10月3日に当科外来を受診して肝癌と診断されました。10月16日に術前検査を施行してから入院移行のため、初診料は算定できません。

医学管理

●薬剤管理指導料……**325点**

カルテに「薬剤師から薬学的管理指導を行う」の記載があり、B008薬剤管理指導の「2」に該当する患者に対して行っていることから、325点を算定する。

検　査

㊟ 検体検査の算定の仕方　①検査実施料　②判断料

検査料を算定します。

●B-抹消血液一般検査……**21点** D005「5」血液形態、機能検査

●B-抹消血液像（自動機械法）……**15点** D005「3」血液形態、機能検査

●B-CRP（C反応性蛋白）……**16点** D015「1」血漿蛋白免疫学的検査

●B-生化学的検査（I）……**123点** D007血液化学検査

Na･Cl、K、AST、ALT、LD、T-Bil、T-cho、TP、Alb（BCP改良法）、BUN, クレアチニン、Glu、Amy（10項目以上）……**103点**

※10項目以上なので、D007血液化学検査「注」ハで103点を算定し、包括に対する「注」として入院中の患者について算定した場合は、入院時初回加算として、**20点**を所定点数（103点）に加算します。

103点＋20点（入院時初回加算）＝**123点**

Na･Clは1項目として数えるD007（血液化学検査）の保医発通知「1」

● B-アンモニア……**50点** D007　16

※外来で検査（血液、生1，生Ⅱ、免疫）施行のため、検体検査判断料、検体検査管理加算は算定済みです。

入院料

入院料の算定式は、入院基本料　＋　入院基本料加算　＝　1日の入院料

●急性期一般入院料1……**1,912点**（A100「1」急性期入院基本料「二」1,462点＋入院初期加算「注3」イ14日以内450点）

●入院基本料等加算……**2,018点**

※入院初日のみの加算項目は、2日目以降には算定できません。

届出の状況を見て、該当する項目を加算していきます。

臨修（協力型）（20点） 録管1（140点） 医1の30（630点） 急25上（240点） 環境（25点） 安全1（85点） 感向1（710点） デ提2（150点） 2級地（18点）

26日の入院料は**3,930点**（1,912＋2,018=3,930）

【10月27日】

医学管理

●間歇的空気圧迫装置使用……B001-6肺血栓塞栓症予防管理料 肺予　**305点**

B001-6　肺血栓塞栓症予防管理　305点

→肺血栓塞栓予防管理料「保医発通知（2）」

肺血栓塞栓症の予防を目的として、弾性ストッキング又は間歇的空気圧迫装置を用いて計画的な医学管理を行った場合に算定できるとあり、入院中に1回に限り算定できる。

注射料（点滴注射）

●点滴注射を行っていますが、手術当日に手術に関連して行われる注射の手技料は算定できないため、1日に使用した点滴注射の薬剤をすべて合算して、薬剤料のみ算定します。
※第10部手術の通則「1」及び「2」を確認します。

●点滴注射の薬剤……**112点**
YDソリタT-3号 輸液500mL 2袋（176円×2=352円）
セファメジンα点滴用キット1g1キット（772円）
(生理食塩液100mL付)

合計金額　1,124円÷10＝112.4→**112点**（五捨五超入）

手　術

手術料を算定します。

●肝悪性腫瘍ラジオ波焼灼療法（2㎝を超えるもの、腹腔鏡によるもの）……**23,260点**
K697-3「2」のイ
2㎝を超えるもの、腹腔鏡によるもののため、K697-3の「2」2㎝を超えるもの「イ」の腹腔鏡によるもので算定します。

●超音波凝固切開装置等加算……**3,000点**　K931
23,260点＋3,000点＝**26,260点**

麻酔料

麻酔料を算定します。

●麻酔料 **6,610点**

閉鎖循環式全身麻酔（閉麻）を取り入れた麻酔料の算定方法を覚える。L008閉鎖循環式全身麻酔には、「1」～「5」の方法がある。どのような手術か、麻酔の方法、また、麻酔時間はどのくらいか、患者の手術時の体位等を確認して基本点数を算定する。

閉鎖循環式全身麻酔（腹腔鏡を用いた手術仰臥位）とあり、麻酔は午前10時～午前11時15分までで実施時間は1時間15分と2時間以内のため、L008「4」その他の場合の「ロ」イ以外の場合により算定します。

●麻酔管理料……**1,050点**
届出の状況に、麻酔管理料Ⅰの設定があるので、麻管1を算定します。麻酔は閉鎖循環式全身麻酔なので、麻管1（L009（1）「2」は1,050点です。10月26日麻酔前回診、10月28日麻酔後の回診があります（緊急の場合を除き、麻酔前後の診察は、当該麻酔を実施した日以外に行われる必要があります）。

●手術中の液化酸素CE 450L（1L0.19円）を計算……**6点**

0.19 円× 230L × 1.3=56.81 円÷ 10 = 5.68 点（四捨五入）→ 6 点

酸素の計算式 ＝

①購入価格×使用 L × 1.3（補正率）= A（端数四捨五入）
② A ÷ 10= 点数（端数は四捨五入）

●麻酔薬剤料……**1,434 点**

グリセリン浣腸液 50% 60 m L1 個（113,10 円）
セファメジンα点滴用キット 1g1 キット（生理食塩液 100 m L 付）1g1 キット（772 円）
セボフルラン吸入麻酔液 30mL（1mL 27.20 円× 30mL = 816 円）
プロポフォール静注 1 % 20mL 1A（594 円）
フェンタニル注射液 0.1「テルモ」0.005%2mL 2A（242 円× 2 = 484 円）
アルチバ静注用 2mg 1V（1,759 円）
大塚生食注 20mL 1A（62 円）
エスラックス静注 50mg ／ 5.0mL 1V（513 円）
ブリディオン静注 200㎎ 1V（9,000 円）
ラクトリンゲル“フソー”500mL 1 袋（231 円）

合計金額　14,344.10 円÷ 10=1,434.41 点→ **1,434 点**（五捨五超入）

※閉鎖循環式全身麻酔施行日に実施した、経皮的動脈血酸素飽和度測定、呼吸心拍監視は、「L008 マスク又は気管内挿管による閉鎖循環式全身麻酔」の（注 6）及び保医発通知の所定点数に含まれる費用「イ」「エ」にて、所定点数に含まれるため算定はできません。

●特定保険医療材料……**146 点**

吸引留置カテーテル・受動吸引型・フィルム・チューブドレーン・チューブ型（897 円）1 本
膀胱留置用ディスポーザブルカテーテル・2 管一般（Ⅱ）・標準型（561 円）1 本
合計金額　897 円＋ 561 円＝ 1,458 円
1,458 円÷ 10 = 145.8 点→ **146 点**（四捨五入）

処　置

●酸素吸入

手術当日に実施しているため手術の「通則 1 」の、手術当日に手術に関連して行う処置に該当するため算定できず、液化酸素のみの算定になります。

●液化酸素 CE1300L（1L 0.19 円）を計算……**32 点**

0.19 円× 1300L × 1.3（補正率）= 321.10 円
321.10 円÷ 10 = 32.11 点→ 32 点（四捨五入）

検　査

●病理組織標本作成（組織切片によるもの）（1 臓器につき）……**860 点**　N000「1」

※病理診断料は、次月施行のため算定はできません。

画像診断

- 胸部単純 X-P1 方向（デジタル、電子画像管理）……**210 点**

  E001 写真診断「1」単純撮影「イ」85 点

  E002 撮影「1」単純撮影「ロ」68 点

  第 1 節エックス線診断料「通則 4」電子画像管理加算「イ」単純撮影の場合 電画 57 点

- 腹部単純 X-P1 方向（デジタル、電子画像管理）……**210 点**

  E001 写真診断「1」単純撮影「イ」85 点

  E002 撮影「1」単純撮影「ロ」68 点

  第 1 節エックス線診断料「通則 4」電子画像管理加算「イ」単純撮影の場合 電画 57 点

  ※外来で画像診断（単純 X-P）施行のため画像診断管理加算は算定済みです。

入院料

入院料の算定式は、 入院基本料 ＋ 入院基本料加算 ＝ 1 日の入院料

※入院初日のみの加算項目は、2 日目以降には算定できません。

- 急性期一般入院料 1（14 日以内）……**1,912 点**（「A100」基本料 1,462 点＋入院初期加算 450 点）

- 入院基本料加算……**283 点**

  届出の状況を見て、該当する項目を加算していきます。

  急 25 上 （240 点） 看職 12 夜 2 （90 点） 環境 （25 点） 2 級地 （15 点）

  27 日の入院料は **2,195 点**（1,912 ＋ 283）

【10 月 28 日】

注射料（点滴注射）

- 点滴注射を行っている……**102 点**

  1 日に使用した点滴注射の薬剤をすべて合算して、薬剤の量から手技料の点数を算定します。

  500mL 以上……102 点

- 点滴注射の薬剤……**35 点**

  YD ソリタ T-3 号輸液 500mL 2 袋（1 袋 176 円× 2 ＝ 352 円）

  352 円÷ 10 ＝ 35.2 → 35 点（五捨五超入）

処　置

- ドレーン法「1」（持続吸入を行うもの）……**50 点** J002「1」
- 酸素吸入……**65 点** J024
- 液化酸素 CE1400L（1L 0.19 円）

0,19 円× 1400L × 1.3（補正率）= 345,8 円

345.8 円÷ 10 = 34.58 点→ **35 点**（四捨五入）

検　査

●B- 抹消血液一般検査（2 回目）……**21 点** D005「5」血液形態、機能検査

●B- 抹消血液像（自動機械法）……**15 点** D005「3」血液形態、機能検査

●B-CRP（C 反応性蛋白）……**16 点** D015「1」血漿蛋白免疫学的検査

●B- 生化学的検査（Ⅰ）（2 回目）……**103 点** D007 血液化学検査

NaCl、K、AST、ALT、LD、T-Bil、T-cho、TP、Alb（BCP 改良法）、BUN, クレアチニン、Glu、Amy（10 項目以上）

●呼吸心拍監視（13 時間）……**150 点** D220「2」イ

●経皮的動脈血酸素飽和度測定（1 日につき）……**35 点** D223

入院料

入院料は 28 日以降同じです。 28 日の入院料は **2,195 点**

【10 月 29 日】

処　置

●ドレーン法「1」（持続吸入を行うもの）……**50 点** J002「1」

入院料

入院料は 28 日以降同じです。 29 日の入院料は **2,195 点**

【10 月 30 日】

処　置

●ドレーン法「1」（持続吸入を行うもの）……**50 点** 002「1」

入院料

入院料は 28 日以降同じです。 30 日の入院料は **2,195 点**

【10月31日】

処　置

●ドレーン法「1」（持続吸入を行うもの）……**50点**　J002「1」

入院料

入院料は28日以降同じです。　31日の入院料は**2,195点**

入院時食事療養費

10月26日～10月31日

	朝	昼	夕	合計
10月26日		○	○	2
10月27日				0
10月28日			○	1
10月29日	○	○	○	3
10月30日	○	○	○	3
10月31日	○	○	○	3

●食　数……12食

●入院時食事療養費（Ⅰ）……670円×12食＝8,040円

食堂加算　50円×5日＝250円

特別食　76円×12食＝912円

8,040＋250＋912＝9,202円

標準負担額

●食数…12食

●1食の自己負担額……490円×12食＝5,880円